고등
국어

HIGH SCHOOL

실전기출
문제은행

2B
2학기기말

천재 | 박영목

이 책의 **단원 구성**

실전기출 문제은행

이 책의 구성 및 특징

교과서 확인학습

- 교과서 핵심내용 해설 및 확인 문제
- 교과서 지문의 핵심내용 파악, 어휘 및 구문 풀이
- O,X 문제 및 서답형 문제 학습

객관식 기본문제

- 기초단계 기출문제 제시 및 풀이능력 체크
- 각 단원의 핵심문제 제시
- 교과서 기반의 기본적인 학습능력 제공

객관식 심화문제

- 중상급 난이도 기출문제 제시 및 오답풀이
- 전국 고등학교 중요 기출문제 엄선 및 풀이
- 변별력 있는 문제 중심으로 기출유형 분석
- 교과서 밖 연계지문 활용 고난도 문제풀이

서술형 심화문제

- 서술형 기출문제 제시 및 풀이능력 향상
- 배점 높은 서술형 문제의 적중도를 높임

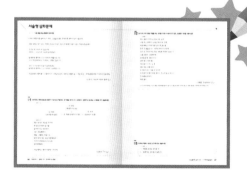

단원별 종합평가

- 단원별 학습 후 모의시험을 통한 수준평가
- 각 단원의 최종 점검 및 학습 마무리

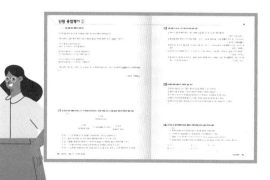

≪Contents

8

국어의 어제와 오늘

(1) 국어의 변화와 발전

(2) 문법 요소의 이해와 활용

세종어제훈민정음 世宗御製訓民正音

□: 종성에 음가 없는 'ㅇ'을 받쳐 적은 동국정운식 한자음

世·솅宗종 御·엉製·졩 訓·훈民민正·졍音흠
임금이 몸소 지은 글   백성을 가르치는 바른 소리

나·랏 :말쓰·미 中듕國·귁·에 달·아 文문字·쭝·와·로 서르 스뭇·디 아·니홀·씨 ·이런 젼·ᄎ·로 어·린 百·빅姓·셩·
　　말쓰+이(주격조사)　　　비교 부사격 조사　　　　　　　　　　8종성법(기본형은 스뭊다)　　　까닭으로　어리석은

ᄆ: 어두자음군 사용

이 니르·고·져 ·홇 ·배이·셔·도 ᄆ·ᄎᆞᆷ:내 제 ᄠ·들 시·러 펴·디 :몯ᄒᆞᆯ ·노·미 하·니·라 ·내 ·이·롤 爲·윙ᄒᆞ·야 :어엿·
두음법칙이 적용되지 않음　　바+주격 조사 'ㅣ'　　ᄠ+을(목적격 조사)　　구개음화가 일어나지 않음　　많다　　　　　　가엾게, 불쌍히

비 너·겨 ·새·로 ·스·믈여·듧 字·쭝·롤 ᄆᆡᇰ·ᄀᆞ노·니 :사름:마·다 :ᄒᆡ·여 :수·비 니·겨 ·날·로 ·ᄡᅮ·메 便뼌安한·킈 ᄒᆞ·
　　　　　　　　　　　　　　　　　　　　　　　　　　　　　　　　　　　　'ㅂ'의 사용

고·져 ᄒᆞᇙ ᄯᆞᄅᆞ·미니·라

– 「월인석보」(권1)에서, 세조(世祖) 5년(1459년) –

● 현대어 풀이

<u>우리나라의 말이 중국과 달라 한자와 서로 통하지 아니하여서,</u> <u>이런 까닭으로 어리석은 백성이 말하고자 하는 바가 있어도 마침</u>
자주정신　　　　　　　　　　　　　　　　　　　　애민 · 창조정신

<u>내 제 뜻을 능히 펴지 못하는 사람이 많다. 내가 이것을 가엾게 생각하여 새로 스물여덟 글자를 만드니, 모든 사람으로 하여금 쉽게</u>
　　　　　　　　　　　　　　　　　　　　　　　　　　　　　　　　　　　　　　실용정신

<u>익혀서 날마다 쓰는 데 편안하게 하고자 할 따름이다.</u>

■ 〈세종어제훈민정음〉에 나타난 한글 창제 정신

내용	창제 정신
우리말이 중국의 것과 다르다.	자주 정신
백성들이 말하고자 하는 바를 제대로 전달하지 못하여 이를 불쌍히 여기고, 글자를 새로 만듦.	애민 정신, 창조 정신
사람들로 하여금 쉽게 쓰게 하고자 함.	실용 정신

■ 〈세종어제훈민정음〉을 바탕으로 한 중세 국어와 현대 국어의 비교

구분	중세 국어	현대 국어	변화 내용
표기	世·솅宗종	세종	한자음을 동국정운식으로 표기함.
	·이런	이런	성조가 사라짐.
	·뿌·메	사용함에	표기에서 주로 이어적기를 사용함.
	성조(방점)	존재하지 않음.	중세 국어에서는 글자의 왼쪽에 점을 찍어 소리의 높낮이를 표시했으나, 임진왜란 이후 소멸됨.
음운	:수·비	쉬이	현재 사용하지 않는 자음자(ㆁ, ㅿ, ㆆ, ㅸ)가 쓰임.
	·ᄠᅳ·들	뜻을	어두 자음군이 사라지고 된소리로 바뀜.
	펴·디	펴지	구개음화의 영향으로 '-디'가 '-지'로 바뀜.
	스·믈	스물	원순 모음화의 영향으로 '스믈'이 '스물'로 바뀜.
문법	듕·귁·에	중국과	중세 국어에는 비교나 기준을 나타내는 부사격 조사 '에'가 있었음.
	·홇 ·배	하는 바가	주격 조사로 'ㅣ'가 사용됨.

■ 중세 국어와 현대 국어의 어휘 변화

중세 국어	뜻		현대 국어	뜻	변화 유형
어·린	어리석은	→	어린	나이가 적은	의미 변동
놈	사람		놈	'남자'의 낮춤말	의미 축소
:어엿·비	가엽게, 불쌍히		어여삐	예쁘게	의미 변동

⊙ 핵심정리

갈래	서문(序文), 번역문	성격	교시적, 설명적
제재	훈민정음		
주제	훈민정음의 창제 정신과 취지		
특징	•《훈민정음》의 서문을 한글로 풀이한 것으로, 《월인석보》(1459) 제 1 권에 실려 있다. •세종 대왕이 훈민정음을 창제하게 된 배경과 자주, 애민, 창조, 실용의 창제 정신이 잘 나타나 있다.		

01 중세 국어에서는 음가 없는 'ㅇ'을 사용하였다.　　　　　　　　　O ☐ X ☐

02 중세 국어에서는 어두에 둘 이상의 자음을 사용하였다.　　　　　O ☐ X ☐

03 중세 국어에서는 주격 조사로 '이'와 '가'를 사용하였다.　　　　　O ☐ X ☐

04 중세 국어에서는 소리 나는 대로 적는 것을 원칙으로 하고 있다.　　O ☐ X ☐

05 중세 국어에서는 소리의 높낮이를 통하여 단어의 뜻을 분별할 수 있다.　O ☐ X ☐

06 중세 국어에서는 띄어쓰기를 하지 않았다.　　　　　　　　　　O ☐ X ☐

07 중세국어의 'ㆁ, ㆆ, ㅸ' 등의 자음은 현대 국어에서는 사용하고 있지 않다.　O ☐ X ☐

08 중세 국어는 현대 국어와 달리 두음 법칙이 적용되지 않았다.　　O ☐ X ☐

09 중세 국어는 현대 국어와 달리 소리 나는 대로 표기하는 부분이 있다.　O ☐ X ☐

10 중세 국어에서는 입술소리 'ㅁ, ㅂ, ㅃ, ㅍ' 다음에서 평순 모음 'ㅡ'가 사용되었으나 현대 국어에서는 평순 모음 'ㅡ'
가 원순 모음 'ㅜ'로 바뀌었다.　　　　　　　　　　　　　　　O ☐ X ☐

11 방점은 점의 개수로 소리의 높낮이를 알 수 있다.　　　　　　　O ☐ X ☐

12 방점이 없으면 소리를 낼 수 없다.　　　　　　　　　　　　　O ☐ X ☐

객관식 기본문제

[01~02] 다음 글을 읽고 물음에 답하시오.

世솅宗즁御엉製졩訓훈民민正졍音흠

㉠나랏:말ᄊᆞ·미 中듕國·귁·에 ㉡달·아 文문字·ᄍᆞ·와·로 서르 ᄉᆞᄆᆞᆺ·디 아니홀·ᄊᆡ ·이런 젼·ᄎᆞ·로 어·린 ㉢百·빅姓·셩·이 니르·고·져 ·ᄒᆞᇙ·배 이·셔·도 ᄆᆞᄎᆞᆷ:내제 ㉤·ᄠᅳ·들 시·러 펴·디 :몯ᄒᆞᇙ ·노·미 하·니·라 ·내 ·이·를 爲·윙·ᄒᆞ·야:어엿·비 너·겨 ·새·로 ·스·믈여·듧 字·ᄍᆞ·ᄅᆞᆯ 밍·ᄀᆞ노·니 :사ᄅᆞᆷ:마·다 :ᄒᆡ·ᅇᅧ :수·비 니·겨 ·날·로 ·ᄡᅮ·메 便뼌安한·킈 ᄒᆞ·고·져 ᄒᆞᇙ ᄯᆞᄅᆞ·미니·라

01 윗글의 ㉠~㉤을 통해 알 수 있는 중세국어의 특징으로 적절한 것은?

① ㉠ : 부사격 조사를 표기할 때 'ㅅ'을 사용하여 표기하였다.

② ㉡ : 용언 뒤에 모음으로 시작하는 어미가 이어질 때 이어 적기하여 표기하였다.

③ ㉢ : 한자어를 표기할 때 형식적으로 종성 'ㅇ'을 사용하여 초성, 중성, 종성을 모두 표기하였다.

④ ㉣ : 주격 조사를 쓸 때 모음 뒤에서는 주격 조사를 쓰지 않고 생략하였다.

⑤ ㉤ : 초성을 쓸 때 합용 병서를 단어의 첫머리에 써서 어두 자음군을 표기하였다.

02 〈보기〉는 윗글을 바탕으로 학생들이 중세국어와 현대국의 차이점을 탐구한 자료 중 일부이다. 탐구자료 ㉠~㉢에 들어갈 적절한 예시만을 짝지은 것은?

┤ 보기 ├

탐구영역	탐구자료	탐구 내용
음운의 측면	㉠	**가연** : 중세국어 시기에는 두음 법칙이 없었다고 볼 수 있군.
어휘의 측면	㉡	**나연** : 국어가 변화하면서 어떤 어휘는 없어지기도 하고, 어떤 어휘는 그 의미가 바뀌기도 하는군.
문법과 문법 요소 측면	㉢	**다연** : '가'가 쓰일 자리에 다른 형태가 쓰인 것을 보니 현대국어와 달리 중세국어 시기에는 주격조사 '가'가 없었구나.

	㉠	㉡	㉢
①	서르	어엿브다	:몯ᄒᆞᇙ·노·미 하·니·라
②	니르고져	어리다	ᄒᆞᇙ ·배 이·셔·도
③	날로	젼ᄎᆞ	나·랏 :말ᄊᆞ·미
④	너겨	놈	·스·믈여·듧 字·ᄍᆞ·ᄅᆞᆯ
⑤	사ᄅᆞᆷ마다	나라	百·빅姓·셩·이 니르·고·져

[03~08] 다음 글을 읽고 물음에 답하시오.

世셍宗종御엉製졩訓훈民민正졍音흠

㉠나·랏:말ᄊᆞ·미 ㉡中듕國·귁·에 달·아 文문字·ᄍᆞ·와·로 서르 ᄉᆞᄆᆞᆺ·디 아·니홀·ᄊᆡ ·이런 젼·ᄎᆞ·로 어·린 百·빅姓·셩·이 니르·고·져 ·홇 ㉢배 이·셔·도 ᄆᆞᆺ·ᄎᆞᆷ:내제 ·ᄠᅳ·들 시·러 펴·디 :몯홇 ·노·미 하·니·라 ·내 ·이·ᄅᆞᆯ ㉣爲·윙·ᄒᆞ·야:어엿·비 너·겨 ·새·로 ㉤·스·믈여·듧 字·ᄍᆞ·ᄅᆞᆯ 밍·ᄀᆞ노·니 :사름:마·다 :ᄒᆡ·ᅇᅧ :수·빙 니·겨 ·날·로 ·ᄡᅮ·메 便뼌安한·킈 ᄒᆞ·고·져 홇 ᄯᆞᄅᆞ·미니·라

- 「훈민정음」 언해, 1459년 -

[현대어 풀이]

우리나라 말이 중국과 달라 한자와는 서로 통하지 아니하여서 이런 까닭으로 어리석은 백성이 말하고자 하는 바가 있어도 마침내 제 뜻을 펴지 못하는 사람이 많다. 내가 이것을 가엾게 여겨 새로 스물여덟 자를 만드니, 모든 사람으로 하여금 쉽게 익혀서 날마다 쓰는 데에 편하게 하고자 할 따름이다.

03 윗글을 읽고 중세 국어의 특징을 설명한 것으로 적절하지 <u>않은</u> 것은?

① 현대 국어와 달리 띄어쓰기를 하지 않았다.
② 현대 국어에서는 소실된 음운을 사용하고 있다.
③ 체언과 조사를 적을 때 그 체언의 원형을 밝혀 적었다.
④ 초성에 둘 이상의 자음이 오는 어두 자음군이 존재했다.
⑤ 비교의 의미를 드러내는 부사격 조사가 현대 국어와는 다른 형태로 존재했다.

04 윗글을 읽고 국어의 변천에 대해 탐구한 내용으로 적절하지 <u>않은</u> 것은?

① 중세 국어는 현대 국어와 달리 구개음화가 일어나지 않았다.
② 중세 국어는 현대 국어와 달리 두음법칙이 적용되지 않았다.
③ 중세 국어는 현대 국어와 달리 방점을 찍어 성조를 표시하였다.
④ 중세 국어의 'ㆍ'(아래 아)는 현대 국어에서 더 이상 음운으로 사용되지 않는다.
⑤ 중세 국어는 현대 국어와 달리 단어의 첫머리에서 둘 이상의 자음이 쓰일 수 없었다.

05 ㉠~㉤에 대해 탐구한 내용으로 적절하지 <u>않은</u> 것은?

① ㉠의 'ㅅ'은 현대 국어 관형격 조사에 해당하겠군.
② ㉡의 '에'는 부사격 조사의 기능을 하고 있군.
③ ㉢의 'ㅣ'는 주격조사로, 현대 국어와 다른 형태가 사용되었군.
④ ㉣의 'ᄒᆞ야'를 보니 모음조화가 제대로 지켜지지 않았음을 알 수 있군.
⑤ ㉤을 보니 원순모음화가 일어나지 않았음을 알 수 있군.

06 아래의 밑줄 친 조사 중에서 윗글의 ⓒ'배'에 쓰인 조사와 같은 역할을 하는 조사가 쓰인 것은?

① 이번 월드컵은 우리나라<u>에서</u> 우승을 차지하였다.
② 긴 겨울이 지나자 강물이 녹아 얼음<u>이</u> 되었다.
③ 피서지에서 예약한 방이 깨끗하지<u>가</u> 않았다.
④ 그가 우리를 도와줄 적임자<u>가</u> 아닐까?
⑤ 지금의 야자가 미래의 성공<u>이</u> 될 것이다.

07 윗글에 사용된 단어에 대한 설명으로 적절하지 <u>않은</u> 것은?

① '말씀'은 '일반적인 말'을 의미했지만, 오늘날 남의 말을 높여 이르는 말이나 자기 말을 낮추어 이르는 말을 가리킨다는 점에서 의미 확대의 예이다.
② '사뭇다, 젼ㅊ'는 오늘날 사용하지 않는 단어이기 때문에 어휘 소멸의 예이다.
③ '어리다'는 '어리석다'를 의미했는데, 오늘날 '나이가 적다'를 가리킨다는 점에서 의미 이동의 예이다.
④ '놈'은 '일반 사람'을 의미했지만 오늘날 '남자, 사람'을 낮잡아 이르는 말로 쓰여 의미 축소의 예이다.
⑤ '어엿브다'는 '가엽다'를 의미했지만, 오늘날 '예쁘다'를 가리킨다는 점에서 의미 이동의 예이다.

08 현대어 풀이를 참고할 때, 윗글의 'Ⓐ노·미'와 표기의 측면에서 가장 이질적인 것은?

① 말ᄊᆞ·미   ② ᄯᅳ·들   ③ 어엿·비
④ 니·겨   ⑤ ᄊᆞᄅᆞ·미 니·라

09 〈보기〉의 ㉠, ㉡, ㉢의 사례를 순서대로 바르게 짝지은 것은?

┤ 보기 ├

• 'ㅇ'를 입시울쏘리 아래 니어 쓰면 ㉠입시울 가배야본 소리 드외ᄂ니라

[현대어 풀이] ㅇ을 순음 아래 이어 쓰면 순경음이 된다.

• ·와 ㅡ와 ㅗ와 ㅜ와 ㅛ와 ㅠ는 ㉡첫소리 아래 브텨 쓰고 ㅣ와 ㅏ와 ㅓ와 ㅑ와 ㅕ와란 ㉢올ᄒ녀긔 브텨 쓰라.

[현대어 풀이] ·와 ㅡ와 ㅗ와 ㅜ와 ㅛ와 ㅠ는 첫소리 아래 붙여 쓰고 ㅣ와 ㅏ와 ㅓ와 ㅑ와 ㅕ는 오른쪽에 붙여 쓰라.

	㉠	㉡	㉢
①	文문字쫑	나랏	펴디
②	百빅姓셩이	ᄒ고져	니겨
③	밍ᄀ노니	이런	달아
④	히여	ᄆ춤내	시러
⑤	수비	몯홇	하니라

10 〈보기〉는 16세기 말에 쓰인 편지글이다. 잘 읽고 현대 국어와 다른 점을 찾아 설명한 것으로 적절하지 않은 것은?

┤ 보기 ├

워늬 아바님씌 샹ᄇᆡᆨ

자내 샹해 날ᄃ려 닐오ᄃᆡ 둘히 머리 셰도록 사다가 홈ᄭᅴ죽쟈 ᄒ시더니 엇디ᄒ야 나ᄅᆞᆯ 두고 자내 몬져 가시ᄂᆞᆫ 〈하략〉

① '원이'를 '워늬'로 분철식 표기 한 것이다.

② '올림'을 웃어른에게 말씀을 사룀이란 뜻의 '샹ᄇᆡᆨ(上白)'이라는 한자어로 표현했다.

③ 아내가 남편에게 '자내'라고 표현했다.

④ '나에게'를 '날ᄃ려'라고 표현했다.

⑤ '먼저'를 '몬져'로 표현했다.

世솅宗종御엉製졩訓훈民민正정音흠

나·랏@:말쏘·미 中듕國·귁·에 달·아 文문字·쫑·와·로 서르 ᄉᆞᄆᆞᆺ·디 아·니홀·씨 ·이런 젼·ᄎᆞ·로 ⓑ어·린 百·빅姓·셩·이 니르·고·져 ·홂 ·배 이·셔·도 ᄆᆞᄎᆞᆷ:내제 ·ᄠᅳ·들 시·러 펴·디 :몯홇 ⓒ노·미 하·니·라 ·내 ·이·ᄅᆞᆯ 爲·윙·ᄒᆞ·야ⓓ:어엿·비 너·겨 ·새·로 ·스·믈여·듧 字·ᄍᆞ·ᄅᆞᆯ 밍·ᄀᆞ노·니 ⓔ:사ᄅᆞᆷ:마·다 :ᄒᆡ·ᅇᅧ :수·ᄫᅵ 니·겨 ·날·로 ·ᄡᅮ·메 便뼌安ᅙᅡᆫ·킈 ᄒᆞ·고·져 ᄒᆞᇙ ᄯᆞᄅᆞ·미니·라

– 「훈민정음(訓民正音)」 언해본에서 –

[현대어 풀이]
우리나라 말이 중국과 달라 한자와는 서로 통하지 아니하여서 이런 까닭으로 어리석은 백성이 말하고자 하는 바가 있어도 마침내 제 뜻을 펴지 못하는 사람이 많다. 내가 이것을 가엾게 여겨 새로 스물여덟 글자를 만드니, 모든 사람으로 하여금 쉽게 익혀서 날마다 쓰는 데 편하게 하고자 할 따름이다.

11 윗글의 @~ⓔ 중, 〈보기〉의 설명과 관련 없는 것은?

┤ 보기 ├
　　언어는 시간의 흐름에 따라 신생, 성장, 소멸한다. 마찬가지로 단어의 의미도 시간의 흐름에 따라 변화하는데, 의미 영역이 확대되기도 하고(의미 확대), 반대로 축소되기도 하며(의미 축소), 전혀 다른 의미로 변화하기도 한다.(의미 이동).

① @ : 말씀　　　　② ⓑ : 어리다　　　　③ ⓒ : 놈
④ ⓓ : 어엿브다　　⑤ ⓔ : 사름

12 윗글을 통해 알 수 있는 중세국어의 특징으로 알맞지 않은 것은?

① 동국정운식 표기법을 사용하고 있다.
② 성조(聲調)를 통해 단어의 뜻을 구별할 수 있다.
③ 음운 측면에서 'ᄉᆞᄆᆞᆺ·디'처럼 어휘가 사라진 것도 있다.
④ 중세국어 표기법은 실제 발음을 충실히 반영하고 있다.
⑤ 표기 측면에서 이어적기를 하고 띄어쓰기를 하지 않는다.

13 윗글에 대한 설명으로 알맞지 <u>않은</u> 것은?

① ' · , ㅸ, ㆆ'이 사용되고 있다.
② 훈민정음의 창제 동기가 나타난다.
③ 어두자음군과 합용병서가 나타난다.
④ 평성은 방점이 한 개이며 높은 소리이다.
⑤ 훈민정음은 자음 17자, 모음 11자로 되어 있다.

14 윗글을 통해 알 수 있는 중세국어의 특징에 해당하는 사례로 적절하지 <u>않은</u> 것은?

중세국어 특징	사례
① 구개음화가 사용되지 않음	펴·디
② 비교부사격 조사 '에'가 사용됨	中듕國·귁·에
③ 두음법칙이 사용되지 않음	니르·고·져, 니·겨
④ 주격조사 'ㅣ'가 사용됨	·내, 제
⑤ 모음조화가 잘 지켜짐	爲·윙·ᄒᆞ·야

15 〈보기〉를 읽고 중세 국어에 대해 탐구한 내용으로 적절하지 <u>않은</u> 것은?

┤ 보기 ├

워늬아바님쯰샹빅
자내샹해날ᄃᆞ려닐오ᄃᆡ둘히머리셰도록사다가흠쯰죽쟈ᄒᆞ시더니
엇디ᄒᆞ야나ᄅᆞᆯ두고자내몬져가시ᄂᆞ 〈하략〉

– 〈이응태 묘 출토 편지〉에서(1586년) –

[현대어 풀이]
원이 아버님께 올림
당신 항상 나에게 이르되 둘이 머리가 세도록 살다가 함께 죽자고
하시더니, 어찌하여 나를 두고 당신 먼저 가셨나요?

① 모음조화가 지켜졌음을 알 수 있군.
② 두음법칙이 적용되었음을 확인할 수 있군.
③ 주체높임선어말 어미 '-시'가 사용되었군.
④ 단어나 문장 간에 띄어쓰기를 하지 않았군.
⑤ 아내가 남편에게 '자내'라는 호칭을 쓰고 있는데, 현대 국어에서의 쓰임과는 차이가 있군.

객관식 심화문제

[01~03] 다음 글을 읽고, 물음에 답하시오.

(가) 世·솅宗종御·엉製·졩訓·훈民민正·졍音름

나·랏:말싹·미中듕國·귁·에달·아文문字·쫑·와·로서르스뭇·디아·니홀·씩·이런젼·ᄎ·로어·린百·빅姓·셩·이니르·고·져·훓·배이·셔·도ᄆᆞ·춤·내제·뜨·들시·러펴·디:몯홇·노·미하·니·라·내·이·를爲·윙·ᄒᆞ·야:어엿·비너·겨·새·로·스·믈여·듧字·쫑·를밍·ᄀᆞ노·니:사름:마·다:히·ᅇᅧ:수·비니·겨·날·로·뿌·메便뼌安한·킈ᄒᆞ·고·져훓ᄯᆞ르·미니·라

— 〈월일석보〉 (권1)에서, 세조(世祖) 5년(1459년) —

(나) [현대어 풀이]

우리나라 말이 중국과 달라 한자와 서로 통하지 아니하여서, 이런 까닭으로 어리석은 백성이 말하고자 하는 바가 있어도 마침내 제 뜻을 능히 펴지 못하는 사람이 많도다. 내가 이것을 가엾게 생각하여 새로 스물여덟 글자를 만드니, 모든 사람으로 하여금 쉽게 익혀서 날마다 쓰는 데 편안하게 하고자 할 따름이다.

(다) 워니 아바님씌 샹빅

자내 샹해 날ᄃᆞ려 닐오듸 둘히 머리 셰도록 사다가 홈씌 죽쟈 ᄒᆞ시더니 엇디ᄒᆞ야 나를 두고 자내 몬져 가시는.

〈하략〉

— 〈이응태 묘 출토 편지〉에서(1586년) —

---

01 (가)를 읽고 이해한 내용으로 적절하지 <u>않은</u> 것을 〈보기〉에서 있는 대로 고른 것은?

┤ 보기 ├

ㄱ 평등사상을 전제로 한다.
ㄴ 우리말은 중국의 말과 다르다.
ㄷ 훈민정음의 문자의 수는 28자이다.
ㄹ 훈민정음의 창제 원리를 밝히고 있다.
ㅁ 당시 문자 생활에 어려움을 겪는 이가 많았다.
ㅂ 백성의 어려움을 살피는 통치자의 태도가 드러나 있다.
ㅅ 중국과의 소통에 도움을 주기 위해 새로운 문자를 만들었다.

① ㄱ, ㄴ, ㅁ ② ㄱ, ㄷ, ㅂ ③ ㄱ, ㄹ, ㅅ ④ ㄴ, ㄷ, ㄹ ⑤ ㄴ, ㅂ, ㅅ

02 (가)와 (다)의 표기상의 특징으로 적절하지 <u>않은</u> 것 <u>두 개</u>는?

① (가)는 (다)와 달리 방점을 사용하였다.
② (가)와 (다) 둘 다 어두자음군이 사용되었다.
③ (가)와 달리 (다)는 두음법칙이 적용되지 않았다.
④ (가)와 (다) 둘 다 오늘날에는 쓰이지 않는 음운이 사용되었다.
⑤ (가)와 (다) 둘 다 종성에서 음가가 없는 'ㅇ'을 형식적으로 표기하였다.

03 (가)와 (나)의 자료를 활용하여 중세 국어와 현대 국어를 비교한 결과로 적절하지 <u>않은</u> 것을 있는 대로 고른 것은?

비교 자료				비교 결과
	중세 국어 (가)	현대 국어 (나)		
㉠	나랏	나라의	→	(가)에서 사잇소리 'ㅅ'은 (나)에서 관형격조사 '의'로 나타난다.
㉡	뜨들	뜻을	→	(가)에서는 이어 적기가, (나)에서는 끊어 적기가 나타난다.
㉢	펴디	펴지	→	'ㅣ'모음 앞에 있던 'ㄷ'은 (가)와 달리 (나)에서 구개음인 'ㅈ'이 되었다.
㉣	爲윙ᄒᆞ야	위하여	→	(가)에는 (나)와 달리 특정 모음끼리 좋아하여 어울리는 현상이 나타나 있다.
㉤	하니라	많다	→	(가)에서 '하다'는 '행동이나 작용을 이루다'와 '많다'의 두 가지 의미를 모두 지녔으나, (나)에서는 하나의 의미만 남았다.
㉥	배, 내	바가, 내가	→	(가)에는 주격조사가 사용되지 않았으나 (나)에는 주격조사 '가'가 사용되었다.

① ㉠, ㉡   ② ㉡, ㉢   ③ ㉢, ㉣   ④ ㉣, ㉤   ⑤ ㉤, ㉥

04 〈보기〉에 대한 다음 설명 중 적절하지 <u>않은</u> 것은?

┤ 보기 ├

워니 아바님끠 샹빅

자내 샹해 날ᄃᆞ려 닐오ᄃᆡ 둘히 머리 셰도록 사다가 홈ᄭᅴ 죽쟈 ᄒᆞ시더니 엇디ᄒᆞ야 나ᄅᆞᆯ 두고 자내 몬져 가시ᄂᆞ.

① '날ᄃᆞ려'는 현대 국어의 '나달리'로 현대 국어와 다르게 사용되는 조사가 있다.
② '닐오ᄃᆡ'에서와 같이 현대 국어와 달리 두음 법칙이 적용되지 않았다.
③ '워늬'에서 소리 나는 대로 표기하는 부분이 있다.
④ 현대 국어와 달리 아내가 남편을 '자내'라고 일컫고 있다.
⑤ 사랑하는 사람에 대한 마음이 드러나 있다.

[05~17] 다음 글을 읽고, 물음에 답하시오.

(가)

世솅宗종御엉製졩訓훈民민正정音흠

㉠나·랏:말쓰·미中듕國·귁·에달·아文문字·쫑·와·로서르스뭇·디아·니홀·씨㉡이런젼·츠·로어·린百·빅姓·셩·이니르·
고·져·홇·배이·셔·도므·춤:내제·쁘·들시·러펴·디:몯홇·노·미하·니·라㉢·내·이·를爲·윙·호·야:어엿·비너·겨㉣·새·로·스·
·믈여·듦字·쫑·를밍·ᄀᆞ노·니㉤:사ᄅᆞ·마·다:히·여:수·빙니·겨·날·로·뿌·메便뼌安한·킈ᄒᆞ·고·져ᄒᆞᇙ·ᄯᆞᄅ·미니·라

– 「훈민정음(訓民正音)」 언해본에서 –

(나)

便뼌安한·킈ᄒᆞ·고·져ᄒᆞᇙ·ᄯᆞᄅ·미니·라 :사ᄅᆞ·마·다:히·여:수·빙니·겨·날·로·뿌·메 ·새·로·스·믈여·듦字·쫑·를밍·ᄀᆞ노·니 ·내·이·를爲·윙·호·야·어엿·비너·겨 :몯홇·노·미하·니·라 므·춤:내제·쁘·들시·러펴·디 니르·고·져·홇·배이·셔·도 이런젼·츠·로어·린百·빅姓·셩·이 文문字·쫑·와·로서르스뭇·디아·니홀·씨 나·랏:말쓰·미中듕國·귁·에달·아

05 (가)에서 중세국어의 음운을 분석한 내용으로 적절하지 <u>않은</u> 것은?

① :말쓰·미 → :말씀+·이

② ·쁘·들 → ·뜻+·을

③ ·노·미 → ·놈+·이

④ ·배 → ·바+ㅣ

⑤ ·뿌·메 → ·쓰-+움+·에

06 (가)에서 훈민정음의 창제정신이 나타난 부분을 고른 것으로 적절한 것은?

	자주정신	실용정신	애민정신
①	㉠	㉡	㉤
②	㉠	㉢	㉤
③	㉠	㉤	㉢
④	㉡	㉢	㉣
⑤	㉡	㉤	㉢

07 〈보기〉에서 (나)를 보고 중세국어와 현대국어의 표기에 대해 나눈 대화 중 옳은 것만 고른 것은?

┤ 보기 ├

소원 : 중세국어에서는 세로쓰기를 하였어.

예린 : 지금 우리가 가로쓰기하는 것과는 다른 쓰기방식이었네?

엄지 : 중세에는 문장 단위의 띄어쓰기를 했나봐. 읽을 때 의미파악이 어려워.

은하 : 그렇지. 중세국어에는 표기에 한글과 한자가 섞인 모습도 보여.

유주 : 현대에서는 '씀에(쓰는 데)'로 표기하는 것을 '·뿌·메'로 표기했던 것으로 보아 이어적기를 사용했어.

신비 : 'ᄯᆞᄅᆞ미니라'도 '따름이니라'를 분철한 것이지?

① 소원, 예린, 엄지, 은하

② 소원, 예린, 엄지, 유주

③ 소원, 예린, 은하, 유주

④ 예린, 엄지, 유주, 신비

⑤ 소원, 예린, 엄지, 은하, 유주

08 중세국어와 현대국어의 음운에 대한 대화 중 옳은 것만 고른 것은?

┤ 보기 ├

혜빈 : 중세국어에서 사용하던 'ㅸ', 'ㆍ'같은 음운은 지금은 사용하지 않아.

연우 : '·사ᄅᆞᆷ'을 지금은 '사람'으로 쓰는 것이 좋은 예지.

제인 : '·수·비'를 현대에서는 '수이(쉬→쉽게)'로 사용하는 것도 예시가 될 수 있어.

나윤 : 그리고 중세국어에서는 글자 왼쪽에 성조를 나타내던 방점이 있었어.

주이 : 성조는 방점의 종류로 보아 총 두 가지가 있었나봐.

태하 : '·ᄠᅳ·들', '·뿌·메'에서 'ㅳ', 'ㅄ'과 같은 초성도 지금은 사용하지 않아.

① 혜빈, 연우, 나윤, 주이, 태하

② 혜빈, 연우, 제인, 주이, 태하

③ 혜빈, 연우, 제인, 나윤, 태하

④ 혜빈, 연우, 제인, 나윤, 주이

⑤ 혜빈, 연우, 제인, 나윤, 주이, 태하

09 중세국어와 현대국어의 어휘에 대한 대화 중 옳은 것만 고른 것은?

┤ 보기 ├

초롱 : 중세국어에 있던 어휘가 현대 국어에서 없어지기도 했어.

보미 : 중세국어에서 '젼ᄎ'라는 어휘가 현대 국어에서 없어진 것이 좋은 예야.

은지 : 그래, 또 'ᄉᆞᄆᆞ디'가 현대국어에서 없어진 것도 하나의 예지.

나은 : '어리다'가 중세에는 '어리석다'의 의미지만 현대에는 '나이가 적은'으로 사용하는 것처럼 의미가 축소된 경우도 있어.

남주 : 중세국어의 '어엿브다'는 '불쌍하다'라는 의미가 현대에는 '예쁘다'라는 의미로 아예 변화되기도 했어.

하영 : '놈'은 중세에 '남자나 사람을 낮잡아 이르는 말'이란 뜻에서 지금은 '일반적인 사람'으로 의미가 축소되었지?

① 초롱, 보미, 은지, 나은
② 초롱, 보미, 은지, 남주
③ 초롱, 보미, 나은, 하영
④ 초롱, 보미, 나은, 남주
⑤ 초롱, 은지, 남주, 하영

10 중세국어와 현대국어의 문법과 문법적 요소에 대한 대화 중 옳은 것만 고른 것은?

┤ 보기 ├

솔라 : '中듕國·귁·에달·아'를 '중국과 달라'로 해석하는 것으로 보아 비교 주사격 조사가 '에'에서 '과'로 바뀌었다는 것을 알 수 있어.

화사 : '·ᄒᆞᇙ·배'를 '하는 바가'로 해석하는 건 중세국어에는 주격조사 '가'가 없었음을 알 수 있는 예야.

문별 : '衛·윙·ᄒᆞ·야'를 '위하여'로 쓰는 것으로 보아 현대국어에서는 모음조화를 잘 지키지 않게 되었음을 알 수 있어.

① 솔라   ② 솔라, 화사   ③ 화사, 문별
④ 솔라, 문별   ⑤ 솔라, 화사, 문별

11 이 글에 대한 설명으로 바른 것은?

① 새로 만든 28자는 자음 18자, 모음 10자이다.
② 창제의 3대 정신은 자주, 근면, 협동의 정신이다.
③ 글의 주제는 훈민정음의 창제 이유를 밝힌 것이다.
④ 새로 만든 ㅸ, ㅿ, ·, ㆆ의 4글자는 이후 소실되었다.
⑤ 훈민정음이라는 책의 서문으로, 언해 이전 원문은 한글로 기록되어 있다.

12 '중세 국어'의 특징으로 틀린 것은?

① 10세기~16세기 국어를 가리켜 말한다.
② 어휘가 지금과는 다른 양상으로 쓰였다.
③ 지금은 사용하지 않는 음운들이 쓰였다.
④ 훈민정음 창제기~임진왜란까지의 국어이다.
⑤ 문법도 현대 국어와는 다르게 쓰인 점이 많다.

13 중세 국어의 표기 원리(이어적기)가 반영되지 않은 것은?

① 나랏말쓰미   ② 쁘들   ③ 밍ㄱ노니
④ 쑤메   ⑤ 쑤ㄹ미니라

14 중세 국어 자료에서는 '나 ·랏 :말 ㅆ ·미'와 같은 부호들이 보인다. 이 부호에 대한 설명으로 틀린 것은?

① '방점'이라고 불렀다.
② 점은 '없거나, 1개, 2개'를 붙였다.
③ 근대 국어 시기를 거치면서 사라졌다.
④ 성조(소리의 높낮이)를 표기했던 부호이다.
⑤ 동국정운식 표기를 반영하기 위한 것으로 한자에만 찍었다.

15 윗글에 나타난 어휘들의 의미와 변화 양상을 잘못 연결한 것을 2개 고르시오.

어휘	의미	변화 양상
① 말쏨	말	확대
② 노미	사람이	축소
③ 스뭇디	통하지	확대
④ 어린	어리석은	이동
⑤ 어엿비	가엾게	이동

16 윗글의 어휘를 설명한 것으로 잘못된 것은?

① 中듕國귁에 달아 : '에'를 현대어로 옮기면 '보다'가 된다.
② 文문字쫑, 爲윙ᄒ야 : 한자어의 받침이 빈 자리에 'ㅇ'을 넣어 주었다.
③ 노미 하니라 : '하다'는 '많다'는 의미로 쓰였다.
④ 젼ᄎ : '까닭'이란 뜻이었다.
⑤ ᄠᅳᆮ들, ᄲᅮ메 : 첫소리에도 겹자음이 쓰였다.

17 '니르고져 ᄒᆞᇙ배 이셔도'에 대한 설명으로 틀린 것은?

① '이르고자 할 바가 있어도'의 의미이다.
② '니르고져'는 현대 국어에서 '이르고저'로 바뀌므로 두음법칙이 적용되었다고 볼 수 있다.
③ '배'는 '바'에 주격조사 'ㅣ'가 결합된 형태다
④ 중세 국어에서는 아직 주격 조사 '가'가 등장하지 않았음을 추측할 수 있다.
⑤ '이셔도'에서는 주체 높임 선어말 어미 '-시-'가 쓰였음을 알 수 있다.

18 〈보기〉에 대해 이해한 내용으로 가장 적절한 것은?

┤ 보기 ├

ᄋᆡ워니 아바님씌 샹빅
  자내 샹해 날ᄃᆞ려 닐오ᄃᆡ 둘히 머리 셰도록 사다가 홈ᄢᅴ 죽쟈 ᄒᆞ시더니 엇디ᄒᆞ야 나ᄅᆞᆯ 두고 자내 몬져 가시ᄂᆞᆫ. 날ᄒᆞ고 ᄌᆞ식ᄒᆞ며 뉘 긔걸ᄒᆞ야 엇디 ᄒᆞ야 살라 ᄒᆞ야 다 더디고 자내 몬져 가시ᄂᆞᆫ고. 자내 날 향ᄒᆡ ᄆᆞᄋᆞᄆᆞᆯ 엇디 가지며 나ᄂᆞᆫ 자내 향ᄒᆡ ᄆᆞᄋᆞᄆᆞᆯ 엇디 가지던고.

– 이응태 묘 출토 언간(1586년) –

① 이어적기 방식에 따라 쓴 편지글이군.
② 구개음화 현상이 상당히 진행되었다는 것을 알 수 있군.
③ 주어의 인칭에 따라 의문문을 표현하는 방식이 다르다는 사실을 알 수 있군.
④ 주격조사와 목적격 조사의 쓰임을 보니 모음조화가 파괴되었다는 것을 알 수 있군.
⑤ 사용된 어휘를 보니 몽골, 일본, 중국 문화의 영향을 많이 받았다는 사실을 알 수 있군.

[19~20] 다음 글을 읽고 물음에 답하시오.

(가)

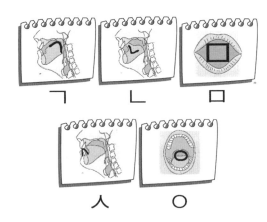

(나)

> ㄱ → ㅋ
> ㄴ → ㄷ → ㅌ (ㄷ → ㄹ)
> ㅁ → ㅂ → ㅍ
> ㅅ → ㅈ → ㅊ (ㅅ → ㅿ)
> ㅇ → ㆆ → ㅎ (ㅇ → ㆁ (옛이응))

(다) "훈민정음 해례본"에서는 초성 17자에 속하지 않는 자음자들을 만들어 쓰는 방법으로 '병서'와 '연서'를 설명하고 있다. 병서는 'ㄲ, ㄸ, ㅃ, ㅆ' 등처럼 둘 이상의 같거나 다른 자음을 가로로 나란히 쓰는 방법으로, 'ㄲ, ㄸ, ㅃ'같이 쓰인 것을 '각자병서', 'ㅵ, ㅼ, ㅴ' 같이 쓰인 것을 '합용병서'라고 한다. 연서는 'ㅱ, ㅸ, ㆄ' 등처럼 두 개의 자음을 세로로 이어 쓰는 방법이다.

(라)

·	하늘의 둥근 모양을 본뜸.
ㅡ	땅의 평평한 모양을 본뜸.
ㅣ	사람이 서 있는 모양을 본뜸.

(마)

초출자	• ㅗ, ㅏ, ㅜ, ㅓ • '·'를 'ㅡ', 'ㅣ'에 결합하여 만듦.
재출자	• ㅛ, ㅑ, ㅠ, ㅕ • 초출자에 다시 '·'를 결합하여 만듦.

(바) "훈민정음 해례본"에는 중성 11자 외에도 둘이나 세 글자를 합하여서 만든 'ㅘ, ㅝ, ㆇ, ㆊ, ㅣ, ㅢ, ㅚ, ㅐ, ㅟ, ㅔ, ㅚ, ㅒ, ㆌ, ㅖ, ㅙ, ㅞ' 등의 모음자가 더 설명되어 있다. 이 모음자들은 '합용'의 원리에 의해 만들어진 것이다.

19 윗글을 바탕으로 한글의 제자 원리에 대해 이해한 것으로 적절하지 <u>않은</u> 것은?

① (가)와 (라)를 통해 자음과 모음의 기본자는 모두 '상형(象形)'의 원리에 의해 만들어졌음을 알 수 있다.

② (나)는 (가)의 기본자에서 획을 더해 거센 소리를 표현한 자음의 이원적(二元的) 구성을 보여준다.

③ (나)의 'ㄹ, ㅿ, ㆁ(옛이응)'은 소리의 세기와 무관하며 획을 더하지 않고 만들었으므로 '이체자'라고 부른다.

④ (마)는 (라)의 기본자에서 단모음의 합성 과정과 이중모음의 합성 과정을 보여준다.

⑤ 윗글을 통해 한글은 자음과 모음의 형태만으로도 발음을 짐작할 수 있는 조직적인 문자임을 알 수 있다.

20 윗글과 〈보기〉를 읽고 이해한 것으로 가장 적절한 것은?

┤ 보기 ├

휴대전화기에서 위의 자판으로 '통닭과 빵'을 표기하기 위해서는 다음과 같이 숫자 키패드를 누르는 과정이 필요하다.

ⓐ통 : 6번 → 6번 → 2번 → 3번 → 0번

ⓑ닭 : 6번 → 1번 → 2번 → 5번 → 5번 → 4번

ⓒ과 : 4번 → 2번 → 3번 → 1번 → 2번

ⓓ빵 : 7번 → 7번 → 7번 → 1번 → 2번 → 0번

① ⓐ~ⓓ 모두 가획의 원리가 적용되었다.

② ⓐ는 연서의 방법으로 자음을 표현하였다.

③ ⓑ의 종성은 각자병서의 방법으로 자음을 표기하였다.

④ ⓒ는 합용의 원리가 적용되었다.

⑤ ⓓ의 초성은 합용병서의 방법으로 자음을 표기하였다.

[21~23] 다음을 읽고 물음에 답하시오.

(가) 나·랏:말쏘·미中듕國·귁·에달·아文문字·쫑·와·로서르⊙·소뭇·디아·니홀·씨·이런젼·츠·로어·린百·빅姓·셩·이니르·고·져·홇·배이·셔·도모·춤:내제·쁘·들시·러퍼·디:몯홇·노·미하·니·라·내·이·를爲·윙·호·야:어엿·비너·겨·새·로·스·믈여·듧字·쫑·롤밍·フ노·니:사름:마·다:히·여:수·비니·겨·날·로⊙·뿌·메便뻔安한·킈호·고·져홇쪼르·미니·라

(나) 워니 아바님씌 샹빅

자내 샹해 날드려 닐오디 둘히 머리 셰도록 사다가 홈씌 죽쟈 ㅎ시더니 엇디ㅎ야 나롤 두고 자내 몬져 가시는.
<하략>

---

21 (가)와 같은 15세기 국어의 음운과 표기에 대한 설명으로 옳지 않은 것을 모두 고른 것은?

┤ 보기 ├
ⓐ 자음 'ㅿ'과 'ㅸ'이 존재하였다.
ⓑ 초성에 오는 'ㅳ'은 'ㅂ'과 'ㄷ'이, 'ㅄ'은 'ㅂ'과 'ㅅ'이 모두 발음되었다.
ⓒ ':어엿·비'에서 둘째 음절의 종성은 'ㄷ'으로 발음되었다.
ⓓ 평성, 거성, 상성의 성조를 방점으로 구분하였다.
ⓔ 당시 현실적 한자음 표기하기 위해 동국정운식 표기를 하였다.

① ⓐ, ⓑ　　　② ⓒ, ⓓ　　　③ ⓓ, ⓔ　　　④ ⓒ, ⓔ　　　⑤ ⓐ, ⓓ

22 ⊙, ⓛ에 대한 설명으로 알맞지 않은 것은?

① ⊙의 기본형은 '소몿다'이다.
② ⊙을 통해 구개음화가 일어나지 않았음을 알 수 있다.
③ ⊙을 통해 이 당시에는 8종성법 표기가 사용되었음을 알 수 있다.
④ ⓛ을 통해 어두자음군이 사용되었음을 알 수 있다.
⑤ ⓛ을 통해 비교부사격조사 '에'가 사용되었음을 알 수 있다.

23 (가)~(나)에 대한 설명으로 옳지 않은 것은?

① (가) : 현대 국어에 비해 모음조화가 비교적 잘 지켜지고 있다.
② (가) : 자주, 애민, 창조, 실용 정신이 나타나 있다.
③ (가) : 주격 조사가 오늘날과 다름을 알 수 있다.
④ (나) : 15세기 우리말의 모습을 연구하는데 중요한 자료가 되고 있다.
⑤ (나) : 현대 국어와 달리 아내가 남편을 '자네'라고 일컫고 있다.

(가) ⊙나·랏:말쏘·미 中듕國·귁·에 달·아 文문字·쫑·와·로 서르 ᄉᆞᄆᆞᆺ·디 아니홀·ᄊᆡ ·이런 젼·ᄎᆞ·로 어·린 百·빅 姓·셩·이 니르·고·져 ⓛ·홇·배 이·셔·도 ᄆᆞ·ᄎᆞᆷ:내제 ⑦ 시·러펴·디:몯홇·노·미하·니·라·내·이·ᄅᆞᆯ爲·윙·ᄒᆞ·야 :어엿·비 너·겨 ·새·로 ·스·믈 여·듧字·쫑·ᄅᆞᆯ 밍·ᄀᆞ노·니 :사ᄅᆞᆷ:마·다 :히·여 :수·ᄫᅵ 니·겨 ·날·로 ⓒ·뿌·메 便뼌安한·킈ᄒᆞ·고·져 홇ᄯᆞ·ᄅᆞ·미니·라.

(나) 乃냉終즁ㄱ 소리ᄂᆞᆫ 다시 첫소리ᄅᆞᆯ ⓔ쓰ᄂᆞ니라
ㅇ·ᄅᆞᆯ 입시울쏘리 아래 니ᅌᅥ쓰면 입시울가ᄇᆡ야ᄫᆞᆫ소리 ᄃᆞ외ᄂᆞ·니·라.
첫소리ᄅᆞᆯ 어울·워 ᄡᅮᆶ디면 ᄀᆞᆯᄫᅡ쓰라 냉終즁ㄱ 소리도 ᄒᆞᆫ가지라

– 「훈민정음」 언해 –

(다) 불휘 기픈 ⑩남ᄀᆞᆫ ᄇᆞᄅᆞ매 아니 뮐씨
곶 됴코 여름 하ᄂᆞ니
ᄉᆡ미 기픈 ⑭   ㄱ·ᄆᆞ래 아니 그츨씨
내히 이러 바ᄅᆞ래 가ᄂᆞ니

– 「용비어천가」, 〈제2장〉 –

24 (가), (나)에 나타난 중세국어의 음운에 대해 설명한 것으로 적절하지 않은 것은?

① 초성에 둘 이상의 자음이 오는 어두자음군이 있었다.
② 지금은 쓰이지 않는 자음 'ㅿ'과 'ㅸ'이 존재하였다.
③ 평성, 거성, 상성, 입성을 방점의 개수로 구분하였다.
④ 종성에서 'ㄷ'과 'ㅅ'이 다르게 발음되었다.
⑤ 종성에 음가가 없는 ㅇ이 있었다.

25 〈보기〉와 어휘의 변화의 양상이 같은 것끼리 짝지어진 것은?

┃ 보기 ┃

ㄱ. '젼·ᄎᆞ'는 원래 까닭이나 이유를 뜻하는 말이었으나 지금은 사라진 단어이다.
ㄴ. '스랑ᄒᆞ다'는 원래 '생각하다'와 '사랑하다'의 의미로 쓰였으나 지금에 와서는 '사랑하다'의 의미로 쓰인다.
ㄷ. '싁싁ᄒᆞ다'는 원래 '엄하다'의 뜻이었으나 지금은 '용감하다'의 의미로 쓰인다.

	ㄱ	ㄴ	ㄷ
①	말ᄊᆞᆷ	불휘	어리다
②	불휘	어리다	놈
③	하다	놈	어엿브다
④	ᄉᆞᄆᆞᆺ다	하다	어엿브다
⑤	ᄉᆞᄆᆞᆺ다	말ᄊᆞᆷ	어엿브다

26 ㉠~㉤에 나타난 중세 국어의 문법적 특징을 설명한 것으로 적절하지 <u>않은</u> 것은?

① ㉠ : 무정 명사에 결합되는 관형격 조사 'ㅅ'이 쓰였다.

② ㉡ : 모음으로 끝나는 체언 뒤에 주격 조사가 생략되었다.

③ ㉢ : 명사형 어미 '-움'이 쓰였다.

④ ㉣ : 현재 시제를 나타내는 선어말어미 '-ᄂᆞ-'가 쓰였다.

⑤ ㉤ : 조사와 결합할 때 'ㄱ'이 덧붙는 체언이 쓰였다.

27 〈보기〉의 밑줄 친 부분의 사례로 적절하지 <u>않은</u> 것은?

| 보기 |

국어에서 어휘는 시대에 따라 형태 변화를 겪어왔는데 그 원인은 크게 두 가지로 볼 수 있다. 하나는 <u>음운의 변천에 따른 어형 변화</u>로 'ㆍ'와 같은 음운의 소멸이나 된소리되기, 구개음화, 단모음화, 원순모음화 등의 음운 현상으로 인해 어형이 바뀌는 것이다. 또 하나는 형태소 자체의 변화에 의한 것이다.

	중세국어	현대국어
①	스믈	스물
②	니서쓰면	이어쓰면
③	기픈	깊은
④	ᄇᆞ름	바람
⑤	됴코	좋고

28 방점을 고려하지 않을 때, 〈보기〉의 설명에 따라 ㉮, ㉯에 들어갈 말을 바르게 고른 것은?

| 보기 |

모음조화는 양성모음은 양성모음끼리, 음성모음은 음성모음끼리 결합하는 현상을 말한다. 중세국어 시기는 모음조화가 비교적 잘 지켜져 목적격조사는 '을/를/ᄋᆞᆯ/ᄅᆞᆯ', 단독의 보조사에 '은/는/ᄋᆞᆫ/ᄂᆞᆫ'이 있었다. 예를 들어

㉮ : 'ᄠᅳᆮ' + '목적격 조사'가 결합한 형태

㉯ : 'ᄆᆞᆯ' + '단독의 보조사'가 결합한 상태

에서 중세국어의 모음조화현상을 확인할 수 있다.

	㉮	㉯
①	ᄠᅳ들	ᄆᆞᄅᆞᆫ
②	ᄠᅳ를	ᄆᆞᄅᆞᆫ
③	ᄠᅳ들	ᄆᆞᄅᆞᆫ
④	ᄠᅳᆯ를	ᄆᆞᄅᆞᆫ
⑤	ᄠᅳ들	ᄆᆞᄅᆞᆫ

(가) 世·솅宗종御·엉製·졩訓·훈民민正·졍音흠

(ⓐ)文문字·쭝·와·로 서르 ᄉᆞᄆᆞᆺ·디 아·니홀·ᄊᆡ·이런 젼·ᄎᆞ·로 어·린 百·빅姓·셩·이 니르·고·져 ⓐ·홇 배 이·셔·도 ᄆᆞ·ᄎᆞᆷ:내 제 ·ᄠᅳ·들 시·러 ⓑ펴·디 :몯훓·노·미 하·니·라 ·내 ·이·를 爲·윙·ᄒᆞ·야 :어엿·비 너·겨 ·새·로 ·스·믈여·듧 字·쭝·ᄅᆞᆯ 밍·ᄀᆞ노·니 :사름:마·다 :히·여 ·수·ᄫᅵ 니·겨 ·날·로 ·ᄡᅮ·메 便뼌安한·킈 ᄒᆞ·고·져 홇ᄯᆞᄅᆞ·미니·라

– 「훈민정음(訓民正音)」 언해본에서 –

[현대어 풀이]

우리나라의 말이 중국과 달라 한자와는 서로 통하지 아니하여서 이런 까닭으로 어리석은 백성이 말하고자 하는 바가 있어도 마침내 제 뜻을 펴지 못하는 사람이 많다. 내가 이것을 가엾게 생각하여 새로 스물여덟 글자를 만드니, 모든 사람으로 하여금 (ⓑ) 편안하게 하고자 할 따름이다.

(나) 용비어천가(龍飛御天歌)

불·휘 기·픈 남·ᄀᆞᆫ ᄇᆞᄅᆞ·매 아·니 :뮐·ᄊᆡ

곶 :됴·코 여·름 ·하ᄂᆞ·니

:ᄉᆡ미 기·픈 ·므·른 ·ᄀᆞ모·래 아·니 그·츨·ᄊᆡ

:내·히 이러 바·ᄅᆞ·래 ·가ᄂᆞ·니

[현대어 풀이]

뿌리가 깊은 나무는 바람에 흔들리지 아니하므로
꽃이 좋고 열매가 많습니다.
샘이 깊은 물은 가뭄에도 끊이지 아니하므로
내가 이루어져 바다로 흘러갑니다.

(다) 월인석보(月印釋譜)

俱夷(구이) ·ᄯᅩ :묻ᄌᆞ·ᄫᆞ샤·ᄃᆡ

"부텻·긔 받ᄌᆞ·ᄫᅡ 므·슴 ·호려 ·ᄒᆞ·시ᄂᆞ·니"

善慧(선혜) 對答(대답)·ᄒᆞ샤·ᄃᆡ

"一切(일체) 種種(종종) 智慧(지혜)·를 일·워 衆生(중생) ·을 濟渡(제도)·코져 ·ᄒᆞ노·라"

俱夷(구이) 너·기샤·ᄃᆡ '·이 男子(남자) ㅣ 精誠(정성)·이 至極(지극)홀·ᄊᆡ :보·ᄇᆡ·ᄅᆞᆯ 아·니 앗·기놋·다'·ᄒᆞ·야 니ᄅᆞ·샤·ᄃᆡ

"·내 ·이 고·ᄌᆞᆯ 나·소리·니 願(원)ᄒᆞᆫ·ᄃᆞᆫ ·내 生生(생생)·애 그딋 가·시 ᄃᆞ외·아지·라"

[현대어 풀이]

구이가 또 여쭈시길
"부처님께 바쳐 무엇하려 하시는고?"
선혜가 대답하시기를
"모든 갖가지 깨달음을 이루어 중생을 제도하고자 한다."
구이가 생각하되 '이 남자가 정성이 지극해서 보배를 아끼지 않는구나.' 하여 말씀하시기를
"내가 이 꽃을 드리겠으니, 원컨대 나의 모든 생애에 그대의 아내가 되고 싶다."

29 (가)~(다)의 공통점이 <u>아닌</u> 것은?

① 소리 나는 대로 적었다.
② 주격 조사로서 '가'가 없었다.
③ 현재는 사라진 음운들이 있었다.
④ 글자 오른쪽에 방점이 찍혀 있었다.
⑤ 모음조화가 현대국어에 비해 잘 지켜졌다.

30 ⓐ에 쓰인 주격 조사와 가장 가까운 주격조사를 사용한 것은?

① ·빅姓·셩·이
② ·노·미
③ :식미
④ 俱夷(구이)
⑤ 男子(남자) ㅣ

31 ⓑ는 현대 국어와 차이가 있는 표기이다. 이와 가장 유사한 것은?

① :됴·코
② 그·츨·씨
③ 너·기샤·딕
④ 니르·샤·딕
⑤ 드외·아지·라

32 다음 중 이어적기 표기가 <u>아닌</u> 것은?

① 뿌·메
② 브·르·매
③ ·므·른
④ :보·비·르
⑤ 고·줄

33 다음 중 ⓐ에 들어갈 내용으로 적절한 것은?

① 나·랏:믈쏜·미中듕國·귁·에 달·아
② 나·랏:말쏜·미中듕國·귁·에 달·아
③ 나·라:말쏜·미中듕國·귁·에 달·라
④ 나·라:믈쏜·미中듕國·귁·에 달·아
⑤ 나·랏:믈쏜·미中듕國·귁·에 달·라

34 〈보기〉의 ⓐ, ⓑ에 따른 표기의 예로 적절하게 짝지은 것은?

┤ 보기 ├

ⓐ – 초성 글자를 합하여 사용할 때는 나란히 써라.

ⓑ – ㅇ을 순음 아래 이어 쓰면 순경음이 된다.

	ⓐ	ⓑ
①	:수·비	:히·여
②	밍·ㄱ노·니	·홍·배
③	·쁘·들	받즈방
④	便뼌安한·킈	:보·비·ᄅ
⑤	·빅姓·셩·이	므·른

35 〈보기〉는 중세국어 이후의 근대국어 자료이다. 중세국어와 비교할 때 차이점으로 적절하지 <u>않은</u> 것은?

┤ 보기 ├

신정심상소학(新訂尋常小學)

비둘기가 부엉이의 移居(이거)ᄒ랴는 貌樣(모양)을 보고 어듸 갈 터이뇨 무르니 부엉이 對答(대답)ᄒ야 갈오듸 이 地方(지방) 스름은 내 우름 쇼릭를 미워ᄒᄂ 故(고)로 나ᄂ 다른 地方(지방)으로 올무랴 ᄒ노라 ᄒ니 비둘기 우서 갈오듸 즈네 우ᄂ 쇼릭를 곳치지 안코 居處(거처)만 옴기면 如舊(여구)히 쏘 미워홈을 免(면)치 못ᄒ리라 ᄒ얏소 이 이익기ᄂ 춤 滋味[재미]잇습ᄂ이다

[현대어 풀이]

비둘기가 부엉이가 이사하려는 모습을 보고 "어디 갈 작정이냐?"라고 물으니 부엉이가 대답하여 말하기를 "이 지방 사람은 내 울음소리를 미워하는 까닭에 나는 다른 지방으로 옮기려 한다."라고 하니 비둘기가 웃으며 말하기를 "자네가 우는 소리를 고치지 않고 거처만 옮기면 여전히 미움 받기를 피하지 못할 것이다."라고 하였다. 이 이야기는 참 재미있습니다.

① 끊어적기가 쓰인다.

② 방점을 표시하지 않는다.

③ 주격 조사로서 '가'가 쓰인다.

④ 이어적기가 완전히 사라졌다.

⑤ 구개음화가 일어난 표기가 쓰인다.

[36~40] 다음을 읽고 물음에 답하시오.

(가) 과거에는 '십의 열 배가 되는 수, 또는 그런 수의.'라는 뜻을 '온'이라는 소리로 나타내도록 약속되어 있었으나 후에 그러한 뜻을 '백(百)'이라는 소리로 나타내도록 약속을 바꾸었기 때문에, 우리는 '백'은 알지만 '온'은 알지 못하는 상황이 된 것이다.

(나) 世솅宗종御엉製졩訓훈民민正졍音흠
나·랏:말쏨·미 中듕國·귁·에 달·아 文문字·쫑·와·로 서르 스뭇·디 아·니홀·씨·이런젼·ᄎ·로 어·린 百·빅姓·셩·이 니르·고·져·홇·배 이·셔·도 ᄆ·ᄎᆷ:내 제·ᄠ·들 시·러 펴·디:몯홇·노·미 하·니·라 내·이·ᄅᆞᆯ 爲·윙·ᄒ·야:어엿·비 너·겨·새·로·스·믈여·듧字·쫑·ᄅᆞᆯ ᄆᆡᇰ·ᄀ노·니:사ᄅᆞᆷ:마·다:ᄒᆡ·ᅇᅧ:수·비 니·겨·날·로·ᄡ·메 便뼌安한·킈 ᄒ·고·져 홇ᄯᆞ·ᄅᆞ·미니·라

– 「훈민정음(訓民正音)」 언해본에서 –

(다) 누구던지상탈수잇습니다
부인네쎄서만히써보내십시요
재미잇는조선옛날이약이를모집합니다
사람은어렷슬째부터 조흔교훈과조흔가르침중에서 조흔생각을갓게되고 조흔마음을기쁘게되고 ㅆㅣㄱ그런속에서커가야 조흔사람 조흔일군이되는것임으로 세계어느나라에던지 어린사람에게들려주는 조흔이약이가만히잇서서 그나라아이들이 그조흔이약이를듯고자라서 튼튼하고마음착하고 [하략]

– 1922년 잡지 표기 –

[현대어 풀이]
누구든지 상 탈 수 있습니다.
부인네께서 많이 써 보내십시오.
재미있는 조선 옛날이야기를 모집합니다.
사람은 어렸을 때부터 좋은 교훈과 좋은 가르침 중에서 좋은 생각을 갖게 되고 좋은 마음을 기쁘게 되고 또 그런 속에서 커가야 좋은 사람 좋은 일꾼이 되는 것이므로 세계 어느 나라에든지 어린 사람에게 들려주는 좋은 이야기가 많이 있어서 그 나라 아이들이 그 좋은 이야기를 듣고 자라서 튼튼하고 마음 착하고 [하략]

36 (가)에 나타난 언어의 특성을 가장 잘 설명한 것은?

① 언어는 하나의 사회적 약속이지만 시간의 흐름에 따라 신생, 성장, 사멸하는 변화를 겪을 수 있다.
② 언어는 언어의 지식과 규칙을 바탕으로 무한한 수의 새로운 단어와 문장을 만들 수 있다.
③ 언어는 같은 부류의 사물들에서 공통적인 속성을 뽑아내는 추상화의 과정을 통해 개념을 형성한다.
④ 언어는 인간이 의사소통을 하는 데 쓰이는 기호이며, 일정한 말소리와 의미의 자의적 결합으로 이루어진다.
⑤ 언어는 외부 세계를 있는 그대로 반영하는 것이 아니라 연속적으로 이루어져 있는 세계를 불연속적인 것으로 분절하여 표현한다.

37 (나)에 대한 설명으로 적절하지 <u>않은</u> 것은?

① 지금은 사용하지 않는 음운이 사용되었다.

② 글자의 왼쪽에 점을 찍어 성조를 표시하였다.

③ 오늘날에는 사용하지 않는 어휘가 나타나 있다.

④ 오늘날과 같이 구개음화, 두음법칙이 잘 지켜졌다.

⑤ 오늘날과 달리 첫소리에 서로 다른 자음을 나란히 쓰기도 하였다.

38 (나)의 밑줄 친 부분에서 '문법과 문법적 요소'에 대한 설명으로 적절한 것은?

① '나·랏:말ᄊᆞ·미'가 '우리나라의 말이'로 해석되는 것을 보니, '랏'에는 끊어 읽기 부호를 사용한 것이다.

② '中듕國·귁·에'는 '중국과 함께'라는 뜻의 공통 부사격 조사를 사용하였다.

③ '아·니홀·씨'가 '아니하여'로 풀이되는 것으로 보아, '-ㄹ씨'는 오늘날과 달리 감탄형 어미로 쓰였다.

④ '빅姓·셩·이'에서 볼 수 있듯이, 자음으로 끝난 체언 뒤에서 주격조사 '이'가 사용되었음을 알 수 있다.

⑤ '홇·배'가 '하는 바가'로 해석되는 것을 볼 때, 모음으로 끝난 체언 뒤에서 주격 조사가 생략되었음을 알 수 있다.

39 아래 설명을 참고하였을 때, 다음 중 모음 조화가 지켜지지 <u>않은</u> 것은?

┌─ **보기** ─┐

　　모음 조화란 한 단어 안에서, 혹은 어간과 어미, 체언과 조사의 연결에서 양성 모음은 양성 모음끼리, 음성 모음은 음성 모음끼리 어울리는 현상이다.

① 말·ᄊᆞᆷ　　② 서르　　③ 무·춤:내　　④ 너·겨　　⑤ ᄒᆞ·고·져

40 (나)와 (다)를 비교한 것으로 적절하지 <u>않은</u> 것은?

① (나)는 방점이 있고 (다)에서는 방점이 사라졌다.

② (나)는 (다)와 같이 각자병서, 합용병서가 쓰였다.

③ (나)는 (다)와 달리 순경음이 사용되지 않았다.

④ (나)는 띄어쓰기를 하지 않았고, (다)는 부분적으로 띄어쓰기를 하였다.

⑤ (나)는 한글과 한자가 섞인 표기를, (다)는 한글 위주의 표기를 사용하였다.

서술형 심화문제

[01~06] 다음을 읽고 물음에 답하시오.

(가) 世솅宗종御ᅌᅥᆼ製졩訓훈民민正졍音ᅙᅳᆷ

나·랏:말ᄊᆞ·미中듀ᇰ國·귁·에달·아文문字·ᄍᆞᆼ·와·로서르ᄉᆞᄆᆞᆺ·디아·니ᄒᆞᆯ·ᄊᆡ·이런젼·ᄎᆞ·로어·린百·ᄇᆡᆨ姓·셩·이니르·고·져·호ᇙ·배이·셔·도ᄆᆞ·ᄎᆞᆷ:내제·ᄠᅳ·들시·러펴·디:몯ᄒᆞᇙ·Ⓐ노·미하·니·라·내·이·ᄅᆞᆯ爲·윙·ᄒᆞ·야:어엿·비너·겨·새·로·스·믈여·듧字·ᄍᆞᆼ·ᄅᆞᆯᄆᆡᇰ·ᄀᆞ노·니:사ᄅᆞᆷ:마·다:ᄒᆡ·ᅇᅧ:수·ᄫᅵ니·겨·날·로·ᄡᅮ·메便뼌安ᅙᅡᆫ·킈ᄒᆞ·고·져ᄒᆞᇙᄯᆞᄅᆞ·미니·라

–「훈민정음(訓民正音)」 언해본에서 –

01 〈보기〉는 훈민정음 창제 원리에 대한 설명이다. 이를 바탕으로 ㉠, ㉡에 해당하는 음운을 각각 쓰시오.

보기

훈민정음은 상형의 원리에 따라 기본자를 만든 다음 이를 기초하여 나머지 글자를 만들었다. 자음은 ㉠기본자에 가획을 하여 만들었으며, 가획의 원리에서 벗어난 글자인 이체자가 있었다. 모음도 먼저 ㉡기본자를 만든 후, 이 기본자를 합성시켜 초출자와 재출자를 만들었다.

02 〈보기〉의 단어에 공통적으로 나타난 중세국어 표기법을 쓰시오.

보기

• 말ᄊᆞ미 • ᄠᅳ들 • ᄡᅮ메 • ᄯᆞᄅᆞ미니라

03 위에 제시된 '훈민정음'을 읽고, '문법과 문법적 요소'에 관한 중세국어의 특징을 현대국어와 비교하여 서술하시오. (단, 예를 함께 제시하여야 하고, 200자 내외로 서술할 것.)

04 현대의 '한글 맞춤법' 원리에 비추어 볼 때, 다음 중세 국어의 표기가 현대 국어와 다른 점을 서술하시오. (세 가지 단어를 보고, 표기의 공통점을 서술하여야 함. 50자 내외로 빈 칸에 쓸 것.)

중세 국어		현대 국어	표기 방식상 국어의 변화
·노·미	→	놈이	
·ᄡᅮ·메	→	씀에	
ᄯᆞᄅᆞ·미니·라	→	따름이니라	

05 아래의 글은 '국어의 역사성'과 관련된 글이다. '국어의 역사성'을 '어휘적 측면'에서 서술하되, '훈민정음'에서 예를 찾아 서술하시오. (100자 내외로 서술하되, 꼭 예를 '훈민정음'에서 찾을 것.)

> ┤ 참고 ├
> 소리와 뜻 사이에 일정한 약속이 형성되어 있다고 해서 그러한 약속이 항상 유지되는 것은 아니다. 시간이 지남에 따라 그러한 약속이 변화될 수도 있는데 이를 언어의 역사성이라고 한다.

06 〈보기〉의 두 사례에서 공통적으로 설명한 문법 원리를 쓰고, 그 내용을 설명하시오.

> ┤ 보기 ├
> • '스믈여듧 字쫑를'의 목적격 조사 '를'은 음운 환경에 따라 '을/를'이나 '을/를' 중에서 선택해 썼다.
> • '爲윙ᄒ야'의 연결 어미 '-야'는 음운 환경에 따라 '-야/-여' 중에서 선택해 썼다.

(양성모음, 음성모음, ㅏㅓㅗㅜ · ㅡ를 모두 사용하여 설명할 것)

[07~12] 다음을 읽고 물음에 답하시오.

나랏 말ᄊᆞ미 中듕國귁에 달아 文문字쫑와로 서르 ㉠ᄉᆞᄆᆞᆺ디 아니ᄒᆞᆯᄊᆡ 이런 젼ᄎᆞ로 어린 百ᄇᆡᆨ姓셩이 니르고져 홇 배 이셔도 ᄆᆞ᐀내 제 ᄠᅳ들 시러 펴디 몯홇 노미 하니라 내 이ᄅᆞᆯ 爲윙ᄒ야 어엿비 너겨 새로 ㉡스믈여듧 字쫑를 ㉢ᄆᆡᇰᄀᆞ노니 사ᄅᆞᆷ마다 히ᅇᅧ 수비 니겨 날로 ᄡᅮ메 便뼌安한킈 ᄒ고져 홇 ᄯᆞᄅᆞ미니라.

－「훈민정음(訓民正音)」 언해본에서 －

07 윗글에 나타난 훈민정음 창제정신 4가지를 서술하시오.

> ┤ 작성요령 ├
> ㄱ. 답안은 '훈민정음에는 ~한/는 ○○정신이 나타난다.'의 문장 형태로 서술함.

08 ㉠에 나타난 표기법을 서술하시오.

┤ 작성요령 ├

ㄱ. 답안은 '(표기법 명칭)으로 (내용 설명)이다.'의 문장 형태로 서술함.

09 ㉡이 무엇인지 아래 조건에 맞게 서술하시오.

┤ 작성요령 ├

ㄱ. 답안은 '초/중/종성은 (제자 원리 또는 방법)에 의해 (글자)를 만들었다.'의 형태로 서술함.

10 ㉢의 형태소를 분석하여 쓰시오.

┤ 작성요령 ├

ㄱ. 답안작성 예 : 나랏 : 나라-ㅅ/ 말쓰미 : 말씀-이

11 (1) 다음은 중세 국어 표기가 현대 국어와 다른 점을 현대의 '한글 맞춤법'의 원리에 비추어 설명한 것이다. ㉠, ㉡에 들어갈 알맞은 말을 쓰시오.

> 말ᄊᆞ·미   → 말씀이
>
> 쁘·들   → 뜻을
>
> 뿌·메   → 씀에
>
> ᄒᆞᆯᄯᆞ·미니·라   → 할 따름이니라
>
> (중세 국어)   (현대 국어)
>
> → 중세 국어는 이어적기(연철), 즉 (㉠) 표기하였으나, 현대 국어는 끊어적기(분철), 즉 (㉡) 표기하였다.

(2) 다음 〈보기〉의 ⓐ, ⓑ에 알맞은 말을 쓰시오.

> ┤ 보기 ├
>
>   언어는 끊임없는 변화를 겪는다. 단어에 결합된 의미도 마찬가지이다. 어휘의 의미는 의미가 확대되거나, 축소되거나 아니면 이동하는 등 여러 가지 방식으로 변화한다.
>
>   '중생(衆生)'이라는 단어는 예전에는 모든 생물 전체를 가리키는 불교 용어였지만, 지금은 인간을 제외한 동물을 가리키는 말로 변했다. 이는 윗글 (나)의 (ⓐ) 어휘들에서도 볼 수 있으며 이들은 모두 어휘의 의미 영역이 (ⓑ)된 예라고 할 수 있다.

> ┤ 조건 ├
>
> 1. ⓐ에 해당하는 예를 2개 찾아 쓸 것.
> 2. ⓑ '확대, 축소, 이동' 중에서 알맞은 단어를 골라 쓸 것.

[12] 다음을 읽고 물음에 답하시오.

셰죵엉젱 훈민졍흠

나랏말ᄊᆞ미 中듕國귁에 달아

㉠ ᄆᆞᆺ춤내 제 ᄠᅳ들 시러 펴디 몯ᄒᆞᆯ 노미 하니라

㉡ 새로 스믈여듧 字ᄍᆞᆼᄅᆞᆯ 밍ᄀᆞ노니

㉢ 文문字ᄍᆞᆼ와로 서르 ᄉᆞᄆᆞᆺ디 아니ᄒᆞᆯᄊᆡ 이런 젼ᄎᆞ로

㉣ 어린 百빅姓셩이 니르고져 홇배 이셔도

㉤ 사ᄅᆞᆷ마다 히ᅇᅧ 수비 니겨 날로 ᄡᅮ메

㉥ 내 이ᄅᆞᆯ 爲윙ᄒᆞ야 어엿비 너겨

便뼌安한킈 ᄒᆞ고져 홇 ᄯᆞᄅᆞ미니라.

– 「훈민정음(訓民正音)」 언해본에서 –

---

12 ㉠~㉥을 문맥에 맞게 순서를 쓰시오.

문법 요소의 이해와 활용

운동 경기나 놀이에 규칙이 있듯이 언어에도 규칙이 있다. 그 규칙을 문법이라고 한다. 그리고 문법적 의미를 실현하는 데에 사용되는 '높임 표현', '시간 표현', '피동 표현', '인용 표현' 등을 문법 요소라고 한다. 이러한 문법 요소를 담화 상황에 맞추어 정확하게 사용하면, 자신의 생각과 느낌을 더욱 효과적으로 표현하고 전달할 수 있다.

● 높임 표현

말하는 이가 듣는 이나 다른 대상을 높이거나 낮추는 정도를 언어적으로 구별하여 표현하는 방식이나 체계를 높임

법이라고 한다. 높임법은 높임의 대상에 따라 '상대 높임법', '주체 높임법', '객체 높임법'으로 나뉜다.

상대 높임법

> **탐구**
>
> 다음 두 문장에서 듣는 이에 따라 높임 표현이 어떻게 달라지는지 말해 보자.
>
> **㉮**
>
> "민주야, 방학 잘 <u>보냈니?</u>"
>
> **㉯**
>
> "선생님, 방학 잘 <u>보내셨어요?</u>"

대화를 나누는 상대, 즉 듣는 이를 높이거나 낮추어 표현하는 높임법을 **상대 높임법**이라고 한다. 상대 높임법은 종

결 표현을 통해 실현되는데, 크게 격식체와 비격식체로 나뉜다. 격식체에는 '하십시오체, 하오체, 하게체, 해라체'가

있고, 비격식체에는 '해요체, 해체'가 있다.

확인학습 ·······

01 듣는 이를 고려하여 높임법에 맞게 말해 보자.

(1) "어제 숙제를 못 했어." ➡ (선생님께)

(2) "여기에서 내려라." ➡ (처음 만난 사람에게)

(3) "어디 가니?" ➡ (직장 상사에게)

(4) "물 좀 주세요." ➡ (친한 친구에게)

주체 높임법과 객체 높임법

> **탐구**
>
> 다음 두 문장에서 높임의 대상에 따라 높임 표현이 어떻게 달라지는지 알아보자.
>
> **가**
> 선생님<u>께서</u> 민재에게 꽃을 <u>주셨다</u>.
>
> **나**
> 민재가 선생님<u>께</u> 꽃을 <u>드렸다</u>.

주체 높임법은 서술의 주체에 해당하는 문장의 주어를 높이는 방법이다. 주체 높임법은 기본적으로 선어말 어미 '-(으)시-'를 사용하고, 주격 조사 '께서'를 사용한다. '계시다', '주무시다', '잡수시다'와 같은 특수한 어휘를 사용하기도 한다.

객체 높임법은 목적어나 부사어에 해당하는 대상, 즉 서술의 객체를 높이는 방법이다. 객체 높임법은 부사격 조사 '에게' 대신 '께'를 사용하고, '모시다', '드리다', '여쭙다'와 같은 특수한 어휘를 사용하기도 한다.

확인학습 ....

02 다음과 같이 문장 안에서 높임의 대상을 찾아 표시하고, 그 대상을 고려하여 높임법에 맞게 문장을 고쳐 써 보자.

> **예** (부모님)이 공연을 보러 갔다. → 부모님께서 공연을 보러 가셨다.

(1) 선생님이 나에게 질문을 한다.　　➡

(2) 준희가 아저씨에게 안부를 묻는다.　　➡

(3) 명규가 할아버지를 데리러 간다.　　➡

● 시간 표현

시간 표현이란 시간을 나타내기 위한 언어 표현을 말한다. 이 가운데 시제는 사건의 시간적 위치를 구분하여 표현

하는 방법이다. 사건이 일어나는 시점이 말하는 시점보다 이르면 과거 시제, 사건이 일어나는 시점과 말하는 시점이

일치하면 현재 시제, 사건이 일어나는 시점이 말하는 시점보다 나중이면 미래 시제이다.

탐구

다음 각 문장의 시제를 파악해 보자.

나는 <u>달렸다</u>.　　　나는 <u>달린다</u>.　　　나는 <u>달릴 것이다</u>.

과거 시제는 선어말 어미 '-았-/-었-', '-았었-/-었었-', '-더-'를 사용하여 나타낸다. **현재 시제**는 동사의 경

우 선어말 어미 '-는-/-ㄴ-'을 사용하여 나타내고, 형용사와 서술격 조사의 경우 선어말 어미 없이 기본형으로 나

타낸다. **미래 시제**는 일반적으로 '-겠-'을 사용하여 나타내는데, '-(으)ㄹ 것이-'과 같은 표현으로 나타내기도 한다.

또한 관형사형 어미나 시간 부사어를 사용하여 시제를 나타낼 수도 있다.

확인학습 ⋯⋯⋯

03 다음 각 문장에서 밑줄 친 부분이 나타내는 시제를 써 보자.

(1) 벌써 수업 시작종이 <u>울렸다</u>.　　➜

(2) 저기 <u>웃는</u> 아이가 수진이다.　　➜

(3) 그럼 다음에 또 <u>뵙겠습니다</u>.　　➜

(4) 그는 내가 예전에 <u>만나던</u> 사람이다.　　➜

● **피동 표현**

문장에서 주어의 동작이나 행위가 어떻게 이루어지는지에 따라 문법적 표현이 달라질 수 있다. 주어가 제힘으로 움직이는 것을 **능동**이라 하고, 주어가 다른 힘에 의하여 움직이는 것을 **피동**이라 한다. 같은 사건을 표현한 문장이라도 능동문인지 피동문인지에 따라 문장의 의미 초점이 달라진다.

> **탐구**
>
> 다음 두 문장의 의미 초점이 어떻게 다른지 말해 보자.
>
> 개
>
> 호랑이가 토끼를 <u>잡았다</u>.
>
> 나
>
> 토끼가 호랑이에게 <u>잡혔다</u>.

능동문을 피동문으로 바꾸면 위의 예시에서처럼 문장 성분의 위치와 역할이 달라진다. 능동을 나타내는 동사에 피동 접미사 '-이-', '-히-', '-리-', '-기-'를 붙이거나 '-아/-어지다', '-게 되다'와 같은 표현을 사용하여 피동 표현을 만든다. 일부 명사 뒤에 접사 '-되다'를 결합하여 만들 수도 있다.

확인학습 ⋯⋯⋯

04 다음 각 능동문을 피동문으로 바꾸어 써 보자.

(1) 아빠가 아기를 안았다.　　　　　➡

(2) 체육 대회를 다음 달로 미루었다.　➡

(3) 바람이 퇴적층을 형성했다.　　　➡

● 인용 표현

　다른 사람의 말이나 글을 옮겨 사용하는 것을 인용이라고 하는데, 인용 표현을 사용하면 말과 글의 신뢰도를 높이거나 내용을 충실히 하는 데 도움이 된다. 인용 표현에는 다른 사람의 말이나 글을 그대로 옮기는 직접 인용과 다른 사람의 말이나 글을 자신의 언어로 바꾸어 옮기는 간접 인용이 있다.

탐구

다음 두 문장을 살펴보고, 직접 인용과 간접 인용의 차이점을 알아보자.

민주는 "수민아, 산책하자."라고 말했다.
민주는 수민이에게 산책하자고 말했다.

　다른 사람의 말이나 글을 **직접 인용** 할 때에는 큰따옴표로 인용할 부분을 묶어서 그대로 옮긴 뒤, 조사 '라고'를 써서 표현한다. 반면 **간접 인용** 할 때에는 다른 사람의 말이나 글을 적절하게 요약하여 정리한 다음, 조사 '고'를 써서 표현한다.

확인학습 ⋯⋯⋯

05 다음 각 문장에서 간접 인용은 직접 인용으로, 직접 인용은 간접 인용으로 바꾸어 보자.

　(1) 그가 "잘 다녀왔니?"라고 말했다.　　　　　→

　(2) 준호는 은진이에게 어서 오라고 말했다.　　→

　(3) 윤주는 내가 읽고 있는 책이 재미있냐고 물어보았다. →

개념정리

① 문법 요소
① 개념: 언어에서 문법적 기능을 담당하는 요소
② 종류: 높임 표현, 시간 표현, 피동·사동 표현, 부정 표현, 인용 표현 등이 문법 요소에 해당함.

② 높임 표현
① 개념: 화자가 어떤 대상에 대해 높이거나 높이지 않는 태도를 나타내는 문법 요소

상대 높임법	• 화자가 상대에 대해 높임이나 낮춤의 태도를 나타내는 표현 • 문장 종결형에 따른 종결 표현을 통해 실현됨.	
	격식체	• 상대적으로 격식을 갖추어야 하거나 심리적인 거리감이 있을 때 사용함. • '하십시오체', '해라체', '하게체', '하오체',
	비격식체	• 상대적으로 격식을 갖출 필요가 없거나 친근한 사이에서 흔히 사용함. • '해요체', '해체'
주체 높임법	• 화자가 문장의 주어가 지시하는 대상, 곧 주체에 대해 높임의 태도를 나타내는 표현 • 선어말 어미 '-(으)시-', 주격 조사 '께서'에 의해 실현됨. • '계시다', '주무시다', '잡수시다' 등의 특수한 어휘를 사용함. 예 어머니께서 시장에 가십니다.	
객체 높임법	• 화자가 문장의 목적어나 부사어가 지시하는 대상, 곧 객체에 대해 높임의 태도를 나타내는 표현 • '드리다', '모시다', '여쭙다' 등의 특수한 어휘에 의해 실현됨. • 부사격 조사 '께'를 통해 나타냄. 예 누나는 그 책을 어머니께 드렸다.	

③ 시간 표현
① 개념: 어떤 상황이나 사건의 시간상의 위치에 대한 개념이 문법적 범주로 나타나는 것으로, 말하는 이가 발화시를 기준으로 하여 사건시의 앞뒤를 제한하는 문법 범주

과거 시제	• 사건시가 발화시보다 선행하는 시간 표현 • 주로 선어말 어미 '-았-/-었-', '-았었-/-었었-', '-더-'에 의해 실현됨. 예 나는 어제 밥을 먹었다. • 관형절로 안길 때 동사에는 관형사형 어미 '-(으)ㄴ', '-던'이, 형용사와 서술격 조사에는 '-던'이 쓰임.
현재 시제	• 사건시와 발화시가 일치하는 시간 표현 • 동사의 경우 선어말어미 '-는-/-ㄴ-'에 의해 실현됨. • 형용사나 서술격 조사는 기본형이 현재 시제를 나타냄. • 관형절로 안길 때에는 동사에는 관형사형 어미 '-는'이, 형용사나 서술격 조사는 '-(으)ㄴ'이 쓰임. 예 나는 지금 집에 간다.
미래 시제	• 사건시가 발화시 이후인 시간 표현 • 주로 선어말 어미 '-겠-'에 의해 실현되며 '-(으)ㄹ 것이-'에 의해 실현되기도 함. 예 내일까지는 반드시 돌아올 것이다. • 관형절로 안길 때에는 관형사형 어미 '-(으)ㄹ'이 쓰임.

* 시제는 선어말 어미, 관형사형 어미를 통해 실현하고 시간 부사어를 사용하여 나타낼 수도 있다.

4 피동 표현

① 피동: 주어가 다른 주체에 의해서 동작을 당하게 되는 것, 남의 행동에 의해서 하는 동작

　　예 토끼가 호랑이에게 잡혔다. (→ 주어의 피동성 강조)

② 능동: 주어가 동작을 제 힘으로 하는 것, 동작주가 제 힘으로 행하는 동작

　　예 호랑이가 토끼를 잡았다. (→ 주어의 능동성 강조)

■　피동 표현을 만드는 방법

① 능동사에 피동 접미사 '-이-', '-히-', '-리-', '-기-'를 붙여서 만듦.

② '-아/-어지다', '-게 되다'와 같은 표현을 활용하여 만듦.

③ 일부 명사에 접사 '-되다'를 결합하여 만듦.

5 인용 표현

직접 인용	• 다른 사람의 말이나 글을 그대로 옮기는 것 • 인용하는 말에 큰따옴표를 붙이고 조사 '라고'를 덧붙임.
간접 인용	• 다른 사람의 말이나 글을 자신의 언어로 바꾸어 옮기는 것 • 다른 사람의 말이나 글을 적절하게 요약하여 정리한 다음, 조사 '라고'를 붙임.

확인학습 ···

01 높임 표현

1) 선어말 어미 -(으)시-는 주체 높임법에서만 사용되는 실현 방법이다.　　　　　　　O☐ ✕☐

2) 잡수시다, 드시다와 같은 특수어휘에는 계시다, 뵈다, 모시다 등을 들 수 있다.　　　O☐ ✕☐

3) 주격 조사 '이/가' 대신 '께서'를 사용하는 것은 객체 높임법의 실현 방법이다.　　　O☐ ✕☐

4) 객체 높임법에서의 객체란 목적어나 부사어가 지시하는 대상을 의미한다.　　　　　O☐ ✕☐

5) 조사 '에게' 대신 '께'를 사용하는 것은 객체 높임법의 실현 방법이다.　　　　　　　O☐ ✕☐

6) '손님, 커피 나오셨습니다.'는 간접 높임법을 올바르게 사용한 예이다.　　　　　　　O☐ ✕☐

7) '할머니께서는 귀가 밝으시다'는 간접 높임법을 올바르게 사용한 예이다.　　　　　O☐ ✕☐

8) 간접 높임법에서는 특수어휘를 사용하지 않고 선어말어미 '-(으)시-'를 결합하여 실현한다.　O☐ ✕☐

9) '선생님, 우리 어머니가 도시락을 안챙겨줬어요.'의 문장을 올바르게 높임표현을 하여 고쳐보고 어떠한 높임법이 쓰였는지 적어보자.

　　(　　　　　　　　　　　　　　　　　　　　　　　　　　　　　　　　　　　　　）

02 시간 표현

1) 시제를 표현하는 선어말 어미는 시간을 드러내기 위한 기능만을 한다.   ○☐ ×☐

2) 과거 시제를 표현하는 '-았-/-었-'은 시제 표현 뿐만 아니라 진행상을 나타내는 기능도 한다.   ○☐ ×☐

3) 현재 시제를 표현하는 '-ㄴ-'은 시제 표현 뿐만 아니라 가까운 미래, 과거의 사건을 현장감 있게 표현하는 기능도 한다.   ○☐ ×☐

4) 미래 시제를 표현하는 '-겠-'은 추측이나 의지를 나타내기도 한다.   ○☐ ×☐

5) 동작상은 어떠한 행위가 진행되는 것인 (　　　　　)과, 완료된 것인 (　　　　　)으로 구분된다.

03 인용 표현

1) 인용하는 문장에 작은따옴표를 붙이고 조사 '라고'를 사용하는 것을 직접 인용이라 한다.   ○☐ ×☐

2) 직접 인용에 '라고'를 사용하거나 간접 인용에 '고'를 사용하는 경우가 많으므로 주의해야 한다.   ○☐ ×☐

3) 간접 인용은 직접 인용과 달리 큰 따옴표 대신에 작은 따옴표를 하여 표시한다.   ○☐ ×☐

4) 간접 인용은 직접 인용과 달리 따옴표를 쓰지 않으며, 해당 인용절 다음에 조사 '고'를 쓴다.   ○☐ ×☐

5) 인용 표현을 사용할 때 출처를 밝히지 않고 원문을 사용하는 행위는 인용의 윤리에 어긋나지만 저작권을 침해하는 것은 아니다.   ○☐ ×☐

04 피동 표현

1) 주어가 다른 주체에 의해서 동작을 당하게 되는 것을 나타내는 표현을 사동 표현이라고 한다.   ○☐ ×☐

2) 피동 표현은 능동사의 어간에 피동 접미사 '-되다', '-어지다', '-게 되다'가 붙어서 만들어진 피동사나, '-이-, -히-, -리-, -기-'같은 표현을 통해 실현된다.   ○☐ ×☐

3) 능동문이 피동문으로 바뀔 때에는 능동문의 목적어가 피동문의 주어가 되고, 능동문의 주어는 피동문의 부사어가 된다.   ○☐ ×☐

4) 불필요한 피동 표현이 사용된 경우에는 사동표현으로 바꾸어 써야 한다.   ○☐ ×☐

5) '벌이 나를 쏘았다.'를 피동문으로 바꾸어 보고 문장 성분을 분석하시오.
（　　　　　　　　　　　　　　　　　　　　　　　　　　　　　　）

객관식 기본문제

01 다음 중 높임법을 잘못 사용한 문장은?

① (동네 할머니에게) 저는 지금 집에 가는 길입니다.
② 부모님께서는 날 아껴주신다.
③ 저희 어머니께서도 어머니 나름의 생각이 계십니다.
④ 어제 누나가 나 몰래 할아버지께 선물을 드렸나봐.
⑤ 모르는 문제가 있으면 선생님께 여쭈어 봐라.

02 〈보기〉의 (가)를 참고했을 때, (나)의 문장에서 실현된 높임 표현으로 알맞은 것은?

┤ 보기 ├

(가) 우리말의 높임 표현은 높임의 대상에 따라 상대 높임법, 주체 높임법, 객체 높임법으로 나뉜다. 그런데 실제 언어생활에서 높임 표현이 실현되는 양상은 복합적이다.

(나) 채영아, 선생님께서 너를 찾으셔.

① 문장의 주체와 객체를 모두 높였다.
② 문장의 주체와 청자를 모두 높였다.
③ 문장의 주체는 높이고, 청자는 낮추었다.
④ 문장의 객체와 청자를 모두 높였다.
⑤ 문장의 객체는 높이고, 청자는 낮추었다.

03 〈보기〉의 ㉠~㉤을 통해 높임표현을 바르게 탐구한 내용을 올바르게 짝지은 것은?

┤ 보기1 ├

조카 : 이모, 오셨어요.
이모 : 동호야, 오랜만이구나. 오늘 같이 밥을 못 먹어서 아쉽네. ㉠공부 열심히 하렴.
조카 : 네, 이모. 안타깝지만 시험 기간이 얼마 남지 않아서요.
이모 : 그래. ㉡엄마는 어디 가셨니? 외할머니께서도 오고 계시는지 전화 드려볼래?
조카 : 아, ㉢외할머니께서 병환이 있으셔서 종일 누워계셨대요. 그래서 ㉣외할머니께서는 엄마와 함께 병원에 가셨다가 식당으로 가신다고 ㉤이모께 전해 드리래요.
이모 : 그래? 그럼 나도 그리로 가봐야겠네.

A : ㉠은 종결 어미를 사용하여 상대인 조카를 높이고 있다.
B : ㉡은 선어말 어미를 사용하여 객체인 '엄마'를 높이고 있다.
C : ㉢은 선어말어미를 사용하여 주체인 '외할머니'를 간접적으로 높이고 있다.
D : ㉣은 선어말어미를 사용하여 주체인 '외할머니'를 직접적으로 높이고 있다.
E : ㉤은 높임을 표시하는 부사격 조사를 사용하여 이모를 높이고 있다.

① A, E　　　　② A, B　　　　③ B, C　　　　④ C, D　　　　⑤ C, D, E

04 다음 〈보기〉의 ㉠~㉺에 대한 설명으로 옳은 것은?

┤ 보기 ├
㉠ 아범, 늦기 전에 어서 가게.
㉡ 영희야, 아버지 안 계시니?
㉢ 아버지께 전화 드리고 얼른 나가자.
㉣ 어머니께서 너 데리고 식당으로 오라셨어.
㉤ 이번 달 보름께 할머니를 뵈러 갈 생각이야.

① ㉠은 '격식체'를 사용하여 청자인 아범을 높이고 있어.
② ㉡은 '계시다'를 사용하여 객체인 아버지를 높이고 있어.
③ ㉢은 '께'를 사용하여 주체인 아버지를 높이고 있어.
④ ㉣은 '께서'를 사용하여 주체인 어머니를 높이고 있어.
⑤ ㉤은 '께'와 '뵈다'를 사용하여 객체인 할머니를 높이고 있어.

05 〈보기〉의 높임 표현에 대한 설명으로 적절하지 <u>않은</u> 것은?

┤ 보기 ├
점원 : 손님, 무엇을 ㉠도와드릴까요?
손님 : 어머니 선물을 사러 왔어요. ㉡저희 어머니께서 생신이거든요.
점원 : 이 립스틱은 어떨까요? 선물로 ㉢드리시면 무척 좋아하실 겁니다.
손님 : 저희 어머니께서 ㉣피부가 희셔서 잘 맞을지 모르겠네요. ㉤당신께서 짙은 화장을 싫어하셔서요.
점원 : 그러시면 다른 걸 좀 더 골라 보도록 하죠.

① ㉠ : 보조사 '-요'를 통해 듣는 상대를 높이고 있다.
② ㉡ : '저희'라는 자신을 낮추는 어휘를 사용하여 상대인 점원 높이고 있다.
③ ㉢ : 특수 어휘를 사용해서 선물을 주는 사람을 높이고 있다.
④ ㉣ : '어머니'가 높임의 대상이므로 그 신체의 일부가 주어로 올 때도 간접 높임 표현을 쓰고 있다.
⑤ ㉤ : 3인칭 주어 '어머니'를 다시 대명사로 언급하면서 높이고 있다.

06 〈보기〉의 높임 표현 ㉠~㉣이 <u>모두</u> 사용된 문장은?

┤ 보기 ├
　우리말에는 일반적으로 ㉠선어말 어미나 종결 어미, ㉡조사 등을 통해 높임을 표현하지만 어휘를 통해 높임을 표현하는 경우도 있다. 높임 표현에 쓰이는 어휘들은 ㉢주체를 높이는 용언, 객체를 높이는 용언, 높여야 할 인물을 직접 높이는 명사, ㉣높여야 할 인물과 관련된 것을 높이는 명사로 분류할 수 있다.

① 나는 아직 그분의 성함을 기억하고 있다.
② 누나는 여쭐 것이 있다며 할머니 댁에 갔다.
③ 연세가 많으신 할머니께서는 홍시를 잘 잡수신다.
④ 우리는 부모님을 모시고 바닷가로 여행을 떠났다.
⑤ 어머니께서는 몹시 피곤하셨는지 거실에서 주무신다.

07 다음 문장에 사용된 높임 표현에 대한 설명으로 적절하지 <u>않은</u> 것은?

> 어머니께서 할머니를 모시고 병원에 가셨다.

① 높임의 대상은 '어머니'와 '할머니'이다.
② 주격조사를 사용하여 문장의 주체를 높이고 있다.
③ 객체를 높이기 위해 높임을 나타내는 목적격조사를 사용하였다.
④ 문장의 주체를 높이기 위한 선어말어미를 사용하였다.
⑤ 문장의 목적어를 높이기 위해 특수어휘를 사용하였다.

08 〈보기〉의 밑줄 친 부분에 나타나는 높임 표현의 양상을 설명한 것으로 적절한 것은?

> ┤ 보기 ├
> ㉠ 어머니는 할머니께 과일을 <u>드렸다.</u>
> ㉡ 어머니는 어제 할머니를 <u>뵙고 오셨다.</u>
> ㉢ 어머니는 형을 잠깐 <u>만나러 오셨습니다.</u>
> ㉣ 아버지는 할머니께 커다란 선물을 <u>드리셨다.</u>
> ㉤ 아버지는 할머니를 아침 일찍 <u>모시러 왔습니다.</u>

① ㉠은 주체와 객체를 모두 높이고 있다.
② ㉡은 객체와 청자를 모두 높이고 있다.
③ ㉢은 주체와 청자를 모두 높이고 있다.
④ ㉣은 객체를 높이고, 주체는 낮추고 있다.
⑤ ㉤은 주체, 객체, 청자를 모두 동시에 높이고 있다.

09 담화 상황을 고려했을 때, 〈보기〉에서 높임 표현이 적절한 것을 고른 것은?

> ┤ 보기 ├
> ㄱ. (손자가 할아버지께) 할아버지, 아버지가 여기에 왔습니다.
> ㄴ. (식당에서 점원이 손님에게) 손님, 주문하신 커피가 나왔습니다.
> ㄷ. (교실에서 친구가 영수에게) 영수야, 선생님께서 너 교무실로 오시래.
> ㄹ. (학교 방송에서 학생들에게) 잠시 후, 교장 선생님 말씀이 계시겠습니다.

① ㄱ, ㄴ   ② ㄱ, ㄹ   ③ ㄴ, ㄷ   ④ ㄴ, ㄹ   ⑤ ㄷ, ㄹ

10 〈보기〉의 ㉠, ㉡이 모두 사용된 문장은?

> ┤ 보기 ├
>
> 우리말에서는 일반적으로 선어말어미나 종결어미, 조사 등을 통해 높임을 표현하지만, 어휘를 통해 높임을 표현하는 경우도 있다. 높임 표현에 쓰이는 어휘들은 다음과 같이 분류할 수 있다.
> - 주체를 높이는 용언
> - ㉠객체를 높이는 용언
> - 높여야 할 인물을 직접 높이는 명사
> - ㉡높여야 할 인물과 관련된 것을 높이는 명사

① 작은아버지는 살림이 넉넉하시다.
② 나는 아직 그 분의 성함을 기억한다.
③ 이번 주말에 할머니를 뵈러 가야한다.
④ 선생님께 따님에 대한 칭찬을 해 드렸다.
⑤ 나는 전화로 할아버지께 안부를 여쭈었다.

11 다음 밑줄 친 시간 표현에 대한 설명으로 잘못된 것은?

① 그렇게 <u>어렵던</u> 수학문제가 이제 술술 풀린다. → 과거 시제
② 그는 언젠가는 <u>떠날</u> 사람이야. → 미래 시제
③ 들에 핀 꽃이 참 <u>곱다</u>. → 현재 시제
④ 그 애가 무거운 짐을 <u>들고서</u> 걸어간다. → 완료상
⑤ 미나가 의자에 <u>앉아 있다</u>. → 진행상

12 다음 〈보기〉의 ㉠~㉤에 대한 설명으로 적절하지 않은 것은?

> ┤ 보기 ├
>
> ㉠ 우리의 꿈을 <u>이루겠다</u>.
> ㉡ 공기가 매우 <u>맑다</u>.
> ㉢ 어제 <u>먹은</u> 빵이 매우 맛있었다.
> ㉣ 철수가 양손을 <u>흔들고서</u> 나에게 다가온다.
> ㉤ 그는 은퇴 후에도 여전히 <u>바쁘고 있다</u>.

① ㉠은 사건시가 발화시보다 뒤에 오는 시제이다.
② ㉡의 '맑다'에는 시제 표시가 따로 없다.
③ ㉢의 '먹은'에는 선어말어미 '-(으)ㄴ'을 써서 과거 시제를 나타내었다.
④ ㉣의 밑줄 친 부분은 연결 어미 '-고서'를 써서 어떤 동작이 시간의 흐름 속에서 이미 끝났다는 것을 표현하였다.
⑤ ㉤의 밑줄 친 부분이 어색한 이유는 '바쁘다'가 형용사이기 때문이다.

13 (가)와 (나)를 비교한 내용으로 적절한 것은?

> ┤ 보기 ├
>
> (가) 고양이가 우유를 먹고 있었다.
> (나) 고양이가 우유를 먹어 버렸다.

① (가)는 가능성을, (나)는 추측을 나타낸다.
② (가)는 과거와의 단절을, (나)는 회상을 나타낸다.
③ (가)는 보조 용언으로, (나)는 선어말 어미로 동작상을 나타낸다.
④ (가)는 동작이 시간의 흐름 속에서 이어지고 있음을, (나)는 동작이 이미 끝났음을 나타낸다.
⑤ (가)는 발화시와 사건시가 일치하는 사건을, (나)는 사건시가 발화시보다 앞선 사건을 나타낸다.

14 〈보기〉는 시간을 표현하는 방법에 대해 조사한 것이다. 각 문장에 대한 시간 표현을 잘못 설명한 것은?

> ┤ 보기 ├
>
> ㄱ. 시제란 사건이 발생한 시점(사건시)이 그 사건을 언어로 표현하는 시점(발화시)보다 이전인지 이후인지 아니면 일치하는지를 나타내는 문법 요소이다.
> ㄴ. 동작상은 발화시를 기준으로 동작이 일어나고 있는 모습을 표현한 것인데, 동작이 진행되고 있음을 표현하는 진행상과 동작이 이미 완결되었음을 표현하는 완료상이 있다.

㉠	어제 친구를 만나 영화를 보았다.	부사와 선어말 어미를 써서 발화시보다 사건시가 앞서는 과거시제를 표현한다.
㉡	이렇게 비가 오니 농사는 다 지었다.	미래의 일을 확정적으로 받아들임을 나타낸다.
㉢	지난 여름에는 정말 덥더라.	과거 어느 때의 일이나 경험을 회상할 때에 사용한다.
㉣	나도 그건 할 수 있겠다.	미래 시제를 나타내는 것 이외에 능력을 표현하기도 한다.
㉤	그 책은 동생에게 줘 버렸고, 지금은 이 책을 읽고 있어.	발화시를 기준으로 동작이 둘 다 동시에 진행되고 있음을 표현하고 있다.

① ㉠　　　　② ㉡　　　　③ ㉢　　　　④ ㉣　　　　⑤ ㉤

15 밑줄 부분의 동작상을 나타낸 것으로 적절하지 <u>않은</u> 것은?

〈문장〉	〈동작상〉
① 철수가 빵을 먹고 <u>있을</u> 것이다.	진행상
② 널어둔 빨래가 <u>말라 버렸다</u>.	완료상
③ 철수가 그림을 거의 <u>그려 간다</u>.	완료상
④ 그녀가 손을 <u>흔들면서</u> 웃었다.	진행상
⑤ 그가 한 번 <u>웃고서</u> 내게 온다.	완료상

16 〈보기〉의 시간 표현에 대한 설명으로 적절한 것만을 고른 것은?

> ┤ 보기 ├
> ⓐ 친구가 지금 읽는 책은 소설이다.
> ⓑ 동생은 어제 교실 창문을 닦았다.
> ⓒ 발표 준비하려면 오늘도 잠은 다 잤어.
>
> ㄱ. ⓐ는 어미 '-는', '-은'을 사용하여 현재 시제를 표현하고 있다.
> ㄴ. ⓑ는 부사와 선어말어미를 활용하여 과거 시제를 표현하고 있다.
> ㄷ. ⓒ는 과거 시제 선어말어미 '-았-'을 사용하여 발화시보다 앞선 사건을 서술하고 있다.

① ㄱ   ② ㄴ   ③ ㄷ   ④ ㄴ, ㄷ   ⑤ ㄱ, ㄴ, ㄷ

17 밑줄 친 부분이 〈보기〉의 ⓐ와 가장 유사한 의미로 사용된 것은?

> ┤ 보기 ├
> 미래 시제를 나타내는 '-겠-'은 추측이나 ⓐ의지, 가능성 등의 의미도 나타낸다.

① 그 일을 혼자 다 할 수 있겠어?
② 내일은 하루 종일 비가 오겠습니다.
③ 지금쯤이면 그가 서울역에 벌써 도착했겠다.
④ 내년에는 저도 그 학교에 지원해 보겠습니다.
⑤ 잠시 후 대통령 내외분이 식장으로 입장하시겠습니다.

18 다음 문장과 같은 시제가 사용된 문장은?

> ┤ 보기 ├
> 이번 여름은 날씨가 정말 더웠다.

① 나는 내일 독도로 떠난다.
② 저는 지금 지하철을 탑니다.
③ 초등학교 때는 공부를 잘했었다.
④ 나 이제 우리 부모님한테 죽었다.
⑤ 해는 동쪽에서 떠서 서쪽으로 진다.

19 〈보기〉를 바탕으로 '동작상'에 대해 탐구한 내용으로 가장 적절한 것은?

┤ 보기 ├

　　시제가 사건시와 발화시의 선후 관계를 표현한다면, 동작상은 사건 또는 동작 자체의 시간적 속성을 표현한다. 예를 들어 '먹다'라는 동작은 과거에서 지금까지 먹고 있는 움직임이 진행 중인 상태와 먹는 움직임이 끝난 상태로 분석할 수 있다. 이와 같이, 동작 내부의 시간적 흐름을 표현하는 문법 요소가 동작상이다. 동작상에는 진행상과 완료상이 있다. 진행상이란 어떤 동작이 시간의 흐름 속에서 계속 이어지고 있을 때 사용하는 문법 요소이고, 완료상이란 어떤 동작이 시간의 흐름 속에서 이미 끝났거나 그 결과가 지속될 때 사용하는 문법 요소이다.

　　ⓐ 그의 감기가 <u>낫고 있다.</u>
　　ⓑ 화단에 꽃이 <u>피어 있다.</u>

① '그는 바람처럼 훌쩍 <u>떠나 버렸다.</u>'는 ⓐ와 같은 동작상의 예에 해당한다.
② '누나는 밥을 <u>먹으면서</u> 신문을 본다.'는 ⓑ와 같은 동작상의 예에 해당한다.
③ ⓐ는 시간이 흐름 속에서 '낫다'라는 동작이 끝난 후 그 결과가 지속되고 있음을 표현하고 있다.
④ ⓐ의 '낫고 있다'를 '-아/-어 가다'의 형태로 바꿔도 같은 의미의 문장이다.
⑤ ⓑ는 시간의 흐름 속에서 '피다'라는 동작이 계속 이어지고 있음을 표현하고 있다.

20 〈보기〉의 ⓐ~ⓒ에 해당하는 예로 적절한 것은?

┤ 보기 ├

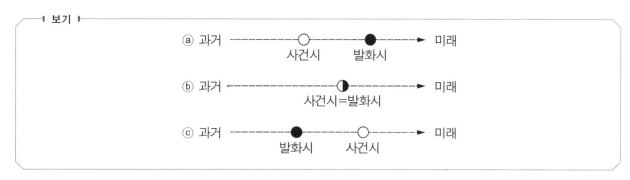

① ⓐ : 오늘 영희는 친구를 만나 영화를 볼 것이다.
② ⓐ : 지금 네가 하는 공부는 무슨 과목이니?
③ ⓑ : 철수는 장차 훌륭한 어른이 되겠다.
④ ⓑ : 조금 전만 해도 창밖에 비바람이 치고 있었다.
⑤ ⓒ : 이 식당은 주말에 개업식을 할 것이다.

21 과거 시제를 표현하는 방법으로 적절하지 <u>않은</u> 것은?

① 선어말 어미 '-았-/-었-'을 사용하여 과거 시제를 표현한다.

② 부사어 '어제', '아까', '이미' 등을 사용하여 과거 시제를 표현한다.

③ 과거 시제를 표현하기 위한 관형사형 어미로 동사의 경우 '-던'을 쓴다.

④ 과거 시제를 표현하기 위한 관형사형 어미로 형용사의 경우 '-(으)ㄴ'을 쓴다.

⑤ 과거의 일이나 경험을 회상하는 의미를 덧붙이기 위해 선어말 어미 '-더-'를 쓴다.

22 〈보기〉의 ⓐ, ⓑ에 대한 설명으로 적절하지 <u>않은</u> 것은?

┤ 보기 ├

동작 내부의 시간적 흐름을 표현하는 국어의 문법 요소를 동작상이라고 한다. 동작상에는 ⓐ진행상과 ⓑ완료상이 있다.

① ⓐ는 발화시를 기준으로 동작이 진행되고 있는 상황이다.

② ⓑ는 발화시를 기준으로 동작이 완료된 상황이다.

③ ⓐ의 예로서 '철수는 손을 흔들면서 집에 간다.'를 들 수 있다.

④ ⓑ의 예로서 '철수는 집에 가 버렸다.'를 들 수 있다.

⑤ ⓐ를 표현할 때는 주로 보조 용언 '-아/어 있다'를 쓰고, ⓑ를 표현할 때는 보조 용언 '-고 있다'를 쓴다.

23 다음 중 피동문이 <u>아닌</u> 것은?

① 어제 영어 시험을 망쳐서 스트레스가 쌓였어.

② 어느새 그의 눈가에 눈물이 맺혔다.

③ 제발 날 울리지 말아줘.

④ 아기가 엄마에게 안겼다.

⑤ 곧 놀라운 사실을 알게 될 거야.

24 〈보기〉에서 피동접미사를 사용한 피동 표현이 있는 문장만을 모두 고른 것은?

┤ 보기 ├
㉠ 붕어빵이 백 개나 팔렸다.
㉡ 그의 독점으로 승부가 뒤집어졌다.
㉢ 정보화 사회에는 잊힐 권리가 필요하다.
㉣ 그녀 덕분에 막냇동생이 혼사를 이루게 되었다.

① ㉠, ㉡   ② ㉠, ㉢   ③ ㉡, ㉢   ④ ㉡, ㉣   ⑤ ㉢, ㉣

25 잘못 쓰인 표현을 바르게 고친 것은?

① 내 이름이 <u>불리게 되자</u> 깜짝 놀랐다.
   → 내 이름이 <u>불려지자</u> 깜짝 놀랐다.
② 그가 우승을 했더니 <u>믿겨지지</u> 않는다.
   → 그가 우승을 했다니 <u>믿어지지</u> 않는다.
③ 나는 책에서 <u>무엇이 배워졌는지 기록하였다.</u>
   → 나는 책에서 <u>무엇을 배웠는지 기록되었다.</u>
④ 공사 과정에서 <u>발생된</u> 소음으로 피해가 크다.
   → 공사 과정에서 <u>발생되어진</u> 소음으로 피해가 크다.
⑤ 현서는 초등학교 3학년 때 백일장에 <u>참가하게 되었다.</u>
   → 현서는 초등학교 3학년 때 백일장에 <u>참가되었다.</u>

26 〈보기〉의 ㉠이 사용되지 <u>않은</u> 것은?

┤ 보기 ├
㉠피동 표현은 주어가 다른 주체에 의해서 어떤 동작을 당하거나 영향을 받는 것을 말하는 국어의 문법 요소
이다.

① 친구가 나를 바보라고 놀렸다.
② 종이에 베인 그 상처가 꽤 깊다.
③ 엄마 등에 업힌 아이가 잠을 자고 있다.
④ 그가 내민 쪽지는 아주 작게 접혀 있었다.
⑤ 철수는 닫힌 문을 열지 못해 애를 쓰고 있다.

[27] 다음 글을 읽고 물음에 답하시오.

요즈음 국어에서 피동 표현의 사용이 늘고 있다. 몇몇 사람들은 이러한 현상이 영어 번역 투에서 시작되었다고 본다. 영어를 한국어로 번역할 때 영어의 특성이 그대로 남아 있게 되고, 그 특성이 국어 사용에 영향을 준다는 것이다.

(ㄱ) 기본문장 : 허균이 『홍길동전』을 지었다.
(ㄴ) 한국어 문장 : 『홍길동전』은 허균이 지었다.
(ㄷ) 영어 직역 문장 : 『홍길동전』은 허균에 의해 지어졌다.

위와 같이 한국어 문장은 어순이 비교적 자유로워 문장의 첫머리에 서술의 대상이 와도 능동 표현이 가능하다. 하지만 영어에서는 문장의 첫머리에 오는 성분은 주어여야 하므로 같은 상황에서 서술어를 피동 형태로 바꾸어야 한다. 이처럼 한국어와 영어의 차이점을 고려하지 않고 영어 문장을 직역하면 불필요한 피동 표현을 쓸 수밖에 없다.

27 윗글을 읽은 후 나타난 반응으로 적절하지 않은 것은?

① 우리말은 영어에 비해 어순이 비교적 자유롭구나.
② 우리가 사용하는 말 중 불필요하게 피동 표현을 쓰는 경우가 많은가 봐.
③ (ㄴ)은 능동 표현, (ㄷ)은 피동 표현이겠네.
④ (ㄴ)에서 『홍길동전』은 문장의 첫머리에 왔으니 주어야.
⑤ (ㄷ)은 우리말다운 표현이라고 말하기 어렵겠구나.

28 〈보기〉를 이해한 내용으로 적절하지 않은 것은?

┤ 보기 ├
ㄱ. 태풍에 건물이 흔들린다.
ㄴ. 작은 나룻배가 파도에 뒤집혔다.

① ㄱ을 능동문으로 바꾸려면 '건물이'가 목적어가 되어야 한다.
② ㄱ을 능동문으로 바꾸려면 '태풍에'가 행위의 대상이 되어야 한다.
③ ㄱ의 '흔들리다'는 '흔들다'의 어간에 피동 접미사 '리'가 붙은 경우이다.
④ ㄴ을 능동문으로 바꾸면 행위의 주체가 '파도'가 된다.
⑤ ㄴ의 '뒤집혔다' 대신 '뒤집다'의 어간에 '-어졌다'를 붙여도 피동문이 된다.

29 인용 표현을 올바르게 사용한 문장은?

① 철수는 어머니께 사랑합니다라고 말했다.
② 인태는 "수정이가 방금 운동장에 나갔어."고 말했다.
③ 처음 바다를 본 동생은 바다가 정말 넓구나고 혼잣말을 했다.
④ 어머니께서는 실패란 하나의 사건일 뿐이라고 말씀하셨다.
⑤ 손님이 점원에게 "이 옷이 얼마냐?"고 물었다.

30 직접 인용문을 간접 인용문으로 바꾼 것으로 적절하지 <u>않은</u> 것은?

① 오빠가 "저 집이다."라고 외쳤다.

　→ 오빠가 저 집이라고 외쳤다.

② 오빠는 "조용히 해라."라고 말했다.

　→ 오빠는 조용히 하라고 말했다.

③ 오빠가 내게 "많이 아프니?"라고 물었다.

　→ 오빠가 내게 많이 아프냐고 물었다.

④ 오빠는 "여기가 내가 사는 곳이야."라고 말했다.

　→ 오빠는 거기가 내가 사는 곳이라고 말했다.

⑤ 오빠는 어제 "선생님이 내일 오신다."라고 말했다.

　→ 오빠는 어제 선생님이 오늘 오신다고 말했다.

31 〈보기〉의 ⓐ~ⓓ에 들어갈 말을 올바르게 짝지은 것은?

┤ 보기 ├

직접인용 : 실망한 제게 어머니께서는 "실패란 하나의 사건일 뿐이다."라고 말씀해 주셨습니다.

간접인용 : 실망한 제게 어머니께서는 실패란 하나의 사건일 ＿＿ⓐ＿＿ 말씀해 주셨습니다.

직접인용 : 철수는 어머니께 "사랑합니다"라고 말했다.

간접인용 : 철수는 어머니께 ＿＿ⓑ＿＿ 말했다.

간접인용 : 인태는 수정이가 방금 운동장에 나갔다고 말했다.

직접인용 : 인태는 "수정이가 방금 운동장에 ＿＿ⓒ＿＿ 말했다.

간접인용 : 처음 바다를 본 그녀는 바다가 정말 넓다고 혼잣말을 했다.

직접인용 : 처음 바다를 본 그녀는 "바다가 정말 ＿＿ⓓ＿＿ 혼잣말을 했다.

	ⓐ	ⓑ	ⓒ	ⓓ
ㄱ	뿐이라고	사랑한다고	나갔어"고	넓구나"고
ㄴ	뿐이라고	사랑한다고	나갔어"라고	넓구나"라고
ㄷ	뿐이라고	사랑한다라고	나갔어"고	넓구나"고
ㄹ	뿐이라고	사랑한다라고	나갔어"고	넓구나"라고
ㅁ	뿐이라고	사랑한다라고	나갔어"라고	넓구나"고

① ㄱ　　　　② ㄴ　　　　③ ㄷ　　　　④ ㄹ　　　　⑤ ㅁ

객관식 심화문제

01 〈보기〉의 ⓐ~ⓔ에 들어갈 말을 올바르게 짝지은 것은?

> ┤ 보기 ├
>
> ㉠ 미나 어머니께서는 "너희 어머니는 잘 지내니?"라고 물어 보셨다.
> ㉡ 미나 어머니께서는 우리 어머니께서 잘 지내시냐고 물어 보셨다.
>
> ㉠은 미나 어머니의 발화를 그대로 옮긴 직접 인용이고, ㉡은 미나 어머니의 발화를 풀어 쓴 간접 인용이다. 그런데 직접 인용을 간접 인용으로 바꿀 때나 간접 인용을 직접 인용으로 바꿀 때는 인용절 속의 어미, 인용 조사, 대명사, 지시 표현, 높임 표현 등에 변화가 생길 수 있다.
>
> | 직접 인용 | 아들이 어제 저에게 "내일 병원에 모시고 갈게요."라고 말했습니다. |
> |---|---|
>
> ⇩
>
> | 간접 인용 | 아들이 어제 저에게 (ⓐ) 병원에 (ⓑ) 말했습니다. |
> |---|---|
>
> | 직접 인용 | 철수는 어머니께 "사랑합니다."라고 말했다. |
> |---|---|
>
> ⇩
>
> | 간접 인용 | 철수는 어머니께 (ⓒ) 말했다. |
> |---|---|
>
> | 직접 인용 | 선우가 "교실에서 조용히 합시다."라고 말했다. |
> |---|---|
>
> ⇩
>
> | 간접 인용 | 선우가 교실에서 조용히 (ⓓ) 말했다. |
> |---|---|

	ⓐ	ⓑ	ⓒ	ⓓ
①	어제	모시고 간다고	사랑하냐고	하자고
②	오늘	데려 간다고	사랑한다고	하자고
③	오늘	모시고 간다고	사랑한다라고	하라고
④	오늘	데려 간다고	사랑하냐고	하자고
⑤	어제	데려 간다고	사랑한다고	하라고

02 〈보기〉의 ㉠~㉤을 고친 문장과 오류 내용이 모두 알맞은 것은?

┌─ 보기 ├─
㉠ 그녀는 아까 도서관에 가고 있어.
㉡ 철수야, 선생님이 너를 모시고 오시래.
㉢ 할아버지는 매일 이 시간이면 낮잠을 자.
㉣ 창문이 닫혀지지 않아 찬바람이 들어온다.
㉤ 사육장 관계자는 시설의 개선이 필요하다라고 말했습니다.
└─────

고친 문장	오류 내용
㉠ 그녀는 아까 도서관에 가고 있었어.	시제 오류
㉡ 철수야, 선생님이 너를 데리고 오라고 하셔.	높임 오류
㉢ 할아버지는 매일 이 시간이면 낮잠을 주무셔.	높임 오류
㉣ 창문이 닫히지 않아 찬바람이 들어온다.	사동 오류
㉤ 사육장 관계자는 시설의 개선이 필요하다고 말했습니다.	시제 오류

① ㉠   ② ㉡   ③ ㉢   ④ ㉣   ⑤ ㉤

03 〈보기〉의 ㉠~㉡에 해당하는 사례로 적절하지 <u>않은</u> 것은?

┌─ 보기 ├─
　'피동'이란 주어가 스스로 행동하지 않고 남의 동작을 받는 것을 말한다. 타동사 어근에 피동 접미사 '-이-, -히-, -리-, -기-'가 붙어서 이루어진 ㉠<u>파생적 피동</u>과 용언의 어간에 '-어지다', '-게 되다'가 붙어서 이루어진 ㉡<u>통사적 피동</u> 등이 있다.
└─────

① ㉠ : 도둑이 경찰에게 잡혔다.
② ㉠ : 우연히 음악 소리를 들었다.
③ ㉡ : 나에 대한 오해가 풀어졌다.
④ ㉡ : 그는 결국 징역을 살게 되었다.
⑤ ㉡ : 경기의 승부가 그의 득점으로 뒤집어졌다.

04 〈보기〉를 바탕으로 높임 표현에 대해 탐구한 내용으로 적절하지 <u>않은</u> 것은?

┤ 보기 ├

㉠ 아버지께서 저녁을 드시러 나가셨습니다.

㉡ 선생님께 문제의 풀이 과정을 여쭤보았다.

㉢ 어머니께서는 손이 아프셔서 무거운 짐을 드실 수 없어.

㉣ (가게 안을 두리번거리는 손님에게) 손님, 무엇을 찾으십니까?

① ㉠과 ㉡에서 주어가 나타내는 대상을 높일 때 사용하는 조사가 드러난다.

② ㉡은 특수 어휘를 사용하여 부사어가 나타내는 대상을 높이고 있다.

③ ㉢은 '어머니'의 신체 부분을 높여 문장의 주체를 높이고 있다.

④ ㉣은 종결 어미를 통해 듣는 상대를 아주 높여 말하고 있다.

⑤ ㉠과 ㉣은 주어가 나타내는 대상을 높일 때 사용하는 선어말 어미가 드러난다.

05 〈보기〉의 ㉠에 들어갈 문장으로 가장 적절한 것은?

┤ 보기 ├

　우리말의 높임 표현은 높임의 대상이 무엇이냐에 따라 세 종류로 나뉜다. 상대 높임법은 화자가 청자, 즉 상대를 높이거나 낮추는 방법으로 종결 어미에 의해 실현된다. 주체 높임법은 문장에서 서술의 주체를 높이는 방법으로 조사, 선어말 어미, 특수 어휘에 의해 실현된다. 또한, 객체 높임법은 문장에서 목적어와 부사어가 지시하는 대상, 즉 객체를 높이는 방법으로 조사와 특수 어휘에 실현된다.

　그런데 실제 언어생활에서 높임 표현은 위의 높임 표현 두세 가지가 동시에 사용되어 실현 양상이 복합적이다.

　예를 들어 '영수야, 할아버지 오셨어.'와 같은 문장은 상대는 낮추고 주체는 높여서 표현한 것이다. 그리고 _____㉠_____는 상대를 높이고 주체와 객체도 높여서 표현한 것이다.

① 아버지께서는 할아버지를 뵙고 오셨어요.

② 할머니께서는 진지를 드시고 계셨습니다.

③ 철수가 손님들을 모시고 공원으로 갔어요.

④ 어머니께서는 나의 저녁밥을 차려 주었어.

⑤ 요즘 중간고사 시험 준비로 많이 힘드시죠?

06 〈보기1〉을 참고할 때, 〈보기2〉의 '–겠–'과 유사한 의미를 지닌 예로 가장 적절한 것은?

> ┤ 보기 1 ├
>
>   미래 시제를 나타내는 선어말 어미 '–겠–'은 용언의 어간에 붙어 미래 시제를 나타내는 것 이외에 추측이나 의지, 가능성이나 능력, 완곡하게 말하는 태도 등의 의미로 쓰인다.

> ┤ 보기 2 ├
>
>   영희야, 이 많은 일을 어떻게 혼자 다 하겠니?

① 하늘을 보니 내일은 비가 오겠다.
② 이 정도 수학 문제는 어린 아이도 풀 수 있겠다.
③ 지금쯤 이모네 가족들이 인천 공항에 도착했겠네.
④ 나는 이번 하반기 입사 시험에 합격하고야 말겠다.
⑤ 비가 그칠 때까지 잠시 옆자리에 앉아도 되겠습니까?

07 〈보기〉의 ㉠~㉢에 해당하는 예로 적절하지 <u>않은</u> 것은?

> ┤ 보기 ├
>
>   높임 표현은 화자가 대상의 높고 낮은 정도에 따라 언어적으로 구별하여 표현하는 국어의 문법 요소이다. 높임 표현은 높임의 대상에 따라 ㉠상대 높임법, ㉡주체 높임법, ㉢객체 높임법으로 나뉜다.

① ㉠ : 철수야, 학교에 잘 다녀오너라.
② ㉠ : 오늘의 영광을 부모님께!
③ ㉡ : 아버지께서는 집에 계신다.
④ ㉡ : 할아버지께서는 이미 진지를 잡수셨다.
⑤ ㉢ : 우리는 할머니를 모시고 여행을 갔다.

08 높임법에 맞게 고쳐 쓴 문장과 그 이유가 적절하지 <u>않은</u> 것은?

① 나는 집에 있어.

　　→ (부모님께) 저는 집에 있어요.

　　이유 : 부모님께는 자신을 낮춰야 한다.

② 할아버지께서는 이가 안 좋으시다.

　　→ 할아버지께서는 치아가 안 좋으시다.

　　이유 : 높임의 대상과 밀접한 사람이나 사물, 신체의 일부 등을 높임으로써 해당 인물을 높이는 간접높임을 사용하고 있다.

③ 나는 어머니께 꽃다발을 주었다.

　　→ 나는 어머니께 꽃을 주었다.

　　이유 : '주었다'에 어울리는 낱말은 '꽃'이므로 '꽃다발'은 어울리지 않다.

④ 안녕하세요, 회장님? 신입사원OO라고 합니다.

　　→ 안녕하십니까, 회장님? 신입사원 OO라고 합니다.

　　이유 : 공적인 자리에서는 격식체를 사용해야만 한다.

⑤ 동생이 할아버지를 보고 말을 했다.

　　→ 동생이 할아버지를 뵙고 말씀을 드렸다.

　　이유 : 객체를 높이기 위하여 높임의 의미가 있는 특수한 어휘를 사용하기도 한다.

09 〈보기〉의 밑줄 친 부분에 해당하는 예로 적절한 것은?

┤ 보기 ├

　피동 표현을 쓸 때 피동사에 '-아지다/-어지다'나 '-게 되다'를 또 붙여서 이중 피동을 만드는 경우가 있는데, 이는 잘못된 표현이다. 또 불필요한 피동 표현이 사용된 경우에는 능동 표현으로 바꾸어 써야 한다. 한국어와 영어의 차이점을 고려하지 않고 영어 문장을 직역하면 불필요한 피동 표현을 쓸 수 밖에 없다. 그리고 이러한 문장에 익숙해지면 정작 피동 표현을 써야 할 때에 <u>이중 피동 표현</u>을 쓰게 된다. 그래야만 피동 표현이 강조되는 것처럼 느껴지기 때문이다. 한 예로, 인터넷상의 개인 정보를 삭제할 수 있는 권리는 '잊힐 권리'는 흔히 이중 피동 표현인 '잊혀질 권리'로 잘못 쓰인다.

① 많은 물고기가 국어선생님에게 잡혔다.

② 오래된 그 집이 사람들에게 헐리어졌다.

③ 내 이름이 불리자 깜짝 놀랐다.

④ 고분에서 많은 유물이 발굴되었다.

⑤ 경기의 승부가 그의 마지막 득점으로 뒤집혔다.

높임 표현은 화자가 대상의 높고 낮은 정도에 따라 언어적으로 구별하여 표현하는 국어의 문법 요소이다. 높임 표현은 높임의 대상에 따라 상대 높임법, 주체 높임법, 객체 높임법으로 나뉜다.

상대 높임법은 청자를 높이거나 낮추는 방법이다. 높임과 낮춤의 정도에 따라 종결 어미가 달라진다. 화자 자신을 낮추는 것 '저', '제' 등의 어휘를 쓰기도 한다.

주체 높임법은 문장의 주체를 높이는 방법이다. 주격 조사 '이/가' 대신 '께서'를 사용하고, 일반적으로 서술어에 선어말 어미 '-(으)시-'가 붙어 실현된다. ㉠'있다', '먹다' 같은 단어 대신 '계시다', '잡수시다' 같은 특수 어휘를 쓰기도 한다.

[A] 최근 '주문하신 커피 나오셨습니다.', '문의하신 상품은 품절이십니다.'처럼 서비스업이나 판매업 종사자들이 고객을 존대하려는 의도로 불필요한 '-시-'를 넣은 표현을 적지 않게 사용하고 있다. 높여야 할 대상의 신체 부분, 성품, 심리, 소유물과 같이 주어와 밀접한 관계를 맺고 있는 대상을 통하여 주어를 간접적으로 높이는 '간접 존대'에는 '눈이 크시다.', '걱정이 많으시다', '선생님, 넥타이가 멋있으시네요.'처럼 '-시-'를 동반한다. 그러나 '주문하신 커피 나오셨습니다.', '문의하신 상품은 품절이십니다.'처럼 '-시'를 남용하는 것은 바른 경어법이 아니다.

객체 높임법은 문장의 목적어나 부사어가 지시하는 대상, 즉 서술의 객체를 높이는 방법이다. 서술의 객체가 화자보다 나이가 많거나 사회적 지위가 높을 때 사용한다. 부사격 조사 '에게' 대신 '께'를 사용하고, ㉡'만나다', '묻다' 같은 단어 대신 '뵈다', '여쭈다' 같은 특수 어휘를 쓰기도 한다.

10 다음 중 ㉠, ㉡이 모두 사용된 문장은?

① 누나는 여쭈어볼 것이 있다며 선생님 댁에 갔다.
② 연세가 많으신 할머니께서는 아직도 홍시를 잘 잡수신다.
③ 어머니께서는 몹시 피곤하신지 오시자마자 거실에서 주무신다.
④ 할아버지를 모시고 식당으로 가서 무엇을 잡수실 건지 여쭙거라.
⑤ 아버지께서는 할머니를 뵙고 추석 선물을 드리며 반갑게 인사를 하셨다.

11 윗글의 [A]를 제대로 이해하지 못한 사람은?

① (선생님께) '오늘 입으신 옷이 멋지시네요.'는 옷을 통해 선생님을 간접적으로 높이려는 것이군.
② (미용실에서) '손님, 이제 머리 감기실게요.'는 문장의 주어인 손님을 높이려는 의도로 -시-를 썼군.
③ (사장님께) '사장님 따님이 참 착하시네요.'는 화자보다 사장의 딸이 어린 경우에는 사장을 높이기 위한 간접 존대에 해당해야겠군.
④ (상점에서) '손님 성격이 참 좋으시네요.'의 '성격'은 높여야 할 대상과 밀접한 관계를 맺고 있으므로 틀린 표현이 아니겠군.
⑤ (식당에서) '문의하신 날짜는 예약이 꽉차서서 불가능하십니다.'는 '-시'의 남용에 해당하겠군.

[12] 다음 글을 읽고 물음에 답하시오.

높임 표현은 화자가 대상의 높고 낮은 정도에 따라 언어적으로 구별하여 표현하는 국어의 문법 요소이다. 높임 표현은 높임의 대상에 따라 상대 높임법, 주체 높임법, 객체 높임법으로 나뉜다.

㉮<u>상대 높임법</u>은 청자를 높이거나 낮추는 방법이다. 높임과 낮춤의 정도에 따라 종결 어미가 달라진다.

㉯<u>주체 높임법</u>은 문장의 주체를 높이는 방법이다. 주격 조사 '이/가' 대신 '께서'를 사용하고, 일반적으로 서술어에 선어말 어미 '-(으)시-'가 붙어 실현된다. 특수 어휘를 쓰는 단어도 있다.

㉰<u>객체 높임법</u>은 문장의 목적어나 부사어가 지시하는 대상, 즉 서술의 객체를 높이는 방법이다. 서술의 객체가 화자보다 나이가 많거나 사회적 지위가 높을 때 사용한다.

12 위 글의 예시로 적절하지 <u>않은</u> 것은?

① ㉮ : 저는 밥 먹으러 직접 가겠습니다.
② ㉮ : 어머님, 제가 무거운 것을 들고 가겠습니다.
③ ㉯ : 아버지께서는 안방에 계신다.
④ ㉯ : 선생님께서는 아름다운 따님이 두 명이나 계신다.
⑤ ㉰ : 영희가 할머니께 드릴 선물을 구입했어요.

13 다음 발표문에 대한 평가로 적절하지 <u>않은</u> 것은?

안녕? 나는 뽀로로라고 해.
문학에 관심이 많은 나는 초등학교 3학년 때 백일장에 참가되었어. 하루 종일 고생해서 시를 써냈지만 수상하지 못했지. 실망할 나에게 어머니께서는 "실패란 하나의 사건일 뿐이다."라고 말해 주었어. 실패는 끝이 아니라 과정이며, 실패를 통해 무엇이 배워졌는지가 더 중요하다는 사실을 깨달았지. 그 후 나는 8년간 계속해서 백일장에 참가하고 있어. 앞으로도 많이 실패하였지만 계속 도전할 거야.

① 부적절한 피동 표현은 능동 표현으로 고쳐쓴다.
② 잘못 쓰인 과거 시제와 미래 시제 표현을 수정한다.
③ 높임의 대상을 표현하기 위해 높임 표현을 사용해야 한다.
④ 직접 인용을 사용해야 하는 부분에 간접 인용을 사용하고 있다.
⑤ 공식적인 자리에서 발표하기 위해 청자를 높이는 표현으로 수정한다.

14 (가)~(마)에 대한 설명으로 옳지 <u>않은</u> 것은?

> ┤ 보기 ├
>
> (가) A는 연세가 많으시다.
>
> (나) A께서 낮잠을 주무신다.
>
> (다) A가 B께 용돈을 드렸다.
>
> (라) 저는 이곳이 처음입니다.
>
> (마) A께서 B를 모시고 떠나셨습니다.

① (가)에서 화자는 특수 어휘 '연세'와 선어말 어미 '−시−'를 사용하여 주체인 A를 간접적으로 높이고 있다.

② (나)에서 화자는 조사 '께서'와 선어말 어미 '−시−'를 사용하여 주체인 A를 직접 높이고 있다.

③ (다)에서 화자는 조사 '께'와 특수 어휘 '드리다'를 사용하여 객체인 B를 높이고 있다.

④ (라)에서 화자는 특수 어휘 '저'를 사용하여 자신을 낮추고, 종결 어미 '−ㅂ니다'를 사용하여 청자를 높이고 있다.

⑤ (마)에서 화자는 청자, 주체인 A, 객체인 B를 모두 높이고 있다.

15 각 쌍의 밑줄 친 부분에 대한 설명으로 옳지 <u>않은</u> 것은?

> ┤ 보기 ├
>
> (가) ㉠ 친구와 함께 영화를 <u>본다</u>.
>
>   ㉡ 친구와 함께 영화를 <u>보겠다</u>.
>
> (나) ㉢ 철수는 예전에 이 집에 <u>살았다</u>.
>
>   ㉣ 철수는 예전에 이 집에 <u>살았었다</u>.
>
> (다) ㉤ 동생이 <u>먹은</u> 빵이다.
>
>   ㉥ 기온이 <u>높은</u> 날씨다.
>
> (라) ㉦ 언니가 의자에 <u>앉고 있다</u>.
>
>   ㉧ 언니가 의자에 <u>앉아 있다</u>.
>
> (마) ㉨ 준현이가 손을 <u>흔들면서</u> 내게 다가온다.
>
>   ㉩ 준현이가 손을 <u>흔들고서</u> 내게 다가온다.

① (가) : ㉠은 사건시가 발화시보다 앞서고, ㉡은 발화시가 사건시보다 앞서는 것을 나타낸다.

② (나) : ㉢과는 달리 ㉣은 '과거의 시간이 현재와 다르든가 단절되어 있음'을 나타낸다.

③ (다) : 관형사형 어미 '−(으)ㄴ'은 ㉤에서는 과거 시제를, ㉥에서는 현재 시제를 표현하는 데 사용되었다.

④ (라) : ㉦은 어떤 동작이 '진행되고 있음'을, ㉧은 '이미 끝났거나 그 결과가 지속되고 있음'을 나타낸다.

⑤ (마) : (라)와 (마)를 비교해 보면, ㉨의 시제와 동작상은 (라)의 ㉦과 ㉩은 (라)의 ㉧과 동일하다고 할 수 있다.

16 국어 문법에 어긋나는 어색한 표현을 고쳐 쓴 문장 또는 그 이유가 적절하지 <u>않은</u> 것은?

① 어색한 표현 : 날이 벌써 <u>어두워 있다</u>.

　　어색한 이유 : 형용사를 동작상과 함께 사용하였다.

　　고쳐 쓴 표현 : 날이 벌써 <u>어둡다</u>.

② 어색한 표현 : 그 말은 정말 <u>믿겨지지</u> 않았다.

　　어색한 이유 : 이중 피동 표현을 사용하였다.

　　고쳐 쓴 표현 : 그 말은 정말 <u>믿기지</u> 않았다.

③ 어색한 표현 : 고객님, 신분증이 <u>계신가요</u>?

　　어색한 이유 : 물건은 높임의 대상이 아니다.

　　고쳐 쓴 표현 : 고객님, 신분증이 <u>있어요</u>?

④ 어색한 표현 : 형은 "노래는 내가 잘한다."<u>고</u> 말했다.

　　어색한 이유 : 조사를 잘못 사용하였다.

　　고쳐 쓴 표현 : 형은 "노래는 내가 잘한다."<u>라고</u> 말했다.

⑤ 어색한 표현 : 혜영아, 아까 어디에 가고 <u>있어</u>?

　　어색한 이유 : 부사어와 서술어의 시제가 불일치한다.

　　고쳐 쓴 표현 : 혜영아, 아까 어디에 가고 <u>있었어</u>?

17 〈보기1〉을 〈보기2〉로 고쳐 쓴 과정에서 반영되지 <u>않은</u> 조건은?

┤ 보기 1 ├

　초등학교 4학년 때, 나는 백일장에 참가하였지만 입상하지 못했지. 어머니는 실망할 내게 실패는 끝이 아니라 하나의 과정이며, 실패를 통해 무엇이 배워졌는지가 더 중요하다고 말해 주었어. 그 후 나는 8년간 계속해서 백일장에 참가하고 있으면서 많이 실패하겠지만 앞으로 계속 도전할 거야.

┤ 보기 2 ├

　초등학교 학년 때, 저는 백일장에 참가하게 되었지만 입상하지 못했습니다. 어머니께서는 실망한 제게 "실패는 끝이 아니라 하나의 과정이야. 실패에서 무엇이 배워졌는지가 더 중요하지."라고 말씀해 주셨습니다. 그 후 저는 8년간 계속해서 백일장에 참가하면서 많이 실패하였지만 앞으로 계속 도전할 겁니다.

① 청자를 높이는 표현으로 고쳐 쓴다.

② 간접 인용을 직접 인용으로 고쳐 쓴다.

③ 잘못 쓰인 높임 표현을 바르게 고쳐 쓴다.

④ 잘못 쓰인 시간 표현을 바르게 고쳐 쓴다.

⑤ 부적절한 피동 표현을 능동 표현으로 고쳐 쓴다.

18 ⑦~⑩의 잘못된 문장을 수정한 이유로 적절하지 <u>않은</u> 것은?

	잘못된 문장 → 수정한 문장
㉠	할아버지께서 우리에게 세뱃돈을 줬다. → 할아버지께서 우리에게 세뱃돈을 주셨다.
㉡	그의 말이 정말 믿겨지지 않았다. → 그의 말이 정말 믿기지 않았다.
㉢	그는 신발을 신고 있다. → 그는 신발을 신는 중이다.
㉣	그는 나에게 "밥 언제 먹을 거니?"고 물었다. → 그는 나에게 "밥 언제 먹을 거니?"라고 물었다.
㉤	그녀의 머릿결은 언제나 아름답고 있다. → 그녀의 머릿결은 언제나 아름답다.

① ㉠ : 서술어 '줬다'의 주체가 높임의 대상이기 때문이다.

② ㉡ : 이중 피동 표현을 사용하였기 때문이다.

③ ㉢ : 중의적 의미로 해석이 가능하기 때문이다.

④ ㉣ : 인용의 조사가 잘못되었기 때문이다.

⑤ ㉤ : 시제를 잘못 사용하였기 때문이다.

19 〈보기〉의 ㉠~㉦에 대해 설명한 것으로 적절하지 <u>않은</u> 것은?

┤ 보기 ├

　내가 예전에 여기에 ㉠<u>왔을</u> 때 ㉡<u>본</u> 나무들, 그토록 ㉢<u>예쁘던</u> 그 꽃나무들은 다 어떻게 ㉣<u>돼</u> 버렸을까? 그 나무들을 보면서 큰 기쁨을 ㉤<u>느꼈었는데.</u>

　아, ㉥<u>초등학생이던</u> 내가 손수 심은 나무들도 다 ㉦<u>사라졌구나.</u>

① ㉠과 ㉦은 선어말어미 '-았/었-'을 사용했으므로 과거시제이다.

② ㉡은 관형사형 어미 '-ㄴ'이 붙어 과거시제가 되었으므로, '보다'의 품사는 동사이다.

③ ㉢과 ㉥에 관형사형 어미 '-던'이 붙어 과거시제가 되었으므로, 이들 품사는 동사이다.

④ ㉣은 '-어 버리다'에 선어말어미 '-었-'이 결합한 것으로, 과거시제 완료상이다.

⑤ ㉤은 선어말어미 '-었었-'을 사용했으므로 현재에는 그렇지 않음을 나타내는 과거시제이다.

20 〈보기〉에 쓰인 높임표현을 탐구한 내용으로 적절하지 않은 것은?

┤ 보기 ├

ㄱ. 그녀가 할머니께 모자를 사 드렸다.
ㄴ. 삼촌께서 밖으로 나가시는 모습이 보인다.
ㄷ. 엄마, 숙부께서 할아버지를 뵙자고 하시네요.
ㄹ. 선생님, 이번에는 제 말씀을 좀 들어 보십시오.

① ㄱ의 '드렸다'는 주체를 높이기 위해 사용된 것이군.
② ㄴ과 ㄷ의 '께서'와 '-시-'는 주체를 높이기 위해 사용된 것이군.
③ ㄷ의 '뵙자고'는 객체를 높이기 위해 사용된 것이군.
④ ㄷ의 '요'는 비격식 상황에서 상대방을 높이기 위해 사용된 것이군.
⑤ ㄹ의 '-십시오'는 격식이 있는 상황에서 상대방을 높이기 위해 사용된 것이군.

21 〈보기〉의 ㉠에 들어갈 말로 가장 적절한 것은?

┤ 보기 ├

선생님 : 우리말의 높임 표현에는 주체 높임법, 객체 높임법, 상대 높임법이 있습니다. 그런데 실제 언어 생활에서 '높임 표현'이 실현되는 양상은 복합적입니다.
　　예문을 볼까요? '철수야, 선생님께서 찾으셔.'는 상대는 낮추고 주체는 높여서 표현한 것입니다. 그리고 (　　㉠　　)은(는) 상대를 높이고 객체도 높여서 표현한 것입니다.

① 내일 우리 같이 밥 먹어요.
② 제가 할머니를 모시고 왔습니다.
③ 이 손수건 좀 할아버지께 갖다 드려.
④ 요즘 여러 가지 일로 많이 바쁘시죠?
⑤ 어머니께서 아버지의 손수건을 만드셨어.

22 〈보기〉를 참고하여 '-겠-'의 의미가 나머지와 다른 하나는?

┤ 보기 ├

　　미래 시제를 표현하는 선어말 어미 '-겠-'은 미래 시제를 나타내는 것 이외에 추측이나 의지, 가능성이나 능력, 완곡하게 말하는 태도 등을 표현하기도 한다.

① 제가 마저 써도 되겠습니까?
② 책을 읽어봐도 괜찮겠습니까?
③ 이걸 어떻게 혼자 다 하겠니?
④ 내가 먼저 말해도 되겠니?
⑤ 어제 그만 돌아가 주시겠어요?

23 〈보기〉의 ㉠과 ㉡에 대한 설명으로 적절하지 <u>않은</u> 것은?

> ┤ 보기 ├
> ㉠ 깨끗한 경치를 보니 어머니를 모시고 오고 싶어.
> ㉡ 저는 따뜻한 차를 마시며 앉아 있으니 기분이 좋습니다.

① ㉠은 사적이고 친근감이 나타나는 표현이고, ㉡은 공적이고 심리적 거리가 느껴지는 표현이다.
② ㉠과 청자를 낮추어 말하는 표현이고, ㉡은 청자를 높여 말하는 표현이다.
③ ㉠은 서술의 객체를 높여 말하는 표현이고, ㉡은 주체를 낮추어 말하는 표현이다.
④ ㉠과 ㉡은 형용사에 관형사형 어미 '-(으)ㄴ'을 써서 현재의 일을 나타내고 있다.
⑤ ㉠과 ㉡은 모두 사건이 발생한 시점과 그 사건을 언어로 표현하는 시점 사이에 시간 차이가 존재한다.

24 다음 중 문법 요소가 올바르게 쓰인 것은?

① 동생에게 사탕을 빼앗겼다.
② 나는 일이 잘 마무리되어지길 바란다.
③ 어제 동생이 "누나, 바다 보고 싶다."고 말했다.
④ 할아버지께서 병원에 혼자 가신다고 말해 주었어.
⑤ 편견 없는 사회가 만들어지려면 나부터 노력해야 해.

25 (가)～(다)에 대하여 시간 표현 선어말어미의 의미를 중심으로 설명한 것 중 가장 적절한 것은?

> (가) 은경이는 어제 불암도서관에서 책을 빌리더라.
> (나) 정일이는 어제 불암도서관에서 책을 빌렸어.
> (다) 목감기로 승철이는 목구멍이 아직도 부었어.

① **원균** : (가)와 (나)는 모두 이전에 일어난 사건에 대한 사실을 전달하고 있어.
② **은희** : (가)는 (나)와 달리 이전에 일어난 사건이 지금까지 지속되고 있음을 나타내고 있어.
③ **영재** : (가)와 (다)는 모두 이전에 일어난 사건이 지금까지 지속되고 있음을 나타내고 있어.
④ **영관** : (나)와 (다)는 모두 이전에 일어난 사건의 사실을 화자가 직접 경험하여 알게 되었음을 나타내고 있어.
⑤ **지현** : (다)는 (가)와 달리 이전에 일어난 사건의 사실을 전달하는 동시에 그 사실을 화자가 직접 경험하여 알게 되었음을 나타내고 있어.

[26~27] 다음 글을 읽고 물음에 답하시오.

'높임 표현'이란 말하는 이가 어떤 대상을 높이거나 낮추는 정도를 구별하여 표현하는 방법을 말한다. 국어에서 높임 표현의 대상에 따라 주체 높임, 상대 높임, 객체 높임으로 나누어진다.

주체 높임은 서술의 주체를 높이는 방법이다. 주체 높임을 실현하기 위해 선어말 어미 '-(으)시-'를 사용하며, 주격 조사 '이/가' 대신에 '께서'를 쓰기도 한다. 그 밖에 '계시다', '주무시다' 등과 같은 특수 어휘를 사용하여 높임을 드러내기도 한다. 그리고 주체 높임에는 직접 높임과 간접 높임이 있다. ㉠직접 높임은 높임의 대상인 주체를 직접 높이는 것이고, ㉡간접 높임은 높임의 대상인 주체의 신체 일부, 소유물, 가족 등을 높임으로써 주체를 간접적으로 높이는 것이다.

상대 높임은 말하는 이가 듣는 이를 높이거나 낮추어 말하는 방법이다. 상대 높임은 주로 종결 표현을 통해 실현되는데, 아래와 같이 크게 격식체와 비격식체로 나뉜다.

	하십시오체	예 합니다, 합니까? 등
격식체	하오체	예 하오, 하오? 등
	하게체	예 하네, 하는가? 등
	해라체	예 한다, 하냐? 등
비격식체	해요체	예 해요, 해요? 등
	해체	예 해, 해? 등

격식체는 격식을 차리는 자리나 공식적인 상황에서 주로 사용하며, 비격식체는 격식을 덜 차리는 자리나 사적인 상황에서 주로 사용한다. 그렇기 때문에 같은 대상이라도 공식적인 자리인지 사적인 자리인지에 따라 높임 표현이 달리 실현되기도 한다.

㉢객체 높임은 목적어나 부사어가 지시하는 대상, 즉 서술의 객체를 높이는 방법이다. 객체 높임은 '모시다', '여쭈다' 등과 같은 특수 어휘를 통해 실현되며, 부사격 조사 '에게' 대신 '께'를 사용하기도 한다.

26 윗글을 바탕으로 〈보기〉의 ⓐ~ⓔ를 탐구한 내용으로 가장 적절한 것은?

┤ 보기 ├

(복도에서 친구 선희와 만난 상황)
경화 : 선희야, ⓐ선생님께서 너 지금 교무실로 오라셔.
선희 : 응, 알았어.

(선희가 교무실로 선생님을 찾아간 상황)
선희 : 선생님, 부르셨어요?
선생님 : 그래. 방과 후에 있는 '탐구 논문 발표' 때 사용할 발표 자료를 점심시간 전까지 가져올 수 있니?
선희 : 점심시간 전까지 ⓑ선생님께 발표 자료를 드리기 어려운데요.
선생님 : 그러면 종례 끝나고 바로 발표 행사를 시작하니, 6교시 쉬는 시간까지는 제출해야 한다.
선희 : 발표 행사가 시작되면 바로 발표를 시작하나요?
선생님 : 아니. 행사를 시작하면 먼저 ⓒ교장선생님의 말씀이 있으실거야. 그 다음부터 순번대로 발표를 하게 될 거고. 너희가 첫 번째 순서이니까 미리 준비를 해야겠지?
선희 : 네. 그러면 6교시 쉬는 시간에 지현이와 함께 오겠습니다.

(6교시가 끝나고 지현이와 선희가 교무실로 선생님을 찾아간 상황)

지현 : 선생님, 발표 자료 여기 있어요.

선희 : ⓓ저희 열심히 준비했어요.

선생님 : 그래. 준비한 대로 발표 잘 하렴.

(발표 대회에서 발표를 하는 상황)

선희 : ⓔ이상으로 발표를 마칠게요.

미령 : 궁금한 점이 있는데, 질문해도 될까?

① **근화** : ⓐ는 서술의 주체인 선생님을 높이기 위하여 조사 '께서'와 오는 동작의 주체를 높이는 선어말어미 '-시-'를 사용하였어.

② **원균** : ⓑ는 서술의 주체인 선생님을 높이기 위하여 조사 '께'와 높임의 특수한 어휘인 '드리다'를 사용하였어.

③ **은희** : ⓒ는 높임의 대상인 주체와 관련된 사물을 높이기 위하여 '말씀'이라는 높임 어휘와 높임의 특수 어휘인 '있으시다'를 사용하였어.

④ **영재** : ⓓ는 듣는 사람인 선생님을 높이기 위하여 자신을 낮추는 표현을 사용하였어.

⑤ **영관** : ⓔ는 탐구 논문 발표라는 공식적인 자리에 맞게 높임을 나타내는 격식체의 종결 표현을 사용하였어.

27 윗글을 바탕으로 〈보기〉를 밑줄 친 ㉠, ㉡, ㉢에 해당하는 것으로 구분하여 묶은 것으로 가장 적절한 것은?

┤ 보기 ├

㉮ 교수님께서는 책이 많으시다.

㉯ 나는 할머니를 모시고 병원에 갔다.

㉰ 교장선생님의 말씀이 있으시겠습니다.

㉱ 아무래도 네가 선생님을 직접 뵈어야겠다.

㉲ 아버지께서 지병 때문에 매일 한약을 드신다.

	㉠직접 높임	㉡간접 높임	㉢객체 높임
Ⓐ	㉮, ㉲	㉰, ㉱	㉯
Ⓑ	㉯	㉮, ㉰	㉱, ㉲
Ⓒ	㉰	㉮, ㉲	㉯, ㉱
Ⓓ	㉱	㉮, ㉰	㉯, ㉲
Ⓔ	㉲	㉮, ㉰	㉯, ㉱

① Ⓐ   ② Ⓑ   ③ Ⓒ   ④ Ⓓ   ⑤ Ⓔ

[28~30] 다음 글을 읽고 물음에 답하시오.

(가) 높임 표현은 화자가 대상의 높고 낮은 정도에 따라 언어적으로 구별하여 표현하는 국어의 문법 요소이다. 높임 표현은 높임의 대상에 따라 상대높임법, 주체높임법, 객체높임법으로 나뉜다.

상대높임법은 청자를 높이거나 낮추는 방법이다. 높임과 낮춤의 정도에 따라 종결 어미가 달라진다. 화자 자신을 낮추는 '저', '제' 등의 어휘를 쓰기도 한다.

주체 높임법은 문장의 주체를 높이는 방법이다. 주격조사 '이/가' 대산 '께서'를 사용하고, 일반적으로 서술어에 선어말어미 '-(으)시-'가 붙어 실현된다. '있다', '먹다' 같은 단어 대신 '계시다', '잡수시다' 같은 특수 어휘를 쓰기도 한다.

객체 높임법은 문장의 목적어나 부사어가 지시하는 대상, 즉 서술의 주체를 높이는 방법이다. 서술의 객체가 화자보다 나이가 많거나 사회적 지위가 높을 때 사용한다. 부사격 조사 '에게' 대신 '께'를 사용하고, '만나다', '묻다' 같은 단어 대신 '뵈다', '여쭈다' 같은 특수 어휘를 쓰기도 한다.

(나) 시간 표현은 시간을 언어적으로 표현한 것으로, 시간 표현에는 시제와 동장상이 있다. 시제는 사건이 발생한 시점(사건시)이 그 사건을 언어로 표현하는 시점(발화시)보다 이전인지 이후인지, 아니면 일치하는지를 나타내는 국어의 문법 요소이다. 시제에는 과거 시제, 현재 시제, 미래 시제가 있다.

과거 시제는 사건시가 발화시보다 앞서는 시제이다. 과거 시제를 표현할 때에는 선어말 어미 '-았-/-었-'을 쓰며, 과거의 일이나 경험을 회상하는 의미를 덧붙이고 싶을 때에는 선어말 어미 '-더'를 쓴다. 관형사형 어미는 동사의 경우 '-(으)ㄴ'과 '-던'을, 형용사와 서술격 조사의 경우 '-던'을 쓴다. '어제', '아까', '이미' 등과 같은 부사어를 쓰기도 한다.

현재 시제는 사건시와 발화시가 일치하는 시제이다. 현재 시제를 표현할 때에는 동사의 경우 선어말 어미 '-ㄴ-/-는-'을 쓰는데, 형용사와 서술격 조사의 경우에는 현재 시제 표시가 따로 없다. 관형사형 어미는 동사의 경우 '-는-'을, 형용사와 서술격 조사의 경우 '-(으)ㄴ'을 쓴다. '오늘', '지금', '현재' 등과 같은 부사어를 쓰기도 한다.

미래 시제는 사건시가 발화시보다 뒤에오는 시제이다. 미래 시제를 표현할 때에는 선어말 어미 '-겠-', 관형사형 어미 '-(으)ㄹ 것'을 쓰기도 한다. 예스럽게 표현할 때에는 선어말 어미 '-(으)리'를 쓴다. '내일', '장차' 등과 같은 부사어를 쓰기도 한다.

한편, 선어말어미 '-겠-'은 미래시제를 나타내는 것 이외에 추측이나 의지, 가능성이나 능력, 완곡하게 말하는 태도 등을 표현하기도 한다.

28 (가)를 읽고 〈보기〉를 설명한 것으로 적절하지 <u>않은</u> 것은?

┤ 보기 ├
동생이 할아버지를 모시고 병원에 간다. ·· ㉠
언니가 할머니께 선물을 드린다. ··· ㉡
아주머니, 저는 이곳이 처음입니다. ·· ㉢
김과장이 맡았던 업무는 사장님께 여쭈어 보게 ································· ㉣
용준아, 선생님께서 너를 데리고 오라셔 ·· ㉤

① ㉠에서 높임의 대상은 '할아버지'이고 문장의 객체여서 특수어휘 '모시다'를 통해 실현하였다.

② ㉡에서 높임의 대상은 '할머니'이고 문장의 객체여서 부사격조사 '께'와 특수어휘 '드린다'를 통해 실현하였다.

③ ㉢에서 높임의 대상은 '아주머니'이고 듣는 이여서 '저'와 상대 높임의 종결어미 '-ㅂ니다'를 통해 높임을 실현하였다.

④ ㉣에서 높임의 대상은 '사장님'이고 문장의 주체여서 부사격조사 '께'를 사용하였고 특수어휘 '여쭈다'를 이용하여 높임을 실현하였다.

⑤ ㉤에서 높임의 대상은 '선생님'이고 문장의 주체에서 주격조사 '께서'와 선어말어미 '-시-'를 사용하여 높임을 실현하고 있다.

29 (나)의 내용과 일치하지 <u>않는</u> 것은?

① 시간 표현은 시제와 동작상이 있는데, 시간을 추상적으로 표현한 것이다.

② 시제는 사건시와 발화시의 선후 및 일치관계를 나타내는 국어의 문법요소이다.

③ 과거 시제는 사건시가 발화시보다 앞서는 시제로, 표현할 때에는 선어말 어미 '-았-/-었'을 쓴다.

④ 현재 시제는 사건시와 발화시가 일치하는 시제로 형용사와 서술격 조사의 경우에는 현재 시제 표시가 따로 없다.

⑤ 미래 시제는 사건시가 발화시보다 뒤에 오는 시제로, 미래이긴 하나 예스럽게 표현할 때에는 선어말 어미 '-(으)리'를 쓴다.

30 윗글을 읽고 〈보기〉의 ㉠~㉤에 대해 탐구한 결과로 적절하지 <u>않은</u> 것은?

┤ 보기 ├

㉠ 막차를 놓쳤으니 나는 집에 다 갔다.

㉡ 내가 떠날 때 비가 왔다.

㉢ 거기에는 눈이 왔겠다.

㉣ 그는 내년에 진학한다고 한다.

㉤ 오늘 보니 그는 키가 작다.

① ㉠을 보니, 선어말 어미 '-았-'이 과거 시제를 나타내지 않는 경우도 있군.

② ㉡을 보니, 관형사형 어미 '-ㄹ-'이 붙을 때 미래의 사건을 나타내지 않는 경우도 있군.

③ ㉢을 보니, 선어말 어미 '-겠-'이 미래에 일어날 말을 완곡하게 표현하는 데 쓰이고 있군.

④ ㉣을 보니, 현재 시제 선어말 어미 '-ㄴ-'이 미래에 일어날 사건을 나타낼 때도 쓰이고 있군.

⑤ ㉤을 보니, 형용사에서 현재 시제를 나타낼 때 현재 시제 선어말 어미를 사용하고 있지 않고 있군.

[31] 다음 글을 읽고 물음에 답하시오.

시제가 사건시와 발화시의 선후 관계를 표현한다면, 동작상은 사건 또는 동작 자체의 시간적 속성을 표현한다. 예를 들어 '먹다'라는 동작은 과거에서부터 지금까지 먹고 있는 움직임이 진행 중인 상태와 먹는 움직임이 이미 끝난 상태로 분석할 수 있다. 이와 같이 동작 내부의 시간적 흐름을 표현하는 국어의 문법 요소를 동작상이라고 한다. 동작상에는 진행상과 완료상이 있다.

㉠진행상이란 어떤 동작이 시간의 흐름 속에서 계속 이어지고 있을 때 사용하는 문법 요소이다. 진행상을 표현할 때에는 주로 보조 용언 '–고 있다' 또는 '–아 가다/–어 가다'를 쓴다. 문장이 이어질 때에는 연결어미 '–(으)면서'를 쓴다.

㉡완료상이란 어떤 동작이 시간의 흐름 속에서 이미 끝났거나 그 결과가 지속될 때 사용하는 문법요소이다. 완료상을 표현할 때에는 주로 보조 용언 '–아 있다/–어 있다' 또는 '–아 버리다/–어 버리다'를 쓴다. 문장이 이어질 때에는 연결어미 '–고서'를 쓴다.

31 ㉠과 ㉡의 예로 적절하지 않은 것은?

① ㉠ : 은서가 그림을 <u>그려 버렸다</u>.
② ㉠ : 아까 널어 둔 빨래가 벌써 <u>마르고 있다</u>.
③ ㉡ : 준현이가 반갑게 양손을 <u>흔들고서</u> 내게 다가온다.
④ ㉡ : 토론대회 준비를 위해 나는 내일 학교에 <u>남아 있겠다</u>.
⑤ ㉡ : 국어시간에 너무 잠이 온 민호가 책상에 <u>엎드려 버렸다</u>.

32 〈보기〉를 참고할 때, '피동문'으로 바꿀 수 없는 것은?

┤ 보기 ├

피동사는 주어가 제 힘으로 행하는 동작을 나타내는 능동사 어간에 피동 접미사 '–이–, –히–, –리–, –기–' 등이 결합되어 만들어진 것이다.

이와 같은 피동문은 다음과 같은 과정을 통해 만들어진다.

A. 능동사가 서술어로 쓰인 문장 :

<u>사냥꾼이</u> <u>호랑이를</u> <u>잡았다</u>.
　주어　　　목적어　　서술어

B. 피동사가 서술어로 쓰인 문장 :

<u>호랑이가</u> <u>사냥꾼에게</u> <u>잡히었다</u>.
　주어　　　목적어　　　서술어

A의 목적어가 B의 주어가 되고 A의 주어가 B의 부사어가 된다. 그리고 A의 능동사 '잡았다'의 어간에 '–히–'가 결합된 피동사 '잡히었다'가 B의 서술어가 된다. 그렇지만 모든 능동사 어간에 피동 접미사가 결합될 수 있는 것은 아니다.

① 아빠가 아기를 안았다.
② 뱀이 개구리를 먹었다.
③ 바람이 나뭇가지를 꺾었다.
④ 비바람이 사과를 세차게 흔들었다.
⑤ 영희가 귀갓길에 소나기를 만났다.

33 〈보기〉의 ㉠과 ㉡에 대한 설명으로 가장 적절한 것은?

┤ 보기 ├

㉠ 너는 어디로 가니?

㉡ 저는 집에 갑니다.

① ㉠은 청자를 낮추어 말하는 표현이고, ㉡은 청자를 높여 말하는 표현이다.

② ㉠은 상대를 직접적으로 낮추는 표현이고, ㉡은 상대를 간접적으로 높이는 표현이다.

③ ㉠은 사적인 경우와 공적인 경우에 쓰는 표현이고, ㉡은 공적인 경우에 쓰는 표현이다.

④ ㉠은 문장의 주체를 낮추어 말하는 표현이고, ㉡은 문장의 주체를 높여 말하는 표현이다.

⑤ ㉠은 서술의 객체를 낮추어 말하는 표현이고, ㉡은 서술의 객체를 높여 말하는 표현이다.

34 과거 시제를 표현하는 방법으로 적절하지 않은 것은?

① 선어말 어미 '-았-/-었-'을 사용하여 과거 시제를 표현한다.

② 부사어 '어제', '아까', '이미' 등을 사용하여 과거 시제를 표현한다.

③ 과거 시제를 표현하기 위한 관형사형 어미로 동사의 경우 '-던'을 쓴다.

④ 과거 시제를 표현하기 위한 관형사형 어미로 형용사의 경우 '-(으)ㄴ'을 쓴다.

⑤ 과거의 일이나 경험을 회상하는 의미를 덧붙이기 위해 선어말 어미 '-더-'를 쓴다.

35 인용 표현을 할 때 유의점으로 적절하지 않은 것은?

① 직접인용은 다른 데에서 들은 말이나 읽은 글을 인용할 때 원래의 내용과 형식을 그대로 유지한 채 인용하는 방식이다.

② 간접인용은 다른 데에서 들은 말이나 읽은 글을 인용할 때 원래의 내용과 형식을 변형할 수 있다.

③ 직접 인용 표현을 할 때에는 인용절에 큰따옴표를 하여 표시하고, 큰따옴표 뒤에 조사 '-라고'를 쓴다.

④ 간접 인용 표현을 할 때에는 따옴표 없이 인용절 다음에 조사 '고'를 쓴다.

⑤ 간접 인용 표현을 할 때에는 인용절의 시간 표현, 높임 표현 등을 문장에 맞도록 적절히 바꾸어야 한다.

36 〈보기〉의 ㉠~㉤에 해당하는 문장으로 적절하지 <u>않은</u> 것은?

┌─┤ 보기 ├─
　　미래 시제를 표현할 때에는 선어말 어미 '-겠-', 관형사형 어미 '-(으)ㄹ'을 쓰거나 '-(으)ㄹ'에 의존 명사 '것'이 결합된 '-(으)ㄹ 것'을 쓰기도 한다. 선어말 어미 '-겠-'은 미래 시제를 나타내는 것 이외에 ㉠<u>추측</u>이나 ㉡<u>의지</u>, ㉢<u>가능성</u>이나 ㉣<u>능력</u>, ㉤<u>완곡하게 말하는 태도</u> 등을 표현하기도 한다.
└─

① ㉠ : 지금 떠나면 저녁에 도착하겠구나.
② ㉡ : 다음에는 꼭 찾아뵙도록 하겠습니다.
③ ㉢ : 늦어도 어제는 고향에 소포가 도착했겠다.
④ ㉣ : 나도 그 정도의 문제는 풀 수 있겠다.
⑤ ㉤ : 선생님, 제가 잠시 들어가도 되겠습니까?

37 〈보기〉의 내용에 따를 때, 성격이 <u>다른</u> 하나는?

┌─┤ 보기 ├─
　　시제가 사건시와 발화시의 선후 관계를 표현한다면, 동작상은 사건 또는 동작 자체의 시간적 속성을 표현한다. 예를 들어 '먹다'라는 동작은 과거에서부터 지금까지 먹고 있는 움직임이 진행 중인 상태와 먹는 움직임이 이미 끝난 상태로 분석할 수 있다. 이와 같이 동작 내부의 시간적 흐름을 표현하는 국어의 문법 요소를 동작상이라고 한다. 동작상에는 진행상과 완료상이 있다.
└─

① 홍구는 학교에 가고 있다.
② 은서가 그림을 그리고 있다.
③ 민호가 책상에 엎드려 버렸다.
④ 아까 널어 둔 빨래가 벌써 마르고 있다.
⑤ 준현이가 반갑게 양손을 흔들면서 내게 다가온다.

38 〈보기〉의 ㉠, ㉡이 모두 사용된 문장은?

┌─ 보기 ┐

　　우리말에서는 일반적으로 선어말 어미나 종결 어미, 조사 등을 통해 높임 표현을 하지만, 다음과 같이 특수한 어휘를 통해 높임을 표현하는 경우도 있다.
- 주체를 높이는 동사나 형용사
- 객체를 높이는 동사나 형용사 ·· ㉠
- 높여야 할 인물을 직접 높이는 명사
- 높여야 할 인물과 관련된 것을 높이는 명사 ·· ㉡

① 교장 선생님께서 훈화 말씀을 하셨다.
② 아버지께서 할머니를 뵈러 큰댁에 가셨다.
③ 생신을 맞으신 할머니께서 홍시를 드신다.
④ 영희는 아직 선생님의 성함을 기억하고 있다.
⑤ 우리 가족은 할머니를 모시고 제주도로 여행을 갔다.

39 높임법에 맞게 고쳐 쓴 문장이 적절하지 <u>않은</u> 것은?

① 나는 이곳이 처음이다.
　→ (청자를 높일 때) 저는 이곳이 처음입니다.
② 이 구두는 최신 유행 상품이다.
　→ (청자를 높일 때) 이 구두는 최신 유행 상품입니다.
③ 민서는 할머니에게 사과를 주었다.
　→ (객체를 높일 때) 민서는 할머니께 사과를 드렸다.
④ 어려운 문제를 선생님에게 물어 보았다.
　→ (객체를 높일 때) 어려운 문제를 선생님께 물어 보았다.
⑤ 동생이 할아버지를 데리고 병원에 갔다.
　→ (객체를 높일 때) 동생이 할아버지를 모시고 병원에 갔다.

40 〈보기〉에서 피동 표현이 바르게 사용된 문장만을 있는 대로 고른 것은?

┌─ 보기 ┐

ㄱ. 밧줄을 세차게 당겼다.
ㄴ. 컴퓨터 파일이 복구되었다.
ㄷ. 새로운 사실이 그에 의해 밝혀졌다.
ㄹ. 성금은 불우 이웃에게 쓰여질 것이다.

① ㄱ, ㄴ　　　　② ㄱ, ㄷ　　　　③ ㄴ, ㄷ　　　　④ ㄱ, ㄴ, ㄷ　　　　⑤ ㄴ, ㄷ, ㄹ

41 〈보기〉의 ㉠~㉤에 대한 설명으로 적절하지 <u>않은</u> 것은?

┌─┤ 보기 ├─
㉠ 친구가 읽는 책은 소설이다.
㉡ 고향에서는 벌써 추수를 끝냈겠다.
㉢ 학생들이 운동장에서 축구를 한다.
㉣ 언니는 입시 준비를 하느라 항상 바쁘다.
㉤ 오늘까지 발표 준비를 하려면 잠은 다 잤다.
└─

① ㉠ : 관형사형 어미 '-는'으로 현재 시제를 나타내는군.

② ㉡ : 선어말 어미 '-겠-'으로 '추측'의 의미를 드러내고 있다.

③ ㉢ : 선어말 어미 '-ㄴ-'은 동사에 붙어 시제를 나타내는군.

④ ㉣ : 형용사는 선어말 어미가 없이 기본형으로 현재 시제를 나타내는군.

⑤ ㉤ : 선어말 어미 '-았-'으로 과거 시제를 나타내는군.

42 〈보기〉의 ㉠, ㉡의 예로 적절한 것끼리 묶은 것은?

┌─┤ 보기 ├─
　시제는 문장 내에서 가리키는 사건이 일어난 시점인 '사건시'와 그 문장을 말하는 시점인 '발화시'의 관계로 나타낼 수 있는데, ㉠사건시가 발화시보다 먼저인 경우, 사건시와 발화시가 일치하는 경우, ㉡사건시보다 발화시가 먼저인 경우가 있다.
└─

① ㉠ : 예쁜 꽃이 마당에 피어 있다.
　　㉡ : 그 일은 혼자서도 할 수 있겠다.

② ㉠ : 그는 예전에 만나던 사람이다.
　　㉡ : 동생이 밥을 먹는 모습이 보기 좋다.

③ ㉠ : 나는 다급하게 초인종을 눌렀다.
　　㉡ : 네가 떠날 곳으로 곧 따라갈게.

④ ㉠ : 오늘 밤에도 별이 바람에 스친다.
　　㉡ : 하늘을 보니 비가 오겠다.

⑤ ㉠ : 성규는 준호에게 생일 선물을 주었다.
　　㉡ : 수지는 어제 서점에서 책을 보더라.

43 〈보기〉의 ㉠~㉤을 고친 문장과 그 이유가 모두 알맞은 것은?

┌─ 보기 ┐

㉠ 용욱아, 선생님이 너 교실로 오시래.

㉡ 수호는 자기가 먼저 간다라고 말했다.

㉢ 할아버지는 매일 이 시간이면 낮잠을 잔다.

㉣ 이 책은 사람들의 기억에서 잊혀진 책입니다.

㉤ 나는 서로 돕는 것이 옳은 일이라고 생각되어진다.

└───┘

	고친 문장	고친 이유
ⓐ	㉠ 용욱아, 선생님께서 너 교실로 오시래.	높임 오류
ⓑ	㉡ 수호는 자기가 먼저 간다고 말했다.	시제 오류
ⓒ	㉢ 할아버지는 매일 이 시간이면 낮잠을 주무신다.	높임 오류
ⓓ	㉣ 이 책은 사람들의 기억에서 잊힌 책입니다.	피동 오류
ⓔ	㉤ 나는 서로 돕는 것이 옳은 일이라고 생각된다.	피동 오류

① ⓐ　　　　② ⓑ　　　　③ ⓒ　　　　④ ⓓ　　　　⑤ ⓔ

44 〈보기〉에서 ㉠~㉤의 높임법에 대한 설명으로 적절한 것은?

┌─ 보기 ┐

점원 : 손님, 어떤 옷을 ㉠찾으십니까?

손님 : 바지 좀 보려고요. ㉡아버지께 선물할 거거든요.

점원 : 이 바지는 어떠세요? 선물로 ㉢드리시면 무척 좋아하실 겁니다.

손님 : 저희 아버지는 키가 크신데 잘 맞을지 ㉣모르겠네요.

점원 : 아버님 ㉤모시고 한번 들러 주세요.

└───┘

① ㉠은 특수 어휘를 사용하여 상대 높임을 나타내고 있다.

② ㉡은 조사 '께'를 사용하여 주체인 '아버지'를 높이고 있다.

③ ㉢은 특수어휘와 선어말 어미를 사용하여 객체와 주체를 높이고 있다.

④ ㉣은 선어말 어미를 사용하여 주체를 높이고 있다.

⑤ ㉤은 선어말 어미를 사용하여 객체인 '아버님'을 높이고 있다.

45 〈보기〉의 ㉠에 해당하는 문장으로 적절하지 <u>않은</u> 것은?

┌─ 보기 ┤
제 힘으로 움직이는 행위의 주체가 주어인 문장을 능동문이라 한다. 이와 달리 ㉠피동문은 행위의 주체가 아닌 행위의 대상이 주어가 된다.

① 아이가 모기에 물렸다.
② 오늘은 붓글씨가 잘 써진다.
③ 그 집이 사람들에게 헐렸다.
④ 그는 친구들을 감쪽같이 속였다.
⑤ 그의 그림이 비싼 가격에 팔렸다.

[46] 다음 글을 읽고 물음에 답하시오.

높임 표현은 화자가 대상의 높고 낮은 정도에 따라 언어적으로 구별하여 표현하는 국어의 문법 요소이다. 높임 표현은 높임의 대상에 따라 상대 높임법, 주체 높임법, 객체 높임법으로 나뉜다.

상대 높임법은 청자를 높이거나 낮추는 방법이다. 높임과 낮춤의 정도에 따라 종결 어미가 달라진다. 화자 자신을 낮추는 '저', '제' 등의 어휘를 쓰기도 한다.

㉠주체 높임법은 문장의 주체를 높이는 방법이다. 주격 조사 '이/가' 대신 '께서'를 사용하고, 일반적으로 서술어에 선어말 어미 '-(으)시-'가 붙어 실현된다. '있다', '먹다' 같은 단어 대신 '계시다', '잡수시다' 같은 특수 어휘를 쓰기도 한다.

㉡객체 높임법은 문장의 목적어나 부사어가 지시하는 대상, 즉 서술의 객체를 높이는 방법이다. 서술의 객체가 화자보다 나이가 많거나 사회적 지위가 높을 때 사용한다. 부사격 조사 '에게' 대신 '께'를 사용하고, '만나다', '묻다' 같은 단어 대신 '뵈다', '여쭈다' 같은 특수 어휘를 쓰기도 한다.

46 다음 중 윗글의 밑줄 친 ㉠, ㉡이 모두 나타난 문장은?

① 아버지께서는 집에 들어 가셨다.
② 멀리서 오셨는데 물이나 한 잔 드시지요.
③ 선생님, 시험 끝나면 친구들과 뵈러 갈게요.
④ 어머니께서 할머니를 모시고 식당에 가셨어.
⑤ 아버지는 아직 할아버지 사진을 간직하고 계신다.

서술형 심화문제

01 다음 문장에서 잘못 쓰인 표현을 찾아 바르게 고치시오. (단, 문장 부호는 고치지 않는다.) 그리고 고친 이유를 <u>각각</u> 한 문장으로 서술하시오.

> **┤ 보기 ├**
>
> (1) 국어책은 다른 책보다 잘 읽혀진다.
> (2) 누군가 어둠 속에서 "철수가 바로 범인이다."고 소리쳤어.

02 다음 문장에서 잘못된 표현을 바르게 고치고, 이유를 서술하시오.

> **┤ 조건 ├**
>
> • 완성된 문장 형태로 고쳐 쓰고, 잘못된 이유를 정확하게 서술할 것

(1) 그는 은퇴 후에도 여전히 바쁘고 있다.

(2) 이 제품이 요즘 제일 잘 나가는 색상이세요.

03 〈보기〉의 문장을 〈조건〉에 따라 고쳐 쓰시오.

> **┤ 보기 ├**
>
> 철수는 선생님에게 영희가 아프다고 말씀드렸습니다.

> **┤ 조건 ├**
>
> • 직접 인용으로 바꾸어 쓸 것
> • 인용문의 종결 어미는 '-ㅂ니다'를 사용할 것
> • 조사를 사용하여 객체높임법을 실현할 것

04 〈보기〉에서 상황에 따른 문법 요소의 활용이 적절하지 <u>않은</u> 곳을 <u>있는 대로</u> 찾아 〈조건〉에 따라 각각 올바른 형태로 고치시오.

┌ 보기 ┐

　저는 그것이 옳지 않다라고 생각했기 때문에 선생님의 제안을 반대했다. 선생님께서는 그 프로그램이 우리 이웃들에게 유용하게 쓰여질 것이라고 확신하고 계셨기 때문에 반대 의견에 당황하셨다. 그때 충격을 받을 선생님의 표정이 지금까지도 잊혀지지 않는다.

└─────┘

┌ 조건 ┐

• 잘못된 부분과 고친 내용을 어절 단위로 제시할 것.
• '먹었다 → 먹는다'의 형식으로 서술할 것.

└─────┘

05 〈보기〉의 글에서 밑줄 친 부분의 <u>잘못된</u> 표현을 바른 문장으로 고쳐 쓰고 그 이유를 서술하시오.

┌ 보기 ┐

　안녕하세요? 저는 "이현서"라고 합니다.
　문학에 관심이 많은 저는 초등학교 3학년 때 백일장에 (1)<u>참가되었습니다.</u> 하루 종일 고생해서 시를 써냈지만 수상하지 못했습니다. 실망한 제게 (2)<u>어머니는</u> 실패란 하나의 사건일 뿐이라고 말씀해 주셨습니다. 실패는 끝이 아니라 과정이며, 실패를 통해 무엇을 배웠는가가 더 중요하다는 사실을 깨달았습니다. 그 후 저는 8년간 계속해서 백일장에 참가하고 있습니다. 앞으로도 많이 (3)<u>실패하였지만</u> 계속 도전할 것입니다.

└─────┘

06 〈보기1〉을 참고하여 〈보기2〉에서 영희의 말을 〈작성 요령 및 채점 기준〉에 맞게 쓰시오.

┌ 보기 1 ┐

(아버지와 영희에게)
아버지 : ㉠<u>할머니한테 밥 먹었느냐고 물어볼래?</u>
영희 : 예.

└─────┘

┌ 보기 2 ┐

(영희가 할머니에게)
영희 : _____
할머니 : 그래? 밥은 아까 먹었지.

└─────┘

┌ 작성 요령 및 채점 기준 ┐

가. 〈보기1〉의 ㉠은 직접 인용으로 표현할 것
나. '할머니', '아버지'를 각각 한 번씩만 사용하되, 모두 높임의 대상으로 표현할 것.
　　(*압존법으로 표현하지 않음)
다. 높임 표현, 시간 표현, 인용 표현 및 문장 부호 사용 등에 유의할 것

└─────┘

07 〈보기〉는 영어 문장을 상대높임법에 맞게 해석한 것이다. 예를 참고하여 ㉠~㉤을 적절하게 해석하시오.

━━┨ 보기 ┠━━

Happy birthday to you.	
하십시오체	생일을 축하합니다.
해라체	㉠
해요체	㉡
해체	㉢
Are you with somebody?	
하십시오체	㉣
해라체	㉤
해요체	지금 사귀는 사람 있어요?
해체	지금 사귀는 사람 있어?

08 〈보기〉의 문장에 나타난 시제와 동작상에 대해 서술하시오.

━━┨ 보기 ┠━━

(1) 정미는 어제 2교시도 시작하기 전에 간식을 먹어 버렸다.

(2) 민호는 지금 빨래를 하면서 노래도 부르고 있다.

━━┨ 조건 ┠━━

시제와 동작상을 표현하기 위해 사용한 방법을 각각 서술하시오.

09 〈보기〉의 글에서 잘못된 표현을 〈조건〉에 따라 <u>모두</u> 찾아 쓰고 바른 문장으로 고쳐 쓰시오.

┤ 보기 ├

안녕? 나는 ○○고등학교 1학년 학생이야. 2학기가 시작한 지 한 달이 지나는데도 아침에 일찍 일어나는 것이 정말 힘들어. 아침마다 지각을 피하려고 뛰어다녀서 앞으로도 따로 운동을 할 필요가 없는 정도야. 특히 영어듣기를 하는 시간에는 너무 졸려서 정신이 없게 돼. 그런 나에게 선생님께서는 항상 피곤해서 어떡하느냐라고 걱정을 하지. 매일 노력하는데도 생활습관을 바꾸기가 힘들어. 잘못된 습관을 바로 잡기는 정말 힘들 것 같아.

┤ 조건 ├

1. 잘못 쓰인 높임·시간·인용 표현을 바르게 고쳐 쓴다. (단, 상대 높임법은 고치지말 것)
2. 부적절하게 사용한 피동 표현을 능동 표현으로 고쳐 쓴다.

10 〈보기1〉과 〈보기2〉를 읽고, 〈조건〉에 따라 서술하시오.

┤ 보기 1 ├

1. 비로 인해 패인 땅을 복구한다.
2. 나는 아직도 그녀가 잊혀지지 않는다.

┤ 보기 2 ├

〈보기1〉에서 1, 2에 제시된 문장이 잘못된 이유는 (   ) 때문이다.

┤ 조건 ├

1. 〈보기2〉에 빈칸을 채워 전체 문장을 쓰시오.
2. 〈보기1〉에서 1, 2를 올바른 표현으로 고쳐 전체 문장을 쓰시오.

11 〈보기〉의 문장을 아래의 〈조건〉을 <u>모두</u> 적용하여 <u>한 문장</u>으로 적절하게 고치시오.

┤ 보기 ├

해리포터가 나에게 "나와 함께 해서 정말 기쁘지 않니?"라고 묻는다.

┤ 조건 ├

1. 주어인 '해리포터'를 '선생님'으로 고쳐서 높임법에 맞게 고치되, 높임을 제외하고는 시제를 포함하여 어떠한 의미도 달라지지 않도록 표현할 것.
2. 인용절 속의 인칭대명사는 반드시 높임의 의미를 지니는 인칭대명사로 고칠 것.
3. 직접인용문을 간접인용문으로 고치되 어법에 맞게 표현할 것.

12 다음 제시된 〈보기〉의 문장을 문법 요소의 특성에 맞게 고쳐 쓰시오.

┤ 보기 ├
㉠ 주문하신 음료 나오셨습니다.
㉡ 손님, 가격께서는 모두 만 이천 원 되시겠습니다.
㉢ 그녀의 눈은 언제나 초롱초롱하고 아름답고 있다.

13 〈보기〉의 잘못된 높임 표현을 올바른 표현으로 고쳐 쓰시오.

┤ 보기 ├
ㄱ. 할아버지는 일찍 자고 일찍 일어난다.
ㄴ. 만수는 할머니를 산본역까지 데려다 드리셨다.
ㄷ. 나는 선생님에게 모르는 문제를 물어 보러갔다.

┤ 조건 ├
• 답안 작성 시에 주어와 서술어를 갖춘 완결된 문장으로 쓸 것.

14 다음 글을 읽고 〈조건〉에 맞게 수정하여 표를 완성하시오.

안녕하세요? 저는 이○○이라고 합니다. 문학에 관심이 많은 나는 초등학교 3학년 때 백일장에 참가하였습니다. 수상을 하지 않아 실망한 나에게 어머니께서는 "실패란 하나의 사건일 뿐이다."라고 말씀해 주었습니다. 많은 것을 깨달은 저는 앞으로도 많이 실패하였지만 계속 도전할 것입니다.

┤ 조건 ├
• 반복되는 건 쓰지 않는다.
• 직접 인용을 간접 인용으로 고쳐 쓴다.
• 문법 요소가 부적절하게 실현된 부분은 고쳐 쓴다.

수정 전	수정 후
㉠	㉡
㉢	㉣
㉤	㉥
㉦	㉧
㉨	㉩

15 다음 문장을 〈조건〉에 맞게 고쳐 쓰시오.

> 나는 "너가 빌려 준 물건은 돌려 주겠다."라고 말했다.

┤ 조건 ├
- 직접인용을 간접인용으로 바꿀 것.
- 대화 상황을 고려하여 바른 높임 표현으로 고칠 것.
  (상황 : 젊은 연기자가 중년의 관객에게 빌렸던 물건을 돌려주며 말하는 극중 대사)
- '하십시오체'로 종결할 것.

16 아래의 조건을 고려하여 ㉠, ㉡의 잘못된 표현을 바르게 고치시오.

> ㉠ 용준아, 선생님께서 너를 모시고 오시래.
> ㉡ 창문이 닫혀지지 않아 찬바람이 들어온다.

┤ 조건 ├
1. 잘못된 표현을 고쳐 완성된 문장으로 작성할 것.
2. 우리 국어의 어법에 맞게 작성할 것.

17 다음 (1), (2)의 높임법을 설명하고, 제시된 높임법에 맞게 문장을 바꾸어 쓰시오.

> (1) 할머니가 책을 읽고 있다.
>   주체 높임이란?
> (2) 나는 아버지에게 추석 선물을 주었다.
>   객체 높임이란?

18 다음에 제시된 문장이 잘못된 이유를 쓰고, 올바르게 고치시오.

> (1) 이 제품의 95 사이즈는 하나 남으셨습니다.
> (2) 세계 각국이 '잊혀질 권리'를 법적으로 보장하려고 한다.

19 다음 물음에 답하시오.

(1) 〈보기〉의 (가)부분 (㉠, ㉡이 '아버지'를 높이는 방법이 다른 이유)에 들어갈 내용을 서술하시오.

> ㉠ 아버지께 전화 드리고 밖으로 나가자.
> ㉡ 아버지께서는 귀가 밝으시다.
>
>   ㉠에서는 조사 '께'와 특수어휘 '드리고'를 사용하여 높임 표현을 나타내고 있고, ㉡에서는 조사 '께서'와 선어말어미 '시'를 사용하여 높임 표현을 나타내고 있다. 이렇듯 두 문장이 화자보다 높은 '아버지'를 높이기 위해 다른 방법을 사용하게 된 것은 (가)＿＿＿＿＿＿＿＿＿＿＿＿＿＿＿ 때문이다.

(2) 다음 문장(㉠~㉣)들을 높임의 정도가 낮은 것부터 순서대로 배열하고, 각각의 상대 높임 표현의 체계를 함께 서술하시오. (단, 상대 높임 표현 체계는 '격식/비격식 + ~체'로 쓸 것)

> ㉠ "여러분, 여기를 좀 보시겠습니까?"
> ㉡ "자네, 이번 운전은 신중히 하게."
> ㉢ "재석아, 그렇게 서 있지 말고 좀 앉아라."
> ㉣ "오랜만에 보니 조금 살이 빠진 것 같소."

문장 기호 (낮은 것부터)	(< < <)			
상대높임 체계	+ 체	+ 체	+ 체	+ 체

20 다음을 읽고 물음에 답하시오.

> ㉠ 연우가 어제 책상을 닦았어.
> ㉡ 연우가 어제 책상을 닦더라.
> ㉢ 네가 먹은 과자 맛있었어?

(1) 윗글 ㉠, ㉡의 밑줄 친 말에 따라 두 문장의 의미가 어떻게 달라지는지 한 문장으로 서술하시오.

(2) 윗글 ㉢에 시제를 나타내는 어미를 모두 찾아 〈조건〉에 맞게 서술하시오.

> ┤ 조건 ├
> • 어미의 구체적인 종류와 함께 완결된 문장으로 쓸 것.

21 다음 글을 읽고, 주어진 형식에 맞추어 글의 중심 내용을 완성한 후에 그대로 옮겨 쓰시오.

> 언어 예절이란 대화를 할 때 지켜야 할 예절로서, 상대방을 존중하는 마음을 언어로 표현하는 사회적 관습이다. 대화 내용 자체는 타당하더라도, 대화 상황이나 대화 상대에 맞게 적절하지 않으면 언어 예절에 어긋날 수 있다. 언어 예절을 지키지 않으면 다른 사람들과의 의사소통이 원활하게 이루어지기 어렵고, 원만한 인간관계를 유지하기 어려울 수도 있다. 따라서 대화할 때에는 대화 상황과 대화 상대에 맞게 언어 예절을 갖추어 말하도록 노력해야 한다.

> "언어 예절을 지키며 대화하기 위해서는 대화 상황과 대화를 고려해야 하며, 언어 예절을 잘 지켜야 하는 이유는 ＿＿＿＿＿＿＿＿＿＿＿＿＿＿＿ 때문이다."

22 다음 글의 내용을 참고하여, 괄호 안에서 요구한 대로 표현을 바꾸어 쓰시오.

> 문장에서 어떤 동작이나 행위를 표현할 때, 주어가 자기 의지대로 한 것인지 다른 대상에 의해 당하는 것인지에 따라 표현이 달라진다. 전자를 능동 표현, 후자를 피동 표현이라 한다.
> 능동 표현을 피동 표현으로 바꿀 때 능동문의 주어는 피동문의 부사어가 되고, 능동문의 목적어는 피동문의 주어가 된다. 그리고 능동을 나타내는 동사의 어간에 피동 접사 '-이-, -히-, -리-, -기-'나 '-아지다/-어지다', '-게 되다'를 붙인다. 또한 일부 체언 뒤에 '-되다'를 붙여 만들기도 한다.

(1) 눈이 세상을 덮었다. (능동 표현을 피동 표현으로 바꾸기)

(2) 나는 이웃이 어려울 때 서로 돕는 것이 옳은 일이라고 생각되어진다. (잘못된 피동 표현을 바르게 고치기)

23 다음은 직접 인용 표현을 간접 인용 표현으로 바꾸는 방법을 탐구한 것이다. 이를 바탕으로 물음에 답하시오.

탐구 목표 : 직접 인용 표현을 간접 인용 표현으로 바꿀 때의 변화 양상을 이해할 수 있다.

탐구 자료

㉮ 수호는 "내가 먼저 갈게."라고 말했다.

　→ 수호는 자기가 먼저 간다고 말했다.

㉯ 그는 아버지께 "저도 가야 합니까?"라고 물었다.

　→ 그는 아버지께 자기도 가야 하냐고 물었다.

㉰ 간호사는 나에게 "거기 앉으세요."라고 말했다.

　→ 간호사는 나에게 여기 앉으라고 말했다.

탐구 결과 : 직접 인용 표현을 간접 인용 표현으로 바꿀 때,

① 큰따옴표가 사라지고, 조사 '라고'가 조사 '고'로 바뀐다.

② 문장 종결 어미는 평서문(㉮)은 '−다'로, 의문문(㉯)은 '−냐'로, 명령문(㉰)은 '−(으)라'로 바뀐다.

③ 상대 높임 표현과 인칭 대명사, 지시 대명사 등이 달라진다.

(1) 다음 문장의 직접 인용 표현을 간접 인용 표현으로 바꾸시오.

그는 나에게 "너는 참 착해."라고 말했다.

(2) 위에서 탐구한 내용과 같이 직접 인용 표현을 간접 인용 표현으로 바꿀 경우, 표현 효과가 어떻게 달라지는지를 문맥을 고려하여 〈보기〉의 밑줄 친 부분에 써 넣으시오.

　직접 인용 표현은 대화를 직접 전하는 듯한 현장감과 생동감이 느껴진다. 이를 간접 인용 표현으로 바꿀 경우 현장감과 생동감을 덜하지만, 직접 인용 표현을 사용할 때보다 ＿＿＿＿＿＿＿＿＿＿＿＿＿＿＿＿＿＿.

24 〈보기〉의 문장을 〈조건〉에 따라 알맞게 고쳐 쓰시오.

┤ 보기 ├

아버지는 책을 읽고 나는 그 옆에서 일기를 썼어.

┤ 조건 ├

• 상대 높임법과 주체 높임법을 사용하여 문장을 바르게 고쳐 쓸 것
• 어머니를 청자로 하고, 비격식체의 높임법을 사용할 것

25 다음 설명의 ⓐ~ⓔ 중 〈보기〉에 나타난 시간 표현을 모두 찾고, 그렇게 파악한 이유를 구체적으로 서술하시오.

시간 표현은 시간을 언어적으로 표현한 것으로, 시간 표현에는 시제와 동작상이 있다. 시제는 사건이 발생한 시점(사건시)이 그 사건을 언어로 표현하는 시점(발화시)보다 이전인지 이후인지, 아니면 일치하는지를 나타내는 국어의 문법 요소이다. 시제에는 과거 시제, 현재 시제, 미래 시제가 있다.

ⓐ과거 시제는 사건시가 발화시보다 앞서는 시제이다. 과거 시제를 표현할 때에는 선어말 어미 '-았-/-었-'을 쓰며, 과거의 일이나 경험을 회상하는 의미를 덧붙이고 싶을 때에는 선어말 어미 '-더-'를 쓴다. 관형사형 어미는 동사의 경우 '-(으)ㄴ'과 '-던'을, 형용사와 서술격 조사의 경우 '-던'을 쓴다. '어제', '아까', '이미' 등과 같은 부사어를 쓰기도 한다.

ⓑ현재 시제는 사건시와 발화시가 일치하는 시제이다. 현재 시제를 표현할 때에는 동사의 경우 선어말 어미 '-ㄴ-/-는-'을 쓰는데, 형용사와 서술격 조사의 경우에는 현재 시제 표기가 따로 없다. 관형사형 어미는 동사의 경우 '-는'을, 형용사와 서술격 조사의 경우 '-(으)ㄴ'을 쓴다. '오늘', '지금', '현재' 등과 같은 부사어를 쓰기도 한다.

ⓒ미래 시제는 사건시가 발화시보다 뒤에 오는 시제이다. 미래 시제를 표현할 때에는 선어말 어미 '-겠-', 관형사형 어미 '-(으)ㄹ'을 쓰거나 '-(으)ㄹ'에 의존 명사 '것'이 결합된 '-(으)ㄹ 것'을 쓰기도 한다. 예스럽게 표현할 때에는 선어말 어미 '-(으)리-'를 쓴다. '내일', '장차' 등과 같은 부사어를 쓰기도 한다.

시제가 사건시와 발화시의 선후 관계를 표현한다면, 동작상은 사건 또는 동작 자체의 시간적 속성을 표현한다. 예를 들어 '먹다'라는 동작은 과거에서부터 지금까지 먹고 있는 움직임이 진행 중인 상태와 먹는 움직임이 이미 끝난 상태로 분석할 수 있다. 이와 같이 동작 내부의 시간적 흐름을 표현하는 국어의 문법 요소를 동작상이라고 한다. 동작상에는 진행상과 완료상이 있다.

ⓓ진행상이란 어떤 동작이 시간의 흐름 속에서 계속 이어지고 있을 때 사용하는 문법 요소이다. 진행상을 표현할 때에는 주로 보조 용언 '-고 있다' 또는 '-아 가다/-어 가다'를 쓴다. 문장이 이어질 때에는 연결 어미 '-(으)면서'를 쓴다.

ⓔ완료상이란 어떤 동작이 시간의 흐름 속에서 이미 끝났거나 그 결과가 지속될 때 사용하는 문법 요소이다. 완료상을 표현할 때에는 주로 보조 용언 '-아 있다/-어 있다' 또는 '-아 버리다/-어 버리다'를 쓴다. 문장이 이어질 때에는 연결 어미 '-고서'를 쓴다.

┤ 보기 ├
㉠ 나는 내일 의자에 앉아 있겠다.
㉡ 이것은 내가 읽은 책이고, 저것은 철수가 읽던 책이다.

(1) ⓐ~ⓔ 중 ㉠과 ㉡에 나타난 시간 표현을 모두 찾아 기호로 쓰시오.

(2) (1)과 같이 파악한 이유를 위의 설명을 참고하여 구체적으로 서술하시오.

26 다음 설명을 참고하여 〈보기〉를 바른 문장으로 고치고, 그렇게 고친 이유를 구체적으로 서술하시오.

> 상대를 높이는 방법은 종결 어미를 통해 청자를 높이거나 낮추는 방법, 화자 자신을 낮추는 어휘를 쓰는 방법이 있다. 그리고 주체를 높이는 방법은 주격 조사 '께서'를 붙이는 방법, 주체를 높이는 선어말 어미 '-(으)시-'를 어간에 붙이는 방법, 주체 높임의 특수한 용언을 쓰는 방법이 있다. 또한 객체를 높이는 방법은 부사어를 높이는 조사 '께'를 체언에 붙이는 방법, 객체 높임의 특수한 용언을 쓰는 방법이 있다. 그 외 특수한 어휘를 써서 어떤 대상을 높이는 방법도 있다.

┤ 보기 ├
> ㉠ 할아버지는 매일 이 시간이면 낮잠을 잔다.
> ㉡ 나는 어머니에게 아버지가 안방에 있는지 물어 보았다.

(1) ㉠과 ㉡을 바른 문장으로 고치시오.

(2) ㉡을 (1)의 답과 같이 고친 이유를 위의 설명을 참고하여 구체적으로 서술하시오.

27 〈보기〉의 직접 인용문 (1)과 (2)를 간접 인용문으로 각각 바꾸어 쓰시오.

┤ 보기 ├
> (1) 아들이 어제 저에게 "내일 집에 계십시오."라고 말했습니다.
> (2) 오빠는 어제 "나의 휴대 전화에 메시지를 꼭 보내라."라고 나에게 말했다.

28 다음은 어법을 잘못 사용하고 있는 글이다. 부적절하게 사용한 피동 표현이 있는 문장을 모두 찾아 피동 표현을 어법에 맞게 고치고, 고친 문장을 쓰시오. (피동 표현과 관련된 것만 고칠 것.)

> 안녕? 나는 이현서라고 해.
> 문학에 관심이 많은 나는 초등학교 3학년 때 백일장에 참가되었어. 하루 종일 고생해서 시를 써냈지만 수상하지 못했지. 실망할 나에게 어머니께서는 "실패란 하나의 사건일 뿐이다."라고 말해 주었어. 실패를 통해 무엇이 배워졌는지가 더 중요하다는 사실을 깨달았지. 그 후 나는 8년간 계속해서 백일장에 참가하고 있어. 앞으로도 많이 실패하였지만 계속 도전할 거야.

29 (1)~(4)를 바르게 고치고, 고친 문장을 쓰시오. 고친 이유를 구체적으로 서술하시오. (어떤 문법 요소의 오류로 인한 것인지 언급할 것.)

> (1) 혜영이는 아까 도서관에 가고 있어.
> (2) 할아버지는 매일 이 시간이면 낮잠을 자.
> (3) 창문이 닫혀지지 않아 찬바람이 들어온다.
> (4) 사육장 관계자는 시설의 개선이 필요하다라고 말했습니다.

30 다음 문장을 〈조건〉에 따라 바르게 고치시오.

> 친구가 동생에게 선물을 주었다.

┤ 조건 ├

- 주어를 '선생님'으로 바꾸고 조사와 서술어도 적절한 높임 표현으로 바꿀 것
- '관형사형 어미+의존명사'의 형태를 사용하여 발화시가 사건시보다 앞선 시제로 바꿀 것
- 주어진 조건 외 다른 표현은 바꾸지 말 것

31 〈보기〉를 바탕으로 물음에 답하시오.

┤ 보기 1 ├

선생님 : 인용표현은 다른 데서 들은 말이나 글을 문장 속에 넣어 전달하는 것을 말해요. 인용표현에는 직접 인용이나 간접 인용이 있습니다. 직접 인용은 남의 말이나 글을 그대로 문장 속에 가져오는 것을 말해요. 그렇다면 간접 인용은 무엇일까요?

학생 : 간접 인용은 (㉠)을(를) 말합니다.

선생님 : 잘했어요. 간접 인용에서는 시간표현, 높임표현 지시어, 종결어미 등을 조심해야 해요.

┤ 보기 2 ├

㉡ 어제 할아버지께서 "내일 밥을 사서 나에게 와라"라고 말씀하셨다.

(1) ㉠에 들어갈 말을 서술하시오.

(2) ㉡문장을 '간접 인용문'으로 바꿔서 서술하시오.

32 〈보기〉 ⓐ~ⓓ를 〈조건〉에 주어진 문장의 상대 높임 등급과 동일하게 고치시오. (단, 문장 종결 형식(평서형, 의문형, 명령형, 청유형, 감탄형 등) 및 의미는 바꾸지 말 것.)

> ┤ 보기 ├
>
> ⓐ 시간이 너무 촉박합니다.
> ⓑ 이 구간은 그냥 빨리 넘어가세.
> ⓒ 이곳은 위험하니 저쪽으로 비키시오.
> ⓓ 그토록 찾던 물건을 드디어 구했구려.

> ┤ 조건 ├
>
> • 오늘 영업하는 약국은 어디니?

33 〈보기〉의 밑줄 친 문장이 잘못된 부분을 모두 찾아 잘못된 이유를 서술하고, 바르게 고쳐 쓰시오.

> 높임법은 화자가 높이려는 대상이 누구인지에 따라 주체 높임법, 상대 높임법, 객체 높임법으로 구분된다. 주체 높임법은 주어가 나타내는 대상인 주체를 높이는 것이며, 상대 높임법은 대화의 상대인 청자를 높이거나 낮추는 것이고, 객체 높임법은 문장의 목적어나 부사어가 나타내는 대상인 객체를 높이는 것이다.
>
> 예 (남동생이 누나에게)
> <u>어머니가 할머니를 데리고 병원에 가나요?</u>

34 ㉠에 대해 〈보기〉와 같이 인용하여 글을 썼다고 할 때, 〈보기〉를 쓴 사람이 지켜야 할 윤리를 서술하시오.

> ┤ 보기 ├
>
> 글쓴이는 "영어 문장을 직역하면 불필요한 피동 표현을 쓸 수밖에 없다"라는 말을 하였으므로, 영어 문장을 직역하면 항상 우리말에 부정적인 영향을 줄 것이라는 생각을 하고 있음을 알 수 있다.

> ┤ 조건 ├
>
> • '원작가'라는 단어를 반드시 사용할 것
> • '~다.'로 끝나는 완결된 문장으로 서술할 것

[35] 다음 글을 읽고 물음에 답하시오.

제힘으로 움직이는 행위의 주체가 주어인 문장을 능동문이라 한다. 이와 달리 피동문은 행위의 주체가 아닌 행위의 대상이 주어가 된다. 따라서 능동문을 피동문으로 바꿀 때에는 능동문의 주어와 목적어를 각각 피동문의 부사어와 주어로 바꾸고, 능동문의 서술어에 알맞은 피동 접미사 '-이-, -히-, -리-, -기-' 혹은 '-되다', '-아지다/-어지다'혹은 '-게 되다'를 붙여 피동문의 서술어로 만든다.

피동문을 쓸 때에는 지나친 피동 표현(ⓐ이중 피동)이 되지 않도록 유의해야 한다.

35 〈보기〉에서 ⓐ에 해당되는 사례를 모두 찾아 조건에 맞게 적절한 피동 표현으로 바꾸어 쓰시오.

┤ 보기 ├

홍수 피해 주민들에 대한 구체적인 생계 지원 방안은 오늘 공개된 정부의 발표 자료에는 담겨져 있지 않았다. 또한 피해 대칙이 수도권 피해 복구 위주로 짜여지면서 지방 민심의 반발이 우려되는 상황이다. 이 같은 실수를 되풀이하지 않기 위해 좀 더 신속하고 정확한 피해 상황 집계 시스템 구축을 서둘러야 할 것으로 생각되어진다.

┤ 조건 ├

• 아래와 같이 한 개의 어절 단위로 찾아 쓸 것
  예 믿겨진다 → 믿긴다

36 〈보기〉는 직접 인용 표현이다. 이를 간접인용 표현으로 바꾸고 변화 양상을 4가지 쓰시오.

┤ 보기 ├

그가 나에게 "그쪽에서 무대가 보입니까?"라고 물었다.

37 다음 문장을 높임법에 맞게 고쳐 쓰고, 높임의 대상과 높임법의 실현 방법을 구체적으로 쓰시오. 〈문제〉에 높임법이 어떻게 실현되었는지 본문에 나타난 문법 용어를 사용하여 설명할 것.

┤ 예시 ├

나는 어머니를 데리고 시골집에 다녀왔다.
→ 나는 어머니를 모시고 시골집에 다녀왔다.
특수어휘 '모시고'를 사용하여 객체 '어머니'를 높였다.

┤ 문제 ├

할아버지는 걱정거리가 있다.

38 〈보기〉의 예문 ㉠~㉣ 중 밑줄 친 진행상과 완료상에 해당하는 예를 골라 쓰시오.

> ┤ 보기 ├
>
> 　시간 영역 안에서 파악되는 동작의 모습들을 일정한 언어 형식으로 표현하는 것을 동작상이라고 한다. 동작상에는 <u>진행상</u>과 <u>완료상</u>이 있는데 진행상은 어떤 동작이 시간의 흐름 속에서 계속 이어지고 있을 때 사용하고, 완료상은 어떤 동작이 시간의 흐름 속에서 이미 끝났거나 그 결과가 지속될 때 사용하는 문법 요소이다.
>
> 　㉠ 현수가 국어 공부는 하고 잤다.
> 　㉡ 어제 널어둔 빨래가 다 말라 간다.
> 　㉢ 아기가 미소를 지으면서 자고 있다.
> 　㉣ 다른 학교 친구에게 내 책을 다 줘버렸다.

39 다음 문장의 동작상을 쓰고, 그 동작상을 나타내기 위해 어떤 표현을 사용하였는지 서술하시오.

> 민호가 책상에 엎드려 있다.

> 서술의 예 (만약 '－니'를 사용하였다면) :
> <u>종결 어미 '－니'를 사용하였다.</u>

[01~03] 다음 글을 읽고 물음에 답하시오.

(가) 世·솅宗조御·엉製·졩訓·훈民민正·졍音흠
나·랏:말쏘·미中듕國·귁·에달·아文문字·쫑·와·로(a)서르스뭇·디아·니홀·씨·이런젼·ᄎ·로ㄱ어·린百·빅姓·셩·이니르·고·져·훓·배이·셔·도ᄆ·ᄎᆞᆷ:내제·ᄠᆞ·들시·러펴·디:몯홇ㄴ·노·미하·니·라·내·이·ᄅᆞᆯ爲·윙·ᄒᆞ·야(b):어엿·비너·겨·새·로·스·믈여·듧字·쭝·ᄅᆞᆯ밍·ᄀᆞ노·니:사름:마·다:히·ᅇᅧ:수·비니·겨·날·로·ᄡᅮ·메便뼌安한·킈ᄒᆞ·고·져홇ᄯᆞᄅᆞ·미니·라

– 〈월일석보〉 (권1)에서, 세조(世祖) 5년(1459년) –

(나) 워니 아바님씌 샹빅
　자내 샹해 ⓒ날ᄃᆞ려 닐오ᄃᆡ 둘히 머리 셰도록 사다가 흠씌 죽쟈 ᄒᆞ시더니 엇디ᄒᆞ야 나ᄅᆞᆯ 두고 자내 몬져 가시ᄂᆞ.
〈하략〉

– 〈이응태 묘 출토 편지〉에서(1586년) –

01 〈보기〉와 각 항목에 해당되는 내용을 (가)와 (나)에 찾아 바르게 연결한 것은?

┤ 보기 ├
㉮ 8종성법이 사용됨.　　　　　　㉯ 원순모음화가 적용되지 않음.
㉰ 두음법칙이 적용되지 않음.　　　㉱ 어두자음군이 쓰임.
㉲ 중국의 원음에 가깝게 표기함.

① ㉮ 스뭇·디, 닐오ᄃᆡ　　② ㉯ 스·믈, 둘히　　③ ㉰ 니르·고·져, 몬져
④ ㉱ 뿌·메, 흠씌　　⑤ ㉲ 中듕國·귁, 아버님씌

02 〈보기〉를 참고하여 (1)(가)에서 이어 적기에 해당하는 것을 3개 찾아 쓰고, (2)그 중 하나를 선택하여 끊어적기로 고쳐 쓰시오.

┤ 보기 ├
　국어의 표기법은 이어 적기에서 끊어 적기가 확대되는 방향으로 변하여 왔다. 여기서 이어 적기란 형태소를 소리는 나는 대로 이어 적는 방식이고, 끊어 적기란 각 형태소들을 분리하여 적는 방식이다.

┤ 조건 ├
(1) '체언+조사'로 이루어진 것만 찾아 쓸 것.
(2) 끊어 적기는 중세 표기를 그대로 유지할 것.

03 위 밑줄 친 (a)~(c)를 현대어로 풀이하시오.

(a) 서르 스뭇디　　　(b) 어엿비 너겨　　　(c) 날ᄃᆞ려 닐오ᄃᆡ

04 (가)에 나타난 훈민정음 창제 정신으로 적절하지 <u>않은</u> 것은?

① 이전에 없던 새로운 문자를 만들었다는 점에서 창조 정신이 발휘되었다.

② 문자가 없어 불편을 겪는 백성들을 위해 문자를 창제한 점에서 애민정신이 나타난다.

③ 중국과는 다른 우리나라의 언어를 기록하기 위해 고유의 문자를 창조한 점에서 자주 정신이 드러난다.

④ 백성들이 쉽게 익히고 일상에서 편리하게 쓸 수 있는 문자를 만든 점에서 실용 정신을 기반으로 한다.

⑤ 중국의 음운과 성조를 반영하고 원음에 가깝게 발음할 수 있도록 한 점에서 현실을 반영한 실험 정신이 두드러진다.

05 〈보기〉 중, (가)의 ㉠, ㉡에 나타난 의미 변화 양상과 같은 것끼리 짝지어진 것은?

┤ 보기 ├

　단어도 역사성을 지니고 있으므로 그 의미가 시간의 흐름에 따라 변화한다. 이처럼 단어의 의미가 변화하는 이유는 인간의 생활 방식, 심리 상태, 사고방식, 가치관 그리고 시대적, 역사적 상황의 변화에 직접적인 영향을 받기 때문이다. 이러한 변화는 크게 이진의 의미 영역이 좁아지는 경우, 반대로 의미 영역이 넓어지는 경우, 전혀 다른 것으로 바뀌는 경우의 세 가지로 나눌 수 있다.

　ⓐ '벌초'는 풀을 베는 행위 모두를 의미하였으나 지금은 무덤의 풀을 베는 행위를 주로 의미한다.

　ⓑ '다리'는 원래 신체의 일부를 의미하였으나 지금은 책상과 같은 무생물의 일부를 지시하기도 한다.

　ⓒ '발명'은 죄나 잘못이 없음을 밝히어 말하는 것을 뜻했지만 지금은 보통 새로운 기술이나 물건을 고안해 만들어 낸다는 의미로 쓰인다.

　ⓓ '사랑'에는 원래 '생각'의 의미도 있었지만 지금은 그러한 의미로는 쓰이지 않는다.

　ⓔ '영감'은 당상관 이상의 벼슬만 높여 부르던 칭호였는데 지금은 나이 든 부부 사이에서 아내가 남편을 이르는 경우에도 쓰인다.

　ⓕ '싸다'는 옛날에 '값이 나가다'의 뜻으로 쓰였는데 지금은 '값이 낮다'의 뜻으로 쓰인다.

　ⓖ '얼굴'은 원래 '모습', '형체'의 의미를 가지고 있었지만 오늘날에는 '눈, 코, 입이 있는 머리의 앞면'이라는 의미를 나타내고 있다.

　ⓗ '바가지'는 '박을 두 쪽으로 쪼개어 물을 푸거나 물건을 담는 그릇'을 지시하였지만 지금은 '박'뿐만이 아니라 플라스틱이나 쇠로 그와 비슷하게 만든 것들도 모두 '바가지'라 부르고 있다.

	㉠ : 어린	㉡ : 놈
㉮	ⓐ, ⓒ	ⓑ, ⓓ, ⓕ
㉯	ⓑ, ⓓ	ⓒ, ⓔ, ⓗ
㉰	ⓒ, ⓕ	ⓐ, ⓓ, ⓖ
㉱	ⓐ, ⓓ, ⓖ	ⓑ, ⓔ, ⓗ
㉲	ⓐ, ⓓ, ⓖ	ⓒ, ⓕ, ⓗ

① ㉮　　　　② ㉯　　　　③ ㉰　　　　④ ㉱　　　　⑤ ㉲

06 (가)에 대한 심화 학습을 위해 〈보기〉 글을 제공하였다. (가)와 관련하여 상소문을 올린 이들의 주장을 가장 잘 이해한 학생의 반응은?

┤ 보기 ├

문리(文理)를 알지 못하는 우민(愚民)도 한 글자의 차이로 말미암아 간혹 원통하게 될 것도 이제 언문으로써 그 말을 바로 쓰고서 읽어 듣게 한다면 비록 지극히 어리석은 사람이라도 다 쉽게 알아듣게 되어 억울하게 당할 사람이 없다고 할 것이오나, 자고로 중국은 말이 글과 같은데도 옥송(獄松)간에 원통하게 당하는 사람이 대단히 많습니다. (중략) 그러하믄즉 비록 언문을 쓴들 무엇이 다르겠습니까. 이로써 죄인을 다스리는 일의 공평함과 불공평함은 옥리(獄吏)의 여하에 있고 말이 글과 같고 같지 않음에 있지 않음을 알 수 있을 것이옵니다. 언문으로써 옥사(獄辭)를 공평하게 하고자 하신다면 신(臣)등은 그 타당함을 찾지 못하겠나이다.

*언문 : 훈민정음   *옥송(獄松) : 형법의 송사
*옥사(獄辭) : 율법(律法)   *옥리(獄吏) : 죄수들의 죄를 심리하는 관리

– 최만리의 상소문 중 일부 –

① 법률적 지식이 부족해서 불이익을 받는 백성이 많음을 우려하고 있다.
② 법을 어긴 죄인을 다스리기 위해 말과 글을 일치시키는 문자를 만드는 것에 대해 비판하고 있다.
③ 중국의 경우처럼 말과 글이 일치한다면 억울한 사람들이 줄어들 것이므로 우리에게도 문자가 필요함을 역설하고 있다.
④ 지금까지 사용하던 한자를 버리고 새로이 문자를 만드는 것은 시대의 기본 정신에 크게 벗어나는 것이라고 비판하고 있다.
⑤ 문자가 없거나 말과 글이 같지 않아서 억울한 일을 당하는 것은 아니라는 점을 들어 문자 창제의 명분을 인정하지 못하고 있다.

07 (나)에서 찾을 수 있는 특징에 대해 설명한 것으로 적절하지 <u>않은</u> 것은?

① 'ㅸ'이 사용되지 않았다.   ② 'ㆍ'문자가 사용되었다.
③ 구개음화 현상이 나타났다.   ④ 이어적기로 쓴 어절이 보인다.
⑤ 어두자음군이 계속 쓰이고 있다.

08 다음 문장을 조건에 맞게 고치시오.

㉠ 경기의 승부가 그의 마지막 득점으로 뒤집혔다.
㉡ 처음 바다를 본 그녀는 "바다가 정말 넓구나."라고 혼잣말을 했다.

┤ 조건 ├
• ㉠ – 능동문으로 고칠 것.
• ㉡ – 간접 인용문으로 고칠 것.

09 윗글을 참고하여 다음 문장에 대한 물음에 답하시오.

> 승주야, 아버지께 할머니께서 오셨는지 여쭈어 보아라.

(1) 위의 문장에 나타나는 높임의 양상을 다음의 표에 나타내려고 한다. +, −를 순서대로 쓰시오. (상대 높임법이 사용되었으면 +로 한다. 높임과 낮춤의 구분이 아님)

주체 높임법	객체 높임법	상대 높임법

(2) (1)에서 '+'로 나타난 높임법의 실현 요소를 밝혀 쓰시오. 단, 높임법이 두 가지 이상 나타난 경우 각각을 구별하여 각각의 실현 요소를 쓰시오.

10 (A), (B)가 어색한 이유를 각각 문법적으로 구체적으로 서술하고, 자연스러운 문장으로 고쳐 쓰시오.

> ┤ 보기 ├
> (A) 이 제품은 반응이 아주 좋으세요.
> (B) 그는 은퇴 후에도 여전히 바쁘고 있다.

11 〈보기〉의 ㄱ~ㅁ에 대한 설명으로 적절하지 않은 것은?

> ┤ 보기 ├
> ㄱ. 네가 돌려준 책을 어머니께 받았어.
> ㄴ. 고객님, 이것으로 하시겠습니까?
> ㄷ. 형님, 어머님을 모시고 함께 나갈게요.
> ㄹ. 손님, 여기 커피 나오셨습니다.
> ㅁ. 선생님, 그것 제가 들어 드릴게요.

① ㄱ : 서술의 객체를 높이기 위해 부사격 조사와 특수어휘를 사용하였다.
② ㄴ : 종결어미를 사용하여 듣는 이를 높이고자 하는 상대 높임이 쓰였다.
③ ㄷ : 특수어휘를 사용하여 목적어를 높이고 있다.
④ ㄹ : 사물에 대한 지나친 높임 표현으로 높임의 대상이 잘못된 경우이다.
⑤ ㅁ : 화자 자신을 낮추는 어휘를 사용하여 청자를 높이고 있다.

12 〈보기〉의 ㄱ~ㅁ에 대한 설명으로 옳은 것은?

> ┤ 보기 ├
> ㄱ. 작년에 나는 심하게 아팠었다.
> ㄴ. 저기 열심히 밥을 먹는 아이가 보인다.
> ㄷ. 네가 읽은 책은 유명한 작가의 작품이야.
> ㄹ. 문 닫을 시간이 지나서 그 가게는 끝났겠다.
> ㅁ. 어제 학교 앞 교회에 사람이 참 많더라.

① ㄱ을 통해 '-았었-'은 과거 사태가 현재까지 영향이 있음을 보여줄 때 사용됨을 알 수 있다.
② ㄴ, ㄷ을 통해 동사가 관형사형 어미 '-은', '-는'과 결합하여 과거시제를 실현할 수 있음을 알 수 있다.
③ ㄱ, ㄴ, ㅁ을 통해 작년, 저기, 어제와 같은 부사어가 문장의 시제를 나타내는 역할을 함을 알 수 있다.
④ ㄹ을 통해 선어말어미 '-겠-'이 미래에 대한 주체의 의지를 나타냄을 알 수 있다.
⑤ ㅁ을 통해 '-더-'는 과거 자신이 직접 본 내용을 나타낼 때 사용됨을 알 수 있다.

13 다음 표는 직접 인용을 간접 인용으로 바꾼 것이다. 적절하지 <u>않은</u> 것은?

	직접 인용		간접 인용
㉠	철수는 어머니께 "사랑합니다."라고 말했다.	→	철수는 어머니께 사랑한다고 말했다.
㉡	전화 통화 중 언니는 "거기에도 비가 와?"라고 물었다.	→	전화 통화 중 언니는 여기에도 비가 오냐고 물었다.
㉢	처음 바다를 본 그녀는 "바다가 정말 넓구나."라고 혼잣말을 했다.	→	처음 바다를 본 그녀는 바다가 정말 넓다고 혼잣말을 했다.
㉣	상이는 새로 짝꿍이 된 친구에게 "우리 앞으로 친하게 지내자."라고 말했다.	→	상이는 새로 짝꿍이 된 친구에게 앞으로 친하게 지내자고 했다.
㉤	태연이는 "모둠 활동에서 내가 발표를 맡을래."라고 외쳤다.	→	태연이는 모둠 활동에서 내가 발표를 맡겠다고 외쳤다.

① ㉠　　　② ㉡　　　③ ㉢　　　④ ㉣　　　⑤ ㉤

9

문제 해결을 위한 의사소통

토론과 논증

토론에서 하는 말하기에는 어떤 것이 있을까?

　토론의 발언에는 **입론**과 **반론**이 있다. 입론은 자신의 주장을 펼치는 말하기이며, 반론은 상대방의 주장을 반박하는 말하기이다. 토론의 유형에 따라 입론 단계에서 교차 신문을 하기도 한다. **교차 신문**은 상대방의 입론 내용을 따져 묻는 말하기이다.

　　　　　교차 신문은 상대측이 주장한 내용에 대해 논리적으로 문제가 있음을 질문으로 드러내는 과정임.

〈토론에서 하는 발언의 종류와 성격〉

입론	반론
찬성 또는 반대 측에서 자기 측의 주장이 타당함을 논리적으로 입증하는 말하기.	상대측 주장이 타당하지 않음을 증명하기 위해 근거의 불충분함, 부정확함, 부적절함, 이유와 근거의 비연관성 등을 지적하는 말하기.

교차 신문
상대측이 입론에서 내세운 주장과 이유, 근거를 반박하기 위해 따져 묻는 말하기.

논제와 쟁점이란 무엇인가?
'무엇에 대해 토론할 것인가?'에서 '무엇에 해당하는 것.

　토론의 주제를 **논제**라고 하는데, 논제는 크게 사실 논제, 가치 논제, 정책 논제로 나뉜다. **사실 논제**는 사실의 진
　　　논제의 정의　　　　　　　　　　　　　논제의 종류
위를 다투는 논제이고, **가치 논제**는 가치관의 차이를 따지는 논제이며, **정책 논제**는 어떤 정책의 도입, 폐지, 개선 등 정책의 실행 여부와 실행 방안에 관한 논제이다. 이 가운데 정책 논제를 다루는 토론에서 찬성 측은 정책의 변화를
　　　　　　　　　　　　　　　　　　　　　　　　　　　　　　찬성 측은 정책 변화의 정당성에 대한 입증 책임이 있음
주장하므로 그 변화가 필요하고 정당하다는 것을 증명해야 한다. 그리고 반대 측은 찬성 측의 주장이 정당하지 않음
　　　　　　　　　　　　　　　　　　　　　　　　　반대 측은 찬성 측 주장에 대하여 반증을 해야 함.
을 비판하는 역할을 맡는다.

　쟁점은 찬성 측과 반대 측이 다투는 내용으로, 쟁점과 관련한 논의가 논쟁의 핵심이 된다. 쟁점 가운데 반드시 다
　　쟁점의 정의　　　　　　　　　　　　　　　　　　　　　　　　　　　　　필수쟁점의 정의
루어야 하는 쟁점을 **필수 쟁점**이라고 한다. 정책 논제를 다루는 토론에서는 문제, 해결 방안, 효과와 이익 등이 주요
　　　　　　　　　　　　　정책 논제를 다루는 토론에서는 'A라는 정책을 실행해야만 하는 문제가 존재하며, 이 문제가 매우 중대하고 시급한가?', '그 정책이 현재의
　　　　　　　　　　　　　문제를 해결할 수 있으며, 실행 가능한가?', '그 정책을 실행하면 어떤 이익이 있는가?' 등과 같은 필수 쟁점에 대해 반드시 논의해야 함.
한 필수 쟁점이 된다.

* 정책 논제를 다루는 토론의 필수 쟁점 구성

찬성	필수 쟁점	반대
문제가 심각하여 조치가 시급함.	문제	문제가 심각하지 않음.
제시된 방안으로 문제를 해결할 수 있고, 방안이 실행 가능함.	해결방안	제시된 방안으로 문제를 해결할 수 없거나 방안이 실행 불가능함.
효과와 이익이 비용보다 큼.	효과와 이익	비용이 효과와 이익보다 큼.

논증은 어떻게 구성할까?
옳고 그름을 이유와 근거를 들어 밝히는 것

옳고 그름을 이유와 근거를 들어 밝히는 것은 '논증'.
내세우는 의견은 '주장'.
그 주장에 이르게 된 원인이나 조건은 '이유'.
이유를 뒷받침하는 사실이자 주장을 지지하는 객관적 정보는 '근거'.

토론에서는 쟁점별로 논증을 구성하여 말해야 한다. 논증을 구성할 때에는 쟁점에 관한 주장이 명확해야 하고, 주장의 이유와 근거가 타당해야 한다. 이유는 주장을 정당화할 수 있어야 하고, 근거가 어떻게 주장과 연결되는지를 설명할 수 있어야 한다. 근거는 객관적인 사실 정보를 가리키는데, 근거와 이유 사이에는 밀접한 연관성이 있어야 한다.
찬반 양측은 주장, 이유, 근거를 갖추어 타당성을 입증해야 함.
근거의 정의

〈논증 구성의 예시〉

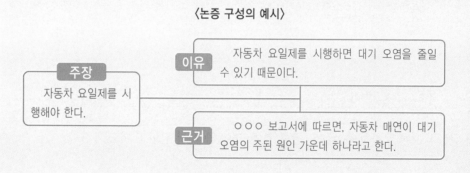

주장
자동차 요일제를 시행해야 한다.

이유
자동차 요일제를 시행하면 대기 오염을 줄일 수 있기 때문이다.

근거
○○○ 보고서에 따르면, 자동차 매연이 대기 오염의 주된 원인 가운데 하나라고 한다.

반대 신문식 토론이란?

반대 신문식 토론은 어떤 논제를 두고 찬성 측과 반대 측이 교차 신문을 통해 상대방의 논지를 반박함으로써 승부를 가르는 토론이다. 이 토론은 입론, 반론, 평결의 순으로 진행된다. 교차 신문은 입론 단계에서 행해지는데, 바로 앞 차례의 상대측 토론자가 입론한 내용에 대해 질문하는 것이다. 평결은 배심원들이 한다.
반대 신문식 토론의 정의
반대 신문식 토론의 진행 순서

〈2명 대 2명으로 반대 신문식 토론을 할 때의 진행 순서〉

	찬성 측		반대 측	
	제1 찬성자	제2 찬성자	제1 반대자	제2 반대자
입론 단계	① 입론			② 교차 신문
	④ 교차 신문		③ 입론	
		⑤ 입론	⑥ 교차 신문	
		⑧ 교차 신문		⑦ 입론
반론 단계	⑩ 반론		⑨ 반론	
		⑫ 반론		⑪ 반론
평결 단계	배심원의 평결			

▲ 번호 ①~⑫는 토론 순서를 가리킴.

다음은 <u>학생들이 한 정책 논제를 다루는 토론의 일부</u>로, 반대 신문식 토론에서 양측의 첫 번째 입론과 그것의 교차
〈의약품 개발을 위한 동물 실험을 금지해야 하는가〉
신문까지(①~④)를 보여 주고 있다. 학생들이 토론에서 잘한 점과 잘하지 못한 점을 따져 보며, 각 토론자가 필수 쟁

점별로 어떻게 논증을 구성하여 말하고 있는지에 주목하여 읽어 보자.

확인학습 ···

01 반대 신문식 토론은 찬성 측 두 명, 반대 측 두 명이 각각 한 팀이 되어 진행한다.　　　　　　　　 O☐ X☐

02 반대 신문식 토론은 입론, 반론, 평결 순서로 진행되는 고전적 토론의 입론에서 바로 앞 토론자에 대한 반대 신문을
　　추가한 것으로 총 열두 차례의 발언으로 진행된다.　　　　　　　　　　　　　　　　　　　　　 O☐ X☐

03 정책 논제에서는 문제 상황을 구체적으로 확인하고 해결 방안에 따른 효과와 이익을 따져 본다.　　 O☐ X☐

04 논제가 긍정적 진술의 형태를 갖추고 있더라고 부정적 어감의 단어로 진술하는 것은 안된다.　　　 O☐ X☐

05 가치관의 차이를 따지는 논제를 정책논제라고 한다.　　　　　　　　　　　　　　　　　　　　 O☐ X☐

06 정책 논제는 정책의 도입, 폐지, 개선 등의 실행 여부와 그 방안에 대한 논제이다.　　　　　　　　 O☐ X☐

의약품 개발을 위한 동물 실험을 금지해야 하는가

논제: 의약품 개발을 위한 동물 실험을 금지해야 한다.
토론 방식: 반대 신문식 토론

토론의 시작

사회자

토론 시작 단계에는 주로 토론의 시작을 알리고, 논제와 참여자를 소개하며, 토론의 진행 순서와 토론할 때 지켜야 할 점을 안내한다.

지금부터 "<u>의약품 개발을 위한 동물 실험을 금지해야 한다.</u>"라는 논제로 토론을 시작하겠습니다. 이
토론의 논제
논제와 관련하여 양측의 의견을 들어 보겠습니다. 토론 규칙을 잘 지키면서 토론해 주시기 바랍니다.

먼저 찬성 측 제1 토론자의 입론으로 시작하겠습니다.

찬성 측 첫 번째 토론자의 입론

의약품 개발을 위한 동물 실험의 금지를 찬성하는 주장, 이유, 근거를 밝힘

찬성 1

<u>현재 전 세계에서 연간 1억 마리 이상의 동물이 인간을 위한 동물 실험으로 죽어 가고 있습니다.</u> 여기
논제의 배경 - 문제가 되는 상황 제시
에서 <u>동물 실험이란 새로운 약품이나 치료법의 효능과 안전성을 확인하기 위해 동물을 대상으로 실시하</u>
주요 용어의 개념을 정의함
<u>는 의학적인 실험을 말합니다.</u> 이 동물 실험은 인간에 의해 많은 동물이 희생된다는 점에서 문제가 있습

니다. 인간과 동물은 모두 생명을 가진 존재이며, 고통을 느낀다는 점에서 크게 다르지 않습니다. 저희

찬성 측은 다음과 같은 측면에서 <u>의약품 개발을 위한 동물 실험을 반드시 금지해야 한다고 생각합니다.</u>
논제에 관한 찬성 측 주장

무엇보다도 <u>동물 실험은 비윤리적</u>이라는 심각한 문제가 있습니다. <u>실험 과정에서 동물에게 큰 고통</u>
찬성측 주장 1 주장 1에 대한 이유
<u>을 주고, 생명을 빼앗기도 하기 때문입니다.</u>(동물 실험에서는 실험동물의 먹이와 물의 공급을 제한하여
( ): 근거 ① – 실험동물에게 큰 고통을 주는 사례
특정 사료만을 먹게 하거나, 실험동물을 묶어 놓고 피부에 상처를 입힌 뒤 그 치유 과정을 관찰하기도

합니다. 미국 농무부의 보고에 따르면, <u>2010년에 9만 7천여 마리의 동물이 실험 과정에서 마취제나 진</u>
구체적인 통계 자료를 제시함
<u>통제 투여[■] 없이 실험을 받았습니다.</u> 이 같은 사실은 동물 실험이 동물에게 큰 고통을 주는 현실을 잘

보여 줍니다.) 이뿐만 아니라(동물 실험은 수많은 동물의 생명을 빼앗습니다. 특정 약물을 개발할 때는
( ): 근거 ② – 실험동물의 생명을 빼앗는 사례
실험 약물의 투여 농도를 점점 높여 가면서 동물이 사망에 이르는 용량을 알아내는 실험을 하기도 합니

다. 또 이산화 탄소를 주입하거나 목뼈를 빠지게 하는 등의 방법으로 실험동물의 생명을 빼앗기도 합니

다. 이렇게 희생되는 실험동물의 수는 계속하여 증가하고 있습니다. <u>이 그래프를 보시면, 우리나라에서</u>
근거 ③ – 우리나라에서 동물 실험에 사용된 실험 동물의 수(그래프)
<u>동물 실험으로 희생되는 동물의 수가 해마다 급격히 늘어나고 있음을 알 수 있습니다.</u>)

또한 동물 실험의 결과를 인간에게 그대로 적용할 수는 없습니다. 동물 실험에서 검증받은 약이지만
_{찬성 측 주장 2}   _{주장 2에 대한 이유}
이를 사용한 다수의 사람이 약물 부작용으로 목숨을 잃기도 하기 때문입니다. 1950년대에 신경 안정제
                                                                                        _{근거 ①}
로 개발된 '탈리도마이드'는 동물 실험을 통과했지만, 그 약을 복용한 많은 임신부가 기형아를 낳았습
니다. 미국의 □사에서 개발했던 유명한 관절염 치료제 역시 동물 실험에서는 안전하다고 판명되었으
_{근거 ②}
나, 그 약을 복용하고 무려 2만 7천여 명이 급성 심장병으로 고통을 받았습니다. 미국의 저명한 수의학
                                                                                        _{근거 ③}
자가 쓴 《탐욕과 오만의 동물 실험》이라는 책에 따르면, 동물 실험에서는 문제가 없던 약물이지만 그
약물의 거부 반응으로 사망한 사람이 1994년 미국에서만 10만 6천여 명에 달했다고 합니다. 지금도 약
의 부작용 때문에 피해를 보는 일이 끊임없이 발생하는 까닭은, 동물의 생물학적 구조가 인간과 다르기
때문입니다. 이는 동물 실험의 결과를 인간에게 그대로 적용해서는 안 된다는 것을 뜻합니다.

이러한 문제들을 해결할 수 있는 대체 방안이 있습니다. 동물 실험을 하지 않고도 의약품의 효능과
_{동물 실험의 대체 방안 제시}
안전성을 확인하는 방법에 대한 연구가 진행되고 있습니다. 인간의 세포를 배양해서 실험하는 생체 밖
실험이 있고, 인체를 대상으로 최소 용량만을 투여하여 인체 내의 약물 활동을 측정하는 실험도 있습니
다. 또 인체 피부 세포를 배양하여 만든 인공 피부를 사용하는 피부 질환 실험, 컴퓨터 모의실험을
이용한 독성 연구 등도 있습니다. 이와 같은 대체 실험을 상용화하는 데에는 새로운 비용이 발생하겠지
_{대체 실험 방법을 사용하면 동물 실험을 하지 않고도 의약품의 효능과 안전성을 확인할 수 있음}
만, 장기적으로는 실험동물의 막대한 구입비와 유지비를 줄일 수 있고, 동물 실험이 안고 있는 윤리 문
제도 피할 수 있어 그 이익이 훨씬 큽니다.

이상과 같은 측면에서 보았을 때 동물 실험은 금지되어야 합니다.

반대 측 두 번째 토론자의 교차 신문

사회자   네, 반대 측 토론자, 교차 신문 해 주십시오.

반대 2   전염병을 막기 위한 백신 개발은 동물의 생명을 지키기 위한 것이기도 합니다. 그런데 모든 동물 실
험이 인간만을 위한 것이라 할 수 있습니까?

찬성 1   물론 그 경우는 동물의 생명을 지키기 위한 것이기도 합니다. 그러나 대부분의 동물 실험은 인간을
위해 이루어집니다.

반대 2   대체 실험이 동물 실험을 대신할 수 있다고 말씀하셨는데, 그런 대체 실험들에 대한 연구가 충분히
_{상대측의 발언 내용을 확인하면서, 예상되는 대답을 끌어내어 자신의 주장을 뒷받침할 반박 자료로 활용하려 함}
이루어져 지금 바로 대체가 가능한 단계입니까?

찬성 1	아니요, 아직 연구 중입니다.

반대 2	연구가 진행 중인 단계라면 현재 시점에서는 그런 대체 실험 방법을 믿을 수 없지 않습니까? 그렇다

<u>찬성 측이 주장한 해결 방안의 문제점을 지적함</u>

면 동물 실험이 여전히 필요한 것 아닌가요?

찬성 1	<u>그렇기는 하지만 대체 실험들이 동물 실험을 빨리 대신할 수 있도록 관심을 가지고 그러한 실험들을</u>

현재의 대체 실험들이 완전하지 못하다는 점을 인정하는 발언임

적극 지원해야 한다고 생각합니다.

반대 측 첫 번째 토론자의 입론

사회자 반대 측 제1 토론자, 입론해 주십시오.

반대 1 앞서 찬성 측은 동물 실험 때문에 발생하는 문제가 심각하고, 동물 실험을 대체할 방법이 있으므로

이를 금지해야 한다고 주장했습니다. 저희 반대 측은 찬성 측의 이러한 주장에 동의하기가 어려우며,

다음과 같은 점에서 <u>동물 실험을 금지해서는 안 된다고 생각합니다.</u>

논제에 대한 반대 측 주장

우선 동물 실험은 윤리적으로 문제가 없습니다. 동물 실험은 동물의 고통을 최소화해야 한다는 원칙

반대 측 주장 1 - 정책 논제의 필수 쟁점 중 '문제의 심각성'에 대한 논증   주장 1에 대한 이유

에 따라 행해지고 있기 때문입니다. <u>현재 동물 실험은 엄격한 법적 규제 아래에서 실행됩니다. 미국에</u>

근거 ①

<u>서는 1966년부터 동물복지법이 시행되었고, 이 법에 따라 수의사들이 정기적으로 실험동물 사육 시설</u>

<u>의 온도, 음식과 식수 등의 환경을 감시합니다. 우리나라에서도 1991년부터 동물보호법을 시행하고 있</u>

<u>습니다. 또 각 동물 실험 기관 내에 동물실험감독위원회가 있어서, 동물 실험의 계획서를 심사하고 적</u>

근거 ②

<u>정한 방법으로 동물 실험을 하는지 감독하고 있습니다.</u> 그러므로 동물 실험이 비윤리적이라고 볼 수 없

습니다.

또한 동물 실험이 인간에게 가져다주는 이익이 매우 큽니다. 동물 실험은 수많은 사람의 생명을 구하

반대 측 주장 2 - 정책 논제의 필수 쟁점 중 '효과와 이익'에 대한 논증   주장 2에 대한 이유

는 치료법을 개발하는 데에 이바지합니다. <u>캘리포니아의 생명연구협회에서는 지난 백 년간 위대한 의학</u>

근거 - 출처가 있는 자료를 활용하여 근거의 신뢰도를 높이려고 함

<u>적 발견에 모두 동물 실험이 결정적인 역할을 했다고 보고한 바 있습니다.</u> 수많은 당뇨병 환자의 생명

을 구하는 데 중요한 역할을 한 <u>인슐린**</u>은 개를 대상으로 한 실험에서 발견되었습니다. 한 해 35만여

사례 ①

명에 이르던 세계 소아마비 환자 수를 2012년에는 2백여 명으로 크게 떨어뜨린 <u>소아마비 백신 역시 동</u>

사례 ②

<u>물 실험을 통해 개발한 것입니다. 침팬지를 대상으로 한 동물 실험이 없었다면 비형 간염 백신은 개발</u>

사례 ③

<u>하지 못했을 것입니다.</u> 이 모두는 동물 실험이 우리 인간에게 가져다주는 이익이 매우 크다는 것을 잘

보여 줍니다.

그리고 <u>동물 실험은 다른 방법으로 대체할 수 없습니다.</u> <u>의약품의 효능과 안전성을 확인하는 데에 동</u>

<small>주장 3 - 정책 논제의 필수 쟁점 중 '해결 방안'의 적절성에 대한 논증</small>　　　　　　　<small>주장 3에 대한 이유</small>

<u>물 실험만큼 정확하고 신속한 것은 없기 때문입니다.</u> 찬성 측에서 언급한 여러 대체 방법으로 인간 생

<small>근거 ① - 정확성의 측면</small>

명체에서 발생하는 문제를 정확히 짚어 내기란 불가능합니다. 인공 세포는 인간의 실제 세포를 완벽히

재현하지 못하고, 시력이나 혈압 등은 조직 배양[*] 조건에서는 실험할 수가 없습니다. 컴퓨터 모의실험

도 일차적으로 동물 실험을 하여 충분한 사전 정보와 지식을 얻은 뒤에야 가능합니다. 특히 뇌와 같이

복잡한 기관은 가장 성능이 뛰어난 슈퍼컴퓨터[*]라 할지라도 정확하게 재현할 수 없습니다. 또 <u>동물은</u>

<u>사람보다 세대 시간[*]이 짧아 연구에 드는 시간을 줄일 수 있습니다.</u> 초파리를 대상으로 했던 1926년 모

<small>근거 ② - 신속성의 측면</small>

건의 유전자 실험은 사람을 대상으로 했다면 210여 년이 걸렸을 것입니다. 현대 사회에서는 새로운 바

이러스가 언제라도 출현할 수 있으므로 이를 물리칠 수 있는 의약품을 신속하게 개발해야 합니다. 그런

데 동물 실험이 아닌 대체 방법으로는 신속하게 개발하기가 어렵습니다. 이와 같이 동물 실험은 정확성

과 신속성의 측면에서 최선의 방안이므로 의약품 개발을 위한 동물 실험은 계속되어야 합니다.

찬성 측 첫 번째 토론자의 교차 신문

사회자　　찬성 측 토론자, 교차 신문 해 주십시오.

찬성 1　　<u>반대 측에서는 동물에게는 존엄성이 없다고 생각하시는 겁니까?</u>

　　　　　　　　<small>찬선 측 신문 ①</small>

반대 1　　그렇지 않습니다. 현재 동물 실험은 동물의 존엄성을 고려하여 실시하고 있다고 앞서 말씀드렸습니

다. 우리나라에서도 동물 실험을 할 때, 되도록 적은 수의 실험동물을 이용하거나 실험동물의 고통을

최소화하고, 동물 실험을 대체할 수 있는 방법을 모색하는 등의 규정을 따르고 있습니다.

찬성 1　　<u>그렇다면 그러한 규정이 동물 실험의 과정에서 일어날 수 있는 동물 학대를 완전히 예방한다고 생각</u>

　　　　　　　<small>찬성 측 신문 ②</small>

<u>하십니까?</u>

반대 1　　단언할 수는 없지만, 실험동물의 존엄성을 지키기 위해 노력하고 있다고 봅니다.

찬성 1　　앞서 <u>저희 측 입론에서 제시하였듯이,</u> 신경 안정제로 판매되었던 탈리도마이드는 동물 실험을 거쳤

　　　　　　　<small>입론에서의 '탈리도마이드의 사건'을 근거로 제시함.</small>

<u>음에도 1만 명 이상의 기형아가 태어나는 결과를 낳았습니다.</u> <u>이러한 경우에도 동물 실험이 의약품의</u>

　　　　　　　　　　　　　　　　　　　　　　　　　　　　　<small>찬성 측 신문 ③</small>

<u>안정성을 정확하게 검증한다고 말할 수 있습니까?</u>

반대 1　　탈리도마이드는 당시 동물 실험을 거치긴 하였지만 <u>임신한 동물을 대상으로 하지는 못했습니다.</u> 만

　　　　　　　　　　　　　　　　　　　　　　　　　　　<small>추가적인 정보를 바탕으로 찬성 측의 질문에 답변함.</small>

일 그 당시 임신한 동물을 대상으로 하여 실험했더라면 임신부와 태아에게 치명적인 독성을 미리 발견

할 수 있었을 것입니다.

어휘

- **투여** 약 따위를 남에게 줌.
- **탈리도마이드** 수면제의 일종. 비교적 부작용이 적고 지속 시간이 긴 약품으로 알려졌으나, 임신부가 복용하면 기형아를 낳는 부작용이 있음이 밝혀지면서 사용이 금지되었다.
- **배양하다** 인공적인 환경을 만들어 동식물 세포와 조직의 일부나 미생물 따위를 가꾸어 기르다.
- **모의실험** 체계 또는 장치의 구조와 거기서 일어나는 현상을 알아내기 위하여 그 모형을 만들고 계산과 실험을 하는 수법.
- **적정하다** 정도가 알맞고 바르다.
- **인슐린** 탄수화물 대사를 조절하는 호르몬 단백질.
- **조직 배양** 생물체의 조직을 떼어 내어 배양·증식하는 일.
- **슈퍼컴퓨터** 많은 양의 자료를 초고속으로 처리할 수 있는 컴퓨터. '초고속 전산기'로 순화.
- **세대 시간** 사람과 동물의 개체군에서 개체가 태어나서 자손을 생산하는 데 걸리는 시간.

⊙ **핵심정리**

갈래	토론을 옮긴 글(토론 전사문)
성격	논리적, 비판적
제재	의약품 개발을 위한 동물 실험
주제	의약품 개발을 위한 동물 실험을 금지할 것인지의 여부
특징	• 반대 신문식 토론 방식을 취함. • 정책 논제를 다루고 있음.

확인학습

01 '논제'는 명확히 정의할 수 있는 용어로 표현해야 한다. ○☐ ×☐

02 '논제'는 찬성·반대의 경계가 뚜렷이 나뉠수록 좋다. ○☐ ×☐

03 '논제'는 공공성만 있다면 대중적 관심은 필요하지 않다. ○☐ ×☐

04 '교차신문'은 상대측의 논리적 오류를 밝히기 위한 과정이므로 답변이 지나치게 길면 질문자가 답변을 중단시킬 수 있다. ○☐ ×☐

05 '교차신문'은 질문이 논리적 흐름을 갖도록 구성하여 상대측 논증의 도덕성이 부족하다는 것을 드러낸다. ○☐ ×☐

06 토론자는 토론이 논점에서 벗어나면 쟁점을 정리하여 상대측에게 알린다. ○☐ ×☐

07 토론자는 자기주장을 조리 있게 말하며, 상대측의 주장을 반박한다. ○☐ ×☐

08 반대 측은 현재 상태가 변화해야 하는 이유에 대하여 증명해야 하는 책임이 있다. ○☐ ×☐

09 찬성 측과 반대 측은 토론 규칙과 순서를 지키며, 감정적으로 발언하지 말아야 한다. ○☐ ×☐

10 찬성 측과 반대 측은 논리적 허점을 부각하고 반박하기 위해 상대 주장에 귀를 기울여야 한다. ○☐ ×☐

[01~02] 다음은 토론 중의 발언이다. 발언을 읽고 물음에 답하시오.

현재 전 세계에서 연간 1억 마리 이상의 동물이 인간을 위한 동물 실험으로 죽어 가고 있습니다. 여기에서 동물 실험이란 새로운 약품이나 치료법의 효능과 안전성을 확인하기 위해 동물을 대상으로 실시하는 의학적인 실험을 말합니다. 이 동물 실험은 인간에 의해 많은 동물이 희생된다는 점에서 문제가 있습니다. 인간과 동물은 모두 생명을 가진 존재이며, 고통을 느낀다는 점에서 크게 다르지 않습니다. 저희 찬성 측은 다음과 같은 측면에서 의약품 개발을 위한 동물 실험을 반드시 금지해야 한다고 생각합니다.

무엇보다도 동물 실험은 비윤리적이라는 심각한 문제가 있습니다. 실험 과정에서 동물에게 큰 고통을 주고, 생명을 빼앗기도 하기 때문입니다. 동물 실험에서는 실험동물의 먹이와 물의 공급을 제한하여 특정 사료만을 먹게 하거나, 실험동물을 묶어 놓고 피부에 상처를 입힌 뒤 그 치유 과정을 관찰하기도 합니다. 미국 농무부의 보고에 따르면, 2010년 9만 7천여 마리의 동물이 실험 과정에서 마취제나 진통제 투여 없이 실험을 받았습니다. 이 같은 사실은 동물 실험이 동물에게 큰 고통을 주는 현실을 잘 보여 줍니다. 이뿐만 아니라 동물 실험은 수많은 동물의 생명을 빼앗습니다. 동물이 사망에 이르는 약품 용량을 알아내는 실험을 하거나 목뼈를 빠지게 하는 등의 방법으로 실험동물의 생명을 빼앗기도 합니다.

또한 동물 실험의 결과를 인간에게 그대로 적용할 수는 없습니다. 동물 실험에서 검증받은 약이지만 이를 사용한 다수의 사람이 약물 부작용으로 목숨을 잃기도 하기 때문입니다. 미국의 저명한 수의학자가 쓴 〈탐욕과 오만의 동물 실험〉이라는 책에 따르면, 동물 실험에서는 문제가 없던 약물이지만 그 약물의 거부 반응으로 사망한 사람이 1994년 미국에서만 10만 6천여 명에 달했다고 합니다. 지금도 약의 부작용 때문에 피해를 보는 일이 끊임없이 발생하는 까닭은, 동물의 생물학적 구조가 인간과 다르기 때문입니다. 이는 동물 실험의 결과를 인간에게 그대로 적용해서는 안 된다는 것을 뜻합니다.

이러한 문제들을 해결할 수 있는 대체 방안이 있습니다. 동물 실험을 하지 않고도 의약품의 효능과 안전성을 확인하는 방법에 대한 연구가 진행되고 있습니다. 인간의 세포를 배양해서 실험하는 생체 밖 실험이 있고, 인체를 대상으로 최소 용량만을 투여하여 인체 내의 약물 활동을 측정하는 실험도 있습니다. 또 인체 피부 세포를 배양하여 만든 인공 피부를 사용하는 피부 질환 실험, 컴퓨터 모의실험을 이용한 독성 연구 등도 있습니다. 이와 같은 대체 실험을 상용화하는 데에는 새로운 비용이 발생하겠지만, 장기적으로는 실험동물의 막대한 구입비와 유지비를 줄일 수 있고, 동물 실험이 안고 있는 윤리 문제도 피할 수 있어 그 이익이 훨씬 큽니다. 이상과 같은 측면에서 보았을 때 동물 실험은 금지되어야 합니다.

01 이 주장하는 말하기의 특징으로 적절하지 않은 것은?

① 용어를 정의하여 청자의 이해를 돕고 정확한 논지를 전달하고 있다.
② 예상되는 재앙을 제시하여 문제 해결의 시급성을 알리고 있다.
③ 다양한 통계 수치를 인용하여 문제의 심각성을 제시하고 있다.
④ 전문가의 저서를 인용하여 발언의 신뢰성을 높이고 있다.
⑤ 문제 해결에 도움이 되는 대안을 제시하여 주장의 타당성을 높이고 있다.

02 위의 발언에 대한 교차 신문으로 적절하지 <u>않은</u> 것은?

① 동물을 희생시켜서 모피를 얻는 경우도 많은데, 모피보다는 의약품 개발을 위해 희생당하는 것이 동물 입장에서 더 윤리적인 게 아닐까요?

② 대체 실험이 동물 실험을 대신할 수 있다고 말씀하셨는데, 그런 대체 실험들에 대한 연구가 충분히 이루어져 지금 바로 대체가 가능한 단계입니까?

③ 인체를 대상으로 최소 용량을 투여하는 대체 실험이 능하다고 하셨는데, 최소 용량이라 하더라도 인체에 해를 끼치지 않는다는 확실한 보장이 없지 않을까요?

④ 동물과 인체의 생물학적 구조가 달라서 생기는 문제도 있겠지만, 동물실험의 결과로 안정성을 확인해서 개발한 의약품의 혜택을 과소평가하는건 아닌가요?

⑤ 전염병을 막기 위한 백신 개발은 동물의 생명을 지키기 위한 것이기도 합니다. 그런데 모든 동물 실험이 인간만을 위한 것이라 할 수 있습니다.

[03~04] 다음 글을 읽고 물음에 답하시오.

사회자 : 지금부터 "의약품 개발을 위한 동물 실험을 금지해야 한다."라는 논제로 토론을 시작하겠습니다. 이 논제와 관련하여 양측의 의견을 들어 보겠습니다. 토론 규칙을 잘 지키면서 토론해 주시기 바랍니다. 먼저 찬성 측 제1 토론자의 입론으로 시작하겠습니다.

찬성 1 : 현재 전 세계에서 연간 1억 마리 이상의 동물이 인간을 위한 동물 실험으로 죽어 가고 있습니다. 여기에서 동물 실험이란 새로운 약품이나 치료법의 효능과 안전성을 확인하기 위해 동물을 대상으로 실시하는 의학적인 실험을 말합니다. 이 동물 실험은 인간에 의해 많은 동물이 희생된다는 점에서 문제가 있습니다. 인간과 동물은 모두 생명을 가진 존재이며, 고통을 느낀다는 점에서 크게 다르지 않습니다. 저희 찬성 측은 다음과 같은 측면에서 의약품 개발을 위한 동물 실험을 반드시 금지해야 한다고 생각합니다.

무엇보다도 동물 실험은 비윤리적이라는 심각한 문제가 있습니다. 실험 과정에서 동물에게 큰 고통을 주고, 생명을 빼앗기도 하기 때문입니다. 동물 실험에서는 실험 동물의 먹이와 물의 공급을 제한하여 특정 사료만을 먹게 하거나, 실험동물을 묶어 놓고 피부에 상처를 입힌 뒤 그 치유 과정을 관찰하기도 합니다. 미국 농무부의 보고에 따르면, 2010년 9만 7천여 마리의 동물이 실험 과정에서 마취제나 진통제 투여 없이 실험을 받았습니다. 〈중략〉

또한 동물 실험의 결과를 인간에게 그대로 적용할 수는 없습니다. 동물 실험에서 검증받은 약이지만 이를 사용한 다수의 사람이 약물 부작용으로 목숨을 잃기도 하기 때문입니다. 1950년대에 신경 안정제로 개발된 '탈리도마이드'는 동물 실험을 통과했지만, 그 약을 복용한 많은 임신부가 기형아를 낳았습니다.

〈중략〉

이러한 문제들을 해결할 수 있는 대체 방안이 있습니다. 동물 실험을 하지 않고도 의약품의 효능과 안전성을 확인하는 방법에 대한 연구가 진행되고 있습니다. 인간의 세포를 배양해서 실험하는 생체 밖 실험이 있고, 인체를 대상으로 최소 용량만을 투여하여 인체 내의 약물 활동을 측정하는 실험도 있습니다. 또 인체 피부 세포를 배양하여 만든 인공 피부를 사용하는 피부 질환 실험, 컴퓨터 모의실험을 이용한 독성 연구 등도 있습니다. 〈중략〉

사회자 : 반대 측 제1 토론자, 입론해 주십시오.

반대 1 : 앞서 찬성 측은 동물 실험 때문에 발생하는 문제가 심각하고, 동물 실험을 대체할 방법이 있으므로 이를 금지해 야 한다고 주장했습니다. 저희 반대 측은 찬성 측의 이러한 주장에 동의하기가 어려우며, 다음과 같은 점에서 동물 실 험을 금지해서는 안 된다고 생각합니다.

우선 동물 실험은 윤리적으로 문제가 없습니다. 동물 실험은 동물의 고통을 최소화해야 한다는 원칙에 따라 행해지 고 있기 때문입니다. 현재 동물 실험은 엄격한 법적 규제 아래에서 실행됩니다. 미국에서는 1966년부터 동물복지법이 시행되었고, 이 법에 따라 수의사들이 정기적으로 실험동물 사육 시설의 온도, 음식과 식수 등의 환경을 감시합니다. 우리나라에서도 1991년부터 동물보호법을 시행하고 있습니다. 〈중략〉 그러므로 동물 실험이 비윤리적이라고 볼 수 없 습니다.

또한 동물 실험이 인간에게 가져다주는 이익이 매우 큽니다. 동물 실험은 수많은 사람의 생명을 구하는 치료법을 개 발하는 데에 이바지합니다. 캘리포니아의 생명연구협회에서는 지난 백 년간 위대한 의학적 발견에 모두 동물 실험이 결정적인 역할을 했다고 보고한 바 있습니다.

– 의약품 개발을 위한 동물 실험을 금지해야 하는가 –

03 윗글에 대한 설명으로 적절하지 <u>않은</u> 것은?

① 찬성 측 토론자는 동물 실험을 대체하는 방안이 있으므로 동물 실험을 금지해야 한다고 주장하고 있다.

② 찬성 측과 반대 측 토론자는 모두 정책 변화에 따른 효과와 이익이 비용보다 큼을 주장해야 한다.

③ 찬성 측 토론자는 동물 실험이 비윤리적이라는 내용으로 논증을 구성하고 그 정당성을 증명해야 한다.

④ 사회자는 '의약품 개발을 위한 동물 실험을 금지해야 한다'라는 논제를 소개하고 토론의 시작을 알린다.

⑤ 반대 측 토론자는 찬성 측이 내세운 동물 실험 때문에 발생하는 문제의 심각성을 언급하면서 그에 대한 반대 측 의 주장을 밝힌다.

04 다음은 찬성 측 입론에 대한 반대 측의 반박이다. 이와 같은 주장에 해당하는 필수 쟁점을 〈보기〉에서 있는 대로 고른 것은?

> 찬성 측은 동물 실험의 비윤리성에 대해 지적하면서 마취제나 진통제 투여 없이 실험을 받은 미국 농무부 의 보고를 인용하고 있습니다. 하지만 최근에는 러셀과 버치가 주장한 3R 원칙 (대체, 감소, 정교화)에 의거 한 동물 실험 윤리에 따라 동물 실험이 행해지고 있습니다.

┤ 보기 ├
ㄱ. 3R 시행의 문제점　　　　　　　ㄴ. 동물 실험의 안전성
ㄷ. 동물 실험의 윤리 문제　　　　　ㄹ. 동물 실험의 비용 문제
ㅁ. 3R 원칙의 사회적 윤리 문제

① ㄴ　　　　② ㄷ　　　　③ ㄴ, ㄹ　　　　④ ㄱ, ㅁ　　　　⑤ ㄷ, ㄹ

토론에서 하는 말하기에는 어떤 것이 있을까?

토론의 발언에는 입론과 반론이 있다. 입론은 자신의 주장을 펼치는 말하기이며, 반론은 상대방의 주장을 반박하는 말하기이다. 토론의 유형에 따라 입론 단계에서 교차 신문을 하기도 한다. 교차 신문은 상대방의 입론 내용을 따져 묻는 말하기이다.

토론에서 하는 발언의 종류와 성격

입론
찬성 또는 반대 측에서 자기의 주장이 타당함을 논리적으로 입증하는 말하기.

반론
상대측 주장이 타당하지 않음을 증명하기 위해 근거의 불충분함, 부정확함, 부적절함, 이유와 근거의 비연관성 등을 지적하는 말하기.

교차 신문
상대측이 입론에서 내세운 주장과 이유, 근거를 반박하기 위해 따져 묻는 말하기.

논제와 쟁점이란 무엇인가?

토론의 주제를 논제라고 하는데, 논제는 크게 사실 논제, 가치 논제, 정책 논제로 나뉜다. 사실 논제는 사실의 진위를 다루는 논제이고, 가치 논제는 가치관의 차이를 따지는 논제이며, 정책 논제는 어떤 정책의 도입, 폐지, 개선 등 정책의 실행 여부와 실행 방안에 관한 논제이다. 이 가운데 정책 논제를 다루는 토론에서 찬성 측은 정책의 변화를 주장하므로 그 변화가 필요하고 정당하다는 것을 증명해야 한다. 그리고 반대 측은 찬성 측의 주장이 정당하지 않음을 비판하는 역할을 맡는다.

쟁점은 찬성 측과 반대 측이 다투는 내용으로, 쟁점과 관련한 논의가 논쟁의 핵심이 된다. 쟁점 가운데 반드시 다루어야 하는 쟁점을 필수 쟁점이라고 한다. 정책 논제를 다루는 토론에서는 문제 해결 방안, 효과와 이익 등이 주요한 필수 쟁점이 된다.

정책 논제를 다루는 토론의 필수 쟁점 구성

찬성	필수 쟁점	반대
문제가 심각하여 조치가 시급함.	문제	문제가 심각하지 않음
제시된 방안으로 문제를 해결할 수 있고, 방안이 실행 가능함.	해결 방안	제시된 방안으로 문제를 해결할 수 없거나 방안이 실행 불가능함.
효과와 이익이 비용보다 큼.	효과와 이익	비용이 효과와 이익보다 큼.

논증은 어떻게 구성할까?

토론에서는 쟁점별로 논증을 구성하여 말해야 한다. 논증을 구성할 때에는 쟁점에 관한 주장이 명확해야 하고, 주장의 이유와 근거가 타당해야 한다. 이유는 주장을 정당화할 수 있어야 하고, 근거가 어떻게 주장과 연결되는지를 설명할 수 있어야 한다. 근거는 객관적인 사실 정보를 가리키는데, 근거와 이유 사이에는 밀접한 연관성이 있어야 한다.

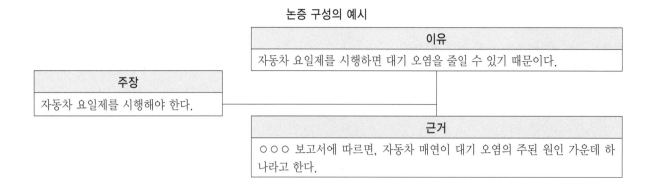

논증 구성의 예시

이유
자동차 요일제를 시행하면 대기 오염을 줄일 수 있기 때문이다.

주장
자동차 요일제를 시행해야 한다.

근거
○○○ 보고서에 따르면, 자동차 매연이 대기 오염의 주된 원인 가운데 하나라고 한다.

반대 신문식 토론이란?

반대 신문식 토론은 어떤 논제를 두고 찬성 측과 반대 측이 교차 신문을 통해 상대방의 논지를 반박함으로써 승부를 가르는 토론이다. 이 토론은 입론, 반론, 평결의 순으로 진행된다. 교차 신문은 입론 단계에서 행해지는데, 바로 앞 차례의 상대측 토론자가 입론한 내용에 대해 질문하는 것이다. 평결은 배심원들이 한다.

2명 대 2명으로 반대 신문식 토론을 할 때의 진행 순서

	찬성 측		반대 측	
	제1 찬성자	제2 찬성자	제1 반대자	제2 반대자
입론 단계	①입론			②교차 신문
	④교차 신문		③입론	
		⑤입론	⑥교차 신문	
		⑧교차 신문		⑦ 입론
반론 단계	⑩반론		⑨반론	
		⑫반론		⑪반론
평론 단계	배심원의 평결			

▲ 번호 ①~⑫ 토론 순서를 가리킴.

05 토론 방법에 대한 설명으로 적절하지 않은 것은?

① 토론은 대결이라는 점에서 진행 규칙을 준수해야 한다.
② 토론은 배구처럼 상대방을 공격하고 자기 팀을 방어한다.
③ 토론은 상대를 논리적으로 설득해야 우위를 점할 수 있다.
④ 토론 순서나 구체적인 방법은 사전에 정해 놓고 해야 한다.
⑤ 토론은 사회자, 토론자, 청중(배심원)으로 구성되며, 청중과 달리 사회자는 진행 과정에서 반드시 중립을 지켜야 한다.

06 위 글로 미루어 볼 때 적절하지 않은 것은?

① 찬성 측에게는 입증 책임, 반대 측에게는 반증 책임이 있다.
② 정책 논제에서 '문제'와 관련된 필수 쟁점은 주로 문제의 심각성, 중요성, 시급성, 상황의 지속성 등에 관한 것이다.
③ 정책 논제와 달리 사실 논제와 가치 논제에서는 '문제, 해결방안, 효과와 이익'이 필수 쟁점이 아닌 하위 쟁점이 된다.
④ 논증은 '주장, 이유, 근거'를 구성 요소로 하여 어떤 주장의 옳고 그름을 이유와 근거를 들어 밝히는 것이다.
⑤ 고전식 토론과 달리 반대 신문식 토론에서는 교차 신문이 추가되는데 반론 단계에서는 교차 신문이 허용되지 않는다.

사회자 : 지금부터 "㉠의약품 개발을 위한 동물 실험을 금지해야 한다."라는 논제로 토론을 시작하겠습니다. 이 논제와 관련하여 양측의 의견을 들어 보겠습니다. 토론 규칙을 잘 지키면서 토론해 주시기 바랍니다.

　　먼저 찬성 측 제1 토론자의 입론으로 시작하겠습니다.

찬성 1 : 현재 전 세계에서 연간 1억 마리 이상의 동물이 인간을 위한 동물 실험으로 죽어 가고 있습니다. 여기에서 동물 실험이란 새로운 약품이나 치료법의 효능과 안전성을 확인하기 위해 동물을 대상으로 실시하는 의학적인 실험을 말합니다. 이 동물 실험은 인간에 의해 많은 동물이 희생된다는 점에서 문제가 있습니다. 인간과 동물은 모두 생명을 가진 존재이며, 고통을 느낀다는 점에서 크게 다르지 않습니다. 저희 찬성 측은 다음과 같은 측면에서 의약품 개발을 위한 동물 실험을 반드시 금지해야 한다고 생각합니다.

　　무엇보다도 동물 실험은 비윤리적이라는 심각한 문제가 있습니다. 실험 과정에서 동물에게 큰 고통을 주고, 생명을 빼앗기도 하기 때문입니다. 동물 실험에서는 실험동물의 먹이와 물의 공급을 제한하여 특정 사료만을 먹게 하거나, 실험동물을 묶어 놓고 피부에 상처를 입힌 뒤 그 치유 과정을 관찰하기도 합니다. 미국 농무부의 보고에 따르면, 2010년에 9만 7천여 마리의 동물이 실험 과정에서 마취제나 진통제 투여 없이 실험을 받았습니다. 이 같은 사실은 동물 실험이 동물에게 큰 고통을 주는 현실을 잘 보여 줍니다. 이뿐만 아니라 동물 실험은 수많은 동물의 생명을 빼앗습니다. 특정 약물을 개발할 때는 실험 약물의 투여 농도를 점점 높여 가면서 동물이 사망에 이르는 용량을 알아내는 실험을 하기도 합니다. 또 이산화탄소를 주입하거나 목뼈를 빠지게 하는 등의 방법으로 실험동물의 생명을 빼앗기도 합니다. 이렇게 희생되는 실험동물의 수는 계속하여 증가하고 있습니다. 이 그래프를 보시면, 우리나라에서 동물 실험으로 희생되는 동물의 수가 해마다 급격히 늘어나고 있음을 알 수 있습니다.

　　이러한 문제들을 해결할 수 있는 대체 방안이 있습니다. 동물 실험을 하지 않고도 의약품의 효능과 안전성을 확인하는 방법에 대한 연구가 진행되고 있습니다. 인간의 세포를 배양해서 실험하는 생체 밖 실험이 있고, 인체를 대상으로 최소 용량만을 투여하여 인체 내의 약물 활동을 측정하는 실험도 있습니다. 또 인체 피부 세포를 배양하여 만든 인공 피부를 사용하는 피부 질환 실험, 컴퓨터 모의실험을 이용한 독성 연구 등도 있습니다. 이와 같은 대체 실험을 상용화하는 데에는 새로운 비용이 발생하겠지만, 장기적으로는 실험동물의 막대한 구입비와 유지비를 줄일 수 있고, 동물 실험이 안고 있는 윤리 문제도 피할 수 있어 ㉡그 이익이 훨씬 큽니다.

　　이상과 같은 측면에서 보았을 때 동물 실험은 금지되어야 합니다.

07 〈보기〉의 ⓐ~ⓔ 중 '찬성1'의 입론에서 언급되지 <u>않은</u> 것은?

┌─ 보기 ┐
　　대체로 입론에서는 ⓐ논제를 둘러싼 문제 상황을 언급하고, 문제의 원인을 분석하며, ⓑ문제를 해결할 수 있는 방안을 제시한다. 또한 ⓒ핵심 용어의 개념을 정의하고, ⓓ자신의 주장이 관철되었을 때의 효과와 이익을 제시한다. 끝으로, ⓔ상대 측의 반박에 대비한 해결책을 제시하여 주장의 정당성을 입증한다.
└──────┘

① ⓐ　　　　　　② ⓑ　　　　　　③ ⓒ　　　　　　④ ⓓ　　　　　　⑤ ⓔ

08 ㉠과 논제의 종류가 같은 것은?

① 심야 게임은 건강에 악영향을 끼친다.
② 동양의 건축보다 서양의 건축이 더 낫다.
③ 대형 마트의 운영 시간을 제한해야 한다.
④ 인터넷 실명제는 개인의 자유를 침해한다.
⑤ 투표 불참자에게 불이익을 주는 것이 바람직하다.

09 ㉡을 뒷받침할 수 있는 근거로 가장 적절한 것은?

① 일부 동물만을 보호 대상으로 하는 동물 보호법
② 시험동물을 사들이고 유지하는 비용이 많이 든다는 통계 자료
③ 대체 실험을 통해 의미 있는 의학적 연구를 한 다양한 사례
④ 슈퍼컴퓨터로도 뇌와 같은 복잡한 기관을 재현할 수 없다는 전문가의 연구
⑤ 초파리를 대상으로 하지 않고 사람을 대상으로 했다면 210년이 걸렸을 모건의 유전자 실험

10 반대 신문식 토론(2:2의 경우)에 대한 설명으로 적절한 것은?

① 토론에서 반대 측은 정책의 변화를 주장한다.
② 긍정 측의 입론에서 시작하여 반대 측의 반론으로 끝이 난다.
③ 토론자 한 사람당 세 번(입론, 교차 신문, 반론)의 발언 기회를 갖는다.
④ 긍정 측과 부정 측의 토론자 두 명 모두의 입론이 끝난 후 교차 신문이 이루어진다.
⑤ 긍정 측 토론자가 발언한 후 부정 측 토론자가 발언을 하고 다시 긍정 측 토론자에게 발언권이 넘어간다.

[11~13] 다음 글을 읽고 물음에 답하시오.

논제: 의약품 개발을 위한 동물 실험을 금지해야 한다.
토론 방식: 반대 신문식 토론

[가] **사회자** : 반대 측 제 1토론자, 입론해 주십시오.

반대 1 : 앞서 찬성 측은 동물 실험 때문에 발생하는 문제가 심각하고 동물 실험을 대체할 방법이 있으므로 이를 금지해야 한다고 주장했습니다. 저희 반대 측은 찬성 측의 이러한 주장에 동의하기가 어려우며, 다음과 같은 점에서 동물 실험을 금지해서는 안 된다고 생각합니다.

　우선 동물 실험은 윤리적으로 문제가 없습니다. 동물 실험은 동물의 고통을 최소화해야 한다는 원칙에 따라 행해지고 있기 때문입니다. 현재 동물 실험은 엄격한 법적 규제 아래에서 실행됩니다. 미국에서는 1966년부터 동물복지법이 시행되었고, 이 법에 따라 수의사들이 정기적으로 실험동물 사육 시설의 온도, 음식과 식수 등의 환경을 감시합니다. 우리나라에서도 1991년부터 동물보호법을 시행하고 있습니다. 〈중략〉 그러므로 동물 실험이 비윤리적이라고 볼 수 없습니다.

　또한 동물 실험이 인간에게 가져다주는 이익이 매우 큽니다. 동물 실험은 수많은 사람의 생명을 구하는 치료법을 개발하는 데에 이바지합니다.

[A]

　그리고 동물 실험은 다른 방법으로 대체할 수 없습니다. 의약품의 효능과 안전성을 확인하는 데에 동물 실험만큼 정확하고 신속한 것은 없기 때문입니다. (㉠) 찬성 측에서 언급한 여러 대체 방법으로 인간 생명체에서 발생하는 문제를 정확히 짚어 내기란 불가능합니다. (㉡)인공 세포는 인간의 실제 세포를 완벽히 재현하지 못하고, 시력이나 혈압 등은 조직 배양 조건에서는 실험할 수가 없습니다. 컴퓨터 모의실험도 일차적으로 동물 실험을 하여 충분한 사전 정보와 지식을 얻은 뒤에야 가능합니다. 특히 뇌와 같이 복잡한 기관은 가장 성능이 뛰어난 슈퍼컴퓨터라 할지라도 정확하게 재현할 수 없습니다. (㉢)초파리를 대상으로 했던 1926년 모건의 유전자 실험은 사람을 대상으로 했다면 210여 년이 걸렸을 것입니다. (㉣)현대 사회에서는 새로운 바이러스가 언제라도 출현할 수 있으므로 이를 물리칠 수 있는 의약품을 신속하게 개발해야 합니다. (㉤)그런데 동물 실험이 아닌 대체 방법으로는 신속하게 개발하기가 어렵습니다. 이와 같이 동물 실험은 정확성과 신속성의 측면에서 최선의 방안이므로 의약품 개발을 위한 동물 실험은 계속되어야 합니다.

[나] **사회자** : 찬성 측 토론자, 교차 신문 해 주십시오.

찬성 1 : 반대 측에서는 동물에게는 존엄성이 없다고 생각하시는 겁니까?

반대 1 : 그렇지 않습니다. 현재 동물 실험은 동물의 존엄성을 고려하여 실시하고 있다고 앞서 말씀드렸습니다. 우리나라에서도 동물 실험을 할 때, 되도록 적은 수의 실험동물을 이용하거나 실험동물의 고통을 최소화하고, 동물 실험을 대체할 수 있는 방법을 모색하는 등의 규정을 따르고 있습니다.

찬성 1 : 그렇다면 그러한 규정이 동물 실험의 과정에서 일어날 수 있는 동물 학대를 완전히 예방한다고 생각하십니까?

반대 1 : 단언할 수는 없지만, 실험동물의 존엄성을 지키기 위해 노력하고 있다고 봅니다.

찬성 1 : 앞서 저희 측 입론에서 제시하였듯이, 신경 안정제로 판매되었던 탈리도마이드는 동물 실험을 거쳤음에도 1만 명 이상의 기형아가 태어나는 결과를 낳았습니다. 이러한 경우에도 동물 실험이 의약품의 안전성을 정확하게 검증한다고 말할 수 있습니까?

반대 1 : 탈리도마이드는 당시 동물 실험을 거치긴 하였지만 임신한 동물을 대상으로 하지는 못했습니다. 만일 그 당시 임신한 동물을 대상으로 하여 실험했더라면 임신부와 태아에게 치명적인 독성을 미리 발견할 수 있었을 것입니다.

---

11 [A]에 들어갈 근거로 적절한 것을 <u>모두</u> 고른 것은?

┤ 보기 ├

ㄱ. 침팬지를 대상으로 한 동물 실험을 통해 비형 간염 백신을 개발한 사례

ㄴ. 동물 실험을 통해 소아마비 백신을 개발한 사례

ㄷ. 동물 실험 기관 내에 동물 실험 감독 위원회가 존재하여 동물 실험을 심사 감독하는 사례

ㄹ. 지난 백 년간 위대한 의학적 발견에 모두 동물 실험이 결정적인 역할을 했다는 캘리포니아 생명연구협회의 보고

① ㄱ, ㄴ   ② ㄱ, ㄷ   ③ ㄱ, ㄴ, ㄷ   ④ ㄱ, ㄴ, ㄹ   ⑤ ㄱ, ㄴ, ㄷ, ㄹ

12 [가]에서 〈보기〉의 문장이 들어갈 위치로 적절한 것은?

┤ 보기 ├

또 동물은 사람보다 세대 시간이 짧아 연구에 드는 시간을 줄일 수 있습니다.

① ㉠   ② ㉡   ③ ㉢   ④ ㉣   ⑤ ㉤

13 [가]를 듣고 찬성 측 제1 토론자가 [나]의 교차 신문을 준비하면서 떠올렸을 만한 생각으로 적절하지 <u>않은</u> 것은?

① 동물의 존엄성을 고려하고 있는지 확인해야겠어.

② 반대 측이 사용한 용어의 개념의 정확한 의미를 질문해야겠어.

③ 우리 측이 입론에서 제시한 근거를 언급하며 반대 측의 논증을 반박해야겠어.

④ 반대 측이 동물 실험의 정확성에 대해 맹신하고 있는 것은 아닌지 질문해야겠어.

⑤ 동물 실험에 대한 규정이 동물 학대 문제를 완전히 예방하고 있는지 확인해야겠어.

14 토론에 관한 설명으로 적절하지 않은 것은?

① 정책 논제에서 찬성 측은 정책의 변화가 필요하다고 주장한다.

② 토론의 논제는 '~이다' 등의 긍정적 진술의 형태를 갖추어야 한다.

③ 반대 신문식 토론은 논제의 다양한 쟁점을 충분히 살필 수 있다는 장점이 있다.

④ 정책 논제를 다루는 토론에서는 문제, 해결방안, 효과와 이익 등이 주요한 필수 쟁점이 된다.

⑤ 교차신문은 상대측이 반론에서 내세운 주장과 이유, 근거를 반박하기 위하여 따져 묻는 말하기이다.

15 논제의 종류와 그 예를 짝지은 것으로 가장 알맞은 것은?

① 사실 논제 – 사형제도는 범죄율을 감소시킨다.

② 정책 논제 – 경제 성장보다 사회 복지가 중요하다.

③ 사실 논제 – 원자력 발전소 건설을 중단해야 한다.

④ 가치 논제 – 음식물 쓰레기 종량제를 개선해야 한다.

⑤ 가치 논제 – 운전면허 취득 제한 연령을 올려야 한다.

객관식 심화문제

[01~04] 다음 글을 읽고, 물음에 답하시오.

사회자 : 지금부터 ⊙"의약품 개발을 위한 동물 실험을 금지해야 한다."라는 논제로 토론을 시작하겠습니다. 이 논제와 관련하여 양측의 의견을 들어 보겠습니다. 토론 규칙을 잘 지키면서 토론해 주시기 바랍니다. 먼저 찬성 측 제1 토론자의 입론으로 시작하겠습니다.

찬성 측 첫 번째 토론자의 입론

찬성 1 : 현재 전 세계에서 연간 1억 마리 이상의 동물이 인간을 위한 동물 실험으로 죽어 가고 있습니다. 여기에서 동물 실험이란 새로운 약품이나 치료법의 효능과 안전성을 확인하기 위해 동물을 대상으로 실시하는 의학적인 실험을 말합니다. 이 동물 실험은 인간에 의해 많은 동물이 희생된다는 점에서 문제가 있습니다. 인간과 동물은 모두 생명을 가진 존재이며, 고통을 느낀다는 점에서 크게 다르지 않습니다. 저희 찬성 측은 다음과 같은 측면에서 의약품 개발을 위한 동물 실험을 반드시 금지해야 한다고 생각합니다.

무엇보다도 동물 실험은 비윤리적이라는 심각한 문제가 있습니다. 실험 과정에서 동물에게 큰 고통을 주고, 생명을 빼앗기도 하기 때문입니다. 동물 실험에서는 실험동물의 먹이와 물의 공급을 제한하여 특정 사료만을 먹게 하거나, 실험동물을 묶어 놓고 피부에 상처를 입힌 뒤 그 치유 과정을 관찰하기도 합니다. 미국 농무부의 보고에 따르면, 2010년에 9만 7천여 마리의 동물이 실험 과정에서 마취제나 진통제 투여 없이 실험을 받았습니다. 이 같은 사실은 동물 실험이 동물에게 큰 고통을 주는 현실을 잘 보여 줍니다.

또한 동물 실험의 결과를 인간에게 그대로 적용할 수는 없습니다. 동물 실험에서 검증받은 약이지만 이를 사용한 다수의 사람이 약물 부작용으로 목숨을 잃기도 하기 때문입니다. 1950년대에 신경 안정제로 개발된 '탈리도마이드'는 동물 실험을 통과했지만, 그 약을 복용한 많은 임신부가 기형아를 낳았습니다. 미국의 ㅁ사에서 개발했던 유명한 관절염 치료제 역시 동물 실험에서는 안전하다고 판명되었으나, 그 약을 복용하고 무려 2만 7천여 명이 급성 심장병으로 고통을 받았습니다. 지금도 약의 부작용 때문에 피해를 보는 일이 끊임없이 발생하는 까닭은, 동물의 생물학적 구조가 인간과 다르기 때문입니다. 이는 동물 실험의 결과를 인간에게 그대로 적용해서는 안 된다는 것을 뜻합니다. 이러한 문제들을 해결할 수 있는 대체 방안이 있습니다. 동물 실험을 하지 않고도 의약품의 효능과 안전성을 확인하는 방법에 대한 연구가 진행되고 있습니다. 인간의 세포를 배양해서 실험하는 생체 밖 실험이 있고, 인체를 대상으로 최소 용량만을 투여하여 인체 내의 약물 활동을 측정하는 실험도 있습니다. 또 인체 피부 세포를 배양하여 만든 인공 피부를 사용하는 피부 질환 실험, 컴퓨터 모의실험을 이용한 독성 연구 등도 있습니다. 이와 같은 대체 실험을 상용화하는 데에는 새로운 비용이 발생하겠지만, 장기적으로는 실험동물의 막대한 구입비와 유지비를 줄일 수 있고, 동물 실험이 안고 있는 윤리 문제도 피할 수 있어 그 이익이 훨씬 큽니다.

이상과 같은 측면에서 보았을 때 동물 실험은 금지되어야 합니다. -교차신문 생략-

반대 측 첫 번째 토론자의 입문

사회자: 반대 측 제1토론자께서 입론해 주시기 바랍니다.

반대 1: 앞서 찬성 측은 동물 실험 때문에 발생하는 문제가 심각하고 동물 실험을 대체할 방법이 있으므로 이를 금지해야 한다고 주장했습니다. 저희 반대 측은 찬성 측의 이러한 주장에 동의하기가 어려우며, 다음과 같은 점에서 동물 실험을 금지해서는 안 된다고 생각합니다.

우선 동물 실험은 윤리적으로 문제가 없습니다. 동물 실험은 동물의 고통을 최소화해야 한다는 원칙에 따라 행해지고 있기 때문입니다. 현재 동물 실험은 엄격한 법적 규제 아래에서 실행됩니다. 미국에서는 1966년부터 동물복지법이 시행되었고, 이 법에 따라 수의사들이 정기적으로 실험동물 사육 시설의 온도, 음식과 식수 등의 환경을 감시합니다. 우리나라에서도 1991년부터 동물보호법을 시행하고 있습니다. 또 각 동물 실험 기관 내에 동물실험감독위원회가 있어서, 동물 실험의 계획서를 심사하고 적정한 방법으로 동물 실험을 하는지에 감독하고 있습니다. 그러므로 동물 실험이 비윤리적이라고 볼 수 없습니다.

또한 동물 실험이 인간에게 가져다주는 이익이 매우 큽니다. 동물 실험은 수많은 사람의 생명을 구하는 치료법을 개발하는 데에 이바지합니다. 캘리포니아의 생명연구협회에서는 지난 백 년간 위대한 의학적 발견에 모두 동물 실험이 결정적인 역할을 했다고 보고한 바 있습니다. 수많은 당뇨병 환자의 생명을 구하는 데 중요한 역할을 한 인슐린은 개를 대상으로 한 실험에서 발견되었습니다. 침팬지를 대상으로 한 동물 실험이 없었다면 비형 간염 백신은 개발하지 못했을 것입니다. 이 모두는 동물 실험이 우리 인간에게 가져다주는 이익이 매우 크다는 것을 잘 보여 줍니다.

그리고 동물 실험은 다른 방법으로 대체할 수 없습니다. 의약품의 효능과 안전성을 확인하는 데에 동물 실험만큼 정확하고 신속한 것은 없기 때문입니다. 찬성 측에서 언급한 여러 대체 방법으로 인간 생명체에서 발생하는 문제를 정확히 짚어 내기란 불가능합니다. 인공 세포는 인간의 실제 세포를 완벽히 재현하지 못하고, 시력이나 혈압 등은 조직 배양 조건에서는 실험할 수가 없습니다. 컴퓨터 모의실험도 일차적으로 동물 실험을 하여 충분한 사전 정보와 지식을 얻은 뒤에야 가능합니다. 특히 뇌와 같이 복잡한 기관은 가장 성능이 뛰어난 슈퍼컴퓨터라 할지라도 정확하게 재현할 수 없습니다. 또 동물은 사람보다 세대 시간이 짧아 연구에 드는 시간을 줄일 수 있습니다. 초파리를 대상으로 했던 1926년 모건의 유전자 실험은 사람을 대상으로 했다면 210여 년이 걸렸을 것입니다. 현대 사회에서는 새로운 바이러스가 언제라도 출현할 수 있으므로 이를 물리칠 수 있는 의약품을 신속하게 개발해야 합니다. 그런데 동물 실험이 아닌 대체 방법으로는 신속하게 개발하기가 어렵습니다. 이와 같이 동물 실험은 정확성과 신속성의 측면에서 최선의 방안이므로 의약품 개발을 위한 동물 실험은 계속되어야 합니다.

---

01 ㉠과 같은 유형의 논제는?

① 분배가 성장보다 소중하다.
② 교과서 대여제를 실시해야 한다.
③ 카피 레프트 운동은 바람직하다.
④ 연예인의 특기자 전형은 정당하다.
⑤ 동계올림픽 실시는 인류화합에 기여한다.

02 위 글의 개요서를 작성할 때 들어갈 내용으로 적절하지 않은 것은?

논제	의약품 개발을 위한 동물실험을 금지해야 한다.		
	찬성		**반대**
주장	동물실험은 비윤리적	주장	동물실험은 윤리적으로 문제가 없다.
근거	ⓐ미국 농임부 보고에 따르면 동물들에게 마취제, 진통제 없이 실험하여 큰 도통을 줌.	근거	ⓑ미국에서는 1966년부터 동물복지법이 시행되어 수의사가 정기적으로 사육시설의 온도와 음식, 식수 등의 환경을 감시함.
주장	동물실험 결과를 인간에게 그대로 적용할 수 없다.	주장	동물실험이 인간에게 주는 이익이 크다.
근거	ⓒ탈리도마이도 개발은 수많은 임산부에게 기형아를 출산하게 함.	근거	ⓓ침팬지를 대상으로 한 실험으로 B형 간염 백신을 개발함.
주장	동물실험을 대체할 방안이 있다.	주장	동물실험을 다른 실험으로 대체 불가하다.
근거	생체 밖 실험, 피부질환 실험, 컴퓨터 모의 실험 등 다양한 연구가 진행중이다.	근거	ⓔ관절염 치료제를 복용한 사람은 급성심장병으로 고통받음.

① ⓐ   ② ⓑ   ③ ⓒ   ④ ⓓ   ⑤ ⓔ

03 다음의 자료를 토론해서 활용하고자 할 때, 그 방안으로 가장 적절한 것은?

> ┤ 자료 ├
>
> 눈에 들어가기 쉬운 마스카라와 라이너, 클렌징 워터, 샴푸 등을 개발할 때는 눈에 대한 독성을 평가해야
> 한다. 이를 통해 흰색 토끼의 눈에 화학물질을 넣고 눈 혈관에서 나타나는 반응을 관찰하는 방식으로 실험을
> 한다. 이러한 방법은 동물에게 극심한 스트레스와 통증을 야기한다.

① 반대 측에서 동물실험을 통해 화장품을 개발할 수 있다는 주장의 근거로 활용할 수 있겠군.

② 찬성 측에서 동물실험이 비윤리적으로 진행되고 있음을 입증하는 자료로 활용할 수 있겠군.

③ 찬성 측에서 화장품을 위한 동물 실험은 비용이 발생한다는 주장의 근거 자료로 활용할 수 있겠군.

④ 찬성 측에서 동물실험을 거친 의약품이라도 안전성을 담보할 수 없다는 주장의 근거로 활용할 수 있겠군.

⑤ 반대 측에서 동물실험의 대상이 된 동물들이 안락사를 당할 수밖에 없는 이유를 설명하는 자료로 활용할 수 있
겠군.

04 위 글 이후 토론이 계속 진행될 때 다음 조건에 맞게 진행된 것은?

> 1. 동물 실험의 정당성을 강조한다.
> 2. 실제 연구조사를 근거로 제시한다.
> 3. 상대방의 의견을 일부 인정하며 자신의 주장을 강조한다.

① 동물 실험의 가장 큰 장점은 신속성입니다. 지난 5월 메르스 사태가 전국적으로 퍼진바 있는데, 물론 많이 지체
되긴 했지만 빠른 원숭이 실험으로 백신이 개발되어 메르스 사태는 처리되었다고 알고 있습니다. 만약 동물 실
험이 없었다면 메르스 백신을 그렇게 빠른 시간 안에 개발할 수 없었을 것입니다.

② 동물 실험은 인간에게 많은 도움을 주었다는 것을 인정하지만 근본적으로 그 자체가 금지되어야 한다고 저희는
생각합니다. 만약 동물 실험을 금지하여, 동물 실험에 쓰이고 있는 자원과 재화가 대체 방안의 연구비용으로 쓰
일 수 있다면, 이는 곧 의사들에게 무엇이 옳은가를 분명히 알려 주고 현대 의학이 나아가야 할 방향성을 제시하
는 일이라고 생각합니다.

③ 21세기 의학의 숙제는 암의 전이와 같이 질병이 온몸에 미치는 복합적인 영향을 알아내어 그 치료법을 개발하는
데에 있는데, 인공 세포가 어떻게 유기적으로 신체를 연결해 낼 수 있을까요? 또한 인간의 신경 조직, 근육 조직
등은 인공 세포로 재생이 되지 않는 조직이라고 알고 있는데, 그러한 조직에 발생하는 병에 대해서는 동물 실험
이외에 어떠한 방법으로 접근이 가능한 것인지도 의문입니다.

④ 동물 실험 결과를 인간에게 그대로 적용하기에 문제점이 있기는 하지만 실제 인간의 의약품 개발을 위해 많은
도움을 주었습니다. 그 뿐 아니라 동물을 위한 의약품 개발을 목적으로 하는 실험도 많습니다. 실제로 2014년
WHO에서 발표한 연구조사에 따르면 전체 동물 실험 결과 중 약 27%는 동물의 의약품을 개발하는 데에 쓰였다
고 합니다. 이러한 결과를 종합해 봤을 때, 저희 측은 동물 실험이 계속해서 필요하다고 생각합니다.

⑤ 대체 실험들이 계속해서 발전해 나가야 하는 이유는, 동물 실험보다 대체 실험 방법들이 장기적으로 훨씬 더 나
은 효과를 가져올 수 있기 때문입니다. 예를 들어 아까 신속성의 측면에서 동물 실험이 가장 효율적이라고 하셨
는데, 현재 알츠하이머를 치료하는 데 필요한 의약품이 뇌세포 배양을 통해서 이루어진다면 시간을 열 배 정도
단축할 수 있다는 연구 결과도 나왔습니다. 앞으로의 무궁무진한 발전을 생각한다면, 현재 동물 실험의 완벽한
대안이 없으므로 동물 실험을 계속해야 한다는 주장에는 오류가 있습니다.

[05~09] 다음은 반대신문식 토론의 일부이다. 물음에 답하시오.

사회자 : 지금부터 "의약품 개발을 위한 동물 실험을 금지해야 한다."라는 논제로 토론을 시작하겠습니다. 이 논제와 관련하여 양측의 의견을 들어 보겠습니다. 토론 규칙을 잘 지키면서 토론해 주시기 바랍니다. 먼저 찬성 측 제1 토론자의 입론으로 시작하겠습니다.

[A]
찬성 1 : 현재 전 세계에서 연간 1억 마리 이상의 동물이 인간을 위한 동물 실험으로 죽어 가고 있습니다. 여기에서 동물 실험이란 새로운 약품이나 치료법의 효능과 안전성을 확인하기 위해 동물을 대상으로 실시하는 의학적인 실험을 말합니다. 이 동물 실험은 인간에 의해 많은 동물이 희생된다는 점에서 문제가 있습니다. 인간과 동물은 모두 생명을 가진 존재이며, 고통을 느낀다는 점에서 크게 다르지 않습니다. 저희 찬성 측은 다음과 같은 측면에서 의약품 개발을 위한 동물 실험을 반드시 금지해야 한다고 생각합니다.

무엇보다도 동물 실험은 비윤리적이라는 심각한 문제가 있습니다. 실험 과정에서 동물에게 큰 고통을 주기 때문입니다. 동물 실험에서는 실험동물의 먹이와 물의 공급을 제한하여 특정 사료만을 먹게 하거나, 실험동물을 묶어 놓고 피부에 상처를 입힌 뒤 그 치유 과정을 관찰하기도 합니다. (중략)

또한 동물 실험의 결과를 인간에게 그대로 적용할 수는 없습니다. 동물 실험에서 검증받은 약이지만 이를 사용한 다수의 사람이 약물 부작용으로 목숨을 잃기도 하기 때문입니다. 1950년대에 신경 안정제로 개발된 '탈리도마이드'는 동물 실험을 통과했지만, 그 약을 복용한 많은 임신부가 기형아를 낳았습니다. 미국의 ㅁ사에서 개발했던 유명한 관절염 치료제 역시 동물 실험에서는 안전하다고 판명되었으나, 그 약을 복용하고 무려 2만 7천여 명이 급성 심장병으로 고통을 받았습니다. (중략)

이러한 문제들을 해결할 수 있는 대체 방안이 있습니다. 동물 실험을 하지 않고도 의약품의 효능과 안전성을 확인하는 방법에 대한 연구가 진행되고 있습니다. 인간의 세포를 배양해서 실험하는 생체 밖 실험이 있고, 인체를 대상으로 최소 용량만을 투여하여 인체 내의 약물 활동을 측정하는 실험도 있습니다. 또 인체 피부 세포를 배양하여 만든 인공 피부를 사용하는 피부 질환 실험, 컴퓨터 모의실험을 이용한 독성 연구 등도 있습니다. 이와 같은 대체 실험을 상용화하는 데에는 새로운 비용이 발생하겠지만, 장기적으로는 실험동물의 막대한 구입비와 유지비를 줄일 수 있고, 동물 실험이 안고 있는 윤리 문제도 피할 수 있어 그 이익이 훨씬 큽니다.

사회자 : 이번에는 반대측 반대 신문해 주십시오.

반대 2 : 의약품 개발을 위한 동물 실험은 동물의 생명을 지키기 위한 것이기도 합니다. 그런데 모든 동물 실험이 인간만을 위한 것이라 할 수 있습니다.

[B]
찬성 1 : 물론 어떤 경우는 동물의 생명을 지키기 위한 것이기도 합니다. 그러나 대부분의 동물 실험은 인간을 위해 이루어집니다. (그래프를 가리키며) 이 그래프를 보시면 우리나라에서 인간을 위한 의약품 개발에 희생되는 동물 수보다 훨씬 많음을 알 수 있습니다.

사회자 : 이어서 반대 측 입론해 주시기 바랍니다.

반대 1 : 우선 동물 실험은 윤리적으로 문제가 없습니다. 동물 실험은 동물의 고통을 최소화해야 한다는 원칙에 따라 행해지고 있기 때문입니다. 미국에서는 1966년부터 동물복지법이 시행되었고, 우리 나라에서도 1991년부터 동물보호법을 시행하여 현재 동물 실험은 엄격한 법적 규제아래에서 시행되고 있습니다.

사회자 : 이번에는 찬성 측 반대 신문해 주십시오.

찬성 1 : 반대 측에서는 동물에게는 존엄성이 없다고 생각하시는 겁니까?

[C]
반대 1 : 그렇지 않습니다. 현재 동물 실험은 동물의 존엄성을 고려하여 실시하고 있다고 앞서 말씀드렸습니다. 우리나라에서도 동물 실험을 할 때, 실험동물의 고통을 최소화하는 규정을 따르고 있습니다.

사회자 : 네, 잘 들었습니다. 이번에는 찬성 측 두 번째 입론해 주십시오.

[D]
찬성 2 : 동물 실험의 결과를 인간에게 그대로 적용할 수는 없습니다. 동물 실험에서 검증받은 약이지만 이를 사용한 다수의 사람이 약물 부작용으로 목숨을 잃기도 하기 때문입니다.

이러한 문제들을 해결할 수 있는 대체 방안이 있습니다. 인간의 세포를 배양해서 실험하는 생체 밖 실험이 있고, 인체 피부 세포를 배양하여 만든 인공 피부를 사용하는 피부 질환 실험, 컴퓨터 모의실험을 이용한 독성 연구 등도 있습니다. 이와 같은 대체 실험은 장기적으로는 실험동물의 막대한 구입비와 유지비를 줄일 수 있고, 동물 실험이 안고 있는 윤리 문제도 피할 수 있어 그 이익이 훨씬 큽니다.

사회자 : 이번에는 반대 측에서 반대 신문해 주십시오.

[E]
반대 1 : 대체 실험이 동물 실험을 대신할 수 있다고 말씀하셨는데, 그런 대체 실험들에 대한 연구가 충분히 이루어
져 지금 바로 대체가 가능한 단계입니까? 현재 동물 실험을 대체할 만한 대체 실험이 상용화되어 있지 않다면 동
물실험이 여전히 필요한 것 아닌가요?

찬성 1 : 대체 실험은 아직 연구 중입니다. 하지만 대체 실험들이 동물 실험을 빨리 대신할 수 있도록 관심을 가지고 그러
한 실험들을 적극 지원해야 한다고 생각합니다.

사회자 : 이어서 반대 측 토론자가 두 번째 입론을 해 주시기 바랍니다.

반대 2 : 동물 실험이 인간에게 가져다주는 이익이 매우 큽니다. 동물 실험은 수많은 사람의 생명을 구하는 치료법을 개
발하는 데에 이바지합니다. 수많은 당뇨병 환자의 생명을 구하는 데 중요한 역할을 한 인슐린은 개를 대상으로 한 실험
에서 발견되었습니다. 한 해 35만여 명에 이르던 세계 소아마비 환자 수를 2012년에는 2백여 명으로 크게 떨어뜨린 소
아마비 백신 역시 동물 실험을 통해 개발한 것입니다.

사회자 : 이번에는 찬성 측에서 반대 신문해 주십시오.

찬성2 : _____ [가] _____

05 '찬성 1'의 입론을 필수 쟁점별로 정리한 것으로 적절하지 않은 것은?

① 문제: 동물 실험은 비윤리적이다.

② 문제: 동물 실험의 결과를 그대로 인간에게 적용할 수 없다.

③ 이익: 대체 실험을 통해 윤리 문제를 해결할 수 있다.

④ 이익: 대체 실험이 동물 실험에 비해 비용이 저렴하다.

⑤ 해결 방안: 실험 동물의 고통 문제가 해결된다면 동물 실험을 계속할 수 있다.

06 〈보기〉를 참고하여 '찬성 1'입론의 전개 순서를 바르게 정리한 것은?

┤ 보기 ├

ⓐ 논제의 사회적 배경, 토론의 필요성 등을 말한다.

ⓑ 쟁점을 제시하고 이에 대한 이유와 근거를 제시한다.

ⓒ 토론에 사용되는 핵심적인 용어를 정의하면서 자신의 주장을 밝힌다.

ⓓ 자신의 주장이 문제를 해결할 수 있으며 효과와 이익이 있음을 언급한다.

① ⓐ-ⓑ-ⓒ-ⓓ   ② ⓐ-ⓑ-ⓓ-ⓒ   ③ ⓐ-ⓒ-ⓑ-ⓓ

④ ⓑ-ⓐ-ⓒ-ⓓ   ⑤ ⓒ-ⓐ-ⓑ-ⓓ

07 위 토론을 이해한 내용으로 적절하지 <u>않은</u> 것은?

① [A]: '찬성 1'은 입론에서 동물 실험의 세계적 현황을 들어 그 심각성을 부각하며 주장에 대한 근거로 활용하고 있다.

② [B]: '찬성 1'은 '반대 2'의 반대 신문에 답변하는 과정에서 시각 자료를 활용하여 자신의 주장에 대한 설득력을 높이고 있다.

③ [C]: '반대 1'은 '찬성 1'의 반대 신문에 답변하는 과정에서 동물보호법이 실험동물에 시행되는 구체적 사례를 들어 자신의 주장을 재차 강조하고 있다.

④ [D]: '찬성 2'는 두 번째 입론에서 기존 동물 실험의 문제점을 들어 그에 대한 해결 방안을 제시하고 있다.

⑤ [E]: '반대 1'은 '찬성 2'에게 반대 신문하는 과정에서 상대방의 논리의 허점을 공략함으로써 자신의 주장을 뒷받침하고 있다.

08 '반대2'의 두 번째 입론을 고려할 때, [가]에 들어갈 발언으로 가장 적절한 것은?

① 미국 농무부의 보고에 따르면, 2010년 9만 7천여 마리의 동물이 실험 과정에서 마취제나 진통제 투여 없이 실험을 받았습니다. 이 같은 사실은 동물 실험이 동물에게 큰 고통을 주는 현실을 보여 주는 것 아닙니까?

② 동물실험을 거쳐도 안정성이 확보되지 않는 경우도 있습니다. 미국의 ㅁ사에서 개발했던 유명한 관절염 치료제 역시 동물 실험에서는 안전하다고 판명되었으나, 그 약을 복용하고 무려 2만 7천여 명이 급성 심장병으로 고통을 받았습니다. 이러한 경우에도 동물 실험이 인간에게 유익한 것이라고 말할 수 있는 것인가요?

③ B형 간염 백신은 침팬지를 대상으로 한 동물 실험이 없었다면 개발하지 못했을 것입니다. 하지만 동물 실험이 인간에게 가져다주는 이익이 크다는 이유로 동물 실험을 계속해야 할까요?

④ 동물보호법이 있다고 하더라도 일부 동물만을 보호 대상으로 하고 있는데 이러한 경우에도 동물 실험이 의약품 안정성을 정확하게 검증한다고 말할 수 있습니까?

⑤ 우리나라에서 각 동물 실험 기관 내에 동물실험 감독위원회를 두고, 동물 실험 과정의 적절성을 잘 감독하고 있는 것인지요?

09 〈보기〉의 자료를 위 토론에 활용할 수 있는 방안으로 가장 적절한 것은?

> ┤ 보기 ├
> • 미국의 저명한 수의학자가 쓴 〈탐욕과 오만의 동물 실험〉 이라는 책에 따르면, 동물 실험에서는 문제가 없던 약물이지만 그 약물의 거부 반응으로 사망한 사람이 1994년 미국에서만 10만6천여 명에 달했다고 함.

① 의학 발전을 위해 상대적 약자인 동물의 희생을 아무렇지 않게 받아들이는 형태를 비판하는 '찬성 1'의 근거로 활용할 수 있겠군.

② 무자비하게 동물을 학대하는 동물 실험이 심각한 윤리적 문제를 안고 있는 대체 실험을 애초에 하지 말았어야 한다는 '찬성 1'의 근거로 활용할 수 있겠군.

③ 약의 안정성을 확보하는데 동물 실험이 미흡하다고 주장하며 대체 실험을 제안하는 '찬성 2'의 근거로 활용할 수 있겠군.

④ 어떠한 정교한 컴퓨터도 분자, 세포 조직, 기관의 상호 관계를 제대로 파악할 수 없기 때문에 동물 실험이 필요하다는 '반대 1'의 근거로 활용할 수 있겠군.

⑤ 불치병이나 난치병 치료를 위한 신약 개발은 대체 실험만으로는 한계가 있다는 '반대 2'의 근거로 활용 할 수 있겠군.

[10~11] 다음은 '외모 지상주의로 인한 사회적 폐해가 크다'라는 논제로 토론을 하고 있는 장면이다. 물음에 답하시오.

사회자 : '외모 지상주의로 인한 사회적 폐해가 크다'라는 논제로 토론을 시작합니다. 먼저 긍정 팀에서 입론 발표해 주십시오.

김생글(긍정팀 1) : 외모 지상주의로 인해 외모는 다소 부족하지만 실력을 갖춘 사람들이 소외되고 있습니다. 2014년 기업 인사 담당자 234명을 대상으로 조사한 바에 따르면 외모가 취업 당락에 66.6%에 달하는 영향을 미친다고 합니다. 매스컴과 산업자본에 의해서 외모의 기준이 상업화되고 획일화되고 있는 경향도 보이고 있습니다. 이는 청소년들에게 왜곡된 가치관을 심어주고 외모로 인한 차별을 낳을 수 있으므로 큰 문제입니다. 이상입니다.

사회자 : 긍정 팀 입론에 대한 부정 팀의 교차신문이 있겠습니다.

한예슬(부정팀 2) : 김생글 토론자께서 말하신 능력의 의미는 무엇입니까?

김생글(긍정팀 1) : 지성과 업무 처리 능력을 의미합니다.

한예슬(부정팀 2) : 지성과 외모를 같은 선상에서 볼 수 있다고 생각합니다. 첫째로 지성도 미모처럼 선천적인 요인이 있다고 합니다. 아이큐가 높은 사람은 많은 학습량을 빠르게 습득합니다. 두 가지 모두 후천적 노력으로 발전이 가능합니다. 또 판단기준이 주관적입니다. 그리고 지성과 외모 모두 시간이 흐름에 따라 마모되기 마련입니다. 그래서 미모와 지성은 같은 점이 많기 때문에 동일선상에서 볼 수 있다고 생각합니다. 그게 아직도 다르다고 생각하십니까?

김생글(긍정팀 1) : 외모는 모든 사람에게 주관적일 수 있습니다. 주관적인 요소인 외모의 기준을 강요하고 외모를 실력보다 우선하는 사회 풍조는 우리 사회의 질적인 발전을 저해합니다.

사회자 : 긍정팀 1차 입론에서는 외모지상주의로 인한 차별 가능성과 '지성과 미모를 같은 차원에서 볼 수 있는가'라는 쟁점이 도출되었군요. 이번에는 부정 팀의 입론 순서입니다.

나왕자(부정팀 1) : 사람들의 의식주 문제가 해결되면서 자연스럽게 미용에 대한 관심이 많아졌습니다. 외모를 가꾸는 것은 자신에 대한 투자로 경쟁력을 높이는 것입니다. 또한 외모를 가꾸는 것은 자신을 표현하는 것이라고 말할 수 있습니다. 과거에 정신을 중시하였을 때는 그 사람이 어떤지 그 사람을 오래 만나보기 전엔 알 수 없었습니다. 외모를 가꿈으로써 자신의 내면을 보여줄 수 있습니다. 마지막으로 외모지상주의가 경제 활성화에 기여하는 바가 큽니다. 외모를 개선하고 싶은 여성들이나 외모로 인하여 열등감을 갖는 사람들이 의술로 희망을 가질 수 있게 되었구요. 이상입니다.

사회자 : 나왕자 토론자는 크게 네 가지로 말씀하셨는데요, 육체에 관심을 갖는 시대의 흐름, 자신에게 투자해서 생기는 자신의 경쟁력, 자신의 내면을 보여주는 개성, 외모지상주의가 경제 활성화에 기여한다는 의견을 제출했습니다. 긍정 팀의 교차 신문을 시작하겠습니다.

유힘찬(긍정팀 2) : 외모를 가꾸는 것과 외모지상주의는 다른 차원의 문제라고 봅니다. 외모를 가꾸는 것은 당연히 자아의 표현이지만, 외모 가꾸기 열풍을 조장하고 획일화된 기준을 강요하는 대중매체나 성형외과의 상술은 많은 부작용을 낳고 있습니다. 이런 부작용에 대해서는 어떻게 생각하십니까?

나왕자(부정팀 1) : (㉠)

〈중략〉

김생글(긍정팀 1) : 우리나라 13세~43세 여성 64%가 외모가 인생의 성패에 영향을 끼친다고 생각한다는 통계 결과가 있습니다. 외모지상주의로 인해 성형과 다이어트에 시간, 경제적 손실, 노력 등이 광적인 수준에 달해 있습니다. 외모지상주의가 상업주의에 편승하여 많은 여성들을 억압하고 있습니다. 기업과 대중매체는 외모지상주이를 낳는 상업전략을 중단하고 내면의 가치로 눈길을 돌리는 사회 분위기를 만들어야 한다고 생각합니다.

나왕자(부정팀 1) : 외모를 가꾸는 것은 인간의 본능입니다. 외모를 꾸밈으로써 자신감을 높이고 자신의 부가가치를 높일 수 있으며, 청소년들을 포함한 모든 소비자들이 외모를 가꾸는 과정에서 경제 활성화에 기여하게 됩니다. 외모지상주의로 인한 억압은 성숙한 개인이 외모뿐만 아니라 내면의 힘을 기름으로써 방어해야 하는 문제라고 생각합니다. 이상입니다.

10 (㉠)에 들어갈 내용으로 적절하지 <u>않은</u> 것은?

① 외모에만 치중해서 내면의 아름다움을 소홀히 하는 것이야말로 더 큰 문제가 아닐까요?

② 대중 매체나 성형 열풍은 사회 분위기를 반영합니다. 대중매체나 성형외과의 부작용은 그만큼 외모가 중요함을 의미하는 게 아닐까요?

③ 상술이 난무하는 것은 맞지만, 현대인의 욕구가 큰 데서 비롯된 부작용이므로 그것으로 외모지상주의를 부정하긴 어렵습니다.

④ 외모가 중요하므로 부작용을 감수하는 사례가 많아지는 것입니다. 부작용을 막을 사회적 장치가 필요할 뿐입니다.

⑤ 실제로 부작용이 있는 것은 사실입니다. 하지만 폐해보다는 효과와 이익이 더 크지 않을까요?

11 위의 토론의 사회자와 토론자들에 대한 평가로 적절하지 <u>않은</u> 것은?

① 사회자는 토론 참가자들의 발언 순서를 지정해 주며 토론의 진행을 이끌고 있다.

② 사회자는 토론 참가자들의 발언 내용을 요약하거나 정리하며 진행하고 있다.

③ 긍정 측 토론자는 주장을 뒷받침하는 통계 결과와 출처를 근거로 제시하고 있다.

④ 부정 측 토론자는 구조적인 문제보다 개인의 책임을 더욱 중시하는 주장을 하고 있다.

⑤ 부정 측 토론자는 긍정 측의 전제를 반박함으로써 긍정 측의 문제점을 드러내고 있다.

[12~13] 다음은 공개 토론 장면의 일부이다. 잘 읽고 물음에 답하시오.

사회자 : 지금부터 '착한 사마리아인 법을 도입해야 하는가?'라는 논제로 토론을 시작하겠습니다. 착한 사마리아인 법은 자신에게 특별한 위험이 발생할 가능성이 없는데도 불구하고, 위험한 상황에 처한 사람을 구해주지 않은 사람을 처벌하는 법입니다. 이 법을 도입하자는 논제에 대해 찬성과 반대 양측의 의견을 들어 보겠습니다. 먼저 찬성 측 제 1토론자의 입론을 들어 보겠습니다.

찬성 1 : 최근 길거리에서 강도를 만나 다친 한 시민이 피를 많이 흘려 사망한 일이 있었습니다. 만약 그때 그곳을 지나가던 사람 중 한 명이라도 119 구조대에 신고를 했더라면 그 시민은 목숨을 구할 수 있었을 것입니다. 저는 이처럼 안타까운 일을 막기 위해 착한 사마리아인 법을 도입해야 한다고 생각합니다. 어떤 사람이 위험한 상황에 놓였을 때, 그를 구하는 것은 인간의 양심을 지키는 일입니다. 착한 사마리아인 법은 인간성을 저버리는 행위를 한 사람을 법으로 처벌하자는 것입니다. 비난하거나 일깨우는 것만으로는 그런 행위를 한 사람을 바로잡을 수 없기 때문입니다. 서로 돕고 사는 공동체를 만들어 가려면 법을 정해 개인의 도덕의식을 제고해야 합니다. 또 세계 여러 나라에서 이미 시행하고 있는 법인만큼, 그 필요성은 충분하다 할 것입니다.

사회자 : 반대 측 제2 토론자, 교차 신문해 주십시오.

반대 2 : 많은 나라가 착한 사마리아인 법을 도입했다고 하셨는데, 어떤 나라들이 있습니까?

찬성 1 : 미국의 몇몇 주 그리고 프랑스, 영국, 독일 등 유럽의 많은 나라가 이 법을 채택한 것으로 알고 있습니다. 예를 들어 프랑스에서는 "자신에게 위험이 따르지 않음에도 위험에 처한 사람을 자의로 구조해 주지 않는 자는, 3개월 이상 5년 이하의 징역, 또는 360프랑 이상 1만 5,000프랑 이하의 벌금에 처한다."고 하여 이 법을 채택하고 있습니다.

반대 2 : 법, 문화, 관습 등 여러 면에서 우리나라와는 다른 외국에서 시행한다고 하여 우리나라에서도 시행해야 한다는 것은 이치에 맞지 않습니다. 그리고 우리 헌법에서는 양심의 자유를 보장하고 있는데, 이와도 맞지 않습니다. 양심의 선택에 맡겨야 하지 않을까요?

찬성 1 : 양심의 자유 등 헌법에서 보장하는 자유는 책임을 전제하고 있습니다. 이 책임은 개인적 행동에 대한 책임뿐만 아니라 사회 구성원으로서의 책임도 의미합니다. 많은 사람이 사회 구성원으로서 져야 할 책임을 회피하기 때문에 이 법을 제정하자는 것입니다.

사회자 : 다음은 반대 측 제 1토론자, 입론해 주십시오.

반대 1 : 저희는 착한 사마리아인 법에 여러 가지 문제가 있다고 생각하므로 이 법의 도입을 반대합니다. 도덕의 문제를 법으로 해결하면, 지나치게 법에 의존하는 법률 만능주의가 생겨날 것입니다. 또한 법 적용의 기준이 모호하기 때문에 큰 혼란이 예상됩니다. 개개인의 자유가 크게 제약될 것이고, 많은 사람이 범법자가 될 가능성이 큽니다.

사회자 : 찬성 측 제1 토론자, 교차 신문해 주십시오.

찬성 1 : 법 적용의 기준이 모호해서 혼란이 생길 수 있다고 하셨는데 좀 더 설명해 주시겠습니까?

반대 1 : 열 명의 사람이 위험에 처한 사람을 돕지 않고 그냥 지나쳤다고 가정해 봅시다. 그중에 한 명만 적발되었다면, 이는 형평성 측면에서 타당하다고 할 수 있을까요? 또 어떤 사람이 위험에 처한 사람을 방관하고 있는데, 다른 누군가가 나타나서 위험에 처한 사람을 구조한 경우, 그때의 방관자는 처벌받아야 할까요, 그렇지 않아야 할까요? 또 한 명이 방관했을 때와 열 명이 방관했을 때 죄의 경중은 어떻게 따져야 할까요?

찬성 1 : 기준의 모호성 문제는 법의 적용 범위와 적용 방법 등을 구체적으로 정하면 해결할 수 있습니다. 그것을 정하기가 어렵다고 해서, 이 법의 제정 자체를 반대하는 것은 타당하지 않습니다. 그리고 앞에서 도덕의 문제를 법으로 해결하는 것은 바람직하지 않다고 하셨는데, 법과 도덕은 모두 바른 것을 지향한다는 점에서 그 본질은 같은 게 아닐까요?

반대 1 : 예. 법과 도덕 모두 바른 것을 지향한다는 점에는 동의합니다. 하지만 도덕은 자율적인 규범이고, 법은 타율적인 규범이기 때문에 서로의 영역을 간섭하지 않아야 합니다. 특히 강제성을 갖고 있는 법은 꼭 필요할 때에만 최소한으로 적용해야 할 것입니다.

---

12 내용에 대한 설명으로 적절한 것은?

① 사회자는 토론 중간에 질문을 삽입하여 효과적으로 진행하고 있다.
② 제시된 논제는 찬반측이 분명하게 나뉘기 때문에 토론 논제로 적절하다.
③ 사회자는 왜 논제에 대해 논의하는 것이 중요한지를 서론에서 밝히고 있다.
④ 제시된 논제는 가치논제로 사람마다 다른 의견을 가질 수 있는 논제이다.
⑤ CEDA토론으로 상대측 입론에 대해 논리적 반박 단계가 있는 것이 특징이다.

13 토론자의 말하기와 관련한 설명으로 적절하지 않은 것은?

① 찬성1은 입론에서 논제와 관련한 사례를 활용하여 사안의 시급함을 강조하고 있다.
② 찬성1은 입론에서 교육만으로는 문제를 해결할 수 없다는 점을 들어 주장을 강화하고 있다.
③ 반대2는 교차신문에서 의도적인 질문을 통해 예상 답변을 들은 뒤 그 답변에 대한 타당성을 공격하고 있다.
④ 찬성1은 반대 측 교차신문의 의도를 제대로 파악하지 못하고 논지에서 벗어난 답변을 통해 스스로 논리를 무너뜨리고 있다.
⑤ 반대1은 입론에서 찬성 측이 주장하는 법의 기준이 모호함을 문제 삼았지만, 찬성1의 교차 신문에 의해 논리의 타당성을 지적받고 있다.

사회자 : 찬성 측 입론해 주시기 바랍니다.

찬성 1 : 천문학적인 자금이 소요되는 도로의 건설에 민간 자본을 적극적으로 유치해야 한다고 생각합니다. 정부나 지방 자치 단체가 도로 건설에 소요되는 자본을 모두 감당하기에는 재정적인 부담이 너무 큽니다. 민간 자본을 유치하여 도로 건설 사업을 추진하고, 민간 자본은 이 사업을 운영할 수 있는 권리를 통해 수익을 거둬들일 수 있다면 서로에게 도움이 되는 전략이 될 수 있습니다.

반대 2 : 반대 측 확인 질문 하겠습니다. 민간에서 도로 건설에 막대한 자본을 투자하는 것은 공익적인 목적 때문일까요, 이익을 추구하기 때문일까요?

찬성 1 : 이익의 추구가 더 중요한 목적이겠죠.

반대 2 : 그렇다면 민간 자본에 의해 건설된 도로를 민간 자본에서 운영할 때 수익성을 높이려고 통행료를 올리는 경우가 있을 수 있겠지요? 그럴 경우 인상된 통행료는 고스란히 시민들의 부담이 되지 않을까요?

찬성 1 : 통행료가 약간 높아질 수는 있지만 이로 인해 얻는 이익이 더 많다고 생각합니다.

반대 1 : 이상 확인 질문 마치고 반대 측 입론하겠습니다. 현재 추진되는 방식의 민간 자본 유치는 득보다 실이 많다고 생각합니다. 우선 현재 민간 자본으로 건설된 도로 중에는 운영권이 민간 자본에 있는 경우가 많기 때문에 투자금의 회수와 수익의 창출을 위해 과도한 통행료를 책정한 경우가 많습니다. 따라서 시민들에게 경제적 부담을 안기는 민간 자본 유치 사업을 무분별하게 추진하는 것은 바람직하지 않습니다. 이상 입론 마치겠습니다.

찬성 2 : 찬성 측 확인 질문 하겠습니다. 오늘 아침 제가 민간 자본에 의해 건설된 도로를 이용하여 이곳까지 왔는데, 기존 도로를 이용할 때보다 30분 이상 단축됐습니다. 통행료는 조금 높았지만 시간 단축으로 인한 유류비 절감을 생각하면 높은 통행료가 아깝지 않더군요. 저와 같은 생각을 가진 사람들은 민간 자본에 의해 건설된 도로를 환영하지 않을까요?

반대 1 : 그럴 수 있다고 생각합니다.

찬성 2 : 민간 자본에 의해 건설된 도로를 이용하면 기존 도로의 수요도 분산이 되어 교통 정체가 줄어들지 않을까요? 또한 민간 자본에 의해 건설된 도로로 인해 도시와 도시 간의 접근성이 좋아진다면 공장의 대도시 집중 현상을 완화하여 중소 도시의 경제 발전에도 도움이 되지 않을까요?

반대 1 : 두 가지 다 경우에 따라서는 그럴 수도 있다고 생각합니다.

찬성 2 : 이상 확인 질문 마치겠습니다.

반대 2 : 반대 측 마무리 발언 하겠습니다. 민간 자본으로 건설된 도로로 인해 도시 간 이동 시간이 줄어들게 되면 그 이전에 중소 도시에서 이루어졌던 소비 활동이 서비스 기반이 잘 갖추어진 대도시로 옮아갈 가능성도 높아집니다. 따라서 중소 도시의 쇼핑이나 의료 등의 서비스 산업이 치명타를 입을 가능성도 역시 높아질 것입니다. 민간 자본 유치 사업이 전적으로 긍정적인 측면만 있는 것이 아니라는 점을 분명하게 말씀드립니다.

찬성 1 : 찬성 측 마무리 발언 하겠습니다. 반대 측에서 우려하는 점은 충분히 이해합니다만 이동 시간이 짧아진 만큼 도시 간의 접근성이 좋아져서 지역 경제의 활성화에 이바지하는 측면이 더 클 것이라고 생각합니다. 정부나 지방 자치 단체의 경제적 부담도 줄이고, 도로 사업에 참여한 민간 자본에도 득이 되며, 무엇보다도 도로를 이용하는 시민들에게 이익이 될 수 있는 이 제도는 실보다 득이 많다고 생각합니다.

14 이 토론의 논제로 가장 적절한 것은?

① 많은 자금이 소요되는 도로 건설에 민간 자본을 적극 유치해야 한다.

② 도로 건설에 많은 자금이 소요되므로 국가가 예산을 보존해 주어야 한다.

③ 많은 자본이 들어가는 도로 건설 사업은 국가가 주도하여 집행해야 한다.

④ 수익을 내기 위해서는 도로 건설에 민간 자본을 유치해서는 안 된다.

⑤ 유류비를 절감하기 위해서라도 인간 자본으로 도로 건설을 해서는 안 된다.

15 '민간 자본 유치 도로 사업'의 이점으로 찬성 측이 토론에서 언급한 내용만을 〈보기〉에서 있는 대로 고른 것은?

┤ 보기 ├

ㄱ 통행 시간을 단축하여 유류비를 절감할 수 있다.
ㄴ 기존 도로에서의 교통 정체 현상이 줄어들 수 있다.
ㄷ 민간 자본에 의해 운영되기 때문에 경영의 효율성이 높아진다.
ㄹ 기존 도로보다 통행료 부담이 줄어들 수 있다.
ㅁ 공장의 대도시 집중 문제를 완화하여 지역 경제 활성화에 도움이 된다.

① ㄱ, ㄴ, ㄹ   ② ㄱ, ㄴ, ㅁ   ③ ㄱ, ㄷ, ㅁ
④ ㄱ, ㄷ, ㄹ, ㅁ   ⑤ ㄴ, ㄷ, ㄹ, ㅁ

16 〈보기〉의 자료를 위 토론에 활용한다고 할 때, 활용 방안으로 적절한 것은?

┤ 보기 ├

최근 운영되고 있는 민간 자본 유치 도로의 경우 민간 업자의 수요 예측에 따라 정부나 지방 자치 단체가 운영 수입을 보장해 주는 방식, 즉 이용자의 수가 예상에 미치지 못할 경우 그 손실을 보전해 주는 방식으로 계약을 맺은 것이 많이 있습니다. 그런데 계약 과정에서 수요 예측이 부풀려져 있는 경우가 많습니다.

① 민간 자본 유치 도로를 통해 경기를 활성화시킬 수 있다는 점을 들어 찬성 주장의 근거로 활용한다.
② 민간 자본 유치 도로를 이용하는 사람들의 수가 증가함에 따라 기존 도로에 비해 통행료가 낮아질 수 있다는 점을 들어 찬성 주장의 근거로 활용한다.
③ 수요 예측이 주는 기대감으로 시민들에게 행복지수를 높여 줄 수 있다는 점을 들어 찬성 주장의 근거로 활용한다.
④ 민간 자본 유치 도로의 수요 예측이 잘못되었을 경우 장기적으로는 정부나 지방 자치 단체에 경제적 부담이 가중될 수 있다는 점을 들어 반대 주장의 근거로 활용한다.
⑤ 잘못된 수요 예측에 따른 손실을 보전해 주는 주체를 두고 정부와 지방 자치 단체 사이에 갈등이 심화될 수 있다는 점을 들어 반대 주장의 근거로 활용한다.

(가)

사회자 : 지금부터 소설 「농부 정도룡」의 인물들과 가상의 토론을 진행해 보겠습니다. 10년 동안 춘이네에게 소작권을 주던 김 주사가 올해부터 새로 일본인 고리대금업자에게 소작권을 넘기기로 한 상황에서 춘이네는 자신의 생존권을 보장해 줄 것을 요구하고 있고, 김 주사는 정당한 재산권 행사라고 주장하고 있습니다. 그러면 "(㉠)"라는 논제로 토론을 진행해 보겠습니다. 먼저 정도룡의 입론으로 시작하겠습니다.

정도룡 : 상문고등학교 1학년 학생들 안녕하십니까. 저는 춘이네가 계속해서 소작을 해야 한다고 생각합니다. 먼저, 소작을 하지 못하면 춘이네는 인간다운 삶을 영위하지 못하고 목숨을 잃게 될 것입니다. 인간은 누구나 인간다운 삶을 영위할 권리를 가지고 태어납니다. 대한민국 헌법 제10조에도 국민의 행복추구권을 보장해야 할 의무가 명시되어 있습니다. 춘이네가 그동안 소작하던 논의 권리를 하루아침에 빼앗기게 되면 이 마을에서 춘이네는 제대로 된 삶을 영위하는 데 필요한 재화를 얻을 방법이 없습니다. 지금 춘이네에게 남은 선택지는 온 가족이 굶어 죽거나 인생을 걸고 다른 곳으로 떠나는 도박을 하는 것뿐입니다. 실제로 지난 번에 소작하던 논을 빼앗긴 우리동네 김씨는 먹을 것이없어 풀나물로 연명하다 굶어 죽지 않았습니까. 다음으로, 춘이네는 그동안 자신이 맡은 땅을 성실하게 가꾸며 소작농으로서 의무를 다했기에 정당한 이유없이 소작토를 뺏는 것은 부당합니다. 많은 마을 사람들이 춘이네가 그 동안 성실하게 소작을 지어왔다고 증언하고 있습니다. 소작인으로서의 의무를 성실하게 수행한 경우 땅주인은 계속해서 소작을 짓게 해 준다는 마을의 규칙이 존재하기 때문에 춘이네에게 주는 땅을 거두어 들일 합리적인 명분이 없습니다.(후략)

(나)

사회자 : 입론 잘 들었습니다. 이어서 김 주사의 교차 신문 진행하겠습니다.

김 주사 : 중요한 질문부터 드리겠습니다. 아까 정도룡께서 이 동네에는 논농사 말고는 먹고 살 거리가 막막하다고 하셨는데 의지만 있으면 논이 없어도 산에 가서 나물을 캐먹거나 다른 집의 머슴살이라도 하면서 먹고살 수 있지 않습니까?

정도룡 : 나물을 주식으로 먹고 사람이 살 수 있나요. 그리고 우리 동네에서 머슴살이하며 먹고 사는 사람이 몇이나 됩니까. 작년에 군(郡)에서 발표한 이 통계 자료를 보면 머슴살이 시킬 만큼 부유한 집은 김 주사네 집과 일본인 고리대금업자네 집 두 집밖에 없고 그 두 집에서 일하고 있는 사람들의 임금은 다른 동네에서의 임금의 절반밖에 되지 않는다는 것을 알 수 있습니다. 이 상황에서 농사짓지 말라는 것은 우리동네에서 떠나라는 말밖에 되지 않습니다. 그리고

김 주사 : 네, 거기까지만 답변해 주시고 다음 질문 받아 주세요. 대한민국 헌법 제 10조를 인용하셨는데 헌법상의 개인의 행복추구권은 국가의 의무를 규정한 것이지 개인에게도 다른 사람의 인간다운 삶을 보장할 의무를 강요하는 것은 아니라고 생각합니다. 그렇지 않습니까?

정도룡 : 타인의 인권을 존중하는 것은 자신의 권리를 인정받기 위해 품위 있는 인간으로서 존재하기 위한 당연한 것입니다. 김 주사는 인간의 품위에 큰 관심이 없을지 몰라도 이 토론을 보고 있는 우리 상문고등학교 1학년 학생들에게는 사사로운 이익만큼이나 중요한 문제라고 생각합니다. 이런 반응을 하는 것 보니 김 주사의 인격을 알 만하군요.

17 ㉠에 들어갈 논제로 가장 적절한 것은?

① 춘이네는 소작을 계속해야 한다.
② 춘이네는 소작을 계속해야 하는가.
③ 춘이네는 소작을 계속하면 안 된다.
④ 춘이네는 소작을 계속하면 안 되나.
⑤ 춘이네는 소작을 계속하면 안 되는가.

18 윗글에 나타난 정도룡의 토론 태도로 적절하지 <u>않은</u> 것은?

① 논제에 따른 쟁점을 명확하게 제시하고 있다.

② 상대방에 대한 존중을 바탕으로 예의를 갖춰 말하고 있다.

③ 정보의 출처를 밝혀 근거의 정확성과 신뢰성을 높이고 있다.

④ 주장에 대한 타당한 근거와 이유를 제대로 제시하고자 하고 있다.

⑤ 충분히 예상 가능한 상황을 제시하여 주장의 설득력을 높이고 있다.

19 (가)의 입론에 반영된 내용으로 적절하지 <u>않은</u> 것은?

① 춘이네가 소작을 하지 않으면 생계를 심각하게 위협받는다는 것을 바탕으로 헌법조항에 위배됨을 밝혀야겠어.

② 춘이네가 계속 소작을 하는 것이 마을 규칙에 부합하는 합리적인 일임을 들어 문제의 부당함을 강조해야지.

③ 마을 사람들의 소득 수준을 보여주는 통계자료를 활용하여 농사일 말고 다른 일을 쉽게 구할 수 없을 것이라는 주장을 강화해야겠어.

④ 춘이네가 매우 성실하게 자신의 본분을 다했다는 증언을 근거로 들어 계약을 해지할 뚜렷한 명분이 없다는 것을 알려줘야지.

⑤ 소작논을 빼앗겼다 굶어 죽은 마을 사람의 사례를 들어 지금의 결정이 누군가에는 매우 치명적인 일일 수 있음을 드러내야겠어.

20 (나)의 과정에서 김 주사가 고려한 것으로 적절하지 <u>않은</u> 것은?

① 질문의 수와 순서는 우선순위를 고려하여 안배해야 한다.

② 지나치게 감정적으로 흥분하거나 인신공격성 발언을 하는 것을 삼간다.

③ 상대측의 주장과 근거에서 빈약한 부분이나 논리적 허점을 지적해야 한다.

④ 상대측이 답변 시간을 오래 끌 경우에는 예의를 지키되 단호하게 중단한다.

⑤ 질문이 논리적 흐름을 갖도록 구성하여 상대측의 판단에 도덕성이 부족하다는 것을 드러낸다.

21 다음은 토론의 일부이고, 〈보기〉는 토론 전에 실시한 반대 측 협의 내용의 일부이다. '찬성1'의 발언과 〈보기〉를 고려할 때, [A]에 들어갈 말로 가장 적절한 것은?

사회자 : 오늘은 '고당류 음료의 가격을 올려야 한다.'라는 논제로 토론하겠습니다. 먼저 찬성측의 입론부터 들어 보겠습니다.

찬성 1 : 우리나라의 고도 비만율 추이를 나타낸 그래프를 보면 2002년 이후 우리나라의 고도 비만율이 꾸준히 증가하고 있고, 앞으로도 이런 추세가 계속될 것임을 알 수 있습니다. 비만이 우리의 건강을 위협한다는 것은 누구나 알고 있는 상식인데, 왜 비만율이 줄지 않는 걸까요? 그것은 우리가 필요 이상으로 많은 당을 섭취하고 있기 때문입니다. 청소년이 당을 섭취하게 되는 주요 식품이 바로 가공 음료라고 합니다. 가공 음료를 통한 과도한 당 섭취는 비만으로 이어질 확률이 높습니다. 따라서 당 섭취량을 줄이기 위해 고당류 음료의 가격을 올려 소비를 감소해야 한다고 생각합니다.

반대 2 : 비만율이 증가하고 있다는 것은 저희도 알고 있습니다. 그런데 비만의 원인이 당 섭취에 있다고 단정하는 근거가 있나요?

찬성 1 : 2017년 A 다이어트 회사에서 B 학술지에 발표한 보고서에 따르면, 달게 먹는 습관이 비만의 위험을 높인다고 발표했습니다. 첨가 당 섭취량이 많아질수록 비만 위험도가 높아지고, 이것이 만성 질환을 유발하므로 덜 달게 먹는 습관을 지니는 것이 중요하다고 밝혔습니다.

반대 2 : [[A]   ]

찬성1 : 저희는 자료에 문제가 없다고 생각합니다.

사회자 : 이번에는 반대 측에서 입론을 하신 후 찬성 측에서 교차 신문을 해 주십시오.

┤ 보기 ├

반대 1 : 교차 신문은 어떤 점에 중점을 두는 게 좋을까?

반대 2 : 찬성 측이 자료를 제시하면, 그것부터 점검해 보려고 해. 자료의 출처가 불확실하다면 자료의 신뢰성을 문제 삼아야겠지. 또 자료가 편파적일 수 있다면 그 점을 부각하려고 해. 근거가 주장을 뒷받침할 수 있는지의 여부를 고려해서 질문할 수도 있겠지.

---

① 출처도 명확하지 않은 자료를 신뢰할 수 있겠습니까?

② 그 자료는 저희 측에서 유리하게 해석될 수 있지 않을까요?

③ 다이어트 회사의 조사라면 공정하다고 보기 어렵지 않을까요?

④ 어떤 성분이든 '과다 섭취'가 문제라는 생각은 해보지 않으셨습니까?

⑤ 자료의 발표 시기를 고려해 볼 때, 현재 상황에는 맞지 않는 자료 아닐까요?

서술형 심화문제

[01~02] 다음을 읽고 물음에 답하시오.

토론에서 하는 말하기에는 어떤 것이 있을까?

토론의 발언에는 입론과 반론이 있다. 입론은 자신의 주장을 펼치는 말하기이며, 반론은 상대방의 주장을 반박하는 말하기이다. 토론의 유형에 따라 입론 단계에서 교차 신문을 하기도 한다. 교차 신문은 상대방의 입론 내용을 따져 묻는 말하기이다.

토론에서 하는 발언의 종류와 성격

입론
찬성 또는 반대 측에서 자기의 주장이 타당함을 논리적으로 입증하는 말하기.

반론
상대측 주장이 타당하지 않음을 증명하기 위해 근거의 불충분함, 부정확함, 부적절함, 이유와 근거의 비연관성 등을 지적하는 말하기.

교차 신문
상대측이 입론에서 내세운 주장과 이유, 근거를 반박하기 위해 따져 묻는 말하기.

논제와 쟁점이란 무엇인가?

토론의 주제를 논제라고 하는데, 논제는 크게 사실 논제, 가치 논제, 정책 논제로 나뉜다. 사실 논제는 사실의 진위를 다투는 논제이고, ㉠가치 논제는 (   )논제이며, 정책 논제는 어떤 정책의 도입, 폐지, 개선 등 정책의 실행 여부와 실행 방안에 관한 논제이다. 이 가운데 정책 논제를 다루는 토론에서 찬성 측은 정책의 변화를 주장하므로 그 변화가 필요하고 정당하다는 것을 증명해야 한다. 그리고 반대 측은 찬성 측의 주장이 정당하지 않음을 비판하는 역할을 맡는다.

쟁점은 찬성 측과 반대 측이 다투는 내용으로, 쟁점과 관련한 논의가 논쟁의 핵심이 된다. 쟁점 가운데 반드시 다루어야 하는 쟁점을 필수 쟁점이라고 한다. 정책 논제를 다루는 토론에서는 문제 해결 방안, 효과와 이익 등이 주요한 필수 쟁점이 된다.

01 ㉠ ( ) 안에 들어갈 내용과 관련하여 가치 논제의 개념을 글자 수 15~30자의 한 문장으로 서술하고, 가치 논제에 해당하는 논제 두 개를 만들어 적으시오.

(1) 가치 논제 개념

(2) 가치 논제의 예

02 다음은 논증의 한 예이다. 논증의 구성요소 중 어떤 것에 해당하는지 각각 쓰시오.

학생들은 아침식사를 꼭 해야 합니다.	ⓐ
왜냐하면 아침식사를 해야 에너지가 생기고, 두뇌가 깨어나 학업에 집중할 수 있기 때문입니다.	ⓑ
식품 영양에 관해 25년을 연구한 ○○○박사는 아침을 먹으면 실제로 성장기 청소년의 뇌 활성화, 학습 및 인지 기능 향상에 도움이 된다고 말합니다. 특히 섬유질과 탄수화물이 풍부한 아침 식사는 하루 종일 피로를 덜 느끼게 하여 지구력 향상에도 좋다고 합니다.	ⓒ

[03] 다음은 공개 토론 장면의 일부이다. 잘 읽고 물음에 답하시오.

사회자 : 지금부터 '착한 사마리아인 법을 도입해야 하는가?'라는 논제로 토론을 시작하겠습니다. 착한 사마리아 인 법은 자신에게 특별한 위험이 발생할 가능성이 없는데도 불구하고, 위험한 상황에 처한 사람을 구해주지 않는 사람을 처벌하는 법입니다. 이 법을 도입하자는 논제에 대해 찬성과 반대 양측의 의견을 들어 보겠습니다. 먼저 찬성 측 제 1토론자의 입론을 들어 보겠습니다.

찬성 1 : 최근 길거리에서 강도를 만나 다친 한 시민이 피를 많이 흘려 사망한 일이 있었습니다. 만약 그때 그곳을 지나가 던 사람 중 한 명이라도 119 구조대에 신고를 했더라면 그 시민은 목숨을 구할 수 있었을 것입니다. 저는 이처럼 안타까운 일을 막기 위해 착한 사마리아 인 법을 도입해야 한다고 생각합니다. 어떤 사람이 위험한 상황에 놓였을 때, 그를 구하는 것은 인간의 양심을 지키는 일입니다. 착한 사마리아 인 법은 인간성을 저버리는 행위를 한 사람을 법으로 처벌하자는 것입니다. 비난하거나 일깨우는 것만으로는 그런 행위를 한 사람을 바로잡을 수 없기 때문입니다. 서로 돕고 사는 공동체를 만들어 가려면 법을 정해 개인의 도덕의식을 제고해야 합니다. 또 세계 여러 나라에서 이미 시행하고 있는 법인 만큼, 그 필요성은 충분하다 할 것입니다.

사회자 : 반대 측 제2 토론자, 교차 신문해 주십시오.

반대 2 : 많은 나라가 착한 사마리아 인 법을 도입했다고 하셨는데, 어떤 나라들이 있습니까?

찬성 1 : 미국의 몇몇 주 그리고 프랑스, 영국, 독일 등 유럽의 많은 나라가 이 법을 채택한 것으로 알고 있습니다. 예를 들어 프랑스에서는 "자신에게 위험이 따르지 않음에도 위험에 처한 사람을 자의로 구조해 주지 않는 자는, 3개월 이상 5년 이하의 징역, 또는 360프랑 이상 1만 5,000프랑 이하의 벌금에 처한다."고 하여 이 법을 채택하고 있습니다.

반대 2 : 법, 문화, 관습 등 여러 면에서 우리나라와는 다른 외국에서 시행한다고 하여 우리나라에서도 시행해야 한다는 것은 이치에 맞지 않습니다. 그리고 우리 헌법에서는 양심의 자유를 보장하고 있는데, 이와도 맞지 않습니다. 양심의 선택에 맡겨야 하지 않을까요?

찬성 1 : 양심의 자유 등 헌법에서 보장하는 자유는 책임을 전제하고 있습니다. 이 책임은 개인적 행동에 대한 책임뿐만 아니라 사회 구성원으로서의 책임도 의미합니다. 많은 사람이 사회 구성원으로서 져야 할 책임을 회피하기 때문에 이 법을 제정하자는 것입니다.

사회자 : 다음은 반대 측 제 1토론자, 입론해 주십시오.

반대 1 : 저희는 착한 사마리아 인 법에 여러 가지 문제가 있다고 생각하므로 이 법의 도입을 반대합니다. 도덕의 문제를 법으로 해결하면, 지나치게 법에 의존하는 법률 만능주의가 생겨날 것입니다. 또한 법 적용의 기준이 모호하기 때문에 큰 혼란이 예상됩니다. 개개인의 자유가 크게 제약될 것이고, 많은 사람이 범법자가 될 가능성이 큽니다.

사회자 : 찬성 측 제1 토론자, 교차 신문해 주십시오.

찬성 1 : 법 적용의 기준이 모호해서 혼란이 생길 수 있다고 하셨는데 좀 더 설명해 주시겠습니까?

반대 1 : 열 명의 사람이 위험에 처한 사람을 돕지 않고 그냥 지나쳤다고 가정해 봅시다. 그중에 한 명만 적발되었다면, 이는 형평성 측면에서 타당하다고 할 수 있을까요? 또 어떤 사람이 위험에 처한 사람을 방관하고 있는데, 다른 누군가가 나타나서 위험에 처한 사람을 구조한 경우, 그때의 방관자는 처벌받아야 할까요, 그렇지 않아야 할까요? 또 한 명이 방관했을 때와 열 명이 방관했을 때 죄의 경중은 어떻게 따져야 할까요?

찬성 1 : 기준의 모호성 문제는 법의 적용 범위와 적용 방법 등을 구체적으로 정하면 해결할 수 있습니다. 그것을 정하기가 어렵다고 해서, 이 법의 제정 자체를 반대하는 것은 타당하지 않습니다. 그리고 앞에서 도덕의 문제를 법으로 해결하는 것은 바람직하지 않다고 하셨는데, 법과 도덕은 모두 바른 것을 지향한다는 점에서 그 본질은 같은 게 아닐까요?

반대 1 : 예. 법과 도덕 모두 바른 것을 지향한다는 점에는 동의합니다. 하지만 도덕은 자율적인 규범이고, 법은 타율적인 규범이기 때문에 서로의 영역을 간섭하지 않아야 합니다. 특히 강제성을 갖고 있는 법은 꼭 필요할 때에만 최소한으로 적용해야 할 것입니다.

---

03 다음은 청중 평가자의 메모이다. 빈 칸에 들어갈 말을 서술하시오.

> 찬성측은 법이 개정되면 개인의 (ⓐ)가(이) 높아질 것을 기대하고 있고, 반대측은 지나친 법의 도입은 (ⓑ)을(를) 낳을 수 있다고 말하고 있군.
> 한편, 다양한 대립적인 의견을 보이는 양측은 (ⓒ)한다는 점만큼은 서로 일치된 견해를 보이고 있어.

[04~05] 다음 글을 읽고 물음에 답하시오.

사회자 : 지금부터 "의약품 개발을 위한 동물 실험을 금지해야 한다."라는 논제로 토론을 시작하겠습니다. 이 논제와 관련하여 양측의 의견을 들어 보겠습니다. 토론 규칙을 잘 지키면서 토론해 주시기 바랍니다. 먼저 찬성 측 제1 토론자의 입론으로 시작하겠습니다.

찬성 1 : 현재 전 세계에서 연간 1억 마리 이상의 동물이 인간을 위한 동물 실험으로 죽어 가고 있습니다. 여기에서 동물 실험이란 새로운 약품이나 치료법의 효능과 안전성을 확인하기 위해 동물을 대상으로 실시하는 의학적인 실험을 말합니다. 이 동물 실험은 인간에 의해 많은 동물이 희생된다는 점에서 문제가 있습니다. 인간과 동물은 모두 생명을 가진 존재이며, 고통을 느낀다는 점에서 크게 다르지 않습니다. 저희 찬성 측은 다음과 같은 측면에서 의약품 개발을 위한 동물 실험을 반드시 금지해야 한다고 생각합니다.

무엇보다도 동물 실험은 비윤리적이라는 심각한 문제가 있습니다. 실험 과정에서 동물에게 큰 고통을 주고, 생명을 빼앗기도 하기 때문입니다. 동물 실험에서는 실험동물의 먹이와 물의 공급을 제한하여 특정 사료만을 먹게 하거나, 실험동물을 묶어 놓고 피부에 상처를 입힌 뒤 그 치유 과정을 관찰하기도 합니다. 미국 농무부의 보고에 따르면, 2010년에 9만 7천여 마리의 동물이 실험 과정에서 마취제나 진통제 투여 없이 실험을 받았습니다. 이 같은 사실은 동물 실험이 동물에게 큰 고통을 주는 현실을 잘 보여 줍니다. 이뿐만 아니라 동물 실험은 수많은 동물의 생명을 빼앗습니다. 특정 약물을 개발할 때는 실험 약물의 투여 농도를 점점 높여 가면서 동물이 사망에 이르는 용량을 알아내는 실험을 하기도 합니다. 또 이산화탄소를 주입하거나 목뼈를 빠지게 하는 등의 방법으로 실험동물의 생명을 빼앗기도 합니다. 이렇게 희생되는 실험동물의 수는 계속하여 증가하고 있습니다. 이 그래프를 보시면, 우리나라에서 동물 실험으로 희생되는 동물의 수가 해마다 급격히 늘어나고 있음을 알 수 있습니다.

또한 동물 실험의 결과를 인간에게 그대로 적용할 수는 없습니다. 동물 실험에서 검증받은 약이지만 이를 사용한 다수의 사람이 약물 부작용으로 목숨을 잃기도 하기 때문입니다. 1950년대에 신경 안정제로 개발된 '탈리도마이드'는 동물 실험을 통과했지만, 그 약을 복용한 많은 임신부가 기형아를 낳았습니다. 미국의 ㅁ사에서 개발했던 유명한 관절염 치료제 역시 동물 실험에서는 안전하다고 판명되었으나, 그 약을 복용하고 무려 2만 7천여 명이 급성 심장병으로 고통을 받았습니다. 미국의 저명한 수의학자가 쓴 〈탐욕과 오만의 동물 실험〉이라는 책에 따르면, 동물 실험에서는 문제가 없던 약물이지만 그 약물의 거부 반응으로 사망한 사람이 1994년 미국에서만 10만 6천여 명에 달했다고 합니다. 지금도 약의 부작용 때문에 피해를 보는 일이 끊임없이 발생하는 까닭은, 동물의 생물학적 구조가 인간과 다르기 때문입니다. 이는 동물 실험의 결과를 인간에게 그대로 적용해서는 안 된다는 것을 뜻합니다.

[A]이러한 문제들을 해결할 수 있는 대체 방안이 있습니다. 동물 실험을 하지 않고도 의약품의 효능과 안전성을 확인하는 방법에 대한 연구가 진행되고 있습니다. 인간의 세포를 배양해서 실험하는 생체 밖 실험이 있고, 인체를 대상으로 최소 용량만을 투여하여 인체 내의 약물 활동을 측정하는 실험도 있습니다. 또 인체 피부 세포를 배양하여 만든 인공 피부를 사용하는 피부 질환 실험, 컴퓨터 모의실험을 이용한 독성 연구 등도 있습니다. 이와 같은 대체 실험을 상용화하는 데에는 새로운 비용이 발생하겠지만, 장기적으로는 실험동물의 막대한 구입비와 유지비를 줄일 수 있고, 동물 실험이 안고 있는 윤리 문제도 피할 수 있어 그 이익이 훨씬 큽니다.

이상과 같은 측면에서 보았을 때 동물 실험은 금지되어야 합니다.

04 윗글에 드러난 사회자의 역할에 대해 한 문장으로 서술하시오.

05 〈보기〉는 토론에서 하는 말하기에 대한 설명이다. 〈보기〉를 참고할 때, (1)'교차 신문'을 하는 이유는 무엇인지 쓰고, (2)'찬성1'의 주장 [A]와 관련하여 반대 측의 '교차 신문'을 한 가지만 작성하시오.

> ┤ 보기 ├
>
> 일반적으로 토론은 입론과 반론으로 구성된다. 입론은 자기 주장을 펼치는 말하기이고, 반론은 상대방의 주장을 반박하는 말하기이다. 토론의 유형에 따라 입론 단계에서 교차 신문을 하기도 한다.

서로에게 이익이 되는 협상

협상의 개념

개인이나 집단 사이에서 이익과 주장이 달라 갈등이 생길 때, 문제를 해결하기 위해 서로 타협하고 조정하면서 해결 방법을 찾아가는 의사소통의 방식.

둘 이상의 주체 / 상충된 입장 / 목적 / 방법 / 공동 의사 결정

협상의 절차

시작 단계	조정 단계	해결 단계
준비하는 단계	의사 교환을 통하여 문제를 해결하는 단계	합의하는 단계
• 갈등의 원인 분석 • 문제 해결의 가능성 확인	• 문제 확인 • 상대의 처지와 관점 이해 • 제안이나 대안 검토	• 최선의 해결책 제시 • 문제 해결과 합의 • 합의 이행

→ 갈등의 원인을 정확하게 분석하고 문제를 확인하여 상대의 입장과 처지를 이해한 후, 해결책을 논리적으로 제시하면 협상을 성공적으로 이끌 수 있음.

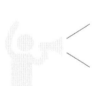

그럼 다음 사례를 통해 협상의 과정을 살펴볼까요?
행복시에서는 '들꽃 축제'가, 문화시에서는 '풀꽃 축제'가 열리는데요. 축제의 성격을 둘러싸고 두 도시는 갈등을 겪었고, 이를 해결하기 위해 협상하게 되었습니다.

행복시는 문화시의 '풀꽃 축제'가 행복시의 '들꽃
<u>협상의 의제</u>
축제'와 너무 유사하여 <u>**문화시가 관광객을 빼앗아**</u>
<u>행복시가 주장하는 피해 ①</u>
갔다고 주장했습니다.

또한 먼저 축제를 개발하면서 큰 비용이
들었는데, 현재는 <u>관광객이 감소하여 경제적</u>
<u>행복시가 주장하는 피해 ②</u>
<u>**손실이 크다**</u>고 주장했습니다.

행복시

행복시는 문화시가 비슷한 축제를 개최해서
행복시가 큰 피해를 보고 있으므로, 문화시에
<u>당장 '풀꽃 축제'를 중단하라고 요구했습니다.</u>
<u>행복시의 입장</u>

하지만 **문화시**는 '풀꽃 축제'가 행복시의
'들꽃 축제'에 큰 영향을 미치지는
않는다며 <u>**중단할 수 없다**</u>는 입장입니다.
<u>문화시의 입장</u>

축제를 중단하라는 행복시와
축제를 계속하고 싶은 문화시.
갈등하는 두 도시는 해결책을 찾을 수 있을까요?

문화시는 이 문제를 해결하기 위해
협상을 제안했습니다.

행복시

문화시

▶ 유사한 축제 개최로 인한 갈등 해결을 위해 문화시가 행복시에 협상을 제안함

행복시와 문화시는 **문제**를 확인하며
문제를 확인하고 상대의 처지와 관점을 이해하여 제안이나 대안을 검토함

서로의 견해 차이를 좁혀 나가고자 합니다.

두 도시는 어떻게 대안을 탐색하여

조정해 나갈까요?

문화시가 들꽃 축제와 비슷한 축제를 개최해서
행복시의 입장에 대한 이유 ①
우리 시 축제의 고유성이 훼손되었다. 문화시는
풀꽃 축제를 중단해야 한다.
행복시의 입장

들꽃이나 풀꽃을 소재로 한 축제는 행복시만의
문화시의 반박 ①
전유물이 아니다. 소재만 비슷할 뿐 세부 내용은
차이가 있으므로 중단할 이유가 없다.
문화시의 입장

문화시의 축제 개최 이후 우리 시의 관광객이 감
행복시의 입장에 대한 이유 ②
소하였으므로 무관하다고 볼 수 없다. 우리 시의 경
제적 손실이 매우 크다. 문화시는 풀꽃 축제를 당장
중단하라.

우리 시에 관광객이 몰리는 이유는 접근성
문화시의 반박 ②
이 높기 때문이다. 행복시의 관광객을 빼앗은
것이 아니므로 중단할 수 없다.

▶ 이해관계가 대립하는 행복시와 문화시의 관계자가 한자리에 모여 양측의 문제를 확인하고, 서로의 처지와 관점을 제시하고 있음.

● 닻 내리기 전략: 협상에서 먼저 제안하는 쪽이 유리함을 일컫는 말로 최초의 제안은 최종 합의의 수준을 결정하는데 중요한 변수가 되기 때문임. 이 협상에서는 행복시가 '경제적 손실을 보상하라.'는 제안을 먼저 하고 있음.

문화시가 풀꽃 축제의 내용을 우리 축제의 내용과 더욱 다르게 하고,
관광객이 감소하여 발생한 우리 시의 경제적 손실을 보전해* 준다면,
① 행복시의 제안
문화시의 풀꽃 축제 운영을 반대하지 않겠다.

당장은 힘들지만, 내년부터는 새로운 내용을 개발하여 우리 축제를 들꽃 축제와 차별화하겠다. 그런데 행복시의
② 문화시의 답변
경제적 손실에 대한 보전은 어려운 문제이다.

그렇다면 경제적 손실은 일부만 보전
③ 행복시의 제안
하라. 그 대신 유동 인구가 많은 문화시에서 우리 시의 들꽃 축제를 홍보하여 다시 관광객이 늘 수 있도록 도와주면 좋겠다.

우리 시에서 행복시의 축제를 홍보하
④ 문화시의 대안
는 것은 가능하다. 그러나 경제적 손실을 일부 보전하는 것보다는 공동 사업을 추진하여 발생하는 이익을 나누는 방안
행복시의 경제적
손실 보전 제안에 대한 대안 제시
이 좋겠다.

행복시는 문화시가 내놓은 대안을 받아들였습니다.

■ **보전하다** 부족한 부분을 보태어 채우다.

우리 시는 축제를 시행한 지 얼마 되지 않아 미숙한 점이 많다.
비슷한 소재의 축제를 먼저 개발한 행복시에서
우리에게 축제 운영 정보를 제공해 달라.
⑤ 문화시의 제안

들꽃 축제 정보를 제공하겠다. 하지만
⑥ 행복시의 답변
축제 운영 정보를 그대로 주면 두 축제가 너무 비슷해질 우려가 있다. '풀꽃 축제'의 이름을 바꾸어서 우리와 더 차별화하
⑦ 행복시의 대안
면 좋겠다.

유익한 정보를 얻을 수 있다면 우리 축
⑧ 문화시의 답변
제의 이름을 바꾸겠다. 우리 시는 접근성이 높으므로 일정 수의 관광객은 확보할 수 있을 것이다.

좋은 생각이다. 먼저 축제를 개발한 도시로서 우리도 문화시의 축제가 성공할 수 있도록 적극 협력하겠다.

두 도시는 대안을 탐색하며 원만하게 협상을
진행하였습니다.

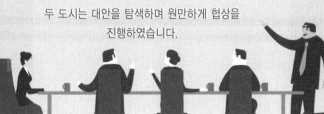

▶ 두 도시는 서로의 입장을 고려하여 새로운 제안이나 대안을 내놓고, 양측에서 이를 검토하여 수용하거나 다시 다른 대안을 제시함.

최종 합의안

조정 단계에서 나온 대안이 반영됨

• 문화시는 내년부터 축제의 내용을 더욱 차별화하고 축제의 이름을 바꾼다.

• 문화시의 지하철 안전문이나 전광판에 행복시의 들꽃 축제를 홍보한다.

• 두 도시는 공동 사업을 추진하여 이익을 반으로 나눈다.

• 행복시는 '들꽃 축제'의 운영 정보를 문화시에 제공한다.

• 행복시는 문화시 축제의 활성화를 위하여 적극 협력한다.

협상 결과,

행복시와 문화시는 서로에게 이익이 되는 최종 합의안을 끌어냈습니다.

두 도시 모두에게 이익이 되는 결과를 도출함

행복시는 들꽃 축제의 대표 도시로 자리매김하였으며, 문화시는

협상을 통해 갈등이 해결되고 서로 이익을 얻음

이듬해 축제의 이름을 바꾸고 내용을 보완하여 행복시의 축제와

구별되는 축제를 열었습니다.

두 도시는 협상을 통하여 갈등을 해결할 수 있었습니다.

▶ 최선의 해결책을 제시하여 합의안을 마련하고, 이를 수용·이해하며
문제를 해결함.

⊙ 핵심정리

제재	두 도시 간에 발생한 갈등과 협상
주제	대안 탐색과 의사 결정을 통한 협상 방법 이해
특징	• 이미지와 문구가 결합된 '카드 뉴스' 형식의 구성으로 협상의 단계를 직관적으로 제시함. • 구체적인 사례를 통해 대안 탐색, 의사 결정의 과정을 보여 줌.

확인학습 ··

01 문화시는 행복시의 축제 내용을 알면서도 유사한 성격의 축제 개최를 강행했다. ○□ ×□

02 문화시는 행복시가 축제의 고유성에 대해 언급하자 세부 내용에 차이가 있다는 점을 들어 반박하고 있다. ○□ ×□

03 행복시는 경제적 손실을 근거로 문화시의 풀꽃 축제 중단을 요구하였지만, 이후 경제적 손실을 보전해 준다면 풀꽃 축제의 운영을 반대하지 않겠다고 입장을 변경하였다. ○□ ×□

04 행복시는 풀꽃 축제로 인한 피해에 대한 경제적인 보상을 일관되게 요구하고 있다. ○□ ×□

05 시작단계는 문제를 확인하는 단계이다. ○□ ×□

06 시작 단계는 문제 해결의 가능성을 확인하는 단계이다. ○□ ×□

07 조정단계는 의사 교환을 통하여 문제를 해결하는 단계이다. ○□ ×□

08 조정단계는 최선의 해결책을 제시하는 단계이다. ○□ ×□

09 조정단계는 상대의 처지와 관점을 이해하는 단계이다. ○□ ×□

10 해결단계는 제안이나 대안을 검토하는 단계이다. ○□ ×□

11 해결단계는 문제 해결과 합의 및 합의 이행의 단계이다. ○□ ×□

객관식 기본문제

01 협상에 대한 다음 진술 중 옳지 <u>않은</u> 것은?

① 협상의 방법은 서로 타협하고 조정하는 것이다.
② 협상을 통해 개인이나 집단 사이의 갈등을 해결할 수 있다.
③ 대안을 탐색할 때에는 상대방의 감성, 생각, 욕구를 파악해야 한다.
④ 자신이 상대방보다 최대한 많은 것을 얻는 것이 성공적인 협상이다.
⑤ 협상은 함께 해결방법을 찾아가는 의사소통 방식이므로 공동 의사결정 방식이라고 볼 수 있다.

[02~03] 다음 글을 읽고 물음에 답하시오.

행복시 : 문화시가 들꽃 축제와 비슷한 축제를 개최해서 우리 시 축제의 고유성이 훼손되었다. 문화시는 풀꽃 축제를 중단해야 한다.

문화시 : 들꽃이나 풀꽃을 소재로 한 축제는 행복시만의 전유물이 아니다. 소재만 비슷할 뿐 세부 내용은 차이가 있으므로 중단할 이유가 없다.

행복시 : 문화시의 축제 개최 이후 우리 시의 관광객이 감소하였으므로 무관하다고 볼 수 없다. 우리 시의 경제적 손실이 매우 크다. 문화시는 풀꽃 축제를 당장 중단하라.

문화시 : 우리 시에 관광객이 물리는 이유는 접근성이 높기 때문이다. 행복시의 관광객을 빼앗은 것이 아니므로 중단할 수 없다.

행복시 : 문화시가 풀꽃 축제의 내용을 우리 축제의 내용과 더욱 다르게 하고, 관광객이 감소하여 발생한 우리 시의 경제적 손실을 보전해 준다면, 문화시의 풀꽃 축제 운영을 반대하지 않겠다.

문화시 : 당장은 힘들지만, 내년부터는 새로운 내용을 개발하여 우리 축제를 들꽃 축제와 차별화하겠다. 그런데 행복시의 경제적 손실에 대한 보전은 어려운 문제이다.

행복시 : 그렇다면 경제적 손실은 일부만 보전하라. 그 대신 유동 인구가 많은 문화시에서 우리 시의 들꽃 축제를 홍보하여 다시 관광객이 늘 수 있도록 도와주면 좋겠다.

문화시 : 우리 시에서 행복시의 축제를 홍보하는 것은 가능하다. 그러나 경제적 손실을 일부 보전하는 것보다는 공동 사업을 추진하여 발생하는 이익을 나누는 방안이 좋겠다.

행복시는 문화시가 내놓은 대안을 받아들였습니다.

문화시 : 우리 시는 축제를 시행한 지 얼마 되지 않아 미숙한 점이 많다. 비슷한 소재의 축제를 먼저 개발한 행복시에서 우리에게 축제 운영 정보를 제공해 달라.

행복시 : 들꽃 축제 정보를 제공하겠다. 하지만 축제 운영 정보를 그대로 주면 두 축제가 너무 비슷해질 우려가 있다. '풀꽃 축제'의 이름을 바꾸어서 우리와 더 차별화하면 좋겠다.

문화시 : 유익한 정보를 얻을 수 있다면 우리 축제의 이름을 바꾸겠다. 우리 시는 접근성이 높으므로 일정 수의 관광객은 확보할 수 있을 것이다.

행복시 : 좋은 생각이다. 먼저 축제를 개발한 도시로서 우리도 문화시의 축제가 성공할 수 있도록 적극 협력하겠다.

두 도시는 대안을 탐색하며 원만하게 협상을 진행하였습니다.

02 윗글에 대한 설명으로 적절하지 않은 것은?

① 조정 단계에서는 상대의 처지와 관점을 이해하고 있다.
② 해결 단계에서는 제안이나 대안을 검토하는 말하기를 한다.
③ 해결 단계에서는 문제를 해결하고 최선의 해결책을 제시한다.
④ 시작 단계에서는 갈등의 원인을 분석하고 문제 해결 가능성을 확인한다.
⑤ 개인이나 집단 사이에서 주장이 달라 갈등이 생길 때 문제를 해결하는 의사소통의 방식이다.

03 행복시와 문화시가 동의하고 있는 내용으로 적절하지 않은 것은?

① 문화시에서 행복시의 축제를 홍보한다.
② 문화시는 행복시의 들꽃 축제와 차별화한다.
③ 행복시에서 문화시에 축제 운영 정보를 제공한다.
④ 행복시와 문화시는 공동 사업을 추진하여 얻는 이익을 나눈다.
⑤ 먼저 축제를 개발한 문화시는 행복시의 축제가 성공할 수 있도록 협력한다.

[04] 다음 글을 읽고 물음에 답하시오.

(가) [시작 단계]

행복시는 문화시의 '풀꽃 축제'가 행복시의 '들꽃 축제'와 너무 유사하여 문화시가 관광객을 빼앗아 갔다고 주장했습니다. 또한 먼저 축제를 개발하면서 큰 비용이 들었는데, 현재는 관광객이 감소하여 경제적 손실이 크다고 주장했습니다.

(나) [조정 단계] 〈행복시〉 문화시가 들꽃 축제와 비슷한 축제를 개최해서 우리 시 축제의 고유성이 훼손되었다. 문화시는 풀꽃 축제를 중단해야 한다.

〈문화시〉 들꽃이나 풀꽃을 소재로 한 축제는 행복시만의 전유물이 아니다. 소재만 비슷할 뿐 세부 내용은 차이가 있으므로 중단할 이유가 없다.

〈행복시〉 문화시의 축제 개최 이후 우리 시의 관광객이 감소하였으므로 무관하다고 볼 수 없다. 우리 시의 경제적 손실이 매우 크다. 문화시는 풀꽃 축제를 당장 중단하라.

〈문화시〉 우리 시에 관광객이 몰리는 이유는 접근성이 높기 때문이다. 행복시의 관광객을 빼앗은 것이 아니므로 중단할 수 없다.

(다) 〈행복시〉 문화시가 풀꽃 축제의 내용을 우리 축제의 내용과 더욱 다르게 하고, 관광객이 감소하여 발생한 우리 시의 경제적 손실을 보전해 준다면, 문화시의 풀꽃 축제 운영을 반대하지 않겠다.

〈문화시〉 당장은 힘들지만, 내년부터는 새로운 내용을 개발하여 우리 축제를 들꽃 축제와 차별화하겠다. 그런데 행복시의 경제적 손실에 대한 보전은 어려운 문제이다.

〈행복시〉 그렇다면 경제적 손실은 일부만 보전하라. 그 대신 유동 인구가 많은 문화시에서 우리 시의 들꽃 축제를 홍보하여 다시 관광객이 늘 수 있도록 도와주면 좋겠다.

〈문화시〉 우리 시에서 행복시의 축제를 홍보하는 것은 가능하다. 그러나 경제적 손실을 일부 보전하는 것보다는 공동 사업을 추진하여 발생하는 이익을 나누는 방안이 좋겠다.

행복시는 문화시가 내놓은 대안을 받아들였습니다.

04 윗글에 대한 설명으로 적절하지 <u>않은</u> 것은?

① 행복시는 들꽃 축제와 풀꽃 축제의 유사성으로 인해 문제가 발생했다고 보고 있다.

② 문화시는 풀꽃 축제의 방향과 내용을 수정함으로써 행복시와의 갈등을 해결하고자 한다.

③ 행복시는 문화기가 축제를 유지할 수 있도록 양보함으로써 '들꽃 축제'의 고유성과 홍보를 확보하였다.

④ 행복시는 경제적 손실을 만회하려는 목적을 달성하기 위해, 문화시가 제안한 공동 사업을 수용하였다.

⑤ 문화시는 풀꽃 축제로 인해 행복시가 관광객 수와 경제적 측면에서 손해를 보았다는 점을 인정하고, 이에 대한 대안을 제시하였다.

05 협상의 절차 중 각 단계에서 고려할 사항으로 적절한 것은?

① 조정 단계: 문제 확인, 상대의 처지와 관점 이해

② 해결 단계: 문제 해결의 가능성 확인, 합의 이행

③ 시작 단계: 갈등의 원인 분석, 제안이나 대안 검토

④ 조정 단계: 제안이나 대안 검토, 최선의 해결책 제시

⑤ 시작 단계: 상대의 처지와 관점 이해, 문제 해결과 합의

06 협상의 개념에 대한 설명으로 적절하지 <u>않은</u> 것은?

① 상충된 입장

② 공동 의사 결정

③ 하나 이상의 주체

④ 서로 타협하고 조정

⑤ 문제를 해결하기 위해

07 협상 과정에서 고려해야 할 점으로 적절하지 <u>않은</u> 것은?

① 구체적인 합의 이행 계획을 세운다.

② 갈등을 유발한 숨은 걸림돌을 찾는다.

③ 나에게만 이익이 되는 대안을 선택한다.

④ 상대방의 생각, 감성, 욕구를 파악한다.

⑤ 양보할 수 있는 것과 없는 것을 정한다.

객관식 심화문제

[01~03] 다음은 행복시와 문화시의 협상 내용이다. 물음에 답하시오.

행복시 : 문화시가 들꽃 축제와 비슷한 시기에 축제를 개최해서 우리 시 축제의 ⓐ고유성이 훼손되었습니다. 문화시는 풀꽃 축제를 중단해 주십시오.

문화시 : 들꽃이나 풀꽃을 소재로 한 축제는 행복시만의 ⓑ전유물이 아닙니다. 소재만 비슷할 뿐 세부 내용은 차이가 있으므로 중단할 이유가 없습니다.

행복시 : 문화시의 축제 개최 이후 우리 시의 관광객이 감소하였으므로 무관하다고 볼 수 없습니다. 우리 시의 경제적 손실이 매우 크므로 문화시는 풀꽃 축제를 당장 중단해 주십시오.

문화시 : 우리 시에 관광객이 몰리는 이유는 접근성이 높기 때문입니다. 행복시의 관광객을 빼앗은 것이 아니므로 중단할 수 없습니다.

행복시 : 문화시가 풀꽃 축제의 개최 시기와 내용을 우리 축제의 내용과 더욱 다르게 하고, 관광객이 감소하여 발생한 우리 시의 경제적 손실을 ⓒ보전해 준다면, 문화시의 풀꽃 축제 운영을 반대하지 않겠습니다.

문화시 : 당장은 힘들지만, 내년부터는 새로운 내용을 개발하여 우리 축제를 들꽃 축제와 차별화하겠습니다. 그런데 행복시의 경제적 손실에 대한 보전은 어려운 문제입니다.

행복시 : 그렇다면 경제적 손실은 일부만 보전해 주십시오. 그 대신 ⓓ유동 인구가 많은 문화시에서 우리 시의 들꽃 축제를 홍보하여 다시 관광객이 늘 수 있도록 도와주면 좋겠습니다.

문화시 : 우리 시에서 행복시의 축제를 홍보하는 것은 가능합니다. 그러나 경제적 손실을 일부 보전하는 것보다는 공동 사업을 추진하여 발생하는 이익을 나누는 ⓔ방안이 좋겠습니다.

행복시 : 알겠습니다.

문화시 : 우리 시는 축제를 시행한 지 얼마 되지 않아 미숙한 점이 많습니다. 비슷한 소재의 축제를 먼저 개발한 행복시에서 우리에게 축제 운영 정보를 제공해 주십시오.

행복시 : 들꽃 축제 정보를 제공하겠습니다. 들꽃 축제는 구역을 나누어 봄을 대표하는 꽃을 심고 중앙 무대에서 연극 상연, 음악 연주 등 공연을 진행하는 방식입니다. 하지만 축제 운영 정보를 그대로 주면 두 축제가 너무 비슷해질 우려가 있습니다. '풀꽃 축제'의 이름을 바꾸고 내용도 어느 정도 다르게 하여 우리와 더 차별화하면 좋겠습니다.

문화시 : 유익한 정보를 얻을 수 있다면 그렇게 하겠습니다. 우리 시는 접근성이 높으므로 일정 수익 관광객은 확보할 수 있을 것입니다.

행복시 : 좋은 생각입니다. 먼저 축제를 개발한 도시로서 우리도 문화시의 축제가 성공할 수 있도록 적극 협력하겠습니다.

01 위 협상을 이해한 내용으로 가장 적절한 것은?

① 축제 공간 확보가 갈등의 원인이 되고 있다.

② 행복시는 문화시의 제안을 검토하여 수용하고 있다.

③ 행복시는 구체적 통계 자료를 제시하며 효과적으로 주장을 내세우고 있다.

④ 문화시는 단정하는 내용과 따지는 듯한 말투를 사용하여 원활한 협상을 방해하고 있다.

⑤ 공동 사업으로 발생하는 이윤 배당이 숨은 걸림돌로 작용하고 있다.

02 ⓐ~ⓔ의 사전적 의미로 적절하지 않은 것은?

① ⓐ: 어떤 사물이 가지고 있는 고유한 성질이나 그 사물 특유의 속성

② ⓑ: 혼자 독차지하여 가지는 물건

③ ⓒ: 온전하게 보호하여 유지함.

④ ⓓ: 이리저리 자주 옮겨 다님.

⑤ ⓔ: 일을 처리하거나 해결하여 나갈 방법이나 계획.

03 협상 결과를 반영하여 수입한 문화시의 축제 운영 계획 내용으로 적절하지 <u>않은</u> 것은?

축제 운영 계획서

▶ 축제 이름: '들꽃 축제'와 차별화하기 위해 '풀꽃 축제'를 '가을 향기 축제'로 바꿈. ·········· ①

▶ 축제 시기: 5월에 개최되는 들꽃 축제와 일정이 겹치지 않도록 10월에 개최함. ·········· ②

▶ 축제 내용: 관광객이 직접 참여할 수 있는 프로그램이나 활동으로 축제를 진행함. 축제 장소를 새 구역으로 나누어 국화, 코스모스, 천일홍을 심고 중앙에 만남의 장소와 기념품 판매점을 마련함. 각 구역마다 문화 체험 부스, 꽃 안내판, 미로, 포토존 등을 설치하여 가족, 연인 단위의 관광객들이 활동하며 축제를 즐길 수 있도록 함. ·········· ③

▶ 축제 홍보 방법: '들꽃 축제' 기간 동안 행복시의 지하철 안전문이나 전광판, 들꽃 축제 안내 책자 뒷면 등에 우리 시의 축제를 홍보함. ·········· ④

▶ 공동 사업: 행복시와 함께 두 축제에서 사용하는 꽃을 캐릭터 상품으로 만들어 열쇠고리, 목걸이, 팔찌, 모자 등 상품을 제작하여 판매하는 공동 사업을 추진한다. 행복시와 공동으로 캐릭터와 상품 제작을 진행하기 때문에 투입되는 금액이 절약되고, 발생하는 이익을 배분하므로 경제적 이익이 될 것이라 생각함. ·········· ⑤

[04~09] 다음 글을 읽고 물음에 답하시오.

(가) [시작 단계]

행복시 : '들꽃 축제'는 우리 시에서 먼저 시작했습니다. 그런데 문화시에 이와 비슷한 '풀꽃 축제'가 생긴 이후 우리 시의 관광객이 감소해서 경제적 손실을 크게 입었습니다. 그러나 축제를 중단해 주십시오.

문화시 : 먼저 시작했다고 해서 축제를 독점할 권리가 생기는 것은 아니라고 생각합니다. 행복시와 문화시는 거리도 멀리 떨어져 있고, 두 축제에서 사용하는 꽃과 축제의 세부 내용도 많이 다릅니다.

행복시 : 세부 내용은 다를지라도 소재는 어쨌든 따라 한 것 아닙니까? 우리 관광객이 감소했다니까요. 인정하시고 축제 중단하세요.

문화시 : 그렇게 생각하실 수도 있지만 두 축제는 개최 시기가 다릅니다. 따라서 행복시의 관광객이 우리 축제 때문에 줄었다고 보기는 어렵지 않을까요? 문화시에 관광객이 더 몰리는 이유는 교통이 좋아 접근성이 높기 때문입니다.

행복시 : 축제 소재가 비슷하면 관광객이 나뉘는 게 당연하죠. 축제를 중단해 보세요. 그럼 우리 관광객이 다시 늘어나는지 그렇지 않은지 확인할 수 있을 것 아닙니까?

문화시 : 준비하고 있는 축제를 중단하기는 곤란합니다. 소재가 비슷해도 내용을 달리하여 운영한다면, 두 도시 모두 더 큰 이익을 얻을 것이라고 생각합니다. 두 축제가 우리나라를 대표하는 축제로 발전하도록 서로 도울 수 있는 방안을 협의해보도록 하죠.

(나) [조정 단계]

행복시 : 축제를 중단할 수 없다면 문화시가 풀꽃 축제의 내용을 우리 축제의 내용과 더욱 다르게 하고, 관광객이 감소하여 발생한 우리 시의 경제적 손실을 보전해주십시오. 그러면 반대하지 않겠습니다.

문화시 : 당장은 힘들지만, 내년부터는 새로운 내용을 개발하여 우리 축제를 들꽃 축제와 더욱 차별화할 수 있도록 노력하겠습니다. 하지만 행복시의 경제적 손실을 금전적으로 보전해주는 것은 어렵습니다.

행복시 : 그렇다면 경제적 손실은 일부만 보전하도록 하고, 그 대신 유동 인구가 많은 문화시에서 우리 시의 들꽃 축제를 ⓐ홍보하여 다시 관광객이 늘 수 있도록 도와주면 좋겠습니다.

문화시 : 우리 시의 지하철 시설을 이용해 홍보할 수 잇을 것 같습니다. 그러나 경제적 손실을 일부 보전하는 것보다는 공동 사업을 추진하여 발생하는 이익을 나누는 방안이 더 좋을 것 같은데 어떻습니까?

행복시 : 그것 참 좋은 아이디어네요. 동의합니다.

문화시 : 그리고 요청드릴 것이 있습니다. 우리 시는 축제를 시행한지 얼마 되지 않아 미숙한 점이 많으니 축제를 먼저 개발한 행복시에서 우리에게 필요한 축제운영 정보를 제공해주시면 감사하겠습니다.

행복시 : 그 부분은 협조해드릴 수 있습니다. 다만 축제 운영 정보를 그대로 주면 두 축제가 너무 비슷해질 우려가 있으니, '풀꽃 축제'의 이름을 바꾸어서 우리 축제와 차별화할 것을 제안합니다.

문화시 : 유익한 정보를 얻을 수 있다면 우리 축제의 이름을 바꾸는 것도 가능합니다. 우리 시는 비교적 접근성이 높아서 축제의 이름이 바뀌어도 일정 수의 관광객은 확보할 수 있을 것을 약속드립니다.

행복시 : 좋습니다. 먼저 축제를 개발한 도시로서 우리도 문화시의 축제가 성골할 수 있도록 적극 협력할 것을 약속드립니다.

문화시 : 감사합니다. 저희도 적극적으로 협조하겠습니다. 그럼 ⓑ최종합의안을 작성하고 서명하도록 합시다.

---

04 윗글을 읽고 협상과 토론을 비교한 설명으로 적절한 것은?

① 협상은 토론과 달리 초기 주장이 소통의 과정에서 바뀔 수 있다.
② 토론은 협상과 달리 상대의 관점에서 문제를 바라볼 필요가 있다.
③ 협상과 토론 모두 양측의 주장이 엇갈리며 마지막에 반드시 승패가 가려진다.
④ 협상과 토론 모두 상대가 제시한 대안을 함께 검토하는 과정을 통해 합의를 이끌어내야 한다.
⑤ 협상과 토론 모두 양측에게 이익이 되는 최선의 해결책을 찾아 의견을 조정하는 과정을 거쳐야 한다.

05 (가)와 (나)에서 확인할 수 있는 협상의 절차에 대한 설명으로 적절하지 <u>않은</u> 것은?

① 시작 단계에서 갈등의 원인이 되는 상황을 파악하고 있다.
② 시작 단계에서 상대방에 대한 이해를 바탕으로 서로에 대한 이견을 좁히고 있다.
③ 시작 단계에서 문제 해결의 가능성을 진단하는 과정을 통해 협의해야 할 내용을 확인하고 있다.
④ 조정 단계에서 서로 입장이 다른 사안에 대해 양측의 양보를 바탕으로 협상을 진행하고 있다.
⑤ 조정 단계에서 양측의 제안을 검토하고 대안을 제시하는 과정을 통해 최선의 해결책을 도모하고 있다.

06 〈보기〉를 참고하여 (가)에서 행복시와 문화시 대표의 말하기에 대해 평가한 내용으로 적절하지 <u>않은</u> 것은?

> ┤ 보기 ├
>
> 일반적인 협상가와 뛰어난 협상가 사이에는 평범해 보이지만 중요한 차이점이 많다. 뛰어난 협상가는 상대의 귀에 거슬리는 발언을 삼가고, 상대를 비난하는 경우가 매우 드물다. 결과적으로 부정적인 요소가 많을수록 협상을 성공시킬 확률은 줄어든다는 것을 알 수 있다.
>
> – 스튜어트 다이아몬드(김태훈 옮김), 「어떻게 원하는 것을 얻는가」 –

① 행복시의 대표는 상대의 귀에 거슬릴 수 있는 발언을 했다는 점에서 뛰어난 협상가로 볼 수 없겠군.

② 행복시의 대표는 타당한 근거 없이 자신의 주장만을 내세우며 상대방에게 무리한 요구를 하는 실수를 범하고 있어.

③ 문화시의 대표는 다소 무례하게 들리는 행복시 대표의 발언에도 침착하게 자신의 의견을 논리적으로 전개하고 있어.

④ 문화시의 대표는 상대방의 주장에 모두 동의하며 한발 물러서고 있는데, 이는 상대방의 방심을 불러일으키기 위한 것으로 보여.

⑤ 행복시와 문화시 대표 모두 협상의 목표를 정확히 인지한 상태에서 각자가 원하는 바를 피력하고 있지만, 협상가로서의 자질은 부정적 요소를 해소하겠다는 점에서 문화시 대표가 더 뛰어나 보여.

07 〈보기〉를 (가)에서 양측이 하는 주장을 보완하기 위해 준비한 자료라고 볼 때, 그 활용 방안으로 적절하지 <u>않은</u> 것은?

> ┤ 보기 ├
>
> ㉠ 행복시와 문화시 간의 실제 거리 및 축제 시기
> ㉡ 풀꽃 축제와 들꽃 축제에서 사용하는 꽃의 품종
> ㉢ 행복시와 문화시의 유사해 보이는 축제 홍보 포스터
> ㉣ 연도별 행복시의 들꽃 축제 관광객 수를 나타낸 그래프
> ㉤ 행복시와 문화시의 축제 세부 프로그램을 안내하는 팸플릿
> ㉥ 문화시의 교통적 입지와 평소 유동 인구에 대한 통계 자료
> ㉦ 사람들이 들꽃 축제와 풀꽃 축제를 유사하게 인식하는지에 대한 설문 조사 결과

① ㉠과 ㉡을 활용하여 문화시 대표는 풀꽃 축제가 행복시 들꽃 축제의 관광객 감소와 큰 연관성이 없다는 점을 부각한다.

② ㉢과 ㉤을 활용하여 행복시 대표는 풀꽃 축제와 들꽃 축제의 소재와 프로그램의 세부 내용이 매우 유사함을 증명한다.

③ ㉣을 활용하여 행복시 대표는 풀꽃 축제가 시작되기 이전과 이후의 들꽃 축제의 관광객 수를 비교하는 방식으로 자신의 주장을 뒷받침한다.

④ ㉥을 활용하여 문화시 대표는 행복시의 축제에 갈 관광객들이 문화시로 온 것이 아니라 교통이 편리하여 본래 유동 인구가 많아 관광객들이 많은 것임을 증명한다.

⑤ ㉦을 활용하여 행복시 대표는 사람들이 두 축제를 유사하게 인식한다는 자신의 주장을 뒷받침할 수 있지만, 설문조사의 객관성과 공정성에 대해 상대측이 의문을 제기할 수 있음을 대비한다.

08 〈보기〉가 윗글의 ⓐ에 필요한 내용이라고 할 때, 〈조건〉에 따라 작성한 홍보 문구로 가장 적절한 것은?

┤ 보기 ├
- 개최 도시 : 행복시
- 개최 시기 : 10월 내내
- 축제 이름 : 들꽃 축제
- 명소 : 수많은 들꽃이 피어 있는 둘레길
- 홍보 전략 : 들꽃이 핀 둘레길 산책을 통한 몸과 마음의 휴식

┤ 조건 ├
1. 높임을 나타내는 종결 표현을 사용할 것.
2. 피동 표현을 사용하여 행사 자체를 강조할 것.
3. 의인화를 사용하여 들꽃을 생동감 있게 표현할 것.
4. 최대한 우리말을 사용하고 문법에 맞게 작성할 것.
5. 〈보기〉의 내용이 모두 드러날 수 있도록 구성할 것.
---

① 10월에 행복시에서 개최되는 들꽃 축제 들어봤니? 각양각색의 들꽃들이 방긋 웃으며 맞아주는 그 곳! 둘레길이 힐링 포인트야. 꼭 기억해.

② 10월 행복시에서는 들꽃의 향연이 펼쳐집니다. 우리나라 고유의 아름다운 들꽃들을 한 자리에서 볼 수 있는 유일한 기회를 놓치지 말아주세요.

③ 10월 행복시에서는 들꽃 축제를 엽니다. 우리나라 고유의 아름다운 들꽃들이 한가득 피어있는 정원에 방문하시길 강력하게 추천합니다. 몸과 마음을 쉬실 수 있을 거예요.

④ 10월의 핫플레이스하면 들꽃 축제가 열리는 행복시죠. 각양각색의 들꽃들이 피어있는 둘레길을 걷다보면 잠시 몸과 마음을 쉴 수 있을 거예요. 일상에 지치신 분들 행복시로 오세요.

⑤ 10월에는 들꽃 축제가 열리는 행복시로 오세요. 수많은 들꽃들이 다양한 색과향을 뽐내며 당신을 맞아줄 것입니다. 들꽃과 함께 둘레길을 걸으며 몸과 마음을 잠시 쉬어가시길 바랍니다.

09 (나)를 바탕으로 작성할 수 있는 윗글의 ⓑ의 내용으로 적절하지 않은 것은?

┤ 최종 합의안 ├
1. 문화시는 '풀꽃 축제'라는 이름을 변경한다.
2. 문화시는 지하철 안전문이나 전광판에 행복시의 축제를 홍보한다.
3. 행복시는 내년부터 문화시와 축제의 내용을 차별화할 수 있도록 노력한다.
4. 두 도시는 공동 사업을 추진하고 그 이익은 행복시와 문화시가 공평하게 나눈다.
5. 행복시는 '들꽃 축제'의 운영 정보를 문화시에 제공한다.
6. 행복시와 문화시는 축제의 활성화를 위하여 협력한다.
---

① 1　　　② 2　　　③ 3　　　④ 4　　　⑤ 5

[10~13] 다음 글을 읽고 물음에 답하시오.

상우: 이번 전시회에서는 고등학생인 저희가 친구들의 웃는 모습을 주제로 직접 찍은 사진을 전시할 거예요. 학업 때문에 힘들고 지친 고등학생들에게 힘을 주자는 의미도 있지요.

구 공무원: 학업에 지친 고등학생들을 위로하고 그들에게 힘을 주자는 내용만으로는 전시회의 공공성이 좀 약합니다. 공공성 측면에서 좀 더 내세울 것이 있다면 우리 구의 사업으로 소개할 수도 있을 텐데요.

상우: 네, 있습니다. 학생들이 친구들의 웃는 모습을 찍은 사진을 학교 사진 동아리 누리집에 올리면 한 장당 일정 금액이 모금됩니다. 그렇게 모금된 돈은 △△어린이 재단을 후원하는 데 사용할 거예요. 이 정도면 전시회의 공공성도 어느 정도 확보할 수 있다고 생각합니다.

구 공무원: 동아리 누리집에 사진을 올리면 후원금이 모금되고 그것으로 △△ 어린이 재단을 후원한다니 참 좋은 생각이네요. 그렇게 하면 사진 전시회를 우리 구의 사업으로 소개할 수 있겠습니다.

상우: 네, 정말 잘 되었네요. 다음 주 목요일부터 일요일까지 4일 동안 전시회를 열 예정인데 그때 강당을 빌릴 수 있나요?

구 공무원: 아, 그건 곤란합니다. 다음 주에는 지역 주민을 대상으로 한 강연회가 열릴 예정이라 강당을 빌려 드릴 수 없습니다. 그리고 주중에는 저녁 10시까지, 주말에는 토요일 저녁 6시까지만 강당을 사용할 수 있고, 일요일에는 강당을 운영하지 않아요. 또한 우리 구에서는 다른 주민 및 단체와의 형평성을 고려하여 한 개인 및 단체 당 최대 2일까지만 강당을 빌려주고 있습니다.

상우: 그렇군요. 저희는 학교 수업을 마치고 전시회를 진행해야 해서, 평일에는 저녁 6시 이후부터 3시간씩 강당을 사용하려고 합니다. 전시를 하기에 2일은 기간이 너무 짧습니다.

구 공무원: 음, 그렇다면 다음다음 주에 전시회를 하는 것은 어떨까요? 그때는 강당을 사용하는 행사가 없고, 아직 다른 단체에서 강당을 빌려달라고 신청하지 않았거든요. 학생들이 강당을 빌려 쓰는 시간이 짧기도 하니, 이를 고려해서 3일간 강당을 쓸 수 있게 해 드리겠습니다.

상우: 전시회 날짜를 바꾸는 것은 괜찮습니다만, 전시회 기간이 4일에서 3일로 줄면 관람객이 적어질 수 있어서 저희에게는 아쉬운 일입니다. 그래서 말씀드리고 싶은 것이 있는데요. ㉠이번 전시회를 지역 주민에게 홍보해 주실 수 있나요?

구 공무원: 전시회를 홍보해 달라고요?

상우: 네. 전시회를 여는 3일 동안 최대한 많은 관람객을 모으고 싶은데, 학생들인 저희로서는 지역 주민에게 전시회를 널리 알리는 데 한계가 있어서요.

구 공무원: 저희도 업무로 바쁘기는 하지만, 전시회의 성격이 좋고 공공성도 충분하니까 홍보할 방안을 찾아보겠습니다. 다음 주에 지역 주민을 대상으로 한 강연회가 있으니 그 시간을 활용하는 것도 좋겠네요.

상우: 고맙습니다. 그럼 구청 일정에 맞추어 다음다음 주 목요일부터 토요일까지 3일 동안 강당을 빌리겠습니다.

10 이 협상의 단계에 대한 설명으로 적절한 것은?

① 협상을 통해 얻고자 하는 바를 분명하게 정하는 단계이다.
② 상대측을 설득할 수 있는 대안을 미리 마련해 두는 단계이다.
③ 우리 측과 상대측의 입장을 확인하는 단계이다.
④ 제시된 대안을 재구성하여 합의점을 마련하는 단계이다.
⑤ 서로의 제안을 검토하여 입장 차이를 좁히고, 양보할 수 있는 지점을 찾아 합의를 유도하는 단계이다.

11 이와 같은 협상에 임하는 자세로 적절한 것은?

① 상대의 처지와 관점을 파악한다.

② 당황했을 때는 차분하게 화제를 전환한다.

③ 쟁점이 발생하면 공격적으로 의견을 개진하여 우위를 차지한다.

④ 내가 얻을 것을 확실하게 하기 위해 상대에게 무조건 양보한다.

⑤ 상대가 강압적으로 나온다면 올바른 협상 분위기 조성을 위해 강경하게 나간다.

12 ㉠과 같이 말한 상우의 의도로 적절한 것은?

① 전시회의 공공성과 관련하여 합의하기 위해서

② 구청이 전시회 전반에 지시하는 것을 막기 위해서

③ 전시회의 공공성을 뒷받침하는 근거를 부각하기 위해서

④ '구 공무원'의 제안을 수락했을 때 발생할 불이익을 최소화하기 위해서

⑤ 화제를 전환해서 '상우'의 제안을 긍정적으로 검토하도록 하기 위해서

13 이 담화에서 확인 할 수 있는 내용이 <u>아닌</u> 것은?

① 공공성에 대한 '상우'와 '구 공무원'의 입장 차이

② 전시회의 공공성에 대한 합의 내용

③ 구청 강당의 대여 일정에 대한 입장 차이

④ 구청 강당의 대여 일정에 대한 합의 내용

⑤ 지역 주민들에게 전시회를 홍보하는 것에 대한 입장 차이

[14~16] 다음은 학생이 쓴 글의 초고이다. 물음에 답하시오.

우리 학교에서는 학년 말 동아리 발표회 날을, 오전에는 부스를 마련하여 체험 및 전시 활동을 하고 오후에는 강당에서 공연 활동을 하는 방식으로 ⓐ운영되어 왔다. (㉠) 체험 및 전시를 운영하는 동아리 소속 학생들을 중심으로 이런 방식을 개선해야 한다는 요구가 제기되었고, 이로 인해 학생들 사이에서도 동아리 부스 운영 방식에 대한 논의가 한창이다.

이 논의에 대한 학생들의 생각을 알고 싶어 우선 우리 학급 학생들을 대상으로 인터뷰를 해 보니 실제로 대부분의 학생들은 현행 부스 운영 방식에 대해 만족하지 않는다고 답하였다. 동아리 부스를 운영했던 친구들은 짧은 운영 시간 때문에 학생들에게 자신들이 준비한 체험 활동을 충분히 제공하지 못했고 전시물들도 다양하게 보여 주기 어려웠다고 하였다. 결국 체험 및 관람 시간이 부족하다는 것이 지금의 부스 운영 방식의 가장 큰 문제임을 알 수 있었다. ⓑ그리고 부스를 방문했던 친구들은 시간이 부족하여 체험과 관람을 충분히 하지 못했다고 답했다.

이러한 문제를 해결할 수 있는 ⓒ방법을 대다수의 학생들이 동아리 부스를 상설로 운영하자는 의견을 제시하였다. 부스를 상설로 운영하면 무엇보다 충분한 시간을 ⓓ확보해야 한다. 그렇게 되면 부스를 운영하는 학생들은 의욕적으로 준비한 체험 활동이나 다양한 전시물들을 친구들에게 충분히 제공해 줄 수 있다. (㉡) 부스를 방문하는 학생들은 원하는 만큼 충분히 체험과 관람에 참여할 수 있을 것이다. 물론 동아리 부스가 상설로 운영되면 그것이 학생들의 교과 학습 능력을 저하시킬 수 있다는 의견도 있었다. (㉢) 동아리 부스를 상설로 운영하는 것이 학생들의 교과 학습 능력을 향상시키는 측면도 크다. 무엇보다도 부스 상설 운영으로 체험 및 전시 기간을 ⓔ늘리는 것이 학생들의 불만을 해소할 수 있는 효과적인 대안임에는 분명하다.

학교에서 동아리 활동은 학생들의 다양한 흥미와 관심을 반영하여 이루어지는 활동이라는 점에서 가치가 있다. 따라서 동아리 활동의 결과를 상설 부스 운영을 통해 나누는 것은 더 많은 학생들이 서로의 흥미와 관심을 공유할 수 있다는 점에서 의의가 있다.

14 ㉠~㉢에 들어갈 표현으로 적절한 것끼리 짝지은 것은?

	㉠	㉡	㉢
ⓐ	하지만	그리고	또한
ⓑ	그러므로	그리고	그러나
ⓒ	하지만	그러나	또한
ⓓ	그러므로	또한	그러나
ⓔ	그러나	또한	하지만

① ⓐ　　　② ⓑ　　　③ ⓒ　　　④ ⓓ　　　⑤ ⓔ

15 ⓐ~ⓔ를 수정하기 위한 방안으로 적절하지 않은 것은?

① ⓐ : 불필요한 피동 표현이 사용되었으므로 '운영하여'로 수정한다.

② ⓑ : 글의 흐름을 고려하여 앞 문장과 자리를 바꾼다.

③ ⓒ : 조사의 사용이 잘못되었으므로 '방법으로'로 수정한다.

④ ⓓ : 문장의 호응을 고려하여 '확보할 수 있다'로 수정한다.

⑤ ⓔ : 어휘 사용이 잘못되었으므로 '늘이는'으로 수정한다.

16 윗글을 쓰기 위해 학생이 떠올렸을 생각으로 적절하지 <u>않은</u> 것은?

① 예상되는 반론을 제시하고 재반박하여 주장을 강화해야겠어.

② 부스 운영 사례를 통해 기존 동아리 부스 운영의 문제점을 지적해야겠어.

③ 학급 친구들의 인터뷰 답변을 부스 운영자와 방문자로 나누어 정리해야겠어.

④ 동아리 활동의 가치를 언급하여 동아리 부스 운영 방식 변화의 필요성을 주장해야겠어.

⑤ 문제 해결을 위해 제시한 방안이 대다수 학생들의 의견임을 언급하여 주장을 강화해야겠어.

[17~19] 다음 협상을 읽고 물음에 답하시오.

남 : 발표회 때 사용할 공간을 어떻게 정할지 얘기 좀 하자. 선생님께서는 발표회 때 사용할 수 있는 공간이 본관 중앙 계단 옆 교실과 별관 꼭대기 층 교실만 남았다고 하셨어. 너희 문예부는 조용한 곳에서 시화전을 하는 것이 좋을 테니, 우리 천체 관측부가 제일 시끄러운 중앙 계단 옆 교실로 가 줄게.

여 : 원래 중앙계단 쪽은 왕래가 잦아 모든 동아리들이 탐내는 명당 중 하나야. 너 지금 우리 문예부 생각해 주는 척하며 은근슬쩍 명당을 차지하려는 거 맞지?

남 : 뭐, 꼭 그렇지 않다고 할 수 없지만……. 하지만 너희는 시화전을 할 건데, 시를 감상하기에는 조용한 곳이 더 좋잖아.

여 : 별관 꼭대기는 별자리를 소개하려는 너희 동아리에 더 제격이야. 서로 양보 못 하겠다고 버티기만 한다면 이야기해 봐도 뾰족한 수가 없겠네. 그럼 이대로 그만두자.

남 : 잠깐 내 말 좀 들어봐. 우리 동아리는 너희만큼 알려지지 않아서 별관 꼭대기 층에 있으면 아무도 안 온단 말이야. 너희 우리 학교에서 유명한 동아리라 어디에서 발표회를 해도 상관없잖아.

여 : 그렇지도 않아. 다른 건 몰라도 중앙계단 옆 교실은 무슨 일이 있어도 절대 양보할 수 없어. 그 자리는 우리 동아리 최후의 보루야.

남 : 너희는 내년에 더 좋은 자리에서 하고, 올해는 우리에게 중앙계단 옆 자리를 양보해 줘.

여 : 내년에는 어떻게 될지 모르잖아. 차라리 너희가 양보 좀 해 줘. 너희가 양보해 준다면 전에 부탁했던 별과 관련된 문학작품도 찾아주고, 청소도 해 줄게.

남 : 발표회 준비도 도와주고, 청소도 해 주겠다는 것도 좋기는 하지만, 우리한테는 장소가 더 중요해.

여 : 그럼, 우리 두 동아리 모두 중앙 계단 옆 교실에서 함께 하는 건 어때? 우리 문예부가 시화전 주제를 '시와 별'로 바꾸면, 별자리를 소개하려는 너희 주제와도 어울려서 좋고 발표 내용도 더 알차게 될 거야. 우리가 주제를 바꾸는 대신에 너희 동아리가 공간 장식 좀 도와줄래? 그리고 별관 꼭대기 층에 있는 교실은 휴식 공간으로 활용하자.

남 : 와, 그런 방법도 있었네. 좋아.

여 : 그럼, 이제 합의한 거다. 우리 서로 잘 해 보자.

---

17 위 협상의 쟁점은 무엇인가?

① 동아리 발표회 때 중앙 계단 옆 교실을 천체 관측부와 문예부 중에서 누가 사용할 것인가.

② 동아리 발표회 때 생기는 수익금을 천체 관측부와 문예부가 어떻게 배분해 가져갈 것인가.

③ 동아리 발표회 때 천체 관측부와 문예부 중에서 누가 교장 선생님과 교감 선생님을 모셔올 것인가.

④ 동아리 발표회 때 별관 꼭대기 층에 있는 교실을 천체 관측부와 문예부 중에서 누가 청소를 할 것인가.

⑤ 동아리 발표회 때 별관 꼭대기 층에 있는 교실을 천체 관측부와 문예부 중에서 누가 휴식 공간으로 사용할 것인가.

18 여학생이 활용한 협상 전략만을 〈보기〉에서 있는 대로 고른 것은?

┌─── 보기 ───
│ ㉠ 질문을 통해 상대방의 숨은 의도를 확인한다.
│ ㉡ 협상 쟁점을 명확히 하고 자신의 목표를 밝힌다.
│ ㉢ 과거 자신들이 계속 양보해왔던 사실을 언급한다.
│ ㉣ 서로 양보를 함으로써 합의할 수 있는 대안을 제시한다.

① ㉠㉡   ② ㉠㉣   ③ ㉡㉢   ④ ㉠㉡㉣   ⑤ ㉡㉢㉣

19 협상을 마친 후 남학생이 천체 관측부 학생들에게 전할 말로 적절하지 <u>않은</u> 것은?

① 올해는 우리가 문예부를 도와주고, 내년에는 문예부가 우리를 도와주기로 했어.

② 중앙 계단 옆 교실을 나눠 쓰는 만큼, 공간을 효율적으로 활용해야 겠어.

③ 별관 꼭대기 층 교실을 휴식 공간으로 활용하기로 했어.

④ 이번 발표회를 성공적으로 잘 치러 내기 위해서는 문예부와의 협력이 중요해.

⑤ 문예부와 같이 하면 불편함 점도 있지만, 문예부가 유명하니 홍보의 측면에서는 도움이 될 거야.

서술형 심화문제

01 다음은 행복시와 문화시의 협상 담화 내용이다. 협상의 절차 중 담화 내용이 어떤 절차에 속하는지 쓰고 조건에 따라 서술하시오.

> **행복시 관계자** : 문화시가 우리 시의 들꽃 축제와 비슷한 축제를 개최하는 바람에 우리 시의 축제 고유성이 훼손되었다. 문화시는 풀꽃 축제를 당장 중단해주시기 바랍니다.
>
> **문화시 관계자** : 꽃이나 풀꽃을 소재로 한 축제는 행복시만의 전유물이 아니다. 소재만 비슷할 뿐 세부 내용은 차이가 있으므로 중단할 이유는 없습니다.
>
> **행복시 관계자** : 문화시가 축제를 개치한 이후로 우리 시의 관광객이 감소하였습니다. 이는 우리 시의 경제적 손실로 이어 졌습니다.
>
> **문화시 관계자** : 우리 시에 관광객이 몰리는 이유는 접근성이 높기 때문입니다. 행복시의 관광객을 빼앗았다는 직접적인 이유가 될 수 없습니다.
>
> **행복시 관계자** : 문화시가 풀꽃 축제의 내용을 우리 축제의 내용과 더욱 다르게 하고, 관광객이 감소하여 발생한 우리 시의 경제적 손실을 보전해 준다면 문화시의 풀꽃 축제 운영을 반대하지 않겠습니다.
>
> **문화시 관계자** : 당장은 힘들지만, 내년부터는 새로운 내용을 개발하여 우리 축제를 들꽃 축제와 차별화하겠습니다. 그런데 행복시의 경제적 손실에 대한 건은 저희가 보전할 수 없습니다.
>
> **행복시 관계자** : 그렇다면 경제적 손실은 일부만 보전해주시기 바랍니다. 그 대신 유동 인구가 많은 문화시에서 우리 시의 들꽃 축제를 홍보하여 다시 관광객이 늘 수 있도록 도와주셨으면 좋겠습니다.
>
> **문화시 관계자** : 우리 시에서 행복시의 축제를 홍보하는 것은 가능합니다. 그러나 경제적 손실을 일부 보전하는 것보다는 공동 사업을 추진하여 발생하는 이익을 공유하는 방안이 좋을 것 같습니다.
>
> **행복시 관계자** : 네, 그럼 공동 사업을 어떻게 추진하면 좋을지 추가로 이야기해보도록 하지요.

⊢ 조건 ⊢

1. 위 담화 내용에 해당하는 협상 단계를 명사로 쓸 것
2. 성공적인 협상을 위해 문화시 관계자가 협상에서 고려한 최초 양보점과 최종 양보점을 쓸 것

---

[02] 다음 글을 읽고 물음에 답하시오.

(가) [시작 단계]

행복시 : '들꽃 축제'는 우리 시에서 먼저 시작했습니다. 그런데 문화시에 이와 비슷한 '풀꽃 축제'가 생긴 이후 우리 시의 관광객이 감소해서 경제적 손실을 크게 입었습니다. 그러나 축제를 중단해 주십시오.

문화시 : 먼저 시작했다고 해서 축제를 독점할 권리가 생기는 것은 아니라고 생각합니다. 행복시와 문화시는 거리도 멀리 떨어져 있고, 두 축제에서 사용하는 꽃과 축제의 세부 내용도 많이 다릅니다.

행복시 : 세부 내용은 다를지라도 소재는 어쨌든 따라 한 것 아닙니까? 우리 관광객이 감소했다니까요. 인정하시고 축제 중단하세요.

문화시 : 그렇게 생각하실 수도 있지만 두 축제는 개최 시기가 다릅니다. 따라서 행복시의 관광객이 우리 축제 때문에 줄었다고 보기는 어렵지 않을까요? 문화시에 관광객이 더 몰리는 이유는 교통이 좋아 접근성이 높기 때문입니다.

행복시 : 축제 소재가 비슷하면 관광객이 나뉘는 게 당연하죠. 축제를 중단해 보세요. 그럼 우리 관광객이 다시 늘어나는 지 그렇지 않은지 확인할 수 있을 것 아닙니까?

문화시 : 준비하고 있는 축제를 중단하기는 곤란합니다. 소재가 비슷해도 내용을 달리하여 운영한다면, 두 도시 모두 더 큰 이익을 얻을 것이라고 생각합니다. 두 축제가 우리나라를 대표하는 축제로 발전하도록 서로 도울 수 있는 방안을 협 의해보도록 하죠.

(나) [조정 단계]

행복시 : 축제를 중단할 수 없다면 문화시가 풀꽃 축제의 내용을 우리 축제의 내용과 더욱 다르게 하고, 관광객이 감소하 여 발생한 우리 시의 경제적 손실을 보전해주십시오. 그러면 반대하지 않겠습니다.

문화시 : 당장은 힘들지만, 내년부터는 새로운 내용을 개발하여 우리 축제를 들꽃 축제와 더욱 차별화할 수 있도록 노력 하겠습니다. 하지만 행복시의 경제적 손실을 금전적으로 보전해주는 것은 어렵습니다.

행복시 : 그렇다면 경제적 손실은 일부만 보전하도록 하고, 그 대신 유동 인구가 많은 문화시에서 우리 시의 들꽃 축제를 홍보하여 다시 관광객이 늘 수 있도록 도와주면 좋겠습니다.

문화시 : 우리 시의 지하철 시설을 이용해 홍보할 수 잇을 것 같습니다. 그러나 경제적 손실을 일부 보전하는 것보다는 공 동 사업을 추진하여 발생하는 이익을 나누는 방안이 더 좋을 것 같은데 어떻습니까?

행복시 : 그것 참 좋은 아이디어네요. 동의합니다.

문화시 : 그리고 요청드릴 것이 있습니다. 우리 시는 축제를 시행한지 얼마 되지 않아 미숙한 점이 많으니 축제를 먼저 개 발한 행복시에서 우리에게 필요한 축제운영 정보를 제공해주시면 감사하겠습니다.

행복시 : 그 부분은 협조해드릴 수 있습니다. 다만 축제 운영 정보를 그대로 주면 두 축제가 너무 비슷해질 우려가 있으 니, '풀꽃 축제'의 이름을 바꾸어서 우리 축제와 차별화할 것을 제안합니다.

문화시 : 유익한 정보를 얻을 수 있다면 우리 축제의 이름을 바꾸는 것도 가능합니다. 우리 시는 비교적 접근성이 높아서 축제의 이름이 바뀌어도 일정 수의 관광객은 확보할 수 있을 것을 약속드립니다.

행복시 : 좋습니다. 먼저 축제를 개발한 도시로서 우리도 문화시의 축제가 성골할 수 있도록 적극 협력할 것을 약속드립 니다.

문화시 : 감사합니다. 저희도 적극적으로 협조하겠습니다. 그럼 최종합의안을 작성하고 서명하도록 합시다.

---

02 (가)와 (나)를 바탕으로 '문화시'가 준비했을 '협상 계획서'를 예상하여 각각 완결된 문장으로 서술하시오.

협상 목표		풀꽃 축제를 중단하지 않고 계속 유지한다.
갈등의 원인		두 축제의 성격이 유사하여 축제를 먼저 시작한 행복시가 문제 제기를 하고 있다.
우리 시의 주장과 그 까닭		(1)
대안 탐색 준비	상대의 요구	(2)
	숨은 걸림돌	(3)
	양보할 수 없는 것과 양보할 수 있는 것	(4)
	양보할 때 요구 사항	(5)

[01~04] 다음 글을 읽고 물음에 답하시오.

사회자 : 지금부터 "의약품 개발을 위한 동물 실험을 금지해야 한다."라는 논제로 토론을 시작하겠습니다. 이 논제와 관련하여 양측의 의견을 들어 보겠습니다. 토론 규칙을 잘 지키면서 토론해 주시기 바랍니다. 먼저 찬성 측 제1 토론자의 입론으로 시작하겠습니다.

찬성 1 : 현재 전 세계에서 연간 1억 마리 이상의 동물이 인간을 위한 동물 실험으로 죽어 가고 있습니다. 여기에서 동물 실험이란 새로운 약품이나 치료법의 효능과 안전성을 확인하기 위해 동물을 대상으로 실시하는 의학적인 실험을 말합니다. 이 동물 실험은 인간에 의해 많은 동물이 희생된다는 점에서 문제가 있습니다. 인간과 동물은 모두 생명을 가진 존재이며, 고통을 느낀다는 점에서 크게 다르지 않습니다. 저희 찬성 측은 다음과 같은 측면에서 의약품 개발을 위한 동물 실험을 반드시 금지해야 한다고 생각합니다.

무엇보다도 동물 실험은 비윤리적이라는 심각한 문제가 있습니다. 실험 과정에서 동물에게 큰 고통을 주고, 생명을 빼앗기도 하기 때문입니다. 동물 실험에서는 실험동물의 먹이와 물의 공급을 제한하여 특정 사료만을 먹게 하거나, 실험동물을 묶어 놓고 피부에 상처를 입힌 뒤 그 치유 과정을 관찰하기도 합니다. 미국 농무부의 보고에 따르면, 2010년에 9만 7천여 마리의 동물이 실험 과정에서 마취제나 진통제 투여 없이 실험을 받았습니다. 이 같은 사실은 동물 실험이 동물에게 큰 고통을 주는 현실을 잘 보여 줍니다. 이뿐만 아니라 동물 실험은 수많은 동물의 생명을 빼앗습니다. 특정 약물을 개발할 때는 실험 약물의 투여 농도를 점점 높여 가면서 동물이 사망에 이르는 용량을 알아내는 실험을 하기도 합니다. 또 이산화탄소를 주입하거나 목뼈를 빠지게 하는 등의 방법으로 실험동물의 생명을 빼앗기도 합니다. 이렇게 희생되는 실험동물의 수는 계속하여 증가하고 있습니다. 이 그래프를 보시면, 우리나라에서 동물 실험으로 희생되는 동물의 수가 해마다 급격히 늘어나고 있음을 알 수 있습니다.

또한 동물 실험의 결과를 인간에게 그대로 적용할 수는 없습니다. 동물 실험에서 검증받은 약이지만 이를 사용한 다수의 사람이 약물 부작용으로 목숨을 잃기도 하기 때문입니다. 1950년대에 신경 안정제로 개발된 '탈리도마이드'는 동물 실험을 통과했지만, 그 약을 복용한 많은 임신부가 기형아를 낳았습니다. 미국의 ㅁ사에서 개발했던 유명한 관절염 치료제 역시 동물 실험에서는 안전하다고 판명되었으나, 그 약을 복용하고 무려 2만 7천여 명이 급성 심장병으로 고통을 받았습니다. 미국의 저명한 수의학자가 쓴 〈탐욕과 오만의 동물 실험〉이라는 책에 따르면, 동물 실험에서는 문제가 없던 약물이지만 그 약물의 거부 반응으로 사망한 사람이 1994년 미국에서만 10만 6천여 명에 달했다고 합니다. 지금도 약의 부작용 때문에 피해를 보는 일이 끊임없이 발생하는 까닭은, 동물의 생물학적 구조가 인간과 다르기 때문입니다. 이는 동물 실험의 결과를 인간에게 그대로 적용해서는 안 된다는 것을 뜻합니다.

이러한 문제들을 해결할 수 있는 대체 방안이 있습니다. 동물 실험을 하지 않고도 의약품의 효능과 안전성을 확인하는 방법에 대한 연구가 진행되고 있습니다. 인간의 세포를 배양해서 실험하는 생체 밖 실험이 있고, 인체를 대상으로 최소 용량만을 투여하여 인체 내의 약물 활동을 측정하는 실험도 있습니다. 또 인체 피부 세포를 배양하여 만든 인공 피부를 사용하는 피부 질환 실험, 컴퓨터 모의실험을 이용한 독성 연구 등도 있습니다. 이와 같은 대체 실험을 상용화하는 데에는 새로운 비용이 발생하겠지만, 장기적으로는 실험동물의 막대한 구입비와 유지비를 줄일 수 있고, 동물 실험이 안고 있는 윤리 문제도 피할 수 있어 그 이익이 훨씬 큽니다.

이상과 같은 측면에서 보았을 때 동물 실험은 금지되어야 합니다.

01 윗글의 내용과 일치하지 않는 것은?

① 인간과 마찬가지로 동물도 고통을 느낀다.
② 동물 실험 과정에서 비윤리적 행위가 일어난다.
③ 동물 실험으로 인해 많은 동물이 희생되고 있다.
④ 현재 동물 실험에 대한 대체 방안은 특별히 없는 상황이다.
⑤ 찬성 측은 동물 실험의 정확성에 대해 의혹을 제기하고 있다.

02 윗글의 논제를 다루는 토론의 필수 쟁점을 모두 고르면?

┤ 보기 ├

ⓐ 문제   ⓑ 논증   ⓒ 효과와 이익
ⓓ 해결 방안   ⓔ 근거   ⓕ 주장

① ⓐ, ⓑ, ⓔ   ② ⓐ, ⓒ, ⓓ   ③ ⓑ, ⓓ, ⓕ   ④ ⓒ, ⓓ, ⓕ   ⑤ ⓓ, ⓔ, ⓕ

03 윗글의 찬성 측이 토론에 들어가기 앞서 준비한 내용으로 적절하지 않은 것은?

① 동물 실험을 대체할 수 있는 다양한 해결 방안이 무엇이 있을지 조사해봐야겠어.
② 동물 실험의 불안정성을 입증하기 위해 인간에게 어떤 부작용을 일으켰는지 조사해봐야겠어.
③ 동물 실험이 동물에게 심각한 고통을 준다는 자료를 통해서 동물 실험의 윤리적 비타당성을 언급해야겠어.
④ 동물 실험으로 인해 최근 희생되는 동물 개체수가 증가하고 있다는 사실을 언급하여 문제의 시의성을 강조해야겠어.
⑤ 동물 실험에 대한 해결책을 제시하며 이익과 비용 측면에서 이익 보다는 비용을 극대화할 수 있는 대안을 찾아봐야겠어.

04 윗글의 입론에 대한 반대 측의 교차 신문의 내용이다. 질문과 답변 전략에서 양측이 고려한 내용으로 적절하지 <u>않은</u> 것은?

> ┤ 보기 ├
>
> **반대 2 :** 전염병을 막기 위한 백신 개발은 동물의 생명을 지키기 위한 것이기도 합니다. 그런데 모든 동물 실험이 인간만을 위한 것이라 할 수 있습니까?
>
> **찬성 1 :** 물론 그 경우는 동물의 생명을 지키기 위한 것이기도 합니다. 그러나 대부분의 동물 실험은 인간을 위해 이루어집니다.
>
> **반대 2 :** 대체 실험이 동물 실험을 대신할 수 있다고 말씀하셨는데, 그런 대체 실험들에 대한 연구가 충분히 이루어져 지금 바로 대체가 가능한 단계입니까?
>
> **찬성 1 :** 아니요, 아직 연구 중입니다.
>
> **반대 2 :** 연구가 진행 중인 단계라면 현재 시점에서는 그런 대체 실험 방법을 믿을 수 없지 않습니까? 그렇다면 동물 실험이 여전히 필요한 것 아닌가요?
>
> **찬성 1 :** 그렇기는 하지만 대체 실험들이 동물 실험을 빨리 대신할 수 있도록 관심을 가지고 그러한 실험들을 적극 지원해야 한다고 생각합니다.

① 반대 측은 질문에서 찬성 측의 근거 자료의 신뢰성을 지적하며 동물 실험의 필요성에 대한 양적인 검증을 하고자 한다.

② 반대 측은 질문에서 이익 대상의 범위를 언급하며 동물 실험이 주는 효용성의 범위를 넓게 선정하여 토론의 유리한 입장을 점하고자 한다.

③ 반대 측은 폐쇄형 질문을 통해 찬성 측이 주장한 내용의 즉시성, 현실의 실행 가능성 여부를 언급하여 찬성 측의 주장이 타당성에 문제를 제기하고자 한다.

④ 찬성 측은 답변에서 논리적 오류나 윤리에 어긋나지 않도록 자신의 발언에서 솔직한 태도를 보이고자 한다.

⑤ 찬성 측은 답변에서 반대 측의 의견을 일부 동의하는 메시지 전략을 사용하여 향후 제도적 지원의 필요성을 언급하고자 한다.

[05~07] 다음은 두 도시에서 유사한 축제의 성격을 둘러싸고 벌인 협상의 일부이다. 읽고 물음에 답하시오.

(가)

㉠【협상의 개념】

개인이나 집단 사이에서 이익과 주장이 달라 갈등이 생길 때, 문제를 해결하기 위해 서로 타협하고 조정하면서 해결 방법을 찾아가는 의사소통의 방식

【협상의 절차】

시작 단계		조정 단계		해결 단계
• 갈등의 원인 분석 • 문제 해결의 가능성 확인	→	• 문제 확인 • 상대의 처지와 관점 이해 • 제안이나 대안 검토	→	• 최선의 해결책 제시 • 문제 해결과 합의 • 합의 이행

(나) 그럼 다음 사례를 통해 협상의 과정을 살펴볼까요? 행복시에서는 '들꽃 축제'가, 문화시에서는 '풀꽃 축제'가 열리는데요. 축제의 성격을 둘러싸고 두 도시는 갈등을 겪었고, 이를 해결하기 위해 협상하게 되었습니다.

시작 단계

행복시는 문화시의 '풀꽃 축제'가 행복시의 '들꽃 축제'와 너무 유사하여 문화시가 관광객을 빼앗아 갔다고 주장했습니다. 또한 먼저 축제를 개발하면서 큰 비용이 들었는데, 현재는 관광객이 감소하여 경제적 손실이 크다고 주장했습니다.

행복시는 문화시가 비슷한 축제를 개최해서 행복시가 큰 피해를 보고 있으므로, 문화시에 당장 '풀꽃 축제'를 중단하라고 요구했습니다. 하지만 문화시는 '풀꽃 축제'가 행복시의 '들꽃 축제'에 큰 영향을 미치지는 않는다며 중단할 수 없다는 입장입니다.

축제를 중단하라는 행복시와 축제를 계속하고 싶은 문화시, 갈등하는 두 도시는 해결책을 찾을 수 있을까요? 문화시는 이 문제를 해결하기 위해 협상을 제안했습니다.

조정 단계

행복시와 문화시는 문제를 확인하며 서로의 견해 차이를 좁혀 나가고자 합니다. 두 도시는 어떻게 대안을 탐색하여 조정해 나갈까요?

행복시 : 들꽃 축제는 우리 시에서 먼저 시작했습니다. 그런데 문화시에 이와 비슷한 풀꽃 축제가 생긴 이후 우리 시의 관광객이 감소해서 경제적 손실을 크게 입었습니다. 그러니 축제를 중단해 주십시오.

문화시 : 먼저 시작했다고 해서 축제를 독점할 권리가 생기는 것은 아니라고 생각합니다. 행복시와 문화시는 거리도 멀리 떨어져 있고, 두 축제에서 사용하는 꽃도 많이 다릅니다.

┌ **행복시** : 어쨌든 우리 시 축제를 따라한 것 아닙니까? 문화시의 축제 개최 이후 우리 시의 관광객이 감소했다니까요. │ 그로 인해 우리 시의 경제적 손실이 너무 큽니다. 문화시는 풀꽃 축제를 당장 중단해 주십시오.
[A] **문화시** : 네, 말씀하신 대로 전혀 영향이 없는 것은 아닐지도 모릅니다. 하지만 우리 시에 관광객이 몰리는 이유는 접 │ 근성이 높기 때문이다. 게다가 두 축제의 개최 시기가 다르지 않습니까? 따라서 행복시의 관광객이 우리 축제 때문 └ 에 줄었다고 보기는 어렵지 않을까요?

행복시 : 그럼 문화시가 풀꽃 축제의 내용을 우리 축제의 내용과 더욱 다르게 하고, 관광객이 감소하여 발생한 우리 시의 경제적 손실을 보전해 주세요. 문화시의 풀꽃 축제 운영을 반대하지 않겠습니다.

문화시 : 당장은 힘들지만, 내년부터는 새로운 내용을 개발하여 우리 축제를 들꽃 축제와 차별화하겠습니다.. 그런데 행복시의 경제적 손실에 대한 보전은 어려운 문제입니다. 그보다는 공동 사업을 추진하여 발생하는 이익을 나누는 방안을 제안해 봅니다.

행복시 : 좋습니다. 문화시가 내놓은 대안을 받아들이겠습니다. 그 대신 유동 인구가 많은 문화시에서 우리 시의 들꽃 축제를 홍보하여 다시 관광객이 늘 수 있도록 도와주면 좋겠습니다.

문화시 : 좋습니다. 우리 시에서 행복시의 축제를 홍보하는 것은 가능하다. 그 대신 비슷한 소재의 축제를 먼저 개발한 행복시에서 우리게 축제 운영 정보를 제공해 주십시오.

┌ **행복시** : 글쎄요. '풀꽃 축제'의 이름을 바꾸어서 우리와 더 차별화하겠다고 약속하면 축제 운영 정보를 넘겨 주는 것에 │ 대해 고민해 보겠습니다.
[B] **문화시** : 우리 시의 고유성을 살린 '풀꽃 축제' 이름을 바꾸고 싶지는 않습니다만, 먼저 축제를 시작한 행복시의 유익한 │ 정보를 얻을 수 있다면 우리 축제의 이름을 바꾸겠습니다. 우리 시는 접근성이 높으므로 일정 수의 관광객은 확보할 └ 수 있을 것입니다.

행복시 : 좋은 생각입니다. 먼저 축제를 개발한 도시로서 우리도 문화시의 축제가 성공할 수 있도록 적극 협력하겠습니다.

두 도시는 대안을 탐색하며 원만하게 협상을 진행하였습니다.

최종 합의안
(a)

협상 결과, 행복시와 문화시는 서로에게 이익이 되는 최종 합의한을 끌어냈습니다. 행복시는 들꽃 축제의 대표 도시로 자리매김하였으며, 문화시는 이듬해 축제의 이름을 바꾸고 내용을 보완하여 행복시의 축제와 구별되는 축제를 열었습니다.

두 도시는 협상을 통하여 갈등을 해결할 수 있었습니다.

---

05 ㉠을 바탕으로 판단할 때, 다음 중 협상의 의제로 적절한 것은?

① 한식의 세계화를 위해 한식의 표준화가 필요하다. : 한식 전문가와 요식업계 관계자
② 사이버 언어폭력 근절을 위한 해결방안을 찾아본다. : 사이버 수사대 경찰과 시민
③ 범행 재연 방송은 동일한 수법의 범행을 부추기므로 규제가 필요하다 : 범죄 프로 파일러와 경찰 관계자
④ '인터넷 댓글 문화를 어떻게 개선할 것인가' : 박△△ 대표와 ◇◇ 고등학교
⑤ 고속도로에 인접한 농업 기반 도시인 ○○시로 공장의 이전이 필요하다. : 회사 측과 시청 측

06 [A]와 [B]에 나타난 협상 참여자들의 의사소통 방식에 대한 설명으로 적절하지 않은 것은?

① [A] : '행복시'는 단정적이고 감정적인 말투로 상대방을 존중하지 않고 있다.
② [A] : '행복시'는 객관적인 근거 없이 자신들의 피해를 상대방의 탓으로 돌리며 무책임한 발언을 하고 있다.
③ [A] : '문화시'는 상대방의 입장을 일정 부분 수긍하며 구체적 근거를 들어 상대의 의견에 반박하고 있다.
④ [B] : '행복시'는 서로의 입장 차이를 강조하며 서로의 이익이 다를 수밖에 없음을 강조하고 있다.
⑤ [B] : '문화시'는 자신들의 입장을 한발 양보하여 타협적 자세를 보이며 상대의 행동 변화를 이끌어 내고 있다.

07 (a)에 들어갈 두 도시의 합의안으로 볼 수 없는 것은?

① 행복시는 '들꽃 축제'의 운영 정보를 문화시에 제공한다.
② 행복시는 문화시 축제의 활성화를 위하여 적극 협력한다.
③ 문화시의 지하철 안전문이나 전광판에 행복시의 '들꽃 축제'를 홍보한다.
④ 행복시와 문화시는 공동 사업을 통해 그 이익을 나누는 구체적 방안을 마련한다.
⑤ 행복시는 내년부터 축제의 내용을 더욱 차별화하고 축제의 이름을 '풀내음 여행'으로 바꾼다.

10

문학과 삶

가 광야
우리 민족의 삶의 터전

– 이육사 –

☐ : 시간의 흐름 (과거 → 현재 → 미래

까마득한 날에

하늘이 처음 열리고
광야의 탄생, 천지개벽

(어데 **닭 우는 소리** 들렸으랴) ( ) : 하늘이 처음 열리는 태초의 적막하고 혼돈한 때, '닭 우는 소리가 들렸겠느냐?'라고 이해할 수 있음.
생명의 기척, 인간의 생활   태초의 정적 속에서 새로운 세계가 열리는 장엄한 순간

모든 산맥들이
산맥의 형성 과정을 의인화하여 표현함

바다를 연모해 휘달릴 때도
                신성불가침의 땅임
(차마 **이곳**을 범하던 못하였으리라) ( ) : 우리 국토와 민족의 역사가 지닌 신성성을 드러내고,
광야 – 민족의 터전   우리 민족의 공간을 침범한 일제의 부당함을 비판함.

끊임없는 광음을
        세월

부지런한 계절이 피어선 지고
시간의 흐름을 반복되는 꽃의 개화와 낙화로 표현함

큰 강물이 비로소 길을 열었다
    역사, 문명

지금 눈 나리고
현재 – 고난과 시련의 현실

(**매화 향기 홀로 아득하니**) ( ) : 눈이 내리는 추운 계절에 매화 향기가 홀로 아득한 상황은, 절망적 상황에서도 현실의 고난과 시련을 극복하겠다는
고고한 기상, 조국 광복에의 의지   시적 화자의 고고한 의지 또는 쉽게 꺾이지 않는 민족의 강인한 기상을 드러낸 것으로 볼 수 있음.

(**내 여기 가난한 노래의 씨를 뿌려라**) ( ) : 화자는 현실을 극복하고 이상을 실현하기 위해 '가난한 노래의 씨'를 뿌리겠다는 자기희생의 자세를 보이고 있음.
        '뿌려라'라는 명령형 종결 어미를 사용하여
            화자의 단호한 의지를 드러냄

다시 **천고**의 뒤에

백마 타고 오는 초인이 있어
            위대한 자, 성스러운 존재

이 광야에서 **목 놓아 부르게 하리라**
            생략된 목적어: '노래를' ← 4연 '노래의 씨를'

■ **광음(光陰)** 햇빛과 그늘, 즉 낮과 밤이라는 뜻으로, 시간이나
세월을 이르는 말.

■ **천고(千古)** 아주 오랜 세월.

■ **초인(超人)** 보통 사람으로는 생각할 수 없을 만큼 뛰어난 능력
을 가진 사람.

⊙ 핵심정리

갈래	자유시, 서정시
성격	의지적, 저항적, 상징적
제재	광야
주제	조국 광복과 민족의 이상 실현에 대한 의지와 염원
특징	• 독백적 어조로 시적 화자의 내적 신념을 드러냄. • 광활한 공간과 유구한 시간을 조화시켜 시상을 전개함. • '눈'과 '매화'의 대조를 통해 현실 극복의 의지를 표현함.

확인학습

01 이 시는 의성어는 나타나고 있지 않으며, 경쾌한 분위기 또한 찾기 어렵다.　　　　O☐ X☐

02 이 시는 '눈'과 '매화 향기'의 대조적인 시어가 쓰이고 있다.　　　　O☐ X☐

03 이 시는 독백적 어조를 사용하여 시적 화자의 내적 신념을 강하게 드러내고 있다.　　　　O☐ X☐

04 이 시는 개인의 경험을 바탕으로 미래를 낙관하고 있다.　　　　O☐ X☐

05 이 시는 대조적 자연물을 통해 그리움의 정서를 표현하고 있다.　　　　O☐ X☐

06 이 시는 '뿌려라'에서 명령형 종결 어미를 사용하여 의지를 강조하였다.　　　　O☐ X☐

07 이 시는 자기희생을 통한 현실 극복의 의지가 나타난다.　　　　O☐ X☐

08 이 시에는 한시의 전통적 요소가 나타난다.　　　　O☐ X☐

나 신의 방

신이 거처하는 방. (생명이 숨쉬는) 신성한 방 등으로 해석 가능

- 김선우 -

□: '-지요, -군요' 등의 부드러운 종결 표현. 문장의 길이가 긴 이야기체

이런 돼지가 살았다지요 반들거리는 검은 털에 날렵한 주둥이를 가진, 유난히 흙의 온기를 좋아하여 흙이랑 노는
제주의 검은 돼지 / 생명의 흙을 나타내며 '시멘트'와 대조적임

일을 제일로 즐거워했다는군요 기른다는 것이 실은 서로 길드는 것이어서 이 지방 사람들은 통시라는 거처를 마련했
친근해짐. 관계 맺음. / 제주

다지요 인간의 배변 장소와 돼지우리가 함께 있는 아주 재미난 방인 셈인데요 지붕을 덮지 않은 널찍한 호를 파고 지
'통시'가 무엇인지에 대한 개략적 설명으로, 시적 화자는 이 공간을 '재미난 방'으로 인식하고 있음. / 통시의 내부 공간 묘사

푸라기 조금 깔아 준 방 안에서 이 짐승은 눈비 맞고 흙과 똥과 뒹굴면서 비바람 햇볕을 고스란히 살 속에 아로새기
대자연의 일부로서의 생명

게 되었다는데요 음식물 찌꺼기며 설거지물까지 버릴 것 없이 모아 둔 큰 독 속에서 한때 빛나던 것들이 제힘으로 다
버려진 음식물에도 생명의 속성이 있음을 나타냄.

시 빛날 때 발효한 이 먹이를 돼지가 먹고 돼지의 배설물은 보리밭 거름으로 이쁜 보리들을 길렀다는데요 그래도 이
생명이 순환되는 과정을 확인할 수 있음.(인간이 버린 음식물 → 돼지 → 배설물 → 보리밭 거름 → 보리 → 인간)

짐승의 주식이 사람의 똥이었던 것은 생명은 생명에게 공양되는 법이라 행여 남아 있을 산 것들의 온기가 더럽고 하
모든 살아 있는 것들은 살아 있는 것에게 바쳐 진다는 의미로, 생명이 / 생명의 기운
순환한다는 자연의 원리에 대한 섬 주민들의 믿음을 드러내고 있음.

찮은 것으로 취급될까 두려운 때문이 아니었는지 몰라
소중하고 가치롭게 여겨져야 마땅하다는 관점이 드러남.

( ): 산업화 시기 이전에 있던 삶의 방식이 비효율적이고 불편하다는 이유
로 효율적이고 편리한 방향으로 바꾸던 움직임을 가리킴. '시멘트'는
재래식 화장실을 개량하라는 취지로 정부에서 지원했던 물질임.

나라의 높은 분이 보기에 미개하여 시멘트 네 포대씩 무상 지급한 때가 있었다는데요 문명국의 지표인 변소를 개
반생명 이미지. '흙', '돌'과 대조 / 편리성, 효율성의 가치 상징

량하라 다그쳤다는데요 흔적이나마 통시가 아직 남아 내 몸속의 방을 향해 손 내밀어 주는 것은, 똥 누고 먹는 일이
생명의 공간을 내포한 몸 / 생명이 순환되는 일

한가지로 행해지는 그곳을 신이 거주하는 장소라 여긴 하늘 가까운 섬사람들이 있었기 때문입니다
통시 / 자연과 생명의 섭리를 아는 제주 사람들

제주도 신화에 따르면 통시는 무서운 신이 관
장하는 공간으로 함부로 할 수 없는 공간이었
음. 여기서는 생명에 대한 경외심을 가지고
대해야 할 공간의 의미로도 이해할 수 있음.

( ): 통시가 돼지라는 생명을 기르는 방이듯, 화자는 자신의 몸
도 어떤 생명을 기르는 방으로 보고 있음. 통시와 화자의
몸이 모두 생명의 공간이라는 점에서 유사하며, 그로 인해
친근함과 친밀성을 느낀다는 의미로 해석할 수 있음.

■ **통시** 제주 지역에서 변소와 돼지우리가 하나로 되어 있는 공간.
■ **공양** ① 부처[佛] 등에게 음식, 꽃 따위를 바치는 일. ② 절에서 음식을 먹는 일.

⊙ 핵심정리

갈래	자유시, 서정시, 산문시
성격	묘사적, 사색적
제재	통시
주제	생명의 순환이 일어나는 생명의 공간이라는 의미를 갖는 통시
특징	• 제주도의 전통적 공간에서 생태적 순환의 의미를 읽어 냄. • 생태적 가치관과 편리성과 효율을 추구하는 가치관을 대조함.

확인학습

01 이 시는 지요', '군요' 등의 부드러운 종결 어미를 사용한 산문적인 서술을 통해 대상인 '통시'가 지니고 있는 생명의 속성과 부드러움을 강화하고 있다. O☐ ✕☐

02 이 시는 색채의 대비를 통해 대상의 속성을 부각시키고 있다. O☐ ✕☐

03 이 시는 과거 회상을 통해 화자와 대상의 추억을 강조하고 있다. O☐ ✕☐

04 이 시는 권위자의 견해를 인용하여 대상이 지니고 있는 가치를 부각하고 있다. O☐ ✕☐

05 이 시의 '통시'는 인간의 배변 장소와 돼지우리가 함께 존재하는 장소로, 돼지의 배설물은 보리의 거름으로 다시 사용되었다. O☐ ✕☐

06 '통시'는 지붕을 덮지 않고 있어 눈비를 고스란히 맞게끔 하였다. O☐ ✕☐

07 나라에서는 '통시'를 미개하다고 보고 시멘트를 지급하여 개량하도록 하였다. O☐ ✕☐

[01~07] 다음 글을 읽고 물음에 답하시오.

(가) ⊙까마득한 날에
　　하늘이 처음 열리고
　　어데 닭 우는 소리 들렸으랴

　　모든 산맥들이
　　바다를 연모해 휘달릴 때도
　　차마 이곳을 범하던 못하였으리라

　　끊임없는 광음을
　　부지런한 계절이 피어선 지고
　　ⓛ큰 강물이 비로소 길을 열었다

　　지금 눈 나리고
　　매화 향기 홀로 아득하니
　　내 여기 가난한 노래의 씨를 뿌려라

　　다시 천고의 뒤에
　　ⓒ백마 타고 오는 초인이 있어
　　이 광야에서 목 놓아 부르게 하리라

　　　　　　　　　　　　　　　　　　　　　　－ 이육사, 「광야」－

(나) 이런 돼지가 살았다지요 반들거리는 검은 털에 날렵한 주둥이를 가진, 유난히 흙의 온기를 좋아하여 흙이랑 노는 일을 제일로 즐거워했다는군요 기른다는 것이 실은 서로 길드는 것이어서 이 지방 사람들은 통시라는 거처를 마련했다지요 인간의 배변 장소와 돼지우리가 함께 있는 아주 재미난 방인 셈인데요 지붕을 덮지 않은 널찍한 호를 파고 지푸라기 조금 깔아 준 방 안에서 이 짐승은 눈비 맞고 흙과 똥과 뒹굴면서 비바람 햇볕을 고스란히 살 속에 아로 새기게 되었다는데요 음식물 찌꺼기며 설거지물까지 버릴 것 없이 모아 둔 큰 독 속에서 ⓔ한때 빛나던 것들이 제힘으로 다시 빛날 때 발효한 이 먹이를 돼지가 먹고 돼지의 배설물은 보리밭 거름으로 이쁜 보리들을 길렀다는데요 그래도 이 짐승의 주식이 사람의 똥이었던 것은 생명은 생명에게 공양되는 법이라 행여 남아 있을 산 것들의 온기가 더럽고 하찮은 것으로 취급될까 두려운 때문이 아니었는지 몰라

나라의 높은 분이 보기에 미개하여 시멘트 네 포대씩 무상지급한 때가 있었다는데요 문명국의 지표인 변소를 개량하라 다그쳤다는데요 흔적이나마 통시가 아직 남아 내 몸 속의 방을 향해 손 내밀어 주는 것은, ⓜ똥 누고 먹는 일이 한가지로 행해지는 그곳을 신이 거주하는 장소라 여긴 하늘 가까운 섬사람들이 있었기 때문입니다.

　　　　　　　　　　　　　　　　　　　　　　－ 김선우, 「신의 방」－

01 ⊙~ⓜ에 대한 설명으로 적절하지 않은 것은?

① ⊙ – 새로운 세계가 열리는 장엄함을 표현한다.
② ⓛ – 역사와 문명의 시작을 의미한다.
③ ⓒ – 부정적인 현실을 극복할 시적 화자를 의미한다.
④ ⓔ – 버려진 음식물에도 생명의 속성이 있음을 의미한다.
⑤ ⓜ – 생명이 순환되는 일을 의미한다.

02 (가), (나)의 표현상의 특징과 효과로 가장 적절한 것은?

	(가)	(나)
ⓐ	대조적 의미의 시어를 활용하여 주제를 강화하고 있다.	색채의 대비를 통해 대상의 속성을 부각시키고 있다.
ⓑ	독백적 어조를 통하여 화자의 신념을 드러내고 있다.	문장의 길이가 긴 이야기체를 통해 빠르게 바뀌는 세태를 비판하고 있다.
ⓒ	명령형 종결어미를 사용하여 화자의 단호한 의지를 보이고 있다.	부드러운 종결표현을 통하여 생명의 이미지와 조화를 이루고 있다.
ⓓ	상징적 의미의 시어를 사용하여 화자의 자기희생적 태도를 보여주고 있다.	과거 회상을 통해 화자와 대상의 추억을 강조하고 있다.
ⓔ	절제된 표현을 사용하여 화자의 역사의식에 대한 반성을 보여주고 있다.	산문적인 서술을 통해 대상을 바라보는 시인의 관점을 드러낸다.

① ⓐ   ② ⓑ   ③ ⓒ   ④ ⓓ   ⑤ ⓔ

03 (가), (나)에 대한 설명으로 적절한 것은?

① (가)와 (나)는 모두 영탄적 표현을 통해 대상에 대한 경외감을 표출하고 있다.
② (가)는 설의적 표현을 사용하여, (나)는 도치의 방식을 사용하여 시적 의미를 창조하고 있다.
③ (가)는 (나)와 달리 명령적 어조를 통해 현실에 대한 화자의 비판적 의식을 직접적으로 표출하고 있다.
④ (가)와 (나) 모두 시간의 흐름에 따라 시상을 전개하며 (가)는 화자의 태도 변화를 (나)는 시적 대상의 가치 변화를 드러내고 있다.
⑤ (가)와 (나) 모두 화자를 명시적으로 드러내어 (가)는 화자의 단호한 태도를, (나)는 화자가 시적 대상과의 친밀감을 표출하고 있다.

04 〈보기〉를 바탕으로 (가)를 감상한 내용으로 적절하지 않은 것은?

┤ 보기 ├

　육사의 시는, 날카로운 현실 인식과 선구자적 의지에 기초한 미래 지향의 역사의식을 확보하는 데서 그 활로와 지평이 열릴 수 있음을 실천적으로 보여 주었다. 또 시대와 현실에 절망하면서도 강인한 의지와 노력을 통해 자기 극복을 성취한 데 의미가 있다. 실상 그러한 절망과 고통 끝에 그가 완성하게 된 기다림의 미학, 미학 지향의 역사의식에 맞닿은 평화의 사상은 일제 강점기 어두운 시대의 빛과 소금이 되었다.

① '지금 눈 나리'는 상황은 화자가 인식하는 절망적인 현실일 거야.
② '홀로 아득'함을 인식하는 화자는 지향하는 미래와 거리감을 느끼고 있군.
③ '가난한 노래의 씨를 뿌려라'라고 화자는 독백적으로 외치며 선구자적 면모를 보이고 있군.
④ '백마 타고 오는 초인'을 기다리고 기대하는 화자는 미래를 지향하는 화자이겠군.
⑤ '목 놓아 부르게' 될 상황은 화자의 기다림 후에 올 세상이겠군.

05 (가)의 시상 전개를 이해할 때 적절하지 <u>않은</u> 것은?

① 1연은 생명의 기척조차 없이 적막했던 원시적 공간을 형상화하고 있다.

② 2연은 광활한 산맥 형성을 형상화하며 불가침의 신성한 광야의 공간적 의미를 부각하고 있다.

③ 3연은 유구한 역사의 광야에서 문명이 시작되는 모습을 상징적으로 형상화하고 있다.

④ 4연은 감각적 이미지를 활용하여 현재의 현실에 대응하는 화자의 태도를 형상화하고 있다.

⑤ 5연은 암울한 현실을 극복한 미래 화자의 모습 자연물을 동원하며 신비롭게 형상화하고 있다.

06 (나)에 대한 이해로 가장 적절한 것은?

① 부드러운 종결어미의 친근한 어조로 시적 의미를 드러내고 있다.

② 화자가 지양하는 대상의 구체적 모습을 묘사를 통해 부각하고 있다.

③ 대상이 처한 상황의 변화를 제시하며 어조의 변화를 드러내고 있다.

④ 시적 대상에 생명력을 부여하여 의지를 지닌 존재로 나타내고 있다.

⑤ 대조적 공간을 통해 이상과 현실의 괴리감에서 오는 안타까움을 드러내고 있다.

07 〈보기〉를 바탕으로 (나)를 이해한 내용으로 적절하지 <u>않은</u> 것은?

> ┤ 보기 ├─
>
>   문학 작품에는 무엇을 가치 있게 바라볼 것인지, 가치의 대상을 어떻게 바라볼 지에 관한 작가의 생각이 화자의 목소리를 통해 담겨 있다. 독자가 작품을 수용할 때에는 작가의 생각을 그대로 받아들이기보다는 자신의 가치관에 따라 작품을 해석하고 평가할 수 있어야 한다.

① 작가는 '빛나던' '생명'을 '다시 빛날' 가치가 있는 귀한 대상으로 보고 있어.

② 작가는 '생명이 생명에게 공양되는' 생명의 섭리를 매우 가치 있게 생각하고 있군.

③ '통시'를 '아주 재미난 방'이라며 의아하게 생각했던 작가는 '하늘 가까운 섬사람들' 때문에 가치를 인식하게 되었어.

④ 독자의 입장에서 생명 존중의 가치관과 '편리성 · 효율성'의 가치관 사이에서 균형을 잘 지켜야겠다는 결론을 내릴 수도 있겠군.

⑤ 독자 입장에서 현대 사회는 기술과 문명이 매우 발달했으니 인간만을 위한 쾌적한 변소를 사용하는 것은 당연하다고 생각할 수 있어.

이런 돼지가 살았다지요 반들거리는 검은 털에 날렵한 주둥이를 가진, 유난히 ㉠흙의 온기를 좋아하여 흙이랑 노는 일을 제일로 즐거워했다는군요 기른다는 것이 실은 서로 길드는 것이어서 이 지방 사람들은 ㉡통시라는 거처를 마련했다지요 인간의 배변 장소와 돼지우리가 함께 있는 아주 재미난 방인 셈인데요 지붕을 덮지 않은 널찍한 호를 파고 지푸라기 조금 깔아 준 방 안에서 이 짐승은 눈비 맞고 흙과 ㉢똥과 뒹굴면서 비바람 햇볕을 고스란히 살 속에 아로 새기게 되었다는데요 ㉣음식물 찌꺼기며 설거지물까지 버릴 것 없이 모아 둔 큰 독 속에서 한때 빛나던 것들이 제힘으로 다시 빛날 때 발효한 이 먹이를 돼지가 먹고 돼지의 배설물은 보리밭 거름으로 이쁜 보리들을 길렀다는데요 그래도 이 짐승의 주식이 사람의 똥이었던 것은 ⓐ생명은 생명에게 공양되는 법이라 행여 남아 있을 산 것들의 온기가 더럽고 하찮은 것으로 취급될까 두려운 때문이 아니었는지 몰라

나라의 높은 분이 보기에 미개하여 시멘트 네 포대씩 무상지급한 때가 있었다는데요 문명국의 지표인 ㉤변소를 개량하라 다그쳤다는데요 흔적이나마 통시가 아직 남아 내 몸 속의 방을 향해 손 내밀어 주는 것은, 똥 누고 먹는 일이 한가지로 행해지는 그곳을 신이 거주하는 장소라 여긴 하늘 가까운 섬사람들이 있었기 때문입니다.

08 위 시에 대한 설명으로 적절하지 <u>않은</u> 것은?

① 대상을 시각적으로 묘사하였다.
② 상대 높임법과 친근감을 주는 부드러운 종결 표현이 주제를 나타내는 데 도움을 주고 있다.
③ 서로 반대되는 속성을 지닌 소재를 대비하여 둘 사이의 통합을 모색하고 있다.
④ 대상들 사이의 관련성을 제시하였다.
⑤ 산문적인 서술을 통해 대상을 바라보는 시인의 의도를 강화하고 있다.

09 위 시의 표현상의 특징으로 가장 적절한 것은?

① 색채어를 사용하여 시에 생동감을 불어넣고 있다.
② 설의법을 사용하여 화자의 의지를 드러내고 있다.
③ 동일한 문장을 반복하여 시의 의미를 강조하고 있다.
④ 구체적 청자를 설정하여 대화 형식으로 시상을 전개하고 있다.
⑤ 산문적인 서술을 통해 대상을 바라보는 시인의 의도를 강화하고 있다.

10 ⓐ에 대해 이해한 것으로 적절하지 <u>않은</u> 것은?

① 생명이 있는 모든 존재들은 연결되어 있다.
② 사람의 배설물에도 생명의 기운이 남아 있다.
③ 자연 속에서 동식물의 생명은 순환된다.
④ 죽거나 버려진 것이 아닌 것들은 모두 귀중한 생명으로 보아야 한다.
⑤ 하늘 가까운 섬사람들은 생명의 기운을 더럽고 하찮은 것으로 취급되는 것을 원치 않는다.

11 ㉠~㉤ 중 성격이 **다른** 하나는?

① ㉠　　　　　　② ㉡　　　　　　③ ㉢　　　　　　④ ㉣　　　　　　⑤ ㉤

[12~16] 다음 글을 읽고 물음에 답하시오.

(가) 까마득한 날에
　　하늘이 처음 열리고
　　어디 닭 우는 소리 들렸으랴.

　　모든 산맥들이
　　바다를 연모해 휘달릴 때도
　　차마 이곳을 범(犯)하던 못하였으리라

　　끊임없는 광음(光陰)을
　　부지런한 계절이 피어선 지고
　　큰 강물이 비로소 길을 열었다.

　　지금 눈 내리고
　　매화 향기 홀로 아득하니
　　㉠내 여기 가난한 노래의 씨를 뿌려라.

　　다시 천고의 뒤에
　　백마 타고 오는 초인이 있어
　　㉡이 광야에서 목놓아 부르게 하리라.

　　　　　　　　　　　　　　　　　　　　　　　　　　－ 이육사 「광야」 －

(나) 이런 돼지가 살았다지요 반들거리는 검은 털에 날렵한 주둥이를 가진, 유난히 흙의 온기를 좋아하여 흙이랑 노는 일을 제일로 즐거워했다는군요 ㉢기른다는 것이 실은 서로 길드는 것이어서 이 지방 사람들은 통시라는 거처를 마련했다지요 인간의 배변 장소와 돼지우리가 함께 있는 아주 재미난 방인 셈인데요 ㉣지붕을 덮지 않은 널찍한 호를 파고 지푸라기 조금 깔아 준 방 안에서 이 짐승은 눈비 맞고 흙과 똥과 뒹굴면서 비바람 햇볕을 고스란히 살 속에 아로 새기게 되었다는데요 음식물 찌꺼기며 설거지물까지 버릴 것 없이 모아 둔 큰 독 속에서 한때 빛나던 것들이 제힘으로 다시 빛날 때 ㉤발효한 이 먹이를 돼지가 먹고 돼지의 배설물은 보리밭 거름으로 이쁜 보리들을 길렀다는데요 그래도 이 짐승의 주식이 사람의 똥이었던 것은 생명은 생명에게 공양되는 법이라 행여 남아 있는 산 것들의 온기가 더럽고 하찮은 것으로 취급될까 두려운 때문이 아니었는지 몰라

나라의 높은 분이 보기에 미개하여 ㉥시멘트 네 포대씩 무상지급한 때가 있었다는데요 문명국의 지표인 변소를 개량하라 다그쳤다는데요 ㉦흔적이나마 통시가 아직 남아 내 몸 속의 방을 향해 손 내밀어 주는 것은, 똥 누고 먹는 일이 한가지로 행해지는 그곳을 신이 거주하는 장소라 여긴 하늘 가까운 섬사람들이 있었기 때문입니다.

　　　　　　　　　　　　　　　　　　　　　　　　　　－ 김선우, 「신의 방」－

12 (가)에 대한 설명으로 적절한 것은?

① 대립적인 의미의 시어를 활용하여 주제를 형상화하고 있다.

② 순차적인 계절의 변화를 통해 화자의 강인한 의지를 부각하고 있다.

③ 청유적 표현을 활용하여 현실에 대한 화자의 태도를 드러내고 있다.

④ 청각적 이미지가 느껴지는 의성어를 사용하여 대상을 생생하게 묘사하고 있다.

⑤ 동일한 시어와 동일한 형태의 구조를 반복하여 리듬감과 형태적 안정감을 형성하고 있다.

13 (가)의 ㉠과 ㉡에 대한 설명으로 적절한 것은?

① ㉠의 현실에 대한 비판 의식이 ㉡에는 현실에 대한 성찰로 변화한다.

② ㉠의 '뿌려라'는 자신의 강한 의지가, ㉡의 '하리라'는 '초인'에 대한 권유가 드러난다.

③ ㉠의 '씨앗'을 뿌리는 행위를 통해 ㉡의 '목놓아 부르게' 하고자 하는 화자의 소망이 드러난다.

④ ㉠의 현실에 대한 체념 의식이 ㉡에는 기대와 다짐으로 변화한다.

⑤ ㉠의 '가난한'은 자신에 대한 겸손이 ㉡에는 '초인'에 대한 당부로 변화한다.

14 〈보기〉를 참고하여 (가)를 감상한 내용으로 적절하지 <u>않은</u> 것은?

┤ 보기 ├

  '광야'는 텅 비고 아득히 넓은 들이란 의미를 가지고 있다. 그러나 이 시에서는 단순히 넓은 들을 의미하는 것이 아니라 우리 민족의 삶의 터전을 상징하고 있다. 이 시는 순간적 순서에 따라 시상을 전개하고 있는데, 과거의 '광야'의 모습, 현재의 '광야'의 모습, 미래의 '광야'의 모습을 차례로 제시하고 있다. 즉 우리 민족의 삶의 애환과 일제의 지배를 겪고 있는 지금의 '광야'를 통해 우리 민족의 삶의 여정을 보여 주고 있는 것이다.

① 1연의 '까마득한 날'과 '하늘이 처음 열리고'는 민족의 삶의 터전인 '광야'가 처음 생길 때를 형상화한 것이겠군.

② 2연에서 힘찬 '산맥들'조차 '범하던 못'했다고 한 것은 '광야'가 신성한 공간이었음을 드러내고자 한 것이겠군.

③ 3연의 '큰 강물'이 '길을 열었다'는 것은 우리 민족이 '광야'에서 삶을 영위하면서 우리의 문화를 꽃피우기 시작한 시간을 말하는 것이겠군.

④ 4연에서 '지금 눈 나'린다는 것은 '광야'의 현재 모습으로 우리 민족에게 일제의 지배라는 시련의 시간이 왔음을 의미하는 것이겠군.

⑤ 5연에서 '천고의 뒤'는 1연의 '까마득한 날'과 호응하며 아득한 먼 미래에 찾아올 '초인'이 '광야'를 다시 태초의 공간으로 만들 것임을 말하는 것이겠군.

15 (가)와 (나)를 비교 감상한 것으로 적절하지 <u>않은</u> 것은?

① (가)의 화자는 대상의 미래의 모습을, (나)의 화자는 대상의 과거의 모습을 긍정하고 있다.

② (가)의 어조가 씩씩한 느낌이라면, (나)의 화자는 부드러운 느낌이라고 할 수 있다.

③ (가)와 (나)는 모두 문장의 끝에 유사한 어미를 반복하여 시의 음악성을 구현하고 있다.

④ (가)와 (나)는 모두 현재의 부정적 상황을 변화시키려는 의지와 노력을 드러내고 있다.

⑤ (가)와 (나)는 모두 시적 대상인 '광야'와 '통시'를 신성한 공간으로 표현하고 있다.

16 (나)의 ㉮~㉺에 대한 감상으로 적절하지 <u>않은</u> 것은?

① ㉮ : 돼지를 사육하는 것을 가축을 기르는 행위가 아니라 동물과 인간이 '서로 길드는 것'으로 바라보고 있군.

② ㉯ : '지붕을 덮지 않은' 돼지우리의 구조적 특징이 돼지가 자연과 교감하는 데 기여하고 있다고 여기고 있군.

③ ㉰ : '음식물 찌꺼기'와 '설거지물'을 더럽고 하찮은 것이 아니라 다른 생명에게 공양되는 가치를 지닌 것으로 보고 있군.

④ ㉱ : 생태적 가치관을 미개한 것으로 취급하며 편리성을 추구하는 현대인의 가치관이 드러나고 있군.

⑤ ㉲ : '내 몸속의 방'과 '신이 거주'하던 장소인 통시를 동일시하며 자연과 인간의 생명이 파괴되어가는 과정을 사실적으로 묘사하고 있군.

[17~23] 다음 글을 읽고 물음에 답하시오.

(가) 까마득한 날에 / 하늘이 처음 열리고
어디 닭 우는 소리 들렸으랴.

모든 산맥들이 / 바다를 연모해 휘달릴 때도
차마 이곳을 범(犯)하던 못하였으리라

끊임없는 광음(光陰)을 / ㉠부지런한 계절이 피어선 지고
큰 강물이 비로소 길을 열었다.

지금 눈 내리고 / 매화 향기 홀로 아득하니
㉡내 여기 가난한 노래의 씨를 뿌려라.

다시 천고의 뒤에 / ㉢백마 타고 오는 초인이 있어
이 광야에서 목놓아 부르게 하리라.

– 이육사 「광야」 –

(나) 이런 돼지가 살았다지요 반들거리는 검은 털에 날렵한 주둥이를 가진, 유난히 ⓔ흙의 온기를 좋아하여 흙이랑 노는 일을 제일로 즐거워했다는군요 기른다는 것이 실은 서로 길드는 것이어서 이 지방 사람들은 통시라는 거처를 마련했다지요 인간의 배변 장소와 돼지우리가 함께 있는 아주 재미난 방인 셈인데요 지붕을 덮지 않은 널찍한 호를 파고 지푸라기 조금 깔아 준 방 안에서 이 짐승은 눈비 맞고 흙과 똥과 뒹굴면서 비바람 햇볕을 고스란히 살 속에 아로 새기게 되었다는데요 음식물 찌꺼기며 설거지물까지 버릴 것 없이 모아 둔 큰 독 속에서 한때 빛나던 것들이 제힘으로 다시 빛날 때 발효한 이 먹이를 돼지가 먹고 돼지의 배설물은 보리밭 거름으로 이쁜 보리들을 길렀다는데요 그래도 이 짐승의 주식이 사람의 똥이었던 것은 ⓜ생명은 생명에게 공양되는 법이라 행여 남아 있을 산 것들의 온기가 더럽고 하찮은 것으로 취급될까 두려운 때문이 아니었는지 몰라

나라의 높은 분이 보기에 미개하여 시멘트 네 포대씩 무상지급한 때가 있었다는데요 문명국의 지표인 변소를 개량하라다그쳤다는데요 흔적이나마 통시가 아직 남아 내 몸 속의 방을 향해 손 내밀어 주는 것은, 똥 누고 먹는 일이 한가지로 행해지는 그곳을 신이 거주하는 장소라 여긴 하늘 가까운 섬사람들이 있었기 때문입니다.

– 김선우, 「신의 방」 –

17 (가)의 표현상 특징으로 적절한 것은?

① 자연물을 통해 그리움의 정서를 표현하고 있다.
② 설의법을 사용하여 경쾌한 분위기를 자아내고 있다.
③ 일상적인 제재인 닭을 사용하여 장엄한 순간을 드러냈다.
④ 의문문을 활용하여 대상의 부정적인 속성을 드러내고 있다.
⑤ 명령형 표현과 독백적 어조로 시적 화자의 신념을 드러내고 있다.

18 (가)를 정리한 내용 중 적절하지 <u>않은</u> 것은?

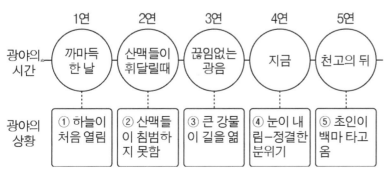

19 (가)의 표현상 특징을 〈보기〉에서 있는 대로 고른 것은?

┤ 보기 ├

ㄱ. 시 전체에 현재형 시제를 사용하여 역동적인 현장감을 표출한다.

ㄴ. 비유적 표현을 통해 대상의 속성을 선명하게 제시한다.

ㄷ. 설의적 표현으로 현실에 대한 화자의 비관적 인식을 드러낸다.

ㄹ. 자연물을 살아있는 것으로 묘사하여 대상의 신비로움을 나타낸다.

ㅁ. 감각적 심상을 다양하게 활용하여 공간의 분위기를 형상화한다.

① ㄱ, ㄷ   ② ㄴ, ㄹ   ③ ㄷ, ㅁ   ④ ㄱ, ㄴ, ㄹ   ⑤ ㄴ, ㄹ, ㅁ

20 (가)를 다음과 같이 감상할 때 적절하지 <u>않은</u> 것은?

선생님 : 이육사의 '광야'는 다음과 같이 시상의 흐름을 정리할 수 있어요. 이런 짜임새를 참고하여 시를 읽고, 각자가 감상한 의견을 말해 볼까요?

1~3연		4연		5연
[A]	→	[B]	→	[C]

① [A]에서는 우리 민족의 삶의 터전이 형성되는 과정에 대한 화자의 강한 자부심을 엿볼 수 있어요.

② [B]에서는 청유형 어미의 활용으로 현실에 대한 화자의 단호한 의지와 신념을 강조하고 있어요.

③ 화자는 [B]에 나타난 자신의 노력과 희생이 [C]에서 결실을 거둘 것을 확신하고 있어요.

④ [A]→[B]→[C]로 진행되면서 시간의 흐름에 따른 '광야'의 변화에 주목하고 있어요.

⑤ [A], [B], [C]에서 화자는 '광야'를 대하는 자세를 일관되게 유지하고 있어요.

21 (나)에 대한 설명으로 적절한 것은?

① 신의 방은 통시와 같은 공간으로 생명이 순환하는 신성한 공간이다.

② 통시는 돼지만 배설하는 생태계 공간으로 생명을 공양하는 공간이다.

③ 돼지와 사람은 자연 속에서 자신의 영역을 지키면서 생명을 존중한다.

④ 변소는 인간이 자연과 합치하여 편리성과 효율성을 추구하는 공간이다.

⑤ 사람이 돼지에게 배설물을 제공하는 행위는 동물을 확대하는 태도이다.

22 (가)와 (나)를 비교한 내용으로 가장 적절한 것은?

① (나)와 달리 (가)에서는 전통적인 소재로 화자의 태도를 표현하고 있다.

② (가)와 (나)는 계절의 배경에 시대적 의미를 부여하여 주제의식을 잘 드러내고 있다.

③ (가)와 달리 (나)에서는 간곡한 청유형 종결어미를 사용하여 화자의 단호한 의지를 드러내고 있다.

④ (나)는 (가)와 달리 생성과 부드러움, 포용을 다룬다는 화자의 의도가 문체에 잘 반영되어 있다.

⑤ (가)와 (나)는 시간의 흐름에 따라 퇴색하는 전통적인 문화가 개량되는 것을 안타까워하고 있다.

23 ㉠~㉤에 대한 설명으로 적절하지 <u>않은</u> 것은?

① ㉠: 시간이 덧없이 빠르게 흐르고 반복되는 의미를 표현함.

② ㉡: 조국의 광복을 위한 아낌없는 자기희생과 현실 극복 의지를 표현함.

③ ㉢: 조국과 백성을 위하여 성스럽고 위대한 존재가 나타남을 표현함.

④ ㉣: 생명 의미를 나타내며 '시멘트'와 대조적인 의미를 표현함.

⑤ ㉤: 생명이 순환한다는 자연의 원리의 의미로 표현함.

[01~07] 다음 글을 읽고, 물음에 답하시오.

(가) 까마득한 날에
하늘이 처음 열리고
어데 닭 우는 소리 들렸으랴.

모든 산맥들이
바다를 연모해 휘달릴 때도
차마 이곳을 범하던 못하였으리라

끊임없는 광음을
부지런한 계절이 피어선 지고
큰 강물이 비로소 길을 열었다.

지금 ㉠눈 나리고
㉡매화 향기 홀로 아득하니
ⓐ내 여기 가난한 노래의 씨를 뿌려라.

다시 천고의 뒤에
㉢백마 타고 오는 초인이 있어
이 광야에서 목 놓아 부르게 하리라.

– 이육사, 「광야」 –

(나) 이런 돼지가 살았다지요 반들거리는 검은 털에 날렵한 주둥이를 가진, 유난히 흙의 온기를 좋아하여 흙이랑 노는 일을 제일로 즐거워했다는군요 기른다는 것이 실은 서로 길드는 것이어서 이 지방 사람들은 ㉣통시라는 거처를 마련했다지요 인간의 배변 장소와 돼지우리가 함께 있는 아주 재미난 방인 셈인데요 지붕을 덮지 않은 널찍한 호를 파고 지푸라기 조금 깔아 준 방 안에서 이 짐승은 눈비 맞고 흙과 똥과 뒹굴면서 비바람 햇볕을 고스란히 살 속에 아로 새기게 되었다는데요 음식물 찌꺼기며 설거지물까지 버릴 것 없이 모아 둔 큰 독 속에서 한때 빛나던 것들이 제힘으로 다시 빛날 때 발효한 이 먹이를 돼지가 먹고 돼지의 배설물은 보리밭 거름으로 이쁜 보리들을 길렀다는데요 그래도 이 짐승의 주식이 사람의 똥이었던 것은 ⓑ생명은 생명에게 공양되는 법이라 행여 남아 있을 산 것들의 온기가 더럽고 하찮은 것으로 취급될까 두려운 때문이 아니었는지 몰라

나라의 높은 분이 보기에 미개하여 시멘트 네 포대씩 무상지급한 때가 있었다는데요 문명국의 지표인 변소를 개량하라 다그쳤다는데요 흔적이나마 통시가 아직 남아 내 몸 속의 방을 향해 손 내밀어 주는 것은, 똥 누고 먹는 일이 한가지로 행해지는 그곳을 ㉤신이 거주하는 장소라 여긴 하늘 가까운 섬사람들이 있었기 때문입니다.

– 김선우, 「신의 방」 –

01 (가)와 (나)를 비교한 내용으로 적절하지 <u>않은</u> 것은?

① (가)에서는 (나)와는 달리 무한한 공간 의식과 시간성이 드러나 있다.
② (나)에서는 (가)와는 달리 부정적인 현실에 대한 화자의 극복 의지가 드러나 있다.
③ (나)에서는 (가)와는 달리 특정 지역의 전통적 공간에 대하여 의미를 부여하고 있다.
④ (가)와 (나) 모두 대조를 통해 주제의식을 효과적으로 드러내고 있다.
⑤ (가)와 (나) 모두 각각 유사한 종결 형태를 통해 화자가 말하고자 하는 바를 효과적으로 드러내고 있다.

02 (가)에 대한 설명으로 적절한 것은?

① 명령형 어미를 통하여 화자의 단호한 의지를 드러내고 있다.

② 근경에서 원경으로 시선을 이동하면서 대상을 포착하고 있다.

③ 대상을 의인화하여 화자의 자연 친화적인 태도를 보여 주고 있다.

④ 말을 건네는 방식을 통하여 화자의 내적 신념을 드러내고 있다.

⑤ 비슷한 구조의 반복을 통하여 대상의 역동적 측면을 드러내고 있다.

03 〈보기〉를 참고하여 (가)를 감상한 학생들의 반응으로 가장 적절한 것은?

> ┤ 보기 ├
>
> 이육사는 국운이 기울던 1904년에 태어나, 해방 한 해 전(1944년)에 일제의 북경 감옥에서 사망하였다. 그는 어려서 유학자인 조부 아래에서 공부하였으며 커서는 항일 운동가로서 활동하였다. 그는 만 23세 때 조선은행 대구지점 폭발물 사건에 관련되어 옥살이를 하였는데, 당시 수인 번호가 264번이었다. 호 '육사'는 여기에서 비롯되었다고 한다.

① 민족의 밝은 미래를 염원하고 준비하는 선구자로서 화자인 자신이 유일하다고 노래하는 것으로 볼 수 있어.

② 화자는 산맥도 침범하지 못하는 신성불가침의 땅, 광야라는 이상국 설립을 간절히 바라는 것으로 볼 수 있어.

③ 화자는 일제 강점기라는 암담한 현실 속에서 자신을 희생할 각오로 노력하겠다는 의지를 드러내고 있다고 볼 수 있어.

④ 좁은 국토의 약소국이었던 우리 민족에 대한 각성을 노래한 것으로 광활한 대륙으로서의 독립을 기원한 것으로 볼 수 있어.

⑤ 민족 통일, 환경 보호, 양성 평등 등 공동체 차원에서 중요하게 여기는 가치가 많은데 이 시에 담긴 사회·문화적 가치를 '민족의 독립'으로 국한시키는 것은 편협한 시각이라 볼 수 있어.

04 (나)에 대한 설명으로 적절한 것은?

① 화자의 체험을 우의적으로 형상화하고 있다.

② 다양한 토속적인 방언을 사용하여 향토적 정감을 환기하고 있다.

③ 상이한 가치관을 나타내는 시어를 이용하여 주제의식을 부각하고 있다.

④ 율격과 같은 외형적 규범에 얽매이지 않고 자유로운 문장으로 쓴 산문 문학이다.

⑤ 역설적인 표현을 사용하여 특정 공간에 대한 통념에서 탈피 하고자 하고 있다.

05 〈보기〉를 참고하였을 때, 현실에 대응하는 시적 화자의 태도가 ⓐ와 가장 유사한 것은?

> ┤ 보기 ├
>
> 속죄양 모티프는 사회가 안정되고 평화를 구가하는 시기에는 좀처럼 등장하지 않는다. 자신의 속한 공동체나 민족이 억압받고 고통을 받는 시기에 자기희생을 통해 공동체와 민족, 인류를 구원하고자 하는 의지가 성장할 수 있기 때문에 우리 문학사에서는 식민지 시기의 작품들 속에서 속죄양 모티프를 자주 접할 수 있는 것이다.
>
> – 통합논술 개념어 사전에서 –

① 동방은 하늘도 다 끝나고 / 비 한 방울 내리잖는 그 때에도 / 오히려 꽃은 빨갛게 피지 않는가?

– 이육사, 「꽃」 –

② 꿈꾸어도 노래하지 않고 / 두 쪽으로 깨뜨려져도 소리하지 않는 바위가 되리라.

– 유치환, 「바위」 –

③ 껍데기는 가라 / 한라에서 백두까지
향그러운 흙가슴만 남고 / 그, 모오든 쇠붙이는 가라.

– 신동엽, 「껍데기는 가라」 –

④ 프로메테우스 불쌍한 프로메테우스 / 불 도적한 죄로 목에 맷돌을 달고 / 끝없이 침전하는 프로메테우스

– 윤동주, 「간」 –

⑤ 노오란 해바라기는 늘 태양같이 태양같이 하던 화려한 나의 사랑이라고 생각하라. 푸른 보리밭 사이로 하늘을 쏘는 노고지리가 있거든 아직도 날아오르는 나의 꿈이라고 생각하라.

– 함형수, 「해바라기의 비명(碑銘)」 –

06 (나)의 화자가 중시하는 사회·문화적 가치인 ⓑ와 가장 유사한 입장의 시는?

① 산다는 것은 속으로 이렇게 / 조용히 울고 있는 것이란 것을 / 그는 몰랐다.

– 신경림, 「갈대」 –

② 눈은 살아 있다. / 죽음을 잊어버린 영혼과 육체를 위하여 눈은 새벽이 지나도록 살아 있다.

– 김수영, 「눈」 –

③ 낙타는 어린 시절 선생님처럼 늙었다. / 나도 따뜻한 봄볕을 등에 지고 / 금잔디 위에서 낙타를 본다.

– 이한직, 「낙타」 –

④ 함께 썩어갈수록 / 바람은 더 높은 곳에서 우리를 흔들고 / 이윽고 잠자던 홀씨들 일어나 / 우리 몸에 뚫렸던 상처마다 버섯이 피어난다. / 황홀한 음지의 꽃이여

– 나희덕, 「음지의 꽃」 –

⑤ 열렬한 고독 가운데 / 옷자락을 나부끼고 호올로 서면 / 운명처럼 반드시 '나'와 대면하게 될지니 / 하여 '나'란 나의 생명이란 / 그 원시의 본연한 자태를 배우지 못하거든 / 차라리 어느 사구(砂丘)에 희한 없는 백골을 쪼이리라.

– 유치환, 「생명(生命)의 서(書)」 –

07 ⑦~⑩의 상징적 의미로 가장 적절한 것은?

① ⑦ - 고난과 시련의 상황이자 조국 분단의 암담한 현실
② ⑥ - 암담한 상황에서도 굴하지 않는 고매한 의지와 절개
③ ⑥ - 보통 사람으로는 생각할 수 없을 만큼 뛰어난 능력을 가진 사람
④ ⑧ - 인간의 배변 공간, 인간과 자연의 분리
⑤ ⑨ - 변소, 생명의 순환이 일어나는 생명의 공간

[08~12] 다음 글을 읽고, 물음에 답하시오.

(가) ⑦까마득한 날에
하늘이 처음 열리고
어데 닭 우는 소리 들렸으랴.

모든 산맥(山脈)들이
바다를 연모(戀慕)해 휘달릴 때도
⑥차마 이곳을 범하던 못하였으리라

⑥끊임없는 광음(光陰)을
부지런한 계절이 피어선 지고
⑧큰 강물이 비로소 길을 열었다.

지금 눈 나리고
매화 향기(梅花香氣) 홀로 아득하니
내 여기 가난한 노래의 씨를 뿌려라.

다시 천고(千古)의 뒤에
⑩백마(白馬) 타고 오는 초인(超人)이 있어
이 광야(曠野)에서 목 놓아 부르게 하리라.

– 이육사, 「광야」 –

(나) 창(窓) 밖에 밤비가 속살거려
육첩방(六疊房)은 남의 나라,

시인(詩人)이란 슬픈 천명(天命)인 줄 알면서도
한 줄 시(詩)를 적어 볼까,

땀내와 사랑내 포근히 품긴
보내 주신 학비 봉투(學費封套)를 받아

대학(大學) 노-트를 끼고
늙은 교수(敎授)의 강의(講義) 들으러 간다.

생각해 보면 어린 때 동무를
하나, 둘, 죄다 잃어버리고

나는 무얼 바라
나는 다만, 홀로 침전(沈澱)하는 것일까?

인생(人生)은 살기 어렵다는데
시(詩)가 이렇게 쉽게 씌어지는 것은 부끄러운 일이다.

육첩방(六疊房)은 남의 나라
창(窓)밖에 밤비가 속살거리는데,

등불을 밝혀 ㉮어둠을 조금 내몰고,
시대(時代)처럼 올 아침을 기다리는 ㉯최후(最後)의 나,

나는 나에게 적은 손을 내밀어
눈물과 위안으로 잡는 최초(最初)의 악수(握手).

– 윤동주, 「쉽게 씌어진 시」 –

08 (가)와 (나)의 공통점으로 가장 적절한 것은?

① 자신의 삶에 대한 부끄러움과 성찰이 드러나 있다.
② 부정적 현실에 대응하는 화자의 자세가 드러나 있다.
③ 반어적 표현을 사용하여 화자의 정서를 강조하고 있다.
④ 자연과 인간의 모습을 대비하여 주제를 형상화하고 있다.
⑤ 현실 속에서 겪는 고난으로 인해 세상을 원망하는 마음이 드러나 있다.

09 ㉠～㉤에 대한 이해로 적절하지 <u>않은</u> 것은?

① ㉠ : 태초의 정적 속에서 새로운 세계가 열리고 있다.
② ㉡ : 광야가 신성한 공간이었음을 보여주고 있다.
③ ㉢ : 빠르게 흘러가는 세월을 보며 인생무상을 느끼고 있다.
④ ㉣ : 우리 민족의 역사와 문명이 시작되었음을 알 수 있다.
⑤ ㉤ : 미래 역사의 주인공이자 민족을 이끌 구원자이다.

10 (가), (나)에 대한 설명으로 적절한 것은?

① (가)는 뜻을 마음껏 펼칠 수 없는 현실에서 도피하고자 한다.

② (가)는 공간의 이동에 따라 시상을 전개하고 있다.

③ (나)는 시각적 심상과 후각적 심상을 통해 정서를 심화하고 있다.

④ (가)와 달리 (나)는 독백적 어조를 사용하여 화자의 신념을 드러내고 있다.

⑤ (가)는 (나)와 달리 명령형 종결어미를 사용하여 자기희생 의지를 드러내고 있다.

11 〈보기〉를 바탕으로 (나)를 감상한 내용으로 적절하지 않은 것은?

┃ 보기 ┃

　　이 작품은 윤동주가 일제 강점기에 일본에서 유학하며 쓴 시이다. 이 시에서 화자는 자아성찰을 통해 무기력한 삶을 반성하고 현실을 극복하려는 의지와 희망적인 미래에 대한 확신을 드러낸다. 이 과정에서 현실에 안주하고 있는 현실적 자아와 현실 극복 의지를 지닌 이상적 자아 사이의 갈등은 해소되고 두 자아는 화해를 이루게 된다.

① '육첩방은 남의 나라'는 화자가 처해 있는 현실을 나타낸다.

② '시인이란 슬픈 천명'은 현실의 문제를 해결할 수 있는 힘을 가지지 못한 시인의 삶에 대한 괴로움이 나타난다.

③ '땀내'는 고향에 계신 부모님의 노고를 상기시켜 주고 있음을 드러낸다.

④ '홀로 침전하는 것'은 일제 강점기 현실 속에서 고결함을 유지하려는 화자의 의지를 나타낸다.

⑤ '최초의 악수'는 현실적 자아와 내면적 자아의 갈등이 극복되고 화해하는 모습이 드러난다.

12 〈보기〉를 바탕으로 (나)의 화자에 대해 이해한 내용으로 가장 적절한 것은?

┃ 보기 ┃

　　이 시는 창 밖을 보던 화자가 방 안으로 시선을 향하면서 시작된다. 시적 화자는 방 안팎의 풍경을 자신이 처한 현실로 인식하면서 자신의 내면을 성찰하게 된다. 화자는 한 동안 자신의 내면을 응시하다 다시 외부 세계로 눈을 돌리게 되는데 이때 화자의 태도에 변화가 일어난다.

① 자신의 무한한 욕망에 대해 반성하고 있다.

② 편안한 현실에 안주하는 삶에 만족하고 있다.

③ 열심히 공부함으로써 부모님의 고생에 보답하고 있다.

④ 현실 속 자신의 삶에 대해 성찰하며 현실 극복 의지를 다지는 계기가 된다.

⑤ 다른 이들과 소통하지 못해 떠나버린 친구들에 대한 그리움을 드러내고 있다.

[13~16] 다음 시를 읽고, 물음에 답하시오.

(가) 까마득한 날에
　　 하늘이 처음 열리고
　　 어데 닭 우는 소리 들렸으랴.

　　 모든 산맥(山脈)들이
　　 바다를 연모(戀慕)해 휘달릴 때도
　　 차마 이곳을 범하던 못하였으리라

　　 끊임없는 광음(光陰)을
　　 부지런한 계절이 피어선 지고
　　 큰 강물이 비로소 길을 열었다.

　　 ⓐ지금 눈 나리고
　　 매화 향기(梅花香氣) 홀로 아득하니
　　 내 여기 가난한 노래의 씨를 뿌려라.

　　 다시 천고(千古)의 뒤에
　　 백마(白馬) 타고 오는 초인(超人)이 있어
　　 이 광야(曠野)에서 목 놓아 부르게 하리라.

　　　　　　　　　　　　　　　　　　　　　 – 이육사, 「광야」 –

(나) 파란 녹이 낀 구리 거울 속에
　　 내 얼굴이 남아 있는 것은
　　 어느 왕조의 유물이기에
　　 이다지도 욕될까.

　　 나는 나의 참회(懺悔)의 글을 한 줄에 줄이자
　　 –만 이십사 년 일 개월을
　　 무슨 기쁨을 바라 살아왔던가.

　　 내일이나 모레나 그 어느 즐거운 날에
　　 나는 또 한 줄의 참회록(懺悔錄)을 써야 한다.
　　 –그때 그 젊은 나이에
　　 왜 그런 부끄런 고백을 했던가.

　　 밤이면 밤마다 나의 거울을
　　 손바닥으로 발바닥으로 닦아 보자.

　　 그러면 어느 운석(隕石) 밑으로 홀로 걸어가는
　　 슬픈 사람의 뒷모양이
　　 거울 속에 나타나 온다.

　　　　　　　　　　　　　　　　　　　　　 – 윤동주, 「참회록」 –

13 (가)의 ⓐ에 나타난 화자의 현실 인식과 가장 거리가 먼 하나는?

① 하늘도 그만 지쳐 끝난 고원
　　서릿발 칼날진 그 위에 서다.

– 이육사 , 「절정」 –

② 달빛이 흡사 비오듯 쏟아지는 밤에도
　　우리는 헐어진 성(城)터를 헤매이면서

– 신석정, 「꽃덤불」 –

③ 빈 대(臺)에 황촉불이 말없이 녹는 밤에
　　오동잎 잎새마다 달이 지는데

– 조지훈, 「승무」 –

④ 검은 그림자 쓸쓸하면
　　마침내 호수 속 깊이 거꾸러져
　　차마 바람도 흔들진 못해라

– 이육사, 「교목」 –

⑤ 달밤이 싫여, 달밤이 실여, 눈물 같은 골짜기에 달밤이 싫여, 아무도 없는 뜰에 달밤이 나는 싫여……

– 박두진, 「해」 –

14 〈보기〉를 참고하여 (가)를 이해한 내용 중 가장 적절하지 <u>않은</u> 것은?

┤ 보기 ├

　　이 시는 역사적 상상력을 바탕으로 하여 태초로부터 시작된 우리 민족사의 공간으로 '광야'를 형상화하고 있다. 시인은 '광야'가 본래 우리 민족의 신성한 공간임을 환기하면서, 현재의 민족적 시련을 극복하고 난 뒤 미래의 광야는 민족적 이상 실현의 공간이 될 것임을 확신하고 있다.

① 제1연의 '닭 우는 소리'마저 들리지 않았을 '까마득한 날'을 상상한 것은 시인이 우리 국토의 신성성을 강조하기 위해 역사 이전의 태초를 떠올린 것이겠군.
② 제2연에서 시인은 일제가 빼앗은 우리 국토가 먼 옛날 '모든 산맥들'조차 차마 '범하던' 못하였던 땅임을 강조하고 있군.
③ 제3연의 '큰 강물'은 우리 민족의 역사에 대한 시인의 자부심이 담긴 표현이겠군.
④ 제4연의 '매화 향기'가 '아득'한 상황은 현재 시련을 겪고 있는 우리 민족이 과거의 '광야'를 그리워하고 있음을 의미하는 것이겠군,
⑤ 제5연의 '목 놓아 부르'려는 대상은 제4연의 '노래'와 호응하는데, 이는 민족의 이상이 실현된 기쁨을 누리고자 하는 것이겠군.

15 (가)를 다음과 같이 정리할 때 빈칸에 들어갈 내용을 설명한 내용으로 적절하지 **않은** 것은?

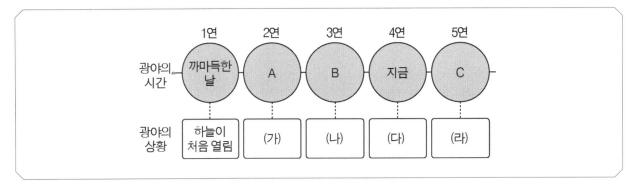

① A와 B는 모두 C와 달리 광야의 과거 모습을 드러낸다.

② A의 시간에서 (가)의 상황과 B의 시간에서 (나)의 상황을 비교할 때 A와 B가 모두 과거를 나타내고 있지만 (가)와 달리 (나)에서 변화된 부분이 존재함을 알 수 있다.

③ (가)와 (나)의 상황에 비추어 보면 (다)의 상황이 발생하게 된 근본적 이유는 (라)의 부재 때문이다.

④ C의 시간을 화자가 인식한다는 사실은 (다)의 상황이 아무리 오래 지속되더라도 결국은 끝이 날 것이라는 믿음을 보여준다.

⑤ (다)에서 화자가 하는 행위는 (라)에서 초인이 하는 행위와 연결됨으로써 화자의 의지를 상징적으로 보여준다.

16 (가)와 (나), 두 작품을 비교하여 감상한 것 중 적절하지 **않은** 것은?

① (가)는 일제 강점기의 암담한 현실을 극복하고자 하는 의지를 명령형 어미를 사용하여 남성적 어조로 드러내고 있는 반면, (나)는 식민지 지식인의 정신적 고통을 섬세한 서정과 투명한 시심(詩心)으로 노래하고 있다.

② (가)와 (나) 모두 상징적인 시어를 통해 시적 의미를 형상화하고 있다.

③ (가)와 (나) 모두 '과거−현재−미래'의 시간의 흐름에 따라 시상을 전개하고 있다.

④ (나)와 달리 (가)에는 화자가 소망하는 긍정적인 미래의 도래에 대한 믿음이 드러나 있다.

⑤ (가)와 (나) 모두 암울한 시대 현실 속에서 자신을 기꺼이 희생하고자 하는 속죄양 모티브가 드러나 있다.

까마득한 날에
하늘이 처음 열리고
어데 닭 우는 소리 들렸으랴.

모든 산맥(山脈)들이
바다를 연모(戀慕)해 휘달릴 때도
차마 이곳을 범하던 못하였으리라

끊임없는 광음(光陰)을
부지런한 계절이 피어선 지고
큰 강물이 비로소 길을 열었다.

지금 Ⓐ눈 나리고
매화 향기(梅花香氣) 홀로 아득하니
내 여기 가난한 노래의 씨를 뿌려라.

다시 천고(千古)의 뒤에
백마(白馬) 타고 오는 초인(超人)이 있어
이 광야(曠野)에서 목 놓아 부르게 하리라.

– 이육사, 「광야」 –

17 윗글에 대한 설명으로 적절하지 <u>않은</u> 것은?

① 대상의 공간과 시간을 조화시켜 시상을 전개하고 있다.
② 시간의 흐름에 따른 대상의 상황을 형상화하고 있다.
③ 미래를 위한 화자의 자기 희생적 태도를 드러내고 있다.
④ 독백적 어조를 통해 이상을 실현하고자 하는 의지를 나타내고 있다.
⑤ 가정적 상황을 제시하여 현실을 회피하고자 하는 소원을 나타내고 있다.

18 〈보기〉는 작가의 다른 작품이다. 윗글의 <u>지금</u>의 상황과 의미하는 바가 <u>다른</u> 하나는?

┤ 보기 ├

㉠동방은 하늘도 다 끝나고
㉡비 한 방울 나리잖는 그때에도
오히려 꽃은 빨갛게 피지 않는가.
내 목숨을 꾸며 쉬임 없는 날이여!

㉢북쪽 툰드라에도 찬 새벽은
㉣눈 속 깊이 꽃맹아리가 옴작거려
㉤제비 떼 까맣게 날아오길 기다리나니.
마침내 저버리지 못할 약속이여.

한 바다 복판 용솟음치는 곳
바람결 따라 타오르는 꽃 성(城)에는
나비처럼 취하는 회상의 무리들아.
오늘 내 여기서 너를 불러 보노라.

– 이육사, 「꽃」 –

① ㉠   ② ㉡   ③ ㉢   ④ ㉣   ⑤ ㉤

19 윗글과 〈보기〉의 표현상의 공통점으로 가장 적절한 것은?

┤ 보기 ├

그립고 그리워도 볼 수가 없어
마음은 바람에 나부끼는 종이 연 같아라
돗자리라면 말아 두고 돌이라면 굴러 낼 수 있으련만
이 마음의 응어리 어느 때나 고칠까
그리운 사람은 멀리 하늘 모퉁이에 있는데
구름 뜬 하늘 아래 늘어진 푸른 버들
아득한 시름은 끝이 없어라

– 성현 「장상사(長相思)」 –

① 명령형 어미를 활용하여 화자의 의지를 강조하고 있다.
② 유사한 어구를 반복하여 화자의 정서를 고조시키고 있다.
③ 대조적인 시어를 활용하여 화자의 대결의지를 드러내고 있다.
④ 추상적 개념을 구체적 대상에 빗대어 표현하여 구체화하고 있다.
⑤ 계절을 드러내는 시어를 활용하여 화자의 소망을 표현하고 있다.

20 〈보기〉의 밑줄 친 시어 중 윗글의 Ⓐ의 의미와 가장 거리가 먼 것은?

┌─ 보기 ─

　　ⓐ매운 계절(季節) 채찍에 갈겨

　　마침내 ⓑ북방(北方)으로 휩쓸려 오다.

　　하늘도 그만 지쳐 끝난 ⓒ고원(高原)

　　ⓓ서릿발 칼날진 그 위에 서다.

　　어데다 무릎을 꿇어야 하나

　　한 발 재겨 디딜 곳조차 없다.

　　이러매 눈 감아 생각해 볼밖에

　　겨울은 ⓔ강철로 된 무지갠가 보다.

　　　　　　　　　　　　　　　　　　　　　　　　　　　－ 이육사, 「절정」 －
└─

① ⓐ　　　　　② ⓑ　　　　　③ ⓒ　　　　　④ ⓓ　　　　　⑤ ⓔ

21 윗글의 눈과 시적 의미가 가장 유사한 시어는?

① 단 한번의 큰 파도로 나는 걷잡을 수 없이 무너져

　당신을 따라가다 따라가다

　그만 빈 갯벌 이 되어 눕고 말았다

　　　　　　　　　　　　　　　　　　　　　　　　　　　－ 도종환, 「섬」 －

② 눈 이 많이 와서 / 산엣새가 벌로 나려 멕이고

　눈구덩이에 토끼가 더러 빠지기도 하면

　마을에는 그 무슨 반가운 것이 오는가 보다

　　　　　　　　　　　　　　　　　　　　　　　　　　　－ 백석, 「국수」 －

③ 쫓기듯 도망치듯 살아온 이에게만

　삶은 때로 애닯기도 하리

　긴 능선 검은 하늘 에 박힌 별 보며

　길 잘못 든 나그네 되어 떠나려네

　　　　　　　　　　　　　　　　　　　　　　　　　　　－ 신경림 「고향길」 －

④ 그대 쪽에서 불어오는 눈보라를 내가 견딘다

　그리하여 언 땅 속에서

　서로가 서로의 뿌리를 얽어쥐고 체온을 나누며

　끝끝내 하늘을 우러러 새들을 기다리고 있을 때

　　　　　　　　　　　　　　　　　　　　　　　　　　　－ 복효군, 「겨울 숲」 －

⑤ 숨 막힐 마음속에 어데 강물이 흐르느뇨

　달은 강을 따르고 나는 차디찬 강 맘에 드느니라

　수만 호 빛이래야 할 내 고향이언만

　노랑 나비도 오잖는 무덤 위에 이끼만 푸르러라

　　　　　　　　　　　　　　　　　　　　　　　　　　　－ 이육사, 「자야곡」 －

[22~24] 다음을 읽고 물음에 답하시오.

(가) 이런 돼지가 살았다지요 반들거리는 검은 털에 날렵한 주둥이를 가진, 유난히 흙의 온기를 좋아하여 흙이랑노는 일을 제일로 즐거워했다는군요. 기른다는 것이 실은 서로 길드는 것이어서 ⓐ이 지방 사람들은 ⓑ통시라는 거처를 마련 했다지요. 인간의 배변 장소와 돼지우리가 함께 있는 아주 재미난 방인 셈인데요. 지붕을 덮지 않은 널찍한 호를 파고 지 푸라기 조금 깔아 준 방 안에서 이 짐승은 눈비 맞고 흙과 ⓒ똥과 뒹굴면서 비바람 햇볕을 고스란히 살 속에 아로 새기게 되었다는데요. 음식물 찌꺼기며 설거지물까지 버릴 것 없이 모아 둔 큰 독 속에서 한때 빛나던 것들이 제힘으로 다시 빛 날 때 발효한 이 ⓓ먹이를 돼지가 먹고 돼지의 배설물은 보리밭 거름으로 이쁜 보리들을 길렀다는데요. 그래도 이 짐승의 주식이 사람의 똥이었던 것은 생명은 생명에게 공양되는 법이라 행여 남아 있을 산 것들의 온기가 더럽고 하찮은 것으로 취급될까 두려운 때문이 아니었는지 몰라

ⓔ나라의 높은 분이 보기에 미개하여 시멘트 네 포대씩 무상지급한 때가 있었다는데요. 문명국의 지표인 변소를 개량 하라 다그쳤다는데요. 흔적이나마 통시가 아직 남아 내 몸 속의 방을 향해 손 내밀어 주는 것은, 똥 누고 먹는 일이 한가 지로 행해지는 그곳을 ⓕ신이 거주하는 장소라 여긴 하늘 가까운 섬사람들이 있었기 때문입니다.

- 김선우, 「신의 방」 -

(나) 질그릇 하나가 부서지고 있다.
　질그릇의 밑바닥에 잠긴 바다가
　조용히 부서지고 있다.
　스스로 부서져 흙이 되는
　저 흔들리는 바다.
　질그릇에 담긴 생선의 뼈,
　질그릇에 담긴 폭풍,
　질그릇에 담긴 공간,
　그 공간 하나 스스로 부서지고 있다.

- 오세영, 「질그릇」 -

22 (가)의 ⓐ~ⓕ에 대한 설명으로 적절하지 <u>않은</u> 것은?

① ⓐ는 ⓒ를 가치 있게 여겼다.
② ⓐ는 ⓑ를 ⓕ로 인식하고 있다.
③ ⓑ는 ⓒ가 ⓓ로 변하는 공간이다.
④ ⓔ의 지지로 ⓑ를 유지할 수 있었다.
⑤ ⓑ에 대해 ⓐ와 ⓔ는 인식의 차이를 보이고 있다.

23 〈보기〉는 (가) 시인의 인터뷰이다. 이를 읽은 학생의 반응으로 적절하지 <u>않은</u> 것은?

┤ 보기 ├

　생태, 환경적 관점에서 편리와 효율 위주의 현대 문명은 치명적인 한계를 가지고 있습니다. 이러한 한계를 고려하지 못하고 현대 문명을 무조건적으로 맹신하는 것이 우리에게 독이 되는 경우도 많습니다.

① 시인의 의도를 친숙하게 전달하기 위해 이야기체를 사용하고 있어.
② '문명국의 지표인 변소'는 현대 문명을 상징하는 시어라고 볼 수 있어.
③ '하늘 가까운 섬사람들'은 성찰이 없는 개발의 삶에 대해 문제의식을 제기하고 있어.
④ 인간과 동물의 공존방식이 효율 위주의 현대의 삶보다 더 가치 있을 수 있다고 생각하고 있어.
⑤ 우리 조상들의 지혜로운 삶에서 현대 문명의 한계를 극복하기 위한 해결책을 찾을 수 있을 것 같아.

24 (가)와 (나)의 공통점으로 가장 적절한 것은?

① 역설적인 표현을 사용하여 주제를 강조하고 있다.
② 동일한 문장의 반복을 통해 주제를 강조하고 있다.
③ 한 세계의 무상성과 존재의 무상성을 보여주고 있다.
④ 비유적인 표현을 통해 생명의 신성성을 나타내고 있다.
⑤ 순환적 세계를 바탕으로 화자의 관념적인 인식을 표현하고 있다.

[25~28] 다음을 읽고 물음에 답하시오.

(가) 나 보기가 역겨워
　　가실 때에는
　　말없이 고이 보내 드리우리다.

　　영변(寧邊)에 약산(藥山)
　　진달래꽃
　　아름 따다 가실 길에 뿌리우리다.

　　가시는 걸음걸음
　　놓인 그 꽃을
　　사뿐히 즈려밟고 가시옵소서.

　　나 보기가 역겨워
　　가실 때에는
　　죽어도 아니 눈물 흘리우리다.

　　　　　　　　　　　　　　　　　　　　　　　　　– 김소월, 「진달래 꽃」 –

(나) 까마득한 날에
　　하늘이 처음 열리고
　　어데 닭 우는 소리 들렸으랴.

　　모든 산맥들이
　　바다를 연모해 휘달릴 때도
　　차마 이곳을 범하던 못하였으리라

　　끊임없는 광음을
　　부지런한 계절이 피어선 지고
　　큰 강물이 비로소 길을 열었다.

지금 ⓐ눈 나리고
매화 향기 홀로 아득하니
내 여기 가난한 노래의 씨를 뿌려라.

다시 천고의 뒤에
백마 타고 오는 초인이 있어
이 야에서 목 놓아 부르게 하리라.

– 이육사, 「광야」 –

25 위의 시에 대한 설명으로 적절하지 <u>않은</u> 것은?

① (가)에서는 3음보 율격이 (나)에서는 4음보 율격이 드러난다.
② (가)에서는 여성적 어조가 (나)에서는 남성적 어조가 강하다.
③ (가)에서는 애상적 느낌이 (나)에서는 의지적 느낌이 느껴진다.
④ (가)에서는 수미상관의 구조를 (나)에서는 시행의 배열에서의 균형미를 엿볼 수 있다.
⑤ (가)에서 '진달래꽃'이 시적 화자의 사랑과 한의 표상이라면, (나)에서의 '매화'는 시적 화자의 고고한 기상의 표상이라 할 수 있다.

26 (가)를 읽은 학생의 반응으로 적절하지 <u>않은</u> 것은?

① 전통적 정서를 민요를 계승한 율격으로 표현하고 있어.
② 작품 속에 향토적이고 서정적인 정서가 형상화되어 있어.
③ 한국문학의 고유한 특성의 하나인 '이별의 정한'을 노래하고 있어.
④ 화자와 사랑하는 임과의 공간적 단절감을 애상적으로 노래하고 있어.
⑤ 화자는 임과 헤어지는 상황을 가정하며 자신의 심정을 토로하고 있어

27 (나)에 대한 작품의 감상의 관점 중 그 성격이 <u>다른</u> 것은?

① '강물', '광야' 등의 시어가 지닌 상징성을 생각해 본다.
② '처음 열리고', '휘달릴 때' 같은 표현에 담긴 이미지를 떠 올려본다.
③ '내 여기 가난한 노래의 씨를 뿌려라'에 나타나 표현상의 특징을 분석해 본다.
④ '매화 향기 홀로 아득하니'라는 표현을 바탕으로 창작 당시의 시대 상황을 추리해 본다.
⑤ '까마득한 날', '지금', '천고의 뒤'로 이어지는 시상 전개의 의미가 무엇인지 생각해 본다.

28 (나)의 ⓐ와 〈보기〉의 ⓑ에 대한 설명으로 가장 적절한 것은?

┤ 보기 ├

눈은 살아 있다. / 떨어진 눈은 살아 있다.
마당 위에 떨어진 눈은 살아 있다.

기침을 하자. / 젊은 시인(詩人)이여 기침을 하자.
눈 위에 대고 기침을 하자.
눈더러 보라고 마음 놓고 마음 놓고 / 기침을 하자.

ⓑ눈은 살아 있다.
죽음을 잊어버린 영혼(靈魂)과 육체(肉體)를 위하여
눈은 새벽이 지나도록 살아 있다.

기침을 하자. / 젊은 시인이여 기침을 하자. / 눈을 바라보며
밤새도록 고인 가슴의 가래라도 / 마음껏 뱉자.

– 김수영, 「눈」 –

① ⓐ는 정의를 의미하고 ⓑ는 위선을 의미한다.
② ⓐ는 순수를 의미하고 ⓑ는 생명을 의미한다.
③ ⓐ는 시련을 의미하고 ⓑ는 순수를 의미한다.
④ ⓐ는 대결을 의미하고 ⓑ는 도피를 의미한다.
⑤ ⓐ는 젊음을 의미하고 ⓑ는 늙음을 의미한다.

[29~32] 다음을 읽고 물음에 답하시오.

(가) 가시리 가시리잇고 나ᄂᆞᆫ
브리고 가시리잇고 나ᄂᆞᆫ
위 증즐가 大平聖代(대평셩ᄃᆡ)

날러는 엇디 살라 ᄒᆞ고
브리고 가시리잇고 나ᄂᆞᆫ
위 증즐가 大平聖代(대평셩ᄃᆡ)

잡ᄉᆞ와 두어리마ᄂᆞᄂᆞᆫ
선ᄒᆞ면 아니 올셰라.
위 증즐가 大平聖代(대평셩ᄃᆡ)

셜온 님 보내ᅌᅵ 노니 나ᄂᆞᆫ
가시ᄂᆞᆫ 듯 도셔 오쇼셔 나ᄂᆞᆫ
위 증즐가 大平聖代(대평셩ᄃᆡ)

– 작자미상, 「가시리」 –

(나) 이런 돼지가 살았다지요 반들거리는 검은 털에 날렵한 주둥이를 가진, 유난히 ㉠흙의 온기를 좋아하여 흙이랑 노는 일을 제일로 즐거워했다는군요 기른다는 것이 실은 서로 길드는 것이어서 이 지방 사람들은 통시라는 거처를 마련했다지요 인간의 배변 장소와 돼지우리가 함께 있는 아주 재미난 방인 셈인데요 지붕을 덮지 않은 널찍한 호를 파고 지푸라기 조금 깔아 준 방 안에서 이 짐승은 눈비 맞고 흙과 똥과 뒹굴면서 비바람 햇볕을 고스란히 살 속에 아로 새기게 되었다는데요 음식물 찌꺼기며 설거지물까지 버릴 것 없이 모아 둔 큰 독 속에서 한때 빛나던 것들이 제힘으로 다시 빛날 때 발효한 이 먹이를 돼지가 먹고 돼지의 배설물은 보리밭 거름으로 이쁜 보리들을 길렀다는데요 그래도 이 짐승의 주식이 사람의 똥이었던 것은 생명은 생명에게 공양되는 법이라 행여 남아 있을 산 것들의 온기가 더럽고 하찮은 것으로 취급될까 두려운 때문이 아니었는지 몰라

나라의 높은 분이 보기에 미개하여 시멘트 네 포대씩 무상지급한 때가 있었다는데요 문명국의 지표인 변소를 개량하라 다그쳤다는데요 흔적이나마 통시가 아직 남아 내 몸 속의 방을 향해 손 내밀어 주는 것은, 똥 누고 먹는 일이 한가지로 행해지는 그곳을 신이 거주하는 장소라 여긴 하늘 가까운 섬사람들이 있었기 때문입니다.

– 김선우, 「신의 방」 –

29 (가)와 (나)를 비교한 내용으로 가장 적절한 것은?

① (가)와 (나)에서 일정한 음보율을 느낄 수 있다.
② (가)와 달리 (나)에서는 특정 공간에 의미를 부여하고 있다.
③ (가)와 (나)에서는 계절적 배경에 시대적 의미를 부여하고 있다.
④ (나)와 달리 (가)에서는 도치와 역설의 표현방법을 사용하고 있다.
⑤ (나)와 달리 (가)에서는 화자의 태도를 드러내는 데 전통적인 소재를 활용하고 있다.

30 (가)의 각 연에 대한 설명으로 적절하지 않은 것은?

① 1연의 반복된 물음에는 제발 떠나지 말아달라는 시적화자의 애원이 담겨 있다.
② 2연에서는 앞 연에 이어 의미를 더욱 심화시키고 있다.
③ 3연에서는 감정의 토로가 더욱 격렬해지고 있다.
④ 4연에서는 임과의 재회를 기원하는 마음이 담겨 있다.
⑤ 4연에서는 임에 대한 청원(請願)으로 사상을 마무리하고 있다.

31 (나)에 대한 설명으로 가장 적절한 것은?

① 선경후정의 방식으로 사상을 전개하고 있다.
② 설의적 표현을 통해 의미하는 바를 강조하고 있다.
③ 다양한 감각을 동원하여 대상을 해학적으로 그려내고 있다.
④ 대조적 의미를 지닌 소재를 제시하고, 둘 사이의 통합을 모색하고 있다.
⑤ 부드러운 종결 표현을 사용하고 있으며, 부드러운 이야기체 어조를 사용하고 있다.

32 ㉠과 대조적인 의미로 지니는 시어를 고르면?

① 통시   ② 지푸라기   ③ 눈비   ④ 시멘트   ⑤ 손

[01~06] 다음을 읽고 물음에 답하시오.

(가) 까마득한 날에
　　하늘이 처음 열리고
　　어데 닭 우는 소리 들렸으랴.

　　모든 산맥들이
　　바다를 연모해 휘달릴 때도
　　차마 이곳을 범하던 못하였으리라

　　끊임없는 광음을
　　부지런한 계절이 피어선 지고
　　큰 강물이 비로소 길을 열었다.

　　[A]지금 눈 나리고
　　매화 향기 홀로 아득하니
　　내 여기 가난한 노래의 씨를 뿌려라

　　다시 천고의 뒤에
　　백마 타고 오는 초인이 있어
　　이 광야에서 목놓아 부르게 하리라.

– 이육사, 「광야」 –

(나) 이런 돼지가 살았다지요 반들거리는 검은 털에 날렵한 주둥이를 가진, 유난히 흙의 온기를 좋아하여 흙이랑 노는 일을 제일로 즐거워했다는군요　기른다는 것이 실은 서로 길드는 것이어서 이 지방 사람들은 통시라는 거처를 마련했다지요 인간의 배변 장소와 돼지우리가 함께 있는 아주 재미난 방인 셈인데요 지붕을 덮지 않은 널찍한 호를 파고 지푸라기 조금 깔아 준 방 안에서 이 짐승은 눈비 맞고 흙과 똥과 뒹굴면서 비바람 햇볕을 고스란히 살 속에 아로 새기게 되었다는 데요 음식물 찌꺼기며 설거지물까지 버릴 것 없이 모아 둔 큰 독 속에서 한때 빛나던 것들이 제힘으로 다시 빛날 때　발효한 이 먹이를 돼지가 먹고 돼지의 배설물은 보리밭 거름으로 이쁜 보리들을 길렀다는데요. 그래도 이 짐승의 주식이 사람의 똥이었던 것은 생명은 생명에게 공양되는 법이라 행여 남아 있을 산 것들의 온기가 더럽고 하찮은 것으로 취급될까 두려운 때문이 아니었는지 몰라

나라의 높은 분이 보기에 미개하여 시멘트 네 포대씩 무상지급한 때가 있었다는데요 문명국의 지표인 변소를 개량하라 다그쳤다는데요 흔적이나마 통시가 아직 남아 ⓐ내 몸 속의 방을 향해 손 내밀어 주는 것은, 똥 누고 먹는 일이 한가지로 행해지는 그곳을 ⊙신이 거주하는 장소라 여긴 하늘 가까운 섬사람들이 있었기 때문입니다.

– 김선우, 「신의 방」 –

---

01 〈보기〉 밑줄 그은 부분의 형상화 방법을 사용하여 표현한 시행을 (가)에서 찾아 쓰시오.

> ┤ 보기 ├
> 동짓ㅅ달 기나긴 밤을 한 허리를 버혀 내여
> 춘풍 니불 아래 서리서리 너헛다가
> 어론님 오신 날 밤이여든 구뷔구뷔 펴리라
>
> –황진이 –

02 (1) [A]에 나타난 시적 상황과 시적 화자의 태도에 대해 〈조건〉에 맞게 서술하시오.

┤ 조건 ├

　시적상황은 [A]의 '눈'의 함축적 의미를, 시적 화자의 태도는 [A]의 '내 여기 가난한 노래의 씨를 뿌려라'의 함축적 의미를 밝혀 서술할 것.

(2) (가)에 담긴 사회·문화적 가치를 〈조건〉에 맞게 쓰시오.

┤ 조건 ├

　'사회·문화적 가치는 ~ (이)다.'의 문장 형식으로 서술할 것.

03 다음 보기에서 ㉮의 상징적 의미와 연결될 수 있는 시어를 (가)에서 찾아 쓰고, 그 상징적 의미를 반영론적 관점에서 서술하시오.

┤ 보기 ├

창(窓) 밖에 밤비가 속살거려
육첩방(六疊房)은 남의 나라,

시인(詩人)이란 슬픈 천명(天命)인 줄 알면서도
한 줄 시(詩)를 적어 볼까,

땀내와 사랑내 포근히 품긴
보내 주신 학비 봉투(學費封套)를 받아

대학(大學) 노-트를 끼고
늙은 교수(敎授)의 강의(講義) 들으러 간다.

생각해 보면 어린 때 동무를
하나, 둘, 죄다 잃어버리고

나는 무얼 바라
나는 다만, 홀로 침전(沈澱)하는 것일까?

인생(人生)은 살기 어렵다는데
시(詩)가 이렇게 쉽게 씌어지는 것은 부끄러운 일이다.

육첩방(六疊房)은 남의 나라
창(窓)밖에 밤비가 속살거리는데,

등불을 밝혀 ㉮어둠을 조금 내몰고,
시대(時代)처럼 올 아침을 기다리는 최후(最後)의 나,

나는 나에게 적은 손을 내밀어
눈물과 위안으로 잡는 최초(最初)의 악수(握手).

　　　　　　　　　　　　　　　- 윤동주, 「쉽게 씌어진 시」 -

04 (나)의 ㉠이 함축하고 있는 의미를 〈조건〉에 맞게 한 문장으로 서술하시오.

┤ 조건 ├

1. 인간과 자연의 관계를 명시할 것.
2. '통시', '생명'이라는 단어가 꼭 들어갈 것.
3. '신이 거주하는 장소'의 속성이 드러날 것.

05 (나)에서 강조하는 사회·문화적 가치와 연계하여 '통시'와 '변소'의 차이점을 〈조건〉에 맞게 서술하시오.

┤ 조건 ├

• '통시'와 '변소'의 특징을 중심으로 서술할 것

06 ⓐ가 함축하고 있는 의미를 〈조건〉에 맞게 서술하시오.

┤ 조건 ├

• '통시'와 관련 지어 서술할 것

[07~08] 다음을 읽고 물음에 답하시오.

까마득한 날에
하늘이 처음 열리고
어데 닭 우는 소리 들렸으랴.

모든 산맥(山脈)들이
바다를 연모(戀慕)해 휘달릴 때도
차마 이곳을 범(犯)하던 못하였으리라

끊임없는 광음(光陰)을
부지런한 계절(季節)이 피어선 지고
큰 강물이 비로소 길을 열었다.

㉠지금 눈 나리고
매화 향기(梅花香氣) 홀로 아득하니
㉡내 여기 가난한 노래의 씨를 뿌려라.

다시 천고(千古)의 뒤에
白馬 타고 오는 초인(超人)이 있어
이 광야(曠野)에서 목 놓아 부르게 하리라.

– 이육사, 「광야」 –

07 〈보기〉의 작품을 비교하여 읽고, 〈조건〉에 따라 서술하시오.

┤ 보기 ├

겨울에는 불광동이, 여름에는 냉천동이 생각나듯
무릉도원은 도화동에 있을 것 같고
문경에 가면 괜히 기쁜 소식이 기다릴 듯하지
추풍령은 항시 서릿발과 낙엽의 늦가을일 것만 같아

춘천이 그렇지
까닭도 연고도 없이 가고 싶지
얼음 풀리는 냇가에 새파란 움미나리 발돋움할 거라
녹다만 눈 응달 발치에 두고
마른 억새 께벗은 나뭇가지 사이사이로
피고 있는 진달래꽃을 닮은 누가 있을 거라
왜 느닷없이 Ⓐ불쑥불쑥 춘천에 가고 싶어지지
가기만 하면 되는 거라
가서, 할 일은 아무것도 생각나지 않는 거라
그저, 다만 새 봄 한 아름을 만날 수 있을 거라는
기대는, 몽롱한 안개 피듯 언제나 춘천 춘천이면서도
Ⓑ정말 가본 적은 없지
엄두가 안 나지, 두렵지, 겁나기도 하지
봄은 산 넘어 남촌 아닌 춘천에서 오지

여름날 산마루의 소낙비는 이슬비로 몸 바꾸고

단풍 든 산허리에 아지랑거리는 봄의 실루엣

쌓이는 낙엽 밑에는 봄나물 꽃다지 노랑 웃음도 쌓이지

단풍도 꽃이 되지 귀도 눈이 되지

춘천이니까.

- 유안진, 「춘천은 가을도 봄이지」 -

> **조건**
> • 시적 대상인 '광야'와 '춘천'에 나타난 공간적 속성의 차이점을 서술할 것
> • 윗글의 ㉠, ㉡과 〈보기〉의 Ⓐ, Ⓑ의 관계를 고려하여, 이들을 모두 인용할 것

08 〈보기〉를 참고하여 윗글의 작가가 윗글에서 드러내고자 하는 사회·문화적 가치를 〈조건〉에 맞게 서술하시오.

> **보기**
> 이육사는 국운이 기울던 1904년에 태어나, 해방 한 해 전(1944년)에 일제의 북경 감옥에서 사망하였다. 그는 어려서 유학자인 조부 아래에서 공부하였으며 커서는 항일 운동가로서 활동하였다. 그는 만 23세 때 조선은행 대구지점 폭발물 사건에 관련되어 옥살이를 하였는데, 당시 수인 번호가 264번이었다. 호 '육사'는 여기에서 비롯되었다고 한다.

> **조건**
> • '시적 화자' 또는 '작가'를 주어로 사용할 것
> • 시대적 배경을 반드시 사용할 것

황만근은 이렇게 말했다

- 성석제 -

　　<u>황만근이 없어졌다.</u> 새벽에 혼자 경운기를 타고 집을 나간 황만근은 늘 들일을 나가면 돌아오는 시각인 저물녘에
　　　　주인공의 실종 사실 제시

돌아오지 않았다. 술을 마시고 취하더라도 열두 시가 될락 말락 한 한밤이면 돌아왔는데 이번에는 아니었다. 평생 단
　　　　　　　　　　　　　인물의 규칙적인 생활 습관을 들어 사태의 심각성을 암시함

하루 외박한 뒤 돌아왔던 그 시각, 횃대의 닭이 울음을 그치는 아침이 되어도 돌아오지 않았다. 마을 회관 앞, 황만근

이 직접 심어 놓은 등나무 덩굴 아래, 직접 짠 평상에 사람들이 모였다. 먼저 이장이 입을 열었다.

　　"만그인지 반그인지 그 <u>바보 자석</u> 하나 따문에 소여물도 못 하러 가고 이기 뭐라. <u>스무 바리</u>*나 되는 소가 한꺼분
　　　　　　　　　　　　황만근에 대한 동네 주민들의 일반적인 평가　　　　　　　　　　　축산 사육 규모를 키워 가던 당대의 상황을 보여 줌

에 밥 굶는 기 중요한가, <u>바보 자석 하나가 어데 가서 술 처먹고 집에 안 오는 기 중요한가, 써그랄.</u>"
　　　　　　　　　　　　황만근의 안위가 염려되는 상황에서 자신의 일만 생각하는 이기적 태도

　　마을에서 연장자 축에 들고 가장 학식이 높아 해마다 한 번씩 지내는 용왕제(龍王祭)*에 축(祝)*을 초(草)하는* 황

재석 씨가 받았다.

　　"그래도 질래 있던 사람이 없어지마 필시 연유가 있는 기라. 사람이 바늘이라, 모래라. 기양 없어지는 기 어디 있

어. 암만 그래도 우리 동네 사람 아이라. <u>반그이, 아이다. 만그이가</u> 여게서 나서 사는 동안 한 분도 밖에서 안 들어온
　　　　　　　　　　　　　　　　　　　　별명을 이름으로 고쳐서 말함. '반근'은 동네 사람들이 황만근을 반쪽짜리로 취급하여 부르는 별명임

적이 없는데 말이라."

　　"아이지요, 어르신. <u>가가 군대 간다 캤을 때 여운지 토깨인지하고 밤새도록 싸우니라고 하루는 안 들어왔심다.</u>"
　　　　　　　　　　　　황만근이 군대에서 소집한 신체검사를 받던 날, 새벽에야 집에 들어온 일을 가리킴

　　용왕제에서 집사 역을 하는 황동수가 우스개처럼 말을 이었다. 아침밥을 먹기도 전 황만근의 아들이 찾아와 황만

근이 집에 돌아오지 않았다고 하길래 얼결에 동네 사람들을 불러 모으는 역할을 하게 된 민 씨는 <u>분위기가 이상하게</u>
　　　　　　　　　　　　　　　　　　　　　　　　　　　　황만근의 안위를 걱정하지 않는 마을 사람들에게서 의아함을 느낌

<u>돌아간다 생각하고 참견을 했다.</u>

　　"어제 궐기 대회* 한다 하고 간 사람이 누구누구십니까. 황만근 씨하고 같이 간 사람은요? 궐기 대회 하는 동안 본

사람은 없나요?"

　　　　　　　　　　　　　　　　　　　　　　　　　　　　　( ): 마을 회의에서 모두 함께 궐기 대회에 참
　　<u>(자리에 모인 대여섯 명의 황씨들은</u> 서로의 얼굴을 마주 보더니 모두 고개를 흔들었다.)　　석하자고 했었지만 정채진 방침대로 한 사
　　　　　같은 성씨끼리 모여 사는 집성촌을 공간적 배경으로 함　　　　　　　　　　　　　　람은 황만근뿐이었음을 알 수 있음

　　"사람이라고 밓밍이나 되나. 군 전체 사람이 모도 모있다는 기 백 밍이 될라나 말라나 한데 <u>반그이는 돼지고기 반</u>
　　　　　　　　　　　　　　　　　　　　　　　　　　　　　　　　　　　'반그이'와 '반근(고기의 무게를 재는 단위)'의 발음이 같은 것을 활용한 언어유희

<u>근만 해서 그런지 안 보이더라칸께.</u>"

　　이장은 계속 빈정거리듯 말을 이었다. 민 씨는 이장이 궐기 대회 전날 황만근을 따로 불러 무슨 말을 건네던 것을

기억해 냈다.

"그제 밤에 내일 궐기 대회 한다고 사람들 모였을 때 이장님이 황만근 씨에게 뭐라고 하셨죠. 모임 끝난 뒤에."

이장은 민 씨를 흘기듯 노려보았다.
민 씨가 황만근의 실종에 대한 책임을 자신에게 묻고 있다고 느꼈기 때문에

"왜, 농민보고 농민 궐기 대회 꼭 나오라 캤는데, 뭐가 잘못됐나."

민 씨는 자신도 모르게 따지는 어조가 되었다.
       이장의 성의 없는 답변에 불만을 갖게 됨

"군 전체가 모두 모여도 몇 명 안 되었다면서요. 그런 자리에 황만근 씨가 꼭 가야 합니까. 아니, 황만근 씨만 가야
                                                                  남들이 가지 않으려는 곳에 어수룩한 황만근을 보낸 의도를 꼬집음

할 이유라도 있습니까. 따로 황만근 씨한테 부탁을 할 정도로."

"이 사람이 뭐라 카는 기라. 이장이 동민한테 농가 부채 탕감 촉구 전국 농민 총궐기 대회가 있다, 꼭 참석해서
                                                   수입개방이 이루어지던 1990년대 농촌 경제의 어려운 현실을 반영함

우리의 입장을 밝히자 카는데 뭐가 잘못됐단 말이라."

"잘못이라는 게 아니고요, 다른 사람들은 다 돌아왔는데 왜 황만근 씨만 못 오고 있나 하는 겁니다."

"내가 아나. 읍에 가 보이 장날이더라고. 보나 마나 어데서 술 처먹고 주질러 앉았을 끼라. 백 리 길을 깅운기를 끌
                                                                        경운기를 끌고 가기에 무리한 거리였음을 알 수 있음

고 갔으이 시간도 마이 걸릴 끼고."

다른 사람들은 말이 없었고 민 씨와 이장만이 공을 주고받는 꼴이 되어 버렸다.
                        추궁하는 민 씨와 항변하는 이장

"글쎄, 그 자리에 꼭 황만근 씨만 경운기를 끌고 갔어야 했느냐 이 말입니다. 그것도 고장 난 경운기를."

"깅운기를 끌고 오라는 기 내 말이라? 투쟁 방침이 그렇다카이. 깅운기도 그렇지, 고장은 무신 고장, 만그이가 그
                        농가 부채 탕감 촉구 총궐기 대회 때 시행하기로 결정된 방침   황만근이 낡은 경운기를 잘 다룸을 알 수 있음

걸 하루이틀 몰았나. 남들이 못 몬다 뿐이지."

"그럼 이장님은 왜 경운기를 안 타고 가고 트럭을 타고 가셨나요. 이장님부터 솔선수범을 해야지 다른 동민들이 따

라 할 텐데, 지금 거꾸로 되었잖습니까."
  모범이 되어야 할 이장은 트럭을 타고 가고, 황만근만 경운기를 타고 간 상황을 가리킴

("내사 민사무소에서 인원 점검하고 다른 이장들하고 의논도 해야 되고 울매나 바쁜 사람인데 깅운기를 타고 언제

가고 말고 자빠졌나. 다른 동네 이장들도 민소 앞에서 모이 가이고 트럭 타고 갔는 거를. 진짜로 깅운기를 끌고 갔으
                                                                    애초에 실천하기 어려운 투쟁 방침이었음

마 군 대회에는 늦어도 한참 늦었지. 군청에 갔는데 비가 와 가이고 온 사람도 및 없더마. 소리마 및 분 지르고 왔지.

군청까지 깅운기를 타고 갈 수나 있던가. 국도에 차들이 미치괘이맨구로 쌩쌩 달리는데 받히만 우얘라고. 다른 동네

서는 자가용으로 간 사람도 쌨어.") ( ): 이장의 비인간적이고 이기적인 면모가 드러나는 부분

"그러니까 국도를 갈 때는 여러 사람이 한꺼번에 경운기를 여러 대 끌고 가자는 거였잖습니까. 시위도 하고 의지도

보여 준다면서요. 허허, 나 참."
  지도자들의 무책임한 태도에 어이없어함.

"아침부터 바쁜 사람 불러내 놓더이, 사람 말을 알아듣도 못하고 엉뚱한 소리만 해 싸. 누구맨구로 반동가리가 났나."
                                                          민 씨를 황만근에 빗대어 모욕함

<u>기어이 민 씨는 버럭 소리를 지르고야 말았다.</u>
이장의 무책임한 태도와 모욕에 분노함 - 이장과의 갈등 고조

"반편은 누가 반편입니까. 이장이니 지도자니 하는 사람들이 모여서 방침을 정했으면 그대로 해야지, 양복 입고 자가용 타고 간 사람은 오고, 방침대로 경운기 타고 간 사람은 오지도 않고, 이게 무슨 경우냐구요."

"이 자슥이 뉘 앞에서 눈까리를 똑바로 뜨고 소리를 뻑뻑 질러 쌓노. <u>도시에서 쫄딱 망해 가이고 귀농을 했시모 얌</u>
도시에서 살다가 망하여 귀농한 민 씨의 처지를 비하하며 이장이 자신의 책임을 회피함
<u>전하게 납작 엎드려 있어도 동네 사람 시키줄까 말까 한데, 뭐라꼬?</u> 내가 만그이 이미냐, 애비냐. 나이 오십 다 된 기어데를 가든동 오든동 지가 알아서 해야지, 목사리 끌고 따라다니까?"

마침 황만근의 어머니가 나오지 않았으면 몸싸움이 났을지도 몰랐다. 민 씨가 막 핏대를 세우며 맞대꾸를 하려는데, <u>도저히 시골의 환갑 노인으로는 보이지 않는, 곱고 여린 외모의 여인</u>이 종종걸음으로 다가와서는 평상 앞에서 어
도저히 사십 대라고 믿기지 않는 노안의 황만근과 대조를 이룸
른들의 눈치를 보며 엉거주춤 서 있는 손자를 붙들고 <u>우는소리를 냈다.</u>
자책을 표현하는 소리

"내가 고딩어를 안 먹는다 캤으마, 이런 일이 없을 낀데. 내가 고딩어를 안 먹는다 캤어도 이런 일이 없을 낀데. 내가 고여히 고딩어를 먹는다 캐 가이고 우리 만그이가, <u>우리 만그이가 고딩어를 사러 갔다가 이래 안 오는구나아.</u>"
황만근이 돌아오지 않는 이유에 대한 어머니의 추측

<u>그래서 사람들은 알게 되었다. 황만근이 경운기를 끌고 간 날 아침, 아침을 차리던 황만근에게 그의 어머니가 고등</u>
황만근이 사라진 것을 두고 옥신각신 하던 중, 황만근의 어머니가 등장하면서 새로운 사실이 밝혀지고, 이를 통해 이장은 황만근의 실종에 대한 민 씨의 추궁에서 벗어나고 책임을 회피하려 함.
<u>어자반이 없으면 밥을 먹지 않겠다고 한 사실을.</u> 이장은 그것 보라는 듯이 "반동가리 반그이가 궐기 대회가 아이고 고딩어 사러 갔구마. 효자 났네, 효자 났어." 하고는 허리를 쭉 폈다. 황재석 씨도 수염을 쓰다듬며 "홀어머니 조석을 지극정성으로 평생 한 끼도 안 빠뜨리고 공궤하니", 암만, 효자는 효자지, <u>천생지 효자라.</u>" 했다. 그 황만근의 아
'하늘이 낳은 효자'의 한문 표현. 마을에서 학식이 가장 높은 황재석의 특징을 드러냄
들인 영호가 덩달아 <u>우는소리를 하는 것이었다.</u>
아버지의 실종에 대한 책임이 자신에게도 있음을 표현함.

"<u>아이라요. 내가 아침에 집으로 오다가 경운기 타고 가는 아부지를 만났는데요, 목욕을 하고 오라 캤거든요.</u> 목욕
황만근이 돌아오지 않는 이유에 대한 아들의 추측
<u>탕에 갔을 끼라요. 그런데 면에 있는 목욕탕에 연락해 봐도 그런 사람은 안 왔다 카고……, 온천에 갔는가 봐요. 온천에 가다가 우째 됐는가도 모르고…….</u>"

사람들은 또한 알게 되었다. 황만근은 전에 없이 전날 밤 그의 아들 방에서 잠을 잤다. 아들은 시험공부 하느라고 친구 집에서 밤을 새우고 아침에 들어오는 길이었다. 길에서 아버지를 만난 아들은 대번에 아버지가 자신의 방에서 잔 사실을 알아차렸다. 아버지가 자신의 점퍼를 입고 있었기 때문이다. <u>그래서 당장 옷을 벗어 내놓으라, 다시는 내</u>
평소 황만근을 대하는 아들의 태도를 짐작할 수 있음
<u>방에 들어오지 말라고 소리쳤고 덧붙여 제발 좀 목욕탕에 가서 씻고 오라고 했던 것이다.</u> 황만근은 그 길로 목욕탕으로 간 것인지도 몰랐다. 아니면 궐기 대회가 열리는 읍의 반대편에 있는 온천에 갔든가.

"내 평생 반그이가 한 번 씻는 걸 못 봤다. 냇가를 가도 샘에를 가도 들어갈 생각을 안 하는구마. 목욕탕에 우째 가는 줄도 모를 낀데 온천이 여게서 어데라고 지가 찾아가노."

황규수가 입을 비틀며 웃었다. 민 씨는 자신이 알고 있는 사실을 말할까 말까 하다가 끝내 입을 열지 못했다. 그 자

민 씨 자신도 황만근의 실종에 일말의 책임을 느끼고 있음

신도 황만근에게 궐기 대회장으로 꼭 가야 한다고 충동질한 사실이 있었다. 술김인지는 몰라도, 당신의 뜻을 많은 사

람이 알아야 한다, 가서 이야기를 하라고 객기™를 부렸던 것이다.

그러는 동안 모든 사람들이 알게 되었다. 황만근이 집으로 돌아오지 않았다. 동네 사람 누구든 하루 이틀, 또는 한

두 달 집을 비울 수도 있지만 그렇다고 그 사실을 모든 사람이 알게 되는 것은 아니다. 그러나 황만근만은 하루밤에

황만근의 특별한 지위

지나지 않았음에도 모든 사람이 그의 부재를 알게 되었다. 그렇지만 누구도 적극적으로 황만근을 찾아 나서려 하지

않았다. 그는 있으나 마나 한 존재이면서 있었고 없어서는 안 되는 존재이면서 지금처럼 없기도 했다. 동네 사람들은

그를 바보라고 했다. 두어 해 전에야 신대 1리로 들어와 황만근의 탄생과 성장, 삶을 처음부터 지켜보지 못한 민 씨만

외부인인 민 씨가 오히려 황만근을 더 제대로 볼 가능성이 있음

은 그렇게 생각하지 않았다.

■ **바리** '마리'의 방언.
■ **용왕제** 마을에서 물을 관장하는 신에게 마을의 평안을 기원하는 제사.
■ **축** 축문(祝文). 제사 때에 읽어 천지(天地)의 신령께 고하는 글.
■ **초하다** 글의 첫 안을 잡다.
■ **궐기 대회** 어떤 문제의 해결책을 촉구하기 위하여 뜻있는 사람

들이 함께 일어나 행동하는 모임.
■ **부채** 남에게 빚을 짐. 또는 그 빚. 제삼자에게 지고 있는 금전상의 의무.
■ **탕감** 빚이나 요금, 세금 따위의 물어야 할 것을 덜어 줌.
■ **민사무소** '면사무소'의 방언(경상).
■ **객기** 즉흥적 감정으로 인하여 쓸데없이 부리는 용기.

확인학습

01 이 글은 민 씨와 이장이라는 인물 간의 대화를 통해 황만근이 실종한 원인을 드러내고 있다. O☐ X☐

02 이 글은 인물의 외양 묘사를 통해 인물의 성격을 보여 주고 있다. O☐ X☐

03 이 글은 여러 인물의 내면을 서술하여 인물들의 다양한 특성을 보여 주고 있다. O☐ X☐

04 민 씨는 IMF로 인해 실패한 도시인으로 귀농한 경우에 해당한다. O☐ X☐

05 농민들은 부채 탕감을 위해 농민 궐기 대회를 열었다. O☐ X☐

06 마을 사람들은 제 때 모이기 위해 자가용이나 트럭, 경운기를 타고 궐기대회에 참가하기로 하였다. O☐ X☐

07 마을 사람들은 황만근이 실종된 것이 자신들의 탓으로 여겨 책임감을 느끼고 있지만 티 내지 않고 있다. O☐ X☐

08 마을 사람들은 방침과는 달리 군 대회에 참석하지 않았다. O☐ X☐

09 황만근의 부재로 인해 마을 사람들이 모두 마을 회관 앞에 모였다. O☐ X☐

10 이장을 제외한 대부분의 마을 사람들은 모두 경운기를 타고 군 대회에 갔다. O☐ X☐

마을에서 젊은 축에 드는 마흔다섯 살의 황영석은 황만근이 벽돌을 찍고 구덩이를 파서 지은 마을 회관 변소에서
_{고령화된 농촌의 현실을 보여 줌}
분뇨[▪]를 퍼내면서 황만근의 부재를 알게 되었다.

"만그이 자석이 있었으마 내가 돈을 백만 원 준다 캐도 이런 일을 안 할 낀데. 아이구, 이 망할 놈의 똥 냄새, 여리[▪]
_{황만근이 그동안 다들 기피하는 궂은일을 해왔음을 실감함.}
가 싸 놔 그런지 독하기도 하네. 이기 곡석[▪]한테 독이 될지 약이 될지도 모르겠구마."

황만근이 있었으면 군말 없이 했을 일이었다. 늘 그렇듯이 벙글벙글 웃으면서.
_{황만근의 겸손하고 성실하며 낙천적인 성품을 알 수 있음}

"만그이가 있었으모 저 거름이 우리 밭으로 올 낀데, 만그이가 도대체 어데 갔노."

(마을 회관 곁 조그만 밭에 채소를 심어 먹는 여씨 노인도 황만근의 부재를 알게 되었다. 황만근은 마을 공통의 분
_{이기적인 황영석과 달리 공평무사한 황만근의 성품}
뇨를, 역시 자신이 판 마을 공통의 분뇨장으로 가져가서 충분히 익힌 뒤에, 공평하게 나누어 주었다. 황영석처럼 제
가 폈다고 바로 제 밭에 가져다가 뿌리지는 않았다. 특히 여씨 노인처럼 일찍 남편을 잃고 혼잣몸이 된 노인들에게
_{사회적 약자에 대한 황만근의 배려심}
는, 알고 그러는지 모르고 그러는지 더 자주 거름을 가져다주었다.) ( ): 부재를 통해 드러나는 황만근의 덕성

"만그이한테 물어보자."

아이들은 소꿉장난을 하다가 황만근의 부재를 알게 되었다. 공평무사한 것이 황만근의 평생의 처사였다. 그에게는
판단 능력이 없는 듯했지만 시비를 물으러 가면, 가노라면 언제나 공평무사한 자연의 이법에 대해 깨우치게 되고 분
_{황만근이 어리석어 보이지만, 공평무사한 자연의 이법을 알고 있음}
쟁은 종식되었다.

또는 물어보나 마나 명약관화한 일을 두고도 황만근을 들먹였다.

"만그이도 알 끼다."

또한 동네에 오래도록 내려오는 노래, 구태여 제목을 붙이자면 '황만근가'를 자신도 모르게 중얼거리게 되면서 사
람들은 황만근이 없다는 사실을 알게 되었다.

[중간 부분 줄거리]
'황만근가'는 황만근의 사연을 담은 짧은 가사의 노래이다. 이 노래에 따르면 황만근은 이름이 만근산에서 유래했고 어렸을 때 잘 넘어졌
으며, 혀가 짧아 발음이 불분명하다. 황만근의 가족은 어머니와 아들 두 사람이다. 황만근의 어머니는 황만근이 배 속에 있을 때 전쟁으로
남편을 여의고 여덟 달 만에 황만근을 낳는데, 예전이나 지금이나 가사를 돌볼 줄 모른다. 황만근은 우연히 물에 빠져 죽으려던 여자를 구
해 주고 함께 살게 되었는데, 여자는 황만근에게 경운기를 사 주고 같이 산 지 일곱 달 만에 아들을 낳은 다음 사라져 버린다.

황만근의 어머니와 아들, 조손은 입맛이 까다로워 비린 반찬이 없으면 먹지를 않는가 하면 비린 반찬이 있으면 밥
상머리에서 돌아앉았다. 한 끼에 두 번 상을 차리는 일이 예사였다. 어머니 한 상, 아들 한 상이었고 본인은 상이 없이
_{맛이 까다로운 어머니와 아들 때문에 상을 두 번씩 차리는 수고로움을 개의치 않으면 서도 정작 황만근 자신은 상 없이 밥을 먹음. → 황만근의 착한 심성과 배려심이 드러남}

먹었다. 황만근은 하루 일이 끝나면 반드시 경운기에 고기를 매달고 집으로 돌아왔다. 일을 하는 동안 논 주변에서 잡은 붕어나 메기, 미꾸라지, 혹은 메뚜기, 방아깨비라도 짚에 꿰어 들어왔다. 동네에서 이따금 잡는 소나 돼지, 개,
황만근이 고기 반찬을 조달하는 여러 가지 방법
닭, 오리, 토끼 같은 가축 모두 숨을 끊는 것에서부터 내장을 손질하고 뼈에서 살을 발라내는 포정(庖丁)의 업(業)에는 황만근이 반드시 필요했다. 스스로의 필요에 의해 오래도록 자주 하다 보니 어느새 전문가가 된 것이었다. 그는
가축을 잡는 일을 해 주고 고기를 얻어 가족에게 먹이는 것
그런 일을 해 주고 얻어 온 고기를 뜨고 굽고 찌고 데치고 삶고 끓이는 데도 이골이 났다. 어쩌다 그가 만든 음식에 숟가락을 대 본 사람은 이구동성으로 감탄을 하게 마련이었다. 그러고 나서는 남녀노소를 막론하고 "희한할세, 바보
황만근이 바보라는 편견을 가진 사람들을 놀라게 하는 탁월한 음식 맛에 대한 감탄의 표현
가." 하는 말을 덧붙이는 것을 잊지 않았다. 그는 만들어져 있는 조미료를 몰랐지만 재료가 가지고 있는 맛을 흠뻑 우
자연 그대로의 맛을 살릴 줄 앎
려내어 조화를 시킬 줄 알았다.

황만근은 또한 책에 나오는 예(禮)는 몰라도 염습과 산역(山役) 같이 남이 꺼리는 일에는 누구보다 앞장을 섰고 동
염습이나 산역은 모두 장례 의식과 관련된 절차로 힘들고 꺼림칙한 일이기 때문에 마을 사람들은 나서서 하기를 싫어했으나
네 사람들도 서슴없이 그에게 그런 일을 맡겼다. 똥구덩이를 파고 우리를 짓고 벽돌을 찍는 일 또한 황만근이 동네
황만근만은 이런 일들도 기꺼이 했으며 마을 사람들도 황만근에게 '서슴없이' 떠맡겼을 것. → 마을의 궂은일을 도맡아 했던 황만근의 처지와 그에 대한 마을 사람들의 이기적인 면모를 보여 줌.
사람 누구보다 많이 했다. 마을 길 풀 깎기, 도랑 청소, 공동 우물 청소 …… 용왕제에 쓸 돼지를 산 채로 묶어서 내다가 싫다고 요동질하는 돼지에게 때때옷을 입히는, 세계적으로 유례가 드문 일에는 그가 최고의 전문가였다. 동네의 일, 남의 일, 궂은일에는 언제나 그가 있었다. 그런 일에 대한 대가는 없거나(동네 일인 경우), 반값이거나(다른
황만근의 이타적인 성격
사람의 농사일을 하는 경우), 제값이면(경운기와 함께 하는 경우) 공치사가 따랐다.

"반근아, 너는 우리 동네 아이고 어데 인정 없는 대처 읍내 같은 데 갔으마 진작에 굶어 죽어도 죽었다. 암만 바보
라도 고마와할 줄 알아야 사람이다. 아나 어른이나 너한테는 다 고마운 사람인께 상 찡그리지 말고 인사 잘하고 다니
황만근의 수고를 고마워하지 않고 거꾸로 합리화함
라. 아이?"

황만근은 황재석 씨의 이런 긴 사설을 들을 때조차 벙글거렸다. 일이 끝나면 굽신굽신 인사를 했다. 춤을 추듯이,
타인에 대한 일체의 원망이나 의심을 하지 않는 천진난만한 성격
흥겹게.

그의 집에는 그가 수십 년 동안 만져 온 연장이 그가 아니면 이해할 수 없는 순서로 잘 정리되어 있었다. 그 연장들
여낭이나 경운기 등 주변 사물도 가족처럼 돌보는 황만근의 정성스럽고 살뜰한 성품을 보여 줌
역시 그의 집이나 어머니나 아들과 마찬가지로 그가 매일 돌보는 덕분에 윤기가 흘렀다. 그는 집에 있는 모든 것을 일목요연하게 잘 알고 있어서 대부분의 고장은 스스로 고쳤다. 특히 경운기는 초기에 나온 모델로 지금은 부품도 제대로 없는 고물 중의 고물이었지만 자주 망가지는 수레만 열 번 넘게 갈았을 뿐, 엔진이 달려 있는 앞부분은 계속 고쳐 썼다. 그의 경운기는 구식인 데다 하도 고친 데가 많아서 그가 아니면 운전은커녕 시동조차 걸 수 없었다.

다만 황만근은 술을 좋아했는데 가난한 까닭에 자주 취하게 마실 수는 없었다. 어쩌다 동네에 애경사가 있어 술을
황만근의 유일한 결함으로, 그의 죽음과도 연관됨
공짜로 마실 기회가 생기면 반드시 고꾸라지도록 마셨다. 고꾸라진 그를 떠메어 집에 데려다 뉘어 줄 사람이 없었던

까닭에, 동네 사람들이 몰인정하고 야박해서가 아니라 그런 일이 한두 번도 아니고 태어나서 한 번도 제대로 씻지 않은 몸에서 풍기는 야릇하고 기이한 냄새가 남의 옷이나 몸에 배면 솥에 넣고 삶아도 쉽게 가시지 않는다는 평판이 있어서 떠메기를 싫어했다. 마당이나 길섶▪을 가리지 않고 누워서 잠을 잤다. 겨울에 애경사가 생기면 길에서 얼어 죽

생명에 위험이 될 수도 있는 황만근의 술버릇

을지도 몰라 아예 그를 부르지도 않았다. 그렇지만 그는 어떻게 알았는지는 몰라도 어김없이 그런 자리에 나타나 탄압과 만류▪를 무릅쓰고 반드시 고꾸라지도록 마셨으며 역시 취해서 마당에 쓰러졌다. 그래서 황만근의 아들은 철이

술을 한꺼번에 지나치게 마심(폭음)

들면서부터 겨울이 되면 취한 아버지를 부축하고 집에 데려오는 게 일이 되었다. 얼마나 그런 일이 잦아 단련이 되었

겨울에 폭음을 하고 인사불성이 된 아버지를 집으로 모셔 오는 일이 아들에게 일상화되었음을 보여 주는 장면. 이때 점층적인 과장의 방식으로 웃음을 터뜨리게 하는 표현이 사용되었는데, 이는 작가의

는지 중학생이 되자 벌써 아버지를 업을 정도였고 고등학생이 되어서는 발로 차며 올 수도 있게 되었다.

소설이 지닌 재미 가운데 하나임.

민 씨는 어느 겨울날 신대 2리의 환갑잔치에 갔다가 얻어 마신 낮술에 취해 일찍 집에 돌아왔다. 잠깐 잠이 들었다 깨니 어느새 밤의 어스름이 장년의 머리에 내린 서리처럼 서럽게 내려와 있었다. 느닷없이 찾아든 정한(情恨)에 힘이 빠진 민 씨는 눈을 감은 채 누워 있었다. 그때 벽 하나를 두고 길에 맞닿은 방에서 들려오는 소리가 있어서 민 씨는 무심히 귀를 기울이게 되었다.

"아부지야, 인마, 퍼뜩 일나라."

변성기에 들어선 소년의 목소리였다.

황만근의 아들

"쪼매만 더 앉아 있자. 내 니 엄마를 꿈에서 보다 말았다 안 카나."

떠나간 부인에 대한 순정을 지니고 있음

그것은 마흔을 넘긴 사내의 어리광 같았다.

"너는 우째 맨날 술을 처먹고 내 속을 썩이나. 너 때문에 내가 학교 공부도 못 하겠고 인생도 싫고 고마 밥맛이

폭음하는 아버지를 수치스러워하는 사춘기의 아들

없다."

"아이고, 우리 아들, 아들님, 내 잘못했다. 한 분만 봐 조라."

"니가 자꾸 이렇게 비겁하게 나오기 때문에 동네 아들도 너를 무시하는 거 아이가. 제발 체면 좀 지키라. 시염(수염)만 어른인가. 내가 챙피해 죽겠다."

"체면이 뭐가 문제라. 사람이 지 손으로 일하고 지 손으로 농사지어서 지 입에 밥 들어가마 그마이지. 남 쳐다볼

남들 눈치 볼 것 없이 자기 일에 충실하면 된다는 황만근의 성실하고 올곧은 생각이 드러남

기 뭐 있노. 하이고, 그란데 와 자꾸 눈이 깜기까."

"니 자꾸 이카마 할매한테 일라 준다. 할매 부르까, 엉?"

"하이고, 제가 고마 크게 잘못했십니다. 아들님요, 일나께요. 제발 어무이만 부르지 마소."

그리고 벽에 쿵쿵하고 머리를 부딪는 소리가 나더니 부자가 이인삼각으로 비틀거리며 집으로 돌아가는 듯했다. 민 씨는 그때 동네에 들어온 지 얼마 되지 않았던 터라 그 부자가 삼강오륜▪을 모르는 별종인가 아니면 도깨비가 장

윤리개념(삼강오륜)이 없이 아버지를 함부로 대하는 듯한 황만근의 아들의 태도에 놀람

난을 한 건가 하면서도 터져 나오는 웃음을 참을 수 없었다. 그 뒤 어쩌다 민 씨가 소년과 만나게 되었을 때, 민 씨는 그날의 일을 떠올리며 소년에게 이것저것 물어보았지만 그저 수줍고 평범한 시골 중학생일 뿐이었다. 하여튼 민 씨는 그 일 이후로 그 부자를 눈여겨보게 되었다.

　황만근의 주량은 실로 컸다. 그는 경운기 짐칸에 늘 한 말짜리 술통을 끈으로 묶어 싣고 다녔다. 그는 어머니와 아들의 끼니를 지극정성으로 해다 바치는 것처럼 술통에는 늘 술을 채워 두었다. 그는 밥을 먹기 전에 지름이 자신의 얼굴만 한 양은그릇에 막걸리를 한 양푼﹡ 부어 반을 마시고 밥을 먹은 뒤에 나머지를 소리도 맛있게 마지막 한 방울까지 마셨다. 들일을 나가는 날이면 점심으로 라면 하나를 가지고 갔다. 봉지를 뜯기 전에 막걸리 반 양푼, 봉지를 뜯어 물을 붓고 흔든 생라면을 삼키다시피 먹고 나서 다시 반 양푼, 저녁때는 식구들이 밥을 먹는 동안 마루에 앉아 한 양푼이었다. <u>그것이 그의 저녁이었다.</u> 식구들이 밥상을 물리면 설거지를 하고 난 뒤에, 동네 남정네들이 어디서 술판을 벌이는지 마을 회관을 비롯해서 동네를 돌며 <u>커다란 코와 귀로 주의 깊게 살피다가</u> 그런 자리를 발견하면 그의 주량은 고꾸라질 때까지 무량이 되는 것이었다. 그러나 다음 날 새벽이면 그는 부엌에서 정성껏 차린 밥상을 어김없이 방으로 들여보내는 것이었고 자신은 마루에 앉아 막걸리 반 양푼 뒤 식사, 그리고 반 양푼의 순서를 이어 가는 것이었다.

(주석: 황만근을 챙겨 주는 사람이 아무도 없었음 / 술이 거의 유일한 황만근의 개인적 관심사임)

- **분뇨** 분(糞)과 요(尿)를 아울러 이르는 말. '똥오줌'으로 순화.
- **여리** '여럿이'의 방언(경상).
- **곡석** '곡식'의 방언(강원, 경상, 전남).
- **조석** 아침밥과 저녁밥을 아울러 이르는 말. 조석반(朝夕飯).
- **공궤하다** 음식을 주다.
- **포정** 소나 개, 돼지 따위를 잡는 일을 직업으로 하는 사람.
- **염습** 시신을 씻긴 뒤 수의를 갈아입히고 베로 묶는 일.
- **산역** 시체를 묻고 뫼를 만들거나 이장하는 일.
- **애경사** 슬픈 일과 경사스러운 일을 아울러 이르는 말.
- **길섶** 길의 가장자리. 흔히 풀이 나 있는 곳을 가리킨다.
- **만류** 붙들고 못 하게 말림.
- **삼강오륜** 유교의 도덕에서 기본이 되는 세 가지의 강령과 지켜야 할 다섯 가지의 도리. 여기서는 '기본적인 도덕'을 뜻함.
- **양푼** 음식을 담거나 데우는 데에 쓰는 넓고 큰 놋그릇.

확인학습

01 이 글은 과거 회상을 통해 사건이 일어나게 된 계기를 보여 주고 있다. ○☐ ×☐

02 이 글은 액자 구조를 통해 상이한 이야기가 갖는 유사한 의미를 강조하고 있다. ○☐ ×☐

03 황만근이 마을의 모든 궂은일을 다 했기 때문에 마을 사람들은 하루만에 황만근의 실종을 모두 알게 된다. ○☐ ×☐

04 황만근은 어려운 이웃을 먼저 살피는 덕성과 시비를 가리는 공평무사함이 있었다. ○☐ ×☐

05 가족을 위해 밥상을 두 번 차리고 노력하는 모습과 마을 사람을 위해 어려운 일, 궂은일을 도맡는 것에서 황만근의 심성과 배려심을 알 수 있다. ○☐ ×☐

06 황만근의 아들이 아버지인 황만근에게 반말을 하며 서슴없이 대하는 모습을 통해 부자가 허물없이 지내는 것을 알 수 있다. ○☐ ×☐

07 황만근은 마을 공통의 분뇨를 퍼서 바로 자기 밭에 뿌려 농사를 지었다. ○☐ ×☐

08 황영석은 황만근이 있을 때에도 분뇨를 퍼서 자신의 논밭에 거름을 주었다. ○☐ ×☐

09 황만근의 어머니와 아들은 모자라는 황만근을 위해 모든 집안일을 하며 황만근을 돌보았다. ○☐ ×☐

그러던 어느 날, '농가 부채 해결을 위한 전국 농민 총궐기 대회'가 열린다고 이장이 방송을 해서 저녁에 마을 회관
<u>농만근은 농가 부채와 직접 관련이 없으나 술을 좋아하여 마을 회관 회의에 참석하게 되고 이로 인해 다음날 군청에까지 가게 됨</u>

에 사람들이 모였다. 황만근은 누구보다 먼저 나타났고 이장이 시키는 대로 마을 구판장*에서 막걸리를 받아 왔다.

스테인리스 물 잔이 두어 개밖에 없어서 한 사람이 마시면 다음 사람이 받고 하는 식의 술자리였다. 황만근은 자신의

차례가 되면 번개처럼 잔을 들어 마시고는 눈을 끔벅거리면서 잔이 도는 것을 쳐다보고 있었다. 황만근의 관심은 오

로지 잔이 언제 돌아올까 하는 것뿐인 듯했다. 그래도 잔이 도는 속도는 너무 느렸다. 민 씨에게는 좀 빠른 듯했지만.

("그래서 우리 동네서도 군청 앞에서 열리는 대회에 전원 참가를 해야겠다, 이 말이라. 집에 돌아가거들랑 경운기를

깨끗이 손질해 가지고 내일 아침에 민소 앞까정 끌고 와서 집합을 하라는 기 행동 지침이라. 그래 가이고 군청까지
<u>아침에 면사무소 앞으로 가려면 새벽에 집을 나서야 함</u>

가는 국도로 깅운기로 길기 행진을 하민서 우리의 결의를 행동으로 보이 주는 기라.") ( ): '농민 총궐기 대회'의 방침에 대해 설명하며 동네 사
람들의 참여를 독려하는 이장의 발언으로, 대회 방
침에 따르면 농민들은 경운기를 몰고 면사무소 앞까
지 집합해야 함. 많은 경운기가 군청까지 국도로 행
진함으로써 단체 행동을 하자는 것이었으나, 결과적
으로 경운기를 몰고 나간 사람은 황만근뿐임.

"경운기가 없는 사람은 어쩌나요?"

민 씨가 물었다.

"농사짓는 사람이 깅운기도 없다 하마 농사꾼이 아니지럴. 그랜께 민 씨는 농사짓는 기 아이라. 비니루하우스 안에

꽃 및 송이 심가 놓고 우째 농사를 짓는다 카나."

"어디 고장 난 경운기는 없어요? 경운기가 꼭 있어야 합니까."

무안해진 민 씨는 둘러보며 물었다. 새마을 지도자인 황철석이 대답했다.

"말이 그렇다는 기지, 민소까지는 깅운기를 끌고 가든동 버스를 타고 가든동 하고, 그 담에는 깅운기를 같이 타마

되지, 까잇 거. 그란데 민 씨는 진짜 농사꾼도 아이민서 왜 자꾸 농민 궐기 대회에 나갈라꼬 캐싸."

"아아, 저도 부채는 남부럽지 않게 있어요."

또래인 황학수가 말을 이어 받았다.

"농사를 지도 부채, 농사를 몰라도 부채. 아이고, 그라마 우리를 다 합치 가이고 <u>부채 말고 선풍기를 해도 되겠네.</u>"
<u>동음이의어(부채)를 활용한 언어유희</u>

그날 분위기는 그렇게 무겁지 않았다. 그렇다고 시시덕거리며 끝낼 정도로 가벼운 것도 아니었다. 그 자리에 있는

사람 가운데서도 농협에서 융자금*상환*을 하지 않는다고 소송을 해서 법원에 불려 다니는 사람이 두셋 되었다. 스

스로 진 빚도 문제였지만 서로 연대 보증*을 서는 바람에 한 가구가 파산하면 보증을 선 사람 역시 연쇄적으로 파산

하는 일이 드물지 않았다. 그래서 <u>어떤 동네 전체가 야반도주*를 하는 일까지 벌어졌다는 소문도 돌고 있었다.</u>
<u>농가의 부채 상환 능력 부족 및 연대 보증 제도의 문제점으로 인한 농촌의 고통</u>

"이런 거 한다고 뭐 높은 데 사는 양반들한테 들리기나 하겠나. 질국 다 뺏기고 나앉는 거 아니요."

"뺏아 봤자 저들한테도 남는 기 없을 낀데. 암만 빌빌하는 닭이라도 닭 모가지를 비틀만 인제는 <u>계란 한 개도 없을</u>
우리나라 농업의 붕괴를 나타냄
<u>낀데.</u> 전부 다 손해라."

<u>"전부가 아이지. 가들은 계란도 수입해다 먹으마 된께 우리사 죽어서 죽이 되든가 말든가 가들은 까딱마이지."</u>
'높은 데 사는 양반들'을 비판하는 말. 농촌이 붕괴되어도 농산물을 수입해 오면 된다고 생각하는 그들의 인식을 비판함

이장의 통고를 듣고 우울한 농담을 주고받은 뒤 한동안 말없이 술잔을 돌린 다음 자리는 끝났다. 마을 회관에서 술잔이 오간 뒤, 항용 있는 노래방 타령도 없었다. 그럴 분위기가 아니었다. 황만근은 그 와중에서 남의 술잔을 가로채 먹다 여러 번 손등을 맞아 가며 핀잔을 들었다.

마을 회관 밖, 어둠 속에서 오줌을 누던 민 씨는 우연히 이장이 황만근을 붙들고 무슨 이야기를 하는 걸 보게 되었다.

"내 이러키까지 말을 해도 소양*이 없어. 보나 마나 내일, 융자 받아서 <u>다방이나 댕기민서 학수걸이 겉농사 짓는</u>
농민을 위한 자금 융자를 받았으나 성실하게 농사에 임하지 않는
놈들이나 및 올까. 만그이 자네겉이 똑 부러지기 농사짓는 사람은 하나도 안 올 끼라. 자네가 앞장을 서야 되네. 자네
황만근을 따로 불러 이장이 한 이야기로, 이장은 경운기를 끌고 가야 하는 위험하고 힘든 일에 황만근을 앞세우려 하고 있음
<u>경운기 겉은 헌 깅운기에다 농사짓는 놈 다 직이라고 써 붙이 달고 가야 된께……."</u>

민 씨가 <u>헛기침</u>을 하자 이장의 이야기는 거기서 끝났다. 황만근이 약간 앞서고 민 씨가 뒤를 따르면서 두 사람은
인기척을 내거나 목청을 가다듬거나 하기위해 일부러 기침함
한동안 걷게 되었다. 그날따라 하늘에는 별이 초롱초롱했고 아직 차가운 봄바람이 술로 달아오른 얼굴의 열기를 금방 씻어 갔다. 민 씨는 무슨 말을 꺼낼까 말까 망설였다. 이제까지 늘 여러 사람이 있는 데서만 만났지 한 번도 황만근과 단둘이서만 제대로 이야기를 해 본 적이 없는 탓도 있었다. 그런데 황만근이 먼저 입을 열었다.

"참 똘똘하기 잘도 돈다."

"뭐가 말씀입니까."

민 씨는 조심스럽게 되물었다.

"저 빌(별)들 말이라. <u>시계맨쭈로 하루도 쉬지 않고 똑딱똑딱 나왔다가 들어갔다, 나왔다가 들어갔다 하지 않는기</u>
자연의 이치에 대한 깨달음이 담긴 말
<u>요."</u>

황만근에 대해서는 부지런한 술주정뱅이 이상으로는 아는 게 없었던 민 씨는 <u>조금 어리둥절했다.</u> 그러다가 그에게
바보로 알고 있던 이가 할 법하지 않은 말을 들었기 때문
알맞을 것 같은 물음을 찾아냈다.

"군청까지는 얼마나 걸릴까요. 경운기로 가면 말입니다."

"한나절은 걸릴 끼라."

"경운기 운전을 잘하신다면서요."

"동네에서는 내가 젤 오래 했응께. 깅운기도 마이 늙었어. 고집이 시 가이고 나 아이만 발동도 안 걸리. 내가 제 똥창까지 환하게 안께 말을 듣는 기라."

"…… 내일 궐기 대회에 가십니까."

"내사 뭐 어머이 밥도 끓이 디리야 되고…… 모르겠소. 구장은 나 겉은 상농사꾼이 꼭 가야 된다 카는데."

_{이장의 권유를 받고 망설이고 있음을 알 수 있음}

"어머니 연세가 얼마나 되시죠?"

"올개가 환갑인데."

(그제야 민 씨는 그를 다시 보았다. 도시의 육십 대는 되어 보이는 주름진 얼굴, 싱글벙글하는 표정, 멋대로 뻗친 흰머리, 거칠고 큰 손, 굽은 어깨를. 민 씨는 갑자기 재미있어졌다.)

_{황만근의 외양 묘사}

_{( ): 민 씨는 황만근과 단둘이 이야기를 나누면서 그의 외모를 유심히 살펴보고, 힘든 농사일로 실제 나이보다 더 들어 보이는 황만근의 외모를 보면서 새삼 황만근이라는 인물에 대해 흥미를 느낌.}

"혹시 술이 모자라시면 제 집으로 가실랍니까. 집에 먹다 남은 소주가 있는데요. 안주는 없고."

황만근은 그럴 줄 알았다는 듯이 엉덩이를 가볍게 돌려대더니 민 씨의 집으로 가는 곳으로 꺾어 들었다.

- **구판장** 조합 따위에서, 생활용품 등을 공동으로 사들여 조합원에게 싸게 파는 곳.
- **융자금** 금융 기관에서 융통하는 돈.
- **상환** 갚거나 돌려줌.
- **연대 보증** 보증인이 채무자와 연대하여 채무를 이행할 것을 약속하는 보증.
- **야반도주(夜半逃走)** 남의 눈을 피하여 한밤중에 도망함.
- **소양** '소용'의 방언(경상).

확인학습

01 황만근은 사람들이 빚 때문에 무리하게 일을 벌인다고 생각한다. O☐ X☐

02 황만근은 정부가 쉽게 돈을 빌려주기 때문에 사람들이 빚을 쉽게 생각하고 이로 인해 빚에 시달린다고 보았다. O☐ X☐

03 황만근은 제 돈으로 하지 않은 설비 투자 등의 일을 벌이는 것은 노름이나 다를 바 없다고 보았다. O☐ X☐

04 황만근은 과거의 소를 마을에서 빌려 가며 사용했듯이 자신이 사용하지 않을 때에는 기계를 다른 사람에게 빌려주면 된다고 보았다. O☐ X☐

05 황만근은 농민들이 자신이나 가족이 먹을 것이 아니기 때문에 외양에만 치중하여 몸에 해로운 농약이나 나쁜 비료를 사용한다고 보았다. O☐ X☐

다음 날 새벽, 민 씨는 새벽녘에 잠깐 동네 어귀에서 탈탈거리는 경운기 소리를 들었다. 탁, 탁, 탁…… 시동이 잘
<u>아침까지 면소에 모이기 위해 출발해야 하는 시간</u>   <u>시동이 잘 걸리지 않는 황만근의 경운기임을 알 수 있음</u>

걸리지 않는 모양이었다. 타닥, 닥, 타닥, 탁, 탁, 탈, 탈, 탈, 탈, 탈탈탈탈…… 그 뒤에도 궐기 대회 가는 집마다 경

운기를 끌고 나오려면 온 동네가 시끄럽겠다고 생각했지만 웬일인지 다른 경운기 소리는 더 이상 들려오지 않았다.
                                                                          <u>황만근만 경운기를 끌고 갔음을 암시함</u>

경운기 소리가 아득히 멀어져 가는 소리를 들으며 민 씨는 까무룩 잠이 들었다.

　(전날 밤, 분명 꿈은 아니었다. 민 씨는 황만근의 말을 이렇게 들었다.
　( ) : 민 씨가 전날 황만근에게서 들은 말이 직접 인용되거나 민 씨의 기억과 해
　　석에 따라 정리된 부분. 황만근의 식견과 소신이 놀라우며, 민 씨는 결말부
　　의 묘비명에서 황만근의 신지가 말년에 돌아온 것으로 풀이함

　"농사꾼은 빚을 지마 안 된다 카이."

　(한번 빚을 지면 그 빚을 갚으려고 무리하게 일을 벌인다. 동네 곳곳에 텅 빈 우사(牛舍), 마른 똥만 뒹구는 축사,
                                                          <u>융자금을 활용한 과도한 시설 투자</u>

잡초만 무성한 비닐하우스를 보라. 농어민 복지, 소득 향상, 생활 개선? 다 좋다. 그걸 제 돈으로 해야 한다. 제 돈으

로 하지 않으면 그건 노름이나 다를 바 없다. 빚은 만근산의 눈덩이, 처마의 고드름처럼 자꾸 커진다.))

　"기계화 영농 카더이마 집집마다 바퀴 달린 기계가 및이나 되나. 깅운기, 트랙터, 콤바인˙, 이앙기˙, 거다 탈곡기,
<u>기계를 사용하여 농업 생산성을 높이려는 의도로 시행한 정부의 농업 정책</u>   <u>빚을 저서 불필요하게 많은 농업 기계를 구입함</u>

건조기에 …… 다 빚으로 산 기라. 농사지 봐야 그 빚 갚느라고 정신없다."

　(한 집에서 일 년에 한 번 쓰는 이앙기를 들여놓으면 그게 일 년 내내 돌아가던가. 놀 때는 다른 집에 빌려주면 된
                              <u>과거와 달리 지원이나 설비가 효율적으로 활용되지 않는 풍조 → 상부상조의 풍습이 사라진 농촌 현실</u>

다. 옛날에는 소를 그렇게 썼다. 그런데 지금은 그렇게 하지 않는다. 서로 도와 가면서 농사짓던 건 옛날 말이다. 한

집에서 기계를 놀리면서도 안 빌려주면 옆집에서는 화가 나서라도 산다. 어차피 빚으로 사는데 사기가 어려울까. 기

계에 들어가는 기름은 면세유(免稅油)˙다. 면세유 가지고 기계를 다 돌리기는 힘들다. 옆집에는 경운기가 두 댄데 면

세유는 한 대분밖에 나오지 않는다. 경운기가 왜 두 대씩 필요할까. 한 사람이 한꺼번에 두 대를 모는 것도 아닌데.)

　"그런 기 다 쌀값에 언차진다(얹어진다). 언차져야 하는데 사실로는 수매하마˙ 먹고살기 간당간당한 돈을 준다. 그
         <u>농가마다 들여 놓은 농기계 구입비는 쌀값을 더 받는 것으로 메워지지 않는데, 이는 저가로 쌀을 일괄 사들이는 정부의 추곡 수매 정책과 관련됨</u>

대신에 빚을 준다. 자금을 대 준다 카는데 둘 다 안 했으마 좋겠다. 둘 다 농사꾼을 바보 멍텅구리로 만든다."

　(따라서 제대로 된 농사꾼이 점점 없어진다.)

　"지 입에 들어갈 양석(양식), 곡석을 짓는 사람이 그 고마운 곡석, 양석한테 장난치겠나. 저도 남도 해로운 농약 뿌
                              <u>농약과 비료 사용에 대한 비판적 인식</u>

리고 비싸고 나쁜 비료 쳐서 보기만 좋은 열매를 뺏으마 그마이가?"

　(모두 빚을 갚기 위해 그러는 것이다. 그러므로 빚을 제 주머니에서 아들 용돈 주듯이 내주는 사람, 기관은 다 농사
                                        <u>농촌에 융자를 쉽게 제공하여 농촌 문제를 해결하려 한 정부의 정책에 대한 비판</u>

꾼을 나쁘게 만든다. 정책 자금, 선심 자금, 농어촌 구조 개선 자금, 주택 개량 자금, 무슨 무슨 자금 해서 빌려줄 때

는 인심 좋게 빌려주는 척하더니 이제 와서 그 자금이 상환 능력도 없는 사람들을 파산 지경으로 몰아넣고 있다. 이

제 와서 그 빚을 못 갚겠다고 하는데 거기에는 충분한 이유가 있다.)

　"내가 왜 안 졌니야고. 아무도 나한테 빚 준다고 안 캐. 바보라고 아무도 보증 서라는 이야기도 안 했다. 나는 내
                                        <u>바보라는 이유로 융자 대상에서 제외되어 오히려 자력으로 농사를 짓게 됨</u>

짓고 싶은 대로 농사지민서 안 망하고 백 년을 살 끼라."

일주일 뒤에 황만근은 돌아왔다. 그의 아들이 그를 안고 돌아왔다. 한 항아리밖에 안 되는 그의 뼈를 담고 돌아왔
_{이야기의 발단이 되었던 황만근 실종 사건의 결말 – 점층적인 문장이 황만근의 죽음을 분명하면서도 엄숙하게 드러냄}

다. 경운기도 돌아왔다. 수레는 떼어 내고 머리 부분만 트럭에 실려 돌아왔다. 황만근 아니면 그 누구도 작동시킬 수

없는 그 머리가, 바보처럼 주인을 태우지 않고 돌아왔다.

( ): 서술자가 전통적인 묘비명의 양식을 차용해 황만근의 일생을 총정리하며 평
가하고 있는 부분. 서술자는 황만근이 존경받을 만한 훌륭한 삶을 살았다고
평가하고 있으며, '황 선생'이라는 존칭을 사용하고 있음.

(황만근, 황 선생은 어리석게 태어났는지는 모르지만 해가 가며 차츰 신지(神智)가 돌아왔다.) 하늘이 착한 사람을
_{묘비명의 양식에서 인물의 높이는 표현 / 말년의 황만근이 민 씨에게 보인 지혜로운 언행에 대한 해석}

따뜻이 덮어 주고 땅이 은혜롭게 부리를 대어 알껍질을 까 주었다. 그리하여 후년에는 그 누구보다 지혜로웠다. 그는

누구에게도 해를 끼치지 않았듯 그 지혜로 어떤 수고로운 가르침도 함부로 남기지 않았다. 스스로 땅의 자손을 자처
_{사람들이 황만근의 지혜를 알아보지 못한 이유}

하여 늘 부지런하고 근면하였다. 사람들이 빚만 남는 농사에 공연히 뼈를 상한다고 하였으나 개의치 아니하였다. 사
_{황만근의 이타적이고 성실한 삶에 대한 요약}

람 사이에 어려움이 있으면 언제나 함께하였고 공에는 자신보다 남을 내세워 뒷사람을 놀라게 했다. 하늘이 내린 효

자로서 평생 어머니 봉양을 극진히 했다. 아들에게는 따뜻하고 이해심 많은 아버지였고 훈육을 할 때는 알아듣기 쉽

게 하여 마음으로 감복시켰다.

선생은 천성이 술을 좋아하였는데 사람들은 선생이 가난한 것은 술 때문이라고 했다. 선생은 어느 농사꾼보다 부

지런했고 농사일에도 익어 있었다. 문중 땅과 나이가 들어 농사가 힘에 부친 사람의 땅을 빌려 농사를 지었다. 농사

를 짓되 땅에서 억지로 빼앗지 않고 남으면 술을 빚어 가벼운 기운은 하늘에 바치고 무거운 기운은 땅에 돌려주었다.
_{농약이나 비료를 써서 무리하게 소출을 늘리려 하지 않음}

그러므로 선생은 술로써 망한 것이 아니라 술의 물감으로 인생을 그려 나간 것이다. 선생이 마시는 막걸리는 밥이면
_{황만근이 마신 술에 대한 긍정적 재해설}

서 사직(社稷)의 신에게 바치는 헌주였다. 힘의 근원이고 낙천(樂天)의 뼈였다.

(전일에, 선생은 경운기를 끌고 면 소재지로 갔지만 경운기를 타고 온 사람이 없어 같이 갈 사람을 만나지 못했다.
( ): 황만근이 경운기를 몰고 농민 궐기 대회에 갔다가 돌아오는 길에 사고로 죽게 된 경위가 나타남

선생은 다시 경운기를 끌고 백 리 길을 달려 약속 장소인 군청까지 갔다. 가는 동안 선생은 여러 번 차에 부딪힐 뻔했

다. 마른 봄바람에 섞인 먼지가 눈을 괴롭혔다. 날은 흐렸고 추웠다. 이윽고 비가 내리기 시작했다. 경운기에는 비를
_{악조건 속에서도 약속을 지키는 황만근의 우직함}

피할 만한 덮개가 없어서 선생은 뼛속까지 젖어 드는 추위에 몸을 떨었다. 선생이 군청 앞까지 갔을 때 이미 대회는
_{궂은 날씨로 인해 군청까지의 운행이 순조롭지 못했음을 알 수 있음}

끝나고 아무도 없었다. 어머니에게 가져다줄 생선을 사고 몸을 녹인 선생은 날이 어두워 오는 줄도 모르고 경운기에

올라 집으로 향했다. 경운기에는 빠르게 달리는 차량의 주의를 끌 만한 표지가 없어서 선생은 몇 번이나 사고를 당할

뻔했다. 그때마다 멈추었다가 다시 출발하는 바람에 시간은 점점 늦어졌다. 어두워지면서 경운기는 길옆의 논으로
_{경운기 사고가 남}

떨어졌고 수레는 부서졌다. 결국 선생은 그 밤 안으로 집에 돌아갈 수 없다는 걸 알았다. 선생은 경운기에 실려 있는
_{경운기 짐칸에 실려 있던 막걸리 한 말}

땅의 젖에 취하여 경운기 옆에 앉아 경운기를 지켰다. 그러나 경운기는 선생을 지켜 주지 않았다. 추위와 졸음으로부
_{황만근이 추위 속에서 술을 마시고 잠들었다가 동사했음을 알 수 있음}

터 선생을 지켜 주지 못했다.) 아아, 선생이 좀 더 살았더라면 난세의 혹염에 그늘의 덕을 널리 베푸는 큰 나무가 되
<sub>뜨거운 더위를 식혀 주는 시원한 나무 그늘에 황만근의 덕을 비유한 구절. 글쓴이는 겸손하고 욕심이 없으며 자신보다
남을 먼저 생각하는 삶을 살았던 황만근과 같은 사람이야말로 우리 사회에 필요한 존재임을 강조하고 있음.</sub>

었을 것이다.

(어느 누구도 알아주지 아니하고 감탄하지 않는 삶이었지만 선생은 깊고 그윽한 경지를 이루었다. 보라. 남의 비웃음을 받으며 살면서도 비루하지▪ 아니하고 홀로 할 바를 이루어 초지▪를 일관하니 이 어찌 하늘이 낸 사람이라 아니

할 수 있겠는가. 이 어찌 하늘이 내고 땅이 일으켜 세운 사람이 아니랴.) ( ) : 마을 사람들은 황만근을 바보 취급하였지만,

황만근의 속되지 않고 뛰어난 인품을 반복해서 강조함

황만근의 인품은 훌륭하여 그 경지가 높았음

단기 사천삼백삼십 년 오월 스무날

본디 묘지에나 쓰일 것[묘비명(墓碑銘)▪]이지만 천지를 대영혼의 집으로 삼은 선생인지라 아무 쓸모도 없는 이 글

을, 새터말로 귀농하였다가 이룬 것 없이 다시 도시로 흘러가며, 남해인(南海人) 민순정(閔順晶)이 엎디어 쓰다.

민 씨의 이름

- **콤바인** 곡식을 베는 일과 탈곡하는 일을 한꺼번에 하는 농업 기계.
- **이앙기** 모를 내는 데에 쓰는 기계.
- **면세유** 세금이 면제된 석유.
- **수매하다** 거두어 사들이다.
- **비루하다** 행동이나 성질이 너절하고 더럽다.
- **초지(初志)** 처음에 품은 뜻.

- **묘비명** 묘비에 죽은 사람의 이름과 경력 등을 새긴 글.
- **신지** 신령스럽고 기묘한 지혜.
- **문중** 성과 본이 같은 가까운 집안.
- **사직** 나라 또는 조정을 이르는 말.
- **낙천** 세상과 인생을 즐겁고 좋은 것으로 여김.
- **혹염** 몹시 심한 더위.

⦿ 핵심정리

갈래	단편 소설, 농촌 소설	성격	풍자적, 해학적, 비극적
제재	농사꾼 황만근의 삶		
주제	• '황만근'의 덕성과 훌륭한 삶에 대한 예찬. • 부채로 얼룩진 농촌 현실과 각박한 인심에 대한 비판.		
배경	1990년대 말, 신대리(경상도 농촌 마을)		
특징	• 바보형의 우직한 인물을 통해 이기적인 세태를 비판함. • '묘비명' 형식의 글을 덧붙여 주인공 황만근의 삶을 평가함. • 사투리를 사용한 향토성과 인물의 언행을 통한 해학성을 드러내고 있다.		

확인학습 ·····

01 황만근은 마을 사람들과 아이들에게 자신의 지혜를 가르쳐 주고자 하였다. O☐ X☐

02 묘비명을 보면 서술자가 황만근의 삶을 긍정적으로 평가하고 있다는 것이 나타나 있다. O☐ X☐

03 묘비명을 보면 서술자가 황만근의 삶을 칭송하기 위한 의도가 담겨 있다는 것을 알 수 있다. O☐ X☐

04 이 글은 인물의 일대기를 중심으로 내용을 서술하는 전의 형식을 취하고 있다. O☐ X☐

05 이 글은 서술자가 이야기 밖에 존재하며 인물의 내면 심리까지 서술하는 3인칭 전지적 시점을 취하고 있다.

O☐ X☐

06 황만근은 어리석어 보이지만 이타적이고 공평무사하며 도량이 넓은 인물이기 때문에, 독자에게 충분히 교훈을 줄 수

있는 인물이다. O☐ X☐

07 이 글은 의문형 어미를 사용하여 인물에 대한 서술자의 주관적 평가를 드러내고 있다. O☐ X☐

08 이 글은 인물들 간의 갈등을 구체적으로 묘사하여 내용을 전개하고 있다. O☐ X☐

[01~04] 다음 글을 읽고 물음에 답하시오.

(가) 황만근이 없어졌다. 새벽에 혼자 경운기를 타고 집을 나간 황만근은 늘 들일을 나가면 돌아오는 시각인 저물녘에 돌아오지 않았다. 술을 마시고 취하더라도 열두시가 될락 말락 한 한밤이면 돌아왔는데 이번에는 아니었다. 평생 단 하루 외박한 뒤 돌아왔던 그 시각, 횃대의 닭이 울음을 그치는 아침이 되어도 돌아오지 않았다. 마을회관 앞, 황만근이 직접 심어놓은 등나무 덩굴 아래, 직접 짠 평상에 사람들이 모였다.

(나) "어제 궐기 대회 한다 하고 간 사람이 누구누구십니까. 황만근씨하고 같이 간 사람은요? 궐기 대회 하는 동안 본 사람은 없나요?"

자리에 모인 대여섯 명의 황씨들은 서로의 얼굴을 마주보더니 모두 고개를 흔들었다.

"사람이라고 밎밍이나 되나. ㉠군 전체 사람이 모도 모있다는 기 백밍이 될라나 말라나 한데 반그이는 돼지고기 반 근 만해서 그런지 안 보이더라칸께."

이장은 계속 빈정거리듯 말을 이었다. 민 씨는 이장이 궐기대회 전날 황만근을 따로 불러 무슨 말을 건네던 것을 기억해 냈다.

"그제 밤에 내일 궐기대회 한다고 사람들 모였을 때 이장님이 황만근씨에게 뭐라고 하셨죠. 모임 끝난 뒤에."

이장은 민 씨를 흘기듯 노려보았다.

"왜, 농민보고 농민 궐기 대회 꼭 나오라 캤는데, 뭐가 잘못됐나?"

(다) "내가 아나. 읍에 가보이 장날이더라고. 보나마나 어데서 술 처먹고 주질러 앉았을 끼라. 백 리 길을 깅운기를 끌고 갔으이 시간도 마이 걸릴 끼고."

㉡다른 사람들은 말이 없었고 민씨와 이장만이 공을 주고받는 꼴이 되어 버렸다.

"글세, 그 자리에 꼭 황만근씨만 경운기를 끌고 갔어야 했느냐 이 말입니다. 그것도 고장 난 경운기를."

"깅운기를 끌고 오라는 기 내 말이라? 투쟁방침이 그렇다카이. 깅운기도 그렇지, 고장은 무신 고장, 만그이가 그걸 하루이틀 몰았나. 남들이 못 몬다 뿌이지."

"그럼 이장님은 왜 경운기를 안 타고 가고 트럭을 타고 가셨나요. 이장님부터 솔선수범을 해야지 다른 동민들이 따라할 텐데, 지금 거꾸로 되었잖습니까."

"㉢내사 민사무소에서 인원 점검하고 다른 이장들하고 의논도 해야 되고 울매나 바쁜 사람인데 깅운기를 타고 언제 가고 말고 자빠졌나. 다른 동네 이장들도 민소 앞에서 모이가이고 트럭 타고 갔는 거를. 진짜로 깅운기를 끌고 갔으마 군 대회에는 늦어도 한참 늦었지. 군청에 갔는데 비가 와 가이고 온 사람도 및 없더마. 소리마 및분 지르고 왔지. 군청까지 깅운기를 타고 갈 수나 있던가. ㉣국도에 차들이 미치괘이맨구루 쌩쌩 달리는데 받히만 우짜라고. 다른 동네서는 자가용으로 간 사람도 썼어."

(중략)

기어이 민 씨는 버럭 소리를 지르고야 말았다.

"반편은 누가 반편입니까. 이장이니 지도자니 하는 사람들이 모여서 방침을 정했으면 그대로 해야지, 양복 입고 자가용 타고 간 사람은 오고, 방침대로 경운기 타고 간 사람은 오지도 않고, 이게 무슨 경우냐구요."

(라) "㉤이 자슥이 뉘 앞에서 눈까리를 똑바로 뜨고 소리를 뻑뻑 질러 쌓노. 도시에서 쫄딱 망해 가이고 귀농을 했시모 얌전하게 납작 엎드려 있어도 동네 사람 시키줄까 말까 한데, 뭐라꼬? 내가 만그이 이미냐, 애비냐. 나이 오십 다 된 기 어데를 가른동 오든동 지가 알아서 해야지, 목사리 끌고 따라다니까?"

(마) Ⓐ황만근, 황 선생은 어리석게 태어났는지는 모르지만 해가 가며 차츰 신지(神智)가 돌아왔다. 하늘이 착한 사람을 따뜻이 덮어 주고 땅이 은혜롭게 부리를 대어 알껍질을 까주었다. 그리하여 후년에는 그 누구보다 지혜로웠다. 그는 누구

에게도 해를 끼치지 않았듯 그 지혜로 어떤 수고로운 가르침도 함부로 남기지 않았다. 스스로 땅의 자손을 자처하여 늘 부지런하고 근면하였다. 사람들이 빚만 남는 농사에 공연히 뼈를 상한다고 하였으나 개의치 아니하였다. 사람 사이에 어려움이 있으면 언제나 함께하였고 공에는 자신보다 남을 내세워 뒷사람을 놀라게 했다. 하늘이 내린 효자로서 평생 어머니 봉양을 극진히 했다. 아들에게는 따뜻하고 이해심 많은 아버지였고 훈육을 할 때는 알아듣기 쉽게 하여 마음으로 감복시켰다. (중략) 선생은 어느 농사꾼보다 부지런했고 농사일에도 익어 있었다. 문중 땅과 나이가 들어 농사가 힘에 부친 사람의 땅을 빌려 농사를 지었다. 농사를 짓되 땅에서 억지로 빼앗지 않고 남으면 술을 빚어 가벼운 기운은 하늘에 바치고 무거운 기운은 땅에 돌려주었다.

(바) ⓑ전일에, 선생은 경운기를 끌고 면소재지로 갔지만 경운기를 타고 온 사람이 없어 같이 갈 사람을 만나지 못했다. 선생은 다시 경운기를 끌고 백 리 길을 달려 약속장소인 군청까지 갔다. 가는 동안 선생은 여러 번 차에 부딪힐 뻔했다. 마른 봄바람에 섞인 먼지가 눈을 괴롭혔다. 날은 흐렸고 추웠다. 이윽고 비가 내리기 시작했다. 경운기에는 비를 피할 만한 덮개가 없어서 선생은 뼛속까지 젖어드는 추위에 몸을 떨었다. 선생이 군청 앞까지 갔을 때 이미 대회는 끝나고 아무도 없었다. ⓒ어머니에게 가져다줄 생선을 사고 몸을 녹인 선생은 날이 어두워오는 줄도 모르고 경운기에 올라 집으로 향했다. 경운기에는 빠르게 달리는 차량의 주의를 끌 만한 표지가 없어서 선생은 몇 번이나 사고를 당할 뻔했다. 그때마다 멈추었다가 다시 출발하는 바람에 시간은 점점 늦어졌다. 어두워지면서 경운기는 길옆의 논으로 떨어졌고 수레는 부서졌다. 결국 선생은 그 밤 안으로 집에 돌아갈 수 없다는 걸 알았다. ⓓ선생은 경운기에 실려 있는 땅의 젖에 취하여 경운기 옆에 앉아 경운기를 지켰다. 그러나 경운기는 선생을 지켜주지 않았다. 추위와 졸음으로부터 선생을 지켜주지 못했다. ⓔ아아, 선생이 좀더 살았더라면 난세의 혹염에 그늘의 덕을 널리 베푸는 큰 나무가 되었을 것이다.

---

01 윗글에 나타난 인물에 대한 설명으로 적절하지 <u>않은</u> 것은?

① 민 씨는 황만근이 마을 대회에서 정해진 방침대로 궐기 대회에 참석하였다가 실종된 것으로 생각한다.
② 이장은 황만근이 술을 마시느라 귀가하지 않은 것이라고 보고 있다.
③ 민 씨는 황만근을 농민 궐기 대회에 꼭 참석하도록 강요한 이장에게 책임을 묻고 있다.
④ 이장은 민 씨의 과거를 들먹이며 자신의 권위로 상대방을 압박하고 있다.
⑤ 마을 사람들은 황만근이 실종된 것이 자신들이 궐기 대회에 참석하지 않은 탓으로 여겨 책임감을 느끼고 있지만 티 내지 않고 있다.

02 ㉠~㉤에 대한 이해로 적절하지 <u>않은</u> 것은?

① ㉠: 사람이 많았다는 핑계로 사건을 회피하고자 함을 보여 준다.
② ㉡: 민 씨와 이장의 갈등 속에서 다른 사람들이 개입하지 않고 있음을 나타낸다.
③ ㉢: 바빴다는 핑계로 자신의 행동을 정당화하려는 이장의 모습을 보여 준다.
④ ㉣: 경운기를 타고 대회에 가는 것이 위험함을 이장이 알고 있었음을 보여 준다.
⑤ ㉤: 사투리와 비속어를 사용하여 현장감과 사실감을 높이고 있다.

03 Ⓐ~Ⓔ에 대해 추론한 것으로 적절하지 <u>않은</u> 것은?

① Ⓐ: 황만근을 지켜본 서술자가 과거와 다른 황만근의 변화를 강조하고 있다.

② Ⓑ: 경운기를 끌고 간 사람이 황만근뿐이라는 것을 알 수 있다.

③ Ⓒ: 어머니를 생각하는 황만근의 모습을 알 수 있다.

④ Ⓓ: 술기운을 빌려 배고픔과 추위를 달래고자 했음을 알 수 있다.

⑤ Ⓔ: 비유를 통해 황만근과 같은 사람이 우리 사회에 필요한 존재임을 강조하고 있다.

04 〈보기〉를 참고하여 윗글을 이해한 내용으로 적절하지 <u>않은</u> 것은?

┤ 보기 ├

　　전은 특정 인물의 생애나 행적을 기록하고 교훈적인 내용이나 비판을 덧붙이는 형식을 띠는 한문 문학그
이 한 형식이다. 전은 주로 남들보다 뛰어나거나 남들의 모범이 될 만한 사람을 대상으로 한다. 그것은 전을
기술하는 목적이 사람들에게 교훈을 주기 위함이기 때문이다.

① 황만근이 살았을 때의 이타적인 모습과 죽음에 이르기까지의 과정을 서술한다는 점에서 전의 형식을 띤다.

② 일반적인 전의 형식과 마찬가지로 서술자가 황만근의 행적에 대해 비판을 덧붙이고 있다.

③ 결말에 제시된 황만근의 행적은 세태를 간접적으로 비판하는 효과를 가지므로 전의 목적을 달성하고 있다.

④ 민 씨가 황만근의 생애를 기록하고 세상 사람들이 알지 못했던 그의 덕성을 예찬하는 이유는 사람들에게 교훈을
　주기 위해서라고 볼 수 있다.

⑤ 전이 남들보다 뛰어나거나 모범이 될 만한 사람을 주요 대상으로 하는 데 비해 황만근은 평균이하의 인물이라는
　점에서 일반적인 전과는 차이를 보인다.

[05~07] 다음 글을 읽고 물음에 답하시오.

[앞부분의 줄거리] 농민 궐기 대회에 참가하기 위해 집을 나갔던 황만근이 돌아오지 않자 민 씨의 요청으로 모인 마을 사람들은 옥신각신 하며 의견을 나눈다. 민씨는 농민 궐기 대회 참가를 의논하는 자리에서 황만근이 이장에게 경운기를 몰고 나올 것을 제안 받았던 것을 지적하며 이장에게 책임을 추궁하고, 이장은 자신의 행동을 정당화하고 책임을 회피하며 민씨와 대립한다. 마을 사람들은 처음에 황만근의 부재에 무심하다가 점차 황만근의 빈 자리를 느끼게 된다.

(가) 마을에서 젊은 축에 드는 마흔다섯 살의 황영석은 황만근이 벽돌을 찍고 구덩이를 파서 지은 마을 회관 변소에서 분뇨를 퍼내면서 황만근의 부재를 알게 되었다.

"만그이 자석이 있었으마 내가 돈을 백만 원 준다 캐도 이런 일을 안 할 낀데. 아이구, 이 망할 놈의 똥 냄새, 여리가 싸놔 그런지 독하기도 하네. 이기 곡석한테 독이 될지 약이 될지도 모르겠구마."

황만근이 있었으면 군말 없이 했을 일이었다.

마을 회관 곁 조그만 밭에 채소를 심어 먹는 여씨 노인도 황만근의 부재를 알게 되었다. 황만근은 마을 공통 분뇨를, 역시 자신이 판 마을 공통의 분뇨장으로 가져가서 충분히 익힌 뒤에, 공평하게 나누어 주었다. 황영석처럼 제가 펐다고 바로 제 밭에 가져가다 뿌리지는 않았다. 특히 여씨 노인처럼 일찍 남편을 잃고 혼잣몸이 된 노인들에게는, 알고 그러는지 모르고 그러는지 더 자주 거름을 가져다주었다.

"만그이한테 물어보자."

아이들은 소꿉장난을 하다가 황만근의 부재를 알게 되었다. 공평무사한 것이 황만근의 평생의 처사였다. 그에게는 판단능력이 없는 듯 했지만 시비를 물으러 가면, 가노라면 언제나 공평무사한 자연의 이법에 대해 깨우치게 되고 분쟁은 종식되었다.

또는 물어보나마나 (㉠)한 일을 두고도 황만근을 들먹였다.

"만그이도 알 끼다."

또한 동네에 오래도록 내려오는 노래, 구태여 제목을 붙이자면 '황만근가'를 자신도 모르게 중얼거리게 되면서 사람들은 황만근이 없다는 사실을 알게 되었다.

(나) 황만근의 어머니와 아들, 조손은 입맛이 까다로워 비린 반찬이 없으면 먹지를 않는가 하면 비린 반찬이 있으면 밥상머리에서 돌아앉았다.

한 끼에 두 번 상을 차리는 일이 예사였다. 어머니 한 상, 아들 한 상이었고 본인은 상이 없이 먹었다. 황만근은 하루 일이 끝나면 반드시 경운기에 고기를 매달고 집으로 돌아왔다. 일을 하는 동안 논 주변에서 잡은 붕어나 메기, 미꾸라지, 혹은 메뚜기, 방아깨비라도 짚에 꿰어 들어왔다. 동네에서 이따금 잡는 소나 돼지, 개, 닭, 오리, 토끼같은 가축 모두 숨을 끊는 것에서부터 내장을 손질하고 뼈에서 살을 발라내는 포정(庖丁)의 업(業)에는 황만근이 반드시 필요했다. 스스로의 필요에 의해 오래도록 자주 하다 보니 어느새 전문가가 된 것이었다. 그는 그런 일을 해주고 얻어온 고기를 뜨고 굽고 찌고 데치고 삶고 끓이는 데도 이골이 났다. 어쩌다 그가 만든 음식에 숟가락을 대 본 사람은 (㉡)으로 감탄을 하게 마련이었다. 그러고 나서는 남녀노소를 막론하고 "희한할세, 바보가." 하는 말을 덧붙이는 것을 잊지 않았다. 그는 만들어져 있는 조미료를 몰랐지만 재료가 가지고 있는 맛을 흠뻑 우려내어 조화를 지킬 줄 알았다.

(다) 황만근은 또한 책에 나오는 예(禮)는 몰라도 염습과 산역(山役)같이 남이 꺼리는 일에는 누구보다 앞장을 섰고 동네 사람들도 서슴없이 그에게 그런 일을 맡겼다. 똥구덩이를 파고 우리를 짓고 벽돌을 찍는 일 또한 황만근이 동네 사람 누구보다 많이 했다. 마을길 풀 깎기, 도랑 청소, 공동 우물 청소 …… 용왕제에 쓸 돼지를 산 채로 묶어서 내다가 싫다고 요동질하는 돼지에게 때때옷을 입히는, 세계적으로 유례가 드문 일에는 그가 최고의 전문가였다. 동네의 일, 남의 일, 궂은일에는 언제가 그가 있었다. 그런 일에 대한 댓가는 없거나(동네 일인 경우), 반값이거나(다른 사람의 농사일을 하는 경우), 제값이면(경운기와 함께 하는 경우) 공치사가 따랐다.

"반근아, 너는 우리 동네 아이고 어데 인정 없는 대처 읍내 같은 데 갔으마 진작에 굶어 죽어도 죽었다. 암만 바보라도 고마워할 줄 알아야 사람이다. 아나 어른이나 너한테는 다 고마운 사람인께 상 찡그리지 말고 인사 잘하고 다니라. 아이?"

황만근은 황재석씨의 이런 긴 사설을 들을 때조차 벙글거렸다. 일이 끝나면 굽신굽신 인사를 했다. 춤을 추듯이, 흥겹게.

05 윗글에 대한 설명으로 가장 적절한 것은?

① 황만근이 있을 때에는 황영석도 분뇨를 공평하게 나눠 주었다.

② 황만근은 부탁에 못 이겨 동네에서 포정의 일을 도맡아 했다.

③ 아이들은 황만근을 놀리기 위해 황만근에게 시비를 물으러 갔다.

④ 황만근의 어머니와 아들은 황만근의 수고로움을 개의치 않았다.

⑤ 마을 사람들은 힘들고 꺼림칙한 일을 못미더워하면서도 황만근에게 떠맡겼다.

06 ㉠, ㉡에 들어갈 말로 적절한 것은?

㉠	㉡
① 명명백백(明明白白)	물아일체(物我一體)
② 명약관화(明若觀火)	이구동성(異口同聲)
③ 명실상부(名實相符)	일심동체(一心同體)
④ 명경지수(明鏡止水)	일치단결(一致團結)
⑤ 명불허전(名不虛傳)	이심전심(以心傳心)

07 〈보기〉를 참고하여 (다)를 이해한 것으로 적절하지 않은 것은?

┤ 보기 ├

　'황만근'은 한 인격 안에 바보와 성인을 동시에 구비한, 문학사에서 가끔 만나게 되는 흥미로운 인물이다. 그가 하는 짓이 바보스러울수록 세속의 영악함이라는 역광(逆光)속에서 그는 더욱 거룩하게 빛난다.

① 황재석의 타당치 못한 대우 속에서 황만근의 이타적인 모습은 더욱 가치 있게 느껴진다.

② 황만근은 황재석의 말에도 벙글거리며 화를 내거나 의심을 하지 않는 천진난만한 모습을 보인다.

③ 황재석은 황만근의 수고에 감사하기는커녕 거꾸로 합리화함으로써 황만근의 공을 깎아내리고 있다.

④ 공을 알아주지 않아도 원망 않는 황만근의 모습은 부당한 공치사를 하는 황재석의 모습과 대비한다.

⑤ 황재석은 황만근을 바보 취급하여 황만근의 실수를 미연에 방자하기 위해 직설적으로 충고하고 있다.

〈전략〉"그래서 우리 동네서도 군청 앞에서 열리는 대회에 전원 참가를 해야겠다, 이 말이라. 집에 돌아가거들랑 경운기를 깨끗이 손질해가지고 내일 아침에 민소 앞까정 끌고 와서 집합을 하라는 기 행동지침이라. 그래 가이고 군청까지 가는 국도로 깅운기로 길기 행진을 하민서 우리의 결의를 행동으로 보이 주는 기라."

"경운기가 없는 사람은 어쩌나요?" / 민 씨가 물었다.

"농사짓는 사람이 깅운기도 없다 하마 농사꾼이 아니지럴. 그랜께 민 씨는 농사짓는 기 아이라. 비니루하우스 안에 꽃 멫 송이 심가 놓고 우째 농사를 짓는다 카나."

ⓐ"어디 고장난 경운기는 없어요? 경운기가 꼭 있어야 합니까."

무안해진 민 씨는 둘러보며 물었다. 새마을 지도자인 황철석이 대답했다.

ⓑ"말이 그렇다는 기지, 민소까지는 깅운기를 끌고 가든동 버스를 타고 가든동 하고, 그 담에는 깅운기를 같이 타마 되지, 까잇 거. 그란데 민 씨는 진짜 농사꾼도 아이민서 왜 자꾸 농민 궐기 대회에 나갈라꼬 캐싸."

"아아, 저도 부채는 남부럽지 않게 있어요."

또래인 황학수가 말을 이어 받았다. / "농사를 지도 부채, 농사를 몰라도 부채. ㉠아이고, 그라마 우리를 다 합치 가이고 부채 말고 선풍기를 해도 되겠네."

그날 분위기는 그렇게 무겁지 않았다. 그렇다고 시시덕거리며 끝낼 정도로 가벼운 것도 아니었다. 그 자리에 있는 사람 가운데서도 농협에서 융자금 상환을 하지 않는다고 소송을 해서 법원에 불려 다니는 사람이 두셋 되었다. 스스로 진 빚도 문제였지만 서로 연대 보증을 서는 바람에 한 가구가 파산하면 보증을 선 사람 역시 연쇄적으로 파산하는 일이 드물지 않았다. 그래서 어떤 동네 전체가 야반도주를 하는 일까지 벌어졌다는 소문도 돌고 있었다.

ⓒ"이런 거 한다고 뭐 높은 데 사는 양반들한테 들리기나 하겠나. 질국 다 뺏기고 나앉는 거 아니요."

"뺏아 봤자 저들한테도 남는 기 없을 낀데. 암만 빌빌하는 닭이라도 닭 모가지를 비탈만 인제는 계란 한 개도 없을 낀데. 전부 다 손해라."〈중략〉

"군청까지는 얼마나 걸릴까요. 경운기로 가면 말입니다." / "한나절은 걸릴 끼라." / "경운기 운전을 잘하신다면서요."

"동네에서는 내가 젤 오래 했을게. 깅운기도 마이 늙었어. ⓓ고집이 시가이고 나 아이만 발동도 안 걸리. 내가 제 똥창까지 환하게 안께 말을 듣는 기라." / "……내일 궐기대회에 가십니까."

"내사 뭐 어머이 밥도 끓이 디리야 되고…… 모르겠소. 구장은 나 겉은 상농사꾼이 꼭 가야 된다 카는데."

〈중략〉

다음 날 새벽, 민 씨는 새벽녘에 잠깐 동네 어귀에서 탈탈거리는 경운기 소리를 들었다. 탁, 탁, 탁…… 시동이 잘 걸리지 않는 모양이었다. 타닥, 닥, 타닥, 탁, 탁, 탈, 탈, 탈, 탈, 탈탈탈탈…… 그 뒤에도 궐기 대회 가는 집마다 경운기를 끌고 나오려면 온 동네가 시끄럽겠다고 생각했지만 ㉡웬일인지 다른 경운기 소리는 더 이상 들려오지 않았다. 경운기 소리가 아득히 멀어져 가는 소리를 들으며 민 씨는 까무룩 잠이 들었다. / 전날 밤, 분명 꿈은 아니었다. 민 씨는 황만근의 말을 이렇게 들었다.

"농사꾼은 빚을 지마 안 된다 카이."

(한번 빚을 지면 그 빚을 갚으려고 무리하게 일을 벌인다. 동네 곳곳에 텅 빈 우사(牛舍), 마른똥만 뒹구는 축사, 잡초만 무성한 비닐하우스를 보라. 농어민 복지, 소득향상, 생활 개선? 다 좋다. 그걸 제 돈으로 해야 한다. 제 돈으로 하지 않으면 그건 노름이나 다를 바 없다. 빚은 만근산의 눈덩이, 처마의 고드름처럼 자꾸 커진다.)

㉢"기계화 영농 카더이마 집집마다 바퀴 달린 기계가 및이나 되나. 깅운기, 트랙터, 콤바인, 이앙기, 거다 탈곡기, 건조기에…… 다 빚으로 산 기라. 농사지 봐야 그 빚 갚느라고 정신없다."

(한 집에서 일 년에 한 번 쓰는 이앙기를 들여놓으면 그게 일 년 내내 돌아가던가. 놀 때는 다른 집에 빌려주면 된다. 옛날에는 소를 그렇게 썼다. 그런데 지금은 그렇게 하지 않는다. 서로 도와가면서 농사짓는 건 옛날 말이다. 한 집에서 기계를 놀리면서도 안 빌려주면 옆집에서 화가 나서라도 산다. 어차피 빚으로 사는데 사기가 어려울까. 기계에 들어가는 기름은 면세유(免稅油)다. 면세유 가지고 기계를 다 돌리기는 힘들다. 옆집에는 경운기가 두 댄데 면세유는 한 대분밖에 나오지 않는다. 경운기가 왜 두 대씩 필요할까. 한 사람이 한꺼번에 두 대를 모는 것도 아닌데.)

"그런 기 다 쌀값에 언차진다(얹어진다). 언차져야 하는데 사실로는 수매하마 먹고살기 간당간당한 돈을 준다. 그 대신에 빚을 준다. 자금을 대준다 카는데 둘 다 안했으마 좋겠다. 둘 다 농사꾼을 바보 멍텅구리로 만든다."/ (따라서 제대로 된 농사꾼이 점점 없어진다.)

"지 입에 들어갈 양석(양식), 곡석을 짓는 사람이 그 고마운 곡석, 양석한테 장난치겠나. 저도 남도 해로운 농약 뿌리고 비싸고 나쁜 비료 쳐서 보기만 좋은 열매를 뺏으마 그마이가?"

(모두 빚을 갚기 위해 그러는 것이다. 그러므로 빚을 제 주머니에서 아들 용돈 주듯이 내주는 사람, 기관은 다 농사꾼을 나쁘게 만든다. 정책 자금, 선심 자금, 농어촌 구조 개선자금, 주택 개량 자금, 무슨 무슨 자금 해서 빌려줄 때는 인심 좋게 빌려주는 척하더니 이제 와서 그 자금이 상환능력도 없는 사람들을 파산지경으로 몰아넣고 있다. 이제 와서 그 빚을 못 갚겠다고 하는데 거기에는 충분한 이유가 있다.)

"내가 왜 빚을 안 졌니야고. 아무도 나한테 빚 준다고 안 캐. ⓔ바보라고 아무도 보증 서라는 이야기도 안했다. 나는 내 짓고 싶은 대로 농사지민서 안 망하고 백년을 살 끼라."

일주일 뒤에 황만근은 돌아왔다. 그의 아들이 그를 안고 돌아왔다. 한 항아리밖에 안 되는 그의 뼈를 담고 돌아왔다. 경운기도 돌아왔다. 수레는 떼어 내고 머리 부분만 트럭에 실려 돌아왔다. 황만근 아니면 그 누구도 작동시킬 수 없는 그 머리가, 바보처럼 주인을 태우지 않고 돌아왔다.

황만근, 황 선생은 어리석게 태어났는지는 모르지만 해가 가며 차츰 신지(神智)가 돌아왔다. 하늘이 착한 사람을 따뜻이 덮어주고 땅이 은혜롭게 부리를 대어 알껍질을 까 주었다. 그리하여 후년에는 그 누구보다 지혜로웠다. 그는 누구에게도 해를 끼치지 않았듯 그 지혜로 어떤 수고로운 가르침도 함부로 남기지 않았다. 스스로 땅의 자손을 자처하여 늘 부지런하고 근면하였다. 사람들이 빚만 남는 농사에 ㉮공연히 뼈를 상한다고 하였으나 개의치 아니하였다. 사람 사이에 어려움이 있으면 언제나 함께하였고 공에는 자신보다 남을 내세워 뒷사람을 놀라게 했다. 하늘이 내린 효자로서 평생 어머니 봉양을 극진히 했다. 아들에게는 따뜻하고 이해심 많은 아버지였고 훈육을 할 때는 알아듣기 쉽게 하여 마음으로 ㉯감복시켰다.

선생은 천성이 술을 좋아하였는데 사람들은 선생이 가난한 것은 술 때문이라고 했다. 선생은 어느 농사꾼보다 부지런했고 농사일에도 ㉰익어 있었다. 문중 땅과 나이가 들어 농사가 힘에 부친 사람의 땅을 빌려 농사를 지었다. ㉱농사를 짓되 땅에서 억지로 빼앗지 않고 남으면 술을 빚어 가벼운 기운은 하늘에 바치고 무거운 기운은 땅에 돌려주었다. 그러므로 선생은 술로써 망한 것이 아니라 술의 물감으로 인생을 그려나간 것이다. 선생이 마시는 막걸리는 밤이면서 사직(社稷)의 신에게 바치는 헌주였다. 힘의 근원이고 낙천(樂天)의 뼈였다. 〈중략〉 그러나 경운기는 선생을 지켜주지 않았다. 추위와 졸음으로부터 선생을 지켜 주지 못했다. ㉲아아, 선생이 좀 더 살았더라면 난세의 혹염에 그늘의 덕을 널리 베푸는 큰 나무가 되었을 것이다.

어느 누구도 알아주지 아니하고 감탄하지 않는 삶이었지만 선생은 깊고 그윽한 경지를 이루었다. 보라. 남의 비웃음을 받으며 살면서도 ㉳비루하지 아니하고 홀로 할 바를 이루어 ㉴초지를 일관하니 이 어찌 하늘이 낸 사람이라 아니할 수 있겠는가. 이 어찌 하늘이 내고 땅이 일으켜 세운 사람이 아니랴.

단기 사천삼백삼십 년 오월 스무날 / 본디 묘지에나 쓰일 것[묘비명(墓碑銘)]이지만 천지를 대영혼의 집으로 삼은 선생인지라 아무 쓸모도 없는 이 글을, 새터말로 귀농하였다가 이룬 것 없이 다시 도시로 흘러가며, 남해인(南海人) 민순정(閔順晶)이 엎디어 쓰다.

08 윗글의 서술상 특징으로 적절하지 않은 것은?

① 인물의 발화에 지역 방언을 사용하여 상황의 현장감과 현실감을 높이는 부분이 있다.
② 인물의 외양을 묘사하여 인물이 살아온 삶의 고단함을 짐작케 하는 부분이 있다.
③ 유사한 내용의 문장을 반복하여 특정 상황을 엄숙하게 드러낸 부분이 있다.
④ 묘비명 형식의 글을 차용하여 인물의 행적과 특성을 전달하는 부분이 있다.
⑤ 음성상징어를 활용하여 사건의 추이를 설명하는 부분이 있다.

09 〈보기〉는 '민순정'이 도시로 돌아가서 사람들에게 '황만근'을 소개한 글이다. 밑줄 친 부분 중에서 적절한 것을 두 개 고르면?

> ┤ 보기 ├
>
> 　그동안 시골에 있었는데 그곳에서 참 좋은 사람을 알게 되었어. 그 분성함은 황만근이고 농사를 짓는 분이야. 그 분은 ①어려서부터 자연의 이법에 통달할 정도로 지혜로웠고, 누구에게도 피해를 끼치지 않는 삶을 살아왔어. 오히려 ②평생 자신의 지혜를 설파해 주위 사람들에게 올바른 가르침을 주려 했었지. 그 분은 ③농사를 지으려면 빚을 질 수밖에 없다는 것에 체념하면서 묵묵히 농사를 지었으며, ④이웃의 고통을 보면 그냥 넘기지 않고 도우려는 모습을 보였어. 그리고 술을 무척 좋아했는데 내가 보기에 그 분은 ⑤술로써 인생의 고달픔을 기여내고 즐겁게 살아가려고 했던 것이 아닐까하는 생각이 들어. 안타깝게도 지금은 세상을 떠났지만 그 마음 따뜻해지는 이야기들과 귀감이 되는 모습은 오랫동안 기억될 것 같구나.

10 ⓐ~ⓔ에서 알 수 있는 인물의 심리로 가장 적절한 것은?

① ⓐ : 문제 해결 방법이 보이지 않는 상황에 대한 절망감이 드러나 있다.

② ⓑ : 자신도 경운기를 끌고 가서 뜻을 관철시키겠다는 단호함이 드러나 있다.

③ ⓒ : 자신들이 원하는 것을 이루지 못할지도 모른다는 회의감이 드러나 있다.

④ ⓓ : 제대로 관리하지 못해 문제가 생긴 것에 대한 자책감이 드러나 있다.

⑤ ⓔ : 아무도 자기에게 보증을 서 주지 않은 것에 대한 아쉬움이 드러나 있다.

11 ㉠~㉢에 대한 이해로 적절하지 않은 것은?

① ㉠ : 마냥 웃으면서 즐겁게 이야기를 나눌 수 있는 상황은 아니었지만, 그렇다고 너무 무거운 분위기도 아니었다는 것이 언어유희를 주고받는 장면을 통해 느껴지는군.

② ㉡ : 황만근 외에 다른 사람들 중에서는 면사무소까지 경운기를 끌고 간 사람이 한 명도 없었다는 것을 추측할 수 있는 부분이군.

③ ㉢ : 당시의 농촌이 농업 장비 및 시설 측면에서는 개선이 되어 있지 않았다는 것을 짐작할 수 있는 부분이군.

④ ㉣ : 농사를 지으면서 무리한 방법을 동원해서 억지로 수확량을 늘리려 하지 않고, 자연의 뜻을 존중하며 자연과 공존하고 공유하는 삶의 방식을 말하고 있군.

⑤ ㉢ : 힘들고 각박한 세상일수록 황만근처럼 겸손하게 행동하고 마을을 위해 나서는 사람이 필요함을 비유적 표현을 활용하여 드러내고 있군.

12 ㉮~㉱의 문맥적 의미로 적절하지 않은 것은?

① ㉮ : 아무 까닭이나 실속이 없게

② ㉯ : 동의를 구하며 의견을 물었다.

③ ㉰ : 자주 경험하여 서투르지 않다.

④ ㉱ : 행동이나 성질이 너절하고 더럽지

⑤ ㉲ : 처음에 품은 뜻을 끝까지 밀고 나가니

[13~19] 다음 글을 읽고 물음에 답하시오.

(가) 황만근이 없어졌다. 새벽에 혼자 경운기를 타고 집을 나간 황만근은 늘 들일을 나가면 돌아오는 시각인 저물녘에 돌아오지 않았다. 술을 마시고 취하더라도 열두시가 될락말락한 한밤이면 돌아왔는데 이번에는 아니었다. 평생 단 하루 외박한 뒤 돌아왔던 그 시각, 홰대의 닭이 울음을 그치는 아침이 되어도 돌아오지 않았다. 마을회관 앞, 황만근이 직접 심어놓은 등나무 덩굴 아래, 직접 짠 평상에 사람들이 모였다. 먼저 이장이 입을 열었다.

ㄱ"만그인지 반그인지 그 바보 자석 하나 따문에 소 여물도 못하러 가고 이기 뭐라. 스무 바리나 되는 소가 한꺼분에 밥 굶는 기 중요한가, 바보 자석 하나가 어데 가서 술 처먹고 집에 안 오는 기 중요한가, 써그랄."

〈중략〉

"그럼 이장님은 왜 경운기를 안 타고 가고 트럭을 타고 가셨나요. 이장님부터 솔선수범을 해야지 다른 동민들이 따라할 텐데, 지금 거꾸로 되었잖습니까."

"내사 민사무소에서 인원점검 하고 다른 이장들하고 의논도 해야 되고 울매나 바쁜 사람인데 깅운기를 타고 언제 가고 말고 자빠졌나. 다른 동네 이장들도 민소 앞에서 모이가이고 트럭 타고 갔는 거를. 진짜로 깅운기를 끌고 갔으마 군대회에는 늦어도 한참 늦었지. 군청에 갔는데 비가 와가이고 온 사람도 및 없더마. 소리마 및분 지르고 왔지. ㄴ군청까지 깅운기를 타고 갈 수나 있던가. 국도에 차들이 미치괘이맨구루 쌩쌩 달리는데 받히만 우애라고. 다른 동네서는 자가용으로 간 사람도 쌨어."

〈중략〉

마을에서 젊은 축에 드는 마흔다섯살의 황영석은 황만근이 벽돌을 찍고 구덩이를 파서 지은 마을회관 변소에서 분뇨를 퍼내면서 황만근의 부재를 알게 되었다.

ㄷ"만그이 자석이 있었으마 내가 돈을 백만원 준다 캐도 이런 일을 안 할 낀데. 아이구, 이 망할놈의 똥냄새, 여리가 싸나 그런지 독하기도 하네. 이기 곡석한테 독이 될지 약이 될지도 모르겠구마."

황만근이 있었으면 군말없이 했을 일이었다. 늘 그렇듯이 벙글벙글 웃으면서.

"만그이가 있었으모 저 거름이 우리 밭으로 올 낀데. 만그이가 도대체 어데 갔노."

마을회관 곁 조그만 밭에 채소를 심어먹는 여씨 노인도 황만근의 부재를 알게 되었다. ㄹ황만근은 마을 공통 분뇨를, 역시 자신이 판 마을 공통의 분뇨장으로 가져가서 충분히 익힌 뒤에, 공평하게 나누어주었다. 황영석처럼 제가 펐다고 바로 제 밭에 가져다 뿌리지는 않았다. 특히 여씨 노인처럼 일찍 남편을 잃고 혼잣몸이 된 노인들에게는, 알고 그러는지 모르고 그러는지 더 자주 거름을 가져다주었다.

(나) 전날 밤, 분명 꿈은 아니었다, 민씨는 황만근의 말을 이렇게 들었다.

"농사꾼은 빚을 지마 안 된다 카이."

(한번 빚을 지면 그 빚을 갚으려고 무리하게 일을 벌인다. 동네 곳곳에 텅 빈 우사(牛舍), 마른똥만 뒹구는 축사, 잡초만 수어한 비닐하우스를 보라. 농어민 복지, 소득향상, 생활개선? 다 좋다. 그걸 제 돈으로 해야 한다. 제 돈으로 하지 않으면 그건 노름이나 다를 바 없다. 빚은 만근산의 눈덩이, 처마의 고드름처럼 자꾸 커진다.)

"기계화영농 카더이마 집집마다 바퀴 달린 기계가 및이나 되나. 깅운기, 트랙터, 콤바인, 이앙기, 거다 탈곡기, 건조기에…… 다 빚으로 산 기라. 농사지봐야 그 빚 갚느라고 정신없다."

(한 집에서 일 년에 한 번 쓰는 이앙기를 들여놓으면 그게 일년 내내 돌아가던가. 놀 때는 다른 집에 빌려주면 된다. 옛날에는 소를 그렇게 썼다. 그런데 지금은 그렇게 하지 않는다. 서로 도와가면서 농사짓는 건 옛날 말이다. 한 집에서 기계를 놀리면서도 안 빌려주면 옆집에서 화가 나서라도 산다. 어차피 빚으로 사는데 사기가 어려울까. 기계에 들어가는 기름은 면세유(免稅油)다. 면세유 가지고 기계를 다 돌리기는 힘들다. 옆집에는 경운기가 두 댄데 면세유는 한 대분밖에 나오지 않는다. 경운기가 왜 두 대씩 필요할까. 한 사람이 한꺼번에 두 대를 모는 것도 아닌데.)

〈중략〉

"지 입에 들어갈 양석(양식), 곡석을 짓는 사람이 그 고마운 곡석, 양석한테 장난치겠나. 저도 남도 해로운 농약 뿌리고 비싸고 나쁜 비료 쳐서 보기만 좋은 열매를 뺏으마 그마이가?"

(모두 빚을 갚기 위해 그러는 것이다. 그러므로 빚을 제 주머니에서 아들 용돈 주듯이 내주는 사람, 기관은 다 농사꾼을 나쁘게 만든다. 정책자금, 선심자금, 농어촌구조 개선자금, 주택 개량자금, 무슨무슨 자금 해서 빌려줄 때는 인심좋게 빌려주는 척하더니 이제 와서 그 자금이 상환능력도 없는 사람들을 파산지경으로 몰아넣고 있다. 이제 와서 그 빚을 못 갚겠다고 하는데 거기에는 충분한 이유가 있다.)

(다) 황만근, 황 선생은 어리석게 태어났는지는 모르지만 해가 가며 차츰 신지(神智)가 돌아왔다. 하늘이 착한 사람을 따뜻이 덮어주고 땅이 은혜롭게 부리를 대어 알껍질을 까주었다. 그리하여 후년에는 그 누구보다 지혜로웠다. 그는 누구에게도 해를 끼치지 않았듯 그 지혜로 어떤 수고로운 가르침도 함부로 남기지 않았다. 스스로 땅의 자손을 자처하여 늘 부지런하고 근면하였다. 사람들이 빚만 남는 농사에 공연히 뼈를 상한다고 하였으나 개의치 아니하였다. 사람 사이에 어려움이 있으면 언제나 함께하였고 공에는 자신보다 남을 내세워 뒷사람을 놀라게 했다. 하늘이 내린 효자로서 평생 어머니 봉양을 극진히 했다. 아들에게는 따뜻하고 이해심 많은 아버지였고 훈육을 할 때는 알아듣기 쉽게 하여 마음으로 감복시켰다.

선생은 천성이 술을 좋아하였는데 사람들은 선생이 가난한 것은 술 때문이라고 했다. 선생은 어느 농사꾼보다 부지런했고 농사일에도 익어 있었다. 문중 땅과 나이가 들어 농사가 힘에 부친 사람의 땅을 빌려 농사를 지었다. 농사를 짓되 땅에서 억지로 빼앗지 않고 남으면 술을 빚어 가벼운 기운은 하늘에 바치고 무거운 기운은 땅에 돌려주었다. 그러므로 선생은 술로써 망한 것이 아니라 술의 물감으로 인생을 그려나간 것이다. 선생이 마시는 막걸리는 밤이면서 사직(社稷)의 신에게 바치는 헌주였다. 힘의 근원이고 낙천(樂天)의 뼈였다.

전일에, 선생은 경운기를 끌고 면소재지로 갔지만 경운기를 타고 온 사람이 없어 같이 갈 사람을 만나지 못했다. 선생은 다시 경운기를 끌고 백 리 길을 달려 약속장소인 군청까지 갔다. 가는 동안 선생은 여러번 차에 부딪힐 뻔했다.

〈중략〉

어두워지면서 경운기는 길옆의 논으로 떨어졌고 수레는 부서졌다. 결국 선생은 그 밤 안으로 집에 돌아갈 수 없다는 걸 알았다. 선생은 경운기에 실려 있는 땅의 젖에 취하여 경운기 옆에 앉아 경운기를 지켰다. 그러나 경운기는 선생을 지켜주지 않았다. 추위와 졸음으로부터 선생을 지켜주지 못했다. ㅁ아아, 선생이 좀더 살았더라면 난세의 혹염에 그늘의 덕을 널리 베푸는 큰 나무가 되었을 것이다.

어느 누구도 알아주지 아니하고 감탄하지 않는 삶이었지만 선생은 깊고 그윽한 경지를 이루었다. 보라. 남의 비웃음을 받으며 살면서도 비루하지 아니하고 홀로 할 바를 이루어 초지를 일관하니 이 어찌 하늘이 낸 사람이라 아니할 수 있겠는가. 이 어찌 하늘이 내고 땅이 일으켜세운 사람이 아니랴.

단기 사천삼백삼십년 오월 스무날

본디 묘지에나 쓰일 것[묘비명(墓碑銘)]이지만 천지를 대영혼의 집으로 삼은 선생인지라 아무 쓸모도 없는 이 글을, 새터말로 귀농하였다가 이룬 것 없이 다시 도시로 흘러가며, 남해인(南海人) 민순정(閔順晶)이 엎디어 쓰다.

– 성석제, 「황만근은 이렇게 말했다」 –

13 윗글에 대한 설명으로 적절하지 <u>않은</u> 것은?

① 인물 간의 대화를 중심으로 사건이 전개되고 있다.
② 전(轉)의 형식을 차용하여 등장인물의 삶을 평가하고 있다.
③ 어리숙한 등장인물을 서술자로 내세워 해학성을 드러내고 있다.
④ 구어체 사투리를 구사하여 작품에 향토적 분위기와 현장감을 부여하고 있다.
⑤ 발단 부분에 등장인물의 실종으로 사건을 제시하여 독자의 호기심을 유발하고 있다.

14 ㉠∼㉤에 대한 이해로 적절하지 <u>않은</u> 것은?

① ㉠을 통해 실종된 황만근을 걱정하기는커녕 자신의 일만 생각하는 이장의 이기적인 성격을 알 수 있다.

② ㉡을 통해 자신의 책임을 다 하기 위해 방침보다는 마을 사람들의 안전을 택한 이장의 의도를 파악할 수 있다.

③ ㉢을 통해 황만근이 그동안 다들 기피하는 궂은일을 마을 사람들을 위해 해왔음을 알 수 있다.

④ ㉣을 통해 이기적인 황영석과는 달리 공평무사한 황만근의 성품을 알 수 있다.

⑤ ㉤을 통해 민 씨는 황만근과 같은 사람이야말로 우리 사회에 필요한 존재임을 강조하고 있다.

15 (나)에 나타난 황만근이 생각하는 당시 농촌 현실의 문제점으로 적절하지 <u>않은</u> 것은?

① 기계화 영농이 농민에게 도움이 되기보다는 오히려 빚을 지게 한다.

② 서로 상부상조하며 농사짓던 농촌의 공동체 의식이 사라져 가고 있다.

③ 빚을 갚기 위해 농약과 비료를 사용하는 것이 오히려 농가 부채만 증가시킨다.

④ 농촌 사회의 고령화로 인해 농촌에 일손이 부족하여 집집마다 어려움을 겪고 있다.

⑤ 정부 기관들이 지원하는 각종 자금이 오히려 농가를 힘들게 하는 원인이 되고 있다.

16 (다)를 바탕으로 하여 〈보기〉와 같이 묘비명을 작성한 내용으로 적절하지 <u>않은</u> 것은?

┌─ 보기 ┐

황만근, 황선생은 ①어리석게 태어났으나 후년에는 누구보다도 지혜로웠던 사람이었으며 ②그 누구에게도 해를 끼치지 않았고 함부로 가르치려 들지 않았던 사람이었다. 또한 ③부지런하고 근면하였으며, 어려움을 나누고 남에게 공을 돌렸던 사람이었으며 ④어머니를 극진하게 모신 효자이자 아들에게는 따뜻하고 이해심이 많은 사람이었다. 또한, ⑤천성이 술을 좋아하여 가난하게 살다가 결국에는 경운기에 실려 있는 땅의 젖에 취해 마을 사람들을 위해 희생된 사람으로 영원히 기억될 것이다.

17 윗글에 등장하는 인물에 대한 설명으로 적절하지 <u>않은</u> 것은?

① 황만근 : 주변 사람의 일을 무보수로도 돕는 이타적인 인물이다.
② 황영석 : 이기적인 성품으로 황만근의 공평무사한 성격을 강조해 주는 인물이다.
③ 황재석 : 학식이 높고 황만근이 사라진 것에 대해 관심이 없는 이기적인 인물이다.
④ 이 장 : 황만근이 사라진 것이 자신의 탓으로 돌려질 것을 염려하는 이기적인 인물이다.
⑤ 민 씨 : 황만근과 술을 함께 마시면서 그의 지혜로움을 깨닫고 이를 글로 남긴 인물이다.

18 윗글에 대한 설명으로 적절하지 <u>않은</u> 것은?

① 사투리를 사용하여 향토성을 드러내고 있다.
② 묘비명 형식의 글을 덧붙여 황만근의 삶을 평가하고 있다.
③ 인물의 우스꽝스러운 언행을 통해 해학성을 드러내고 있다.
④ 점층적인 과장의 방식으로 웃음을 터뜨리게 하는 표현이 사용되었다.
⑤ 시대적인 배경을 드러내는 어휘와 함께 실존 인물을 등장시킴으로써 사실성을 높이고 있다.

19 윗글의 시대적 배경으로 적절하지 <u>않은</u> 것은?

① 고령화된 농촌의 현실을 반영하고 있다.
② 상부상조의 풍습이 사라져가는 농촌의 현실을 반영하고 있다.
③ 삼강오륜과 같은 유교적 덕목이 경시되어가는 현실을 반영하고 있다.
④ 수입 개방이 이루어지던 1990년대 농촌 경제의 어려운 현실을 반영하고 있다.
⑤ 농업 효율화를 위한 농촌에 융자를 쉽게 제공하는 정책을 시험했던 현실을 반영하고 있다.

[01~04] 다음 글을 읽고 물음에 답하시오.

(가) ⓐ황만근이 없어졌다. 새벽에 혼자 경운기를 타고 집을 나간 황만근은 늘 들일을 나가면 돌아오는 시각인 저물녘에 돌아오지 않았다. 술을 마시고 취하더라도 열두시가 될락 말락 한 한밤이면 돌아오는데 ⓑ이번에는 아니었다. 평생 단 하루 외박한 뒤 돌아왔던 그 시각, 횃대의 닭이 울음을 그치는 아침이 되어도 돌아오지 않았다. 마을회관 앞, 황만근이 직접 심어놓은 등나무 덩굴 아래, 직접 짠 평상에 사람들이 모였다. 먼저 이장이 입을 열었다. "만그인지 반그인지 그 바보 자석 하나 따문에 소 여물도 못하러 가고 이기 뭐라. 스무 바리나 되는 소가 한꺼분에 밥 굶는 기 중요한가, 바보 자석 하나가 어데 가서 술 처먹고 집에 안 오는 기 중요한가, 써그랄." 마을에서 연장자 축에 들고 가장 학식이 높아 해마다 한 번씩 지내는 용왕제(龍王祭)에 축(祝)을 초(草)하는 황재석씨가 받았다. "그래도 질래 있던 사람이 없어지마 필시 연유가 있는 기라. 사람이 바늘이라, 모래라, 기양 없어지는 기 어디 있어. ⓒ암만 그래도 우리 동네 사람 아이라, 반그이. 아이다, 만그이가 여게서 나서 사는 동안 한 분도 밖에서 안 들어온 적이 없는데 말이라." "아이지요, 어르신. 가가 군대 간다 캤을 때 여운지 토깨인지하고 밤새도록 싸우니라고 하루는 안 들어왔심다." 용왕제에서 집사 역을 하는 황동수가 우스개처럼 말을 이었다. 아침밥을 먹기도 전 황만근의 아들이 찾아와 황만근이 집에 돌아오지 않았다고 하길래 얼결에 동네 사람들을 불러 모으는 역할을 하게 된 민 씨는 ⓓ분위기가 이상하게 돌아간다 생각하고 참견을 했다. "어제 궐기 대회 한다 하고 간 사람이 누구누구십니까. 황만근 씨하고 같이 간 사람은요? 궐기 대회 하는 동안 본 사람은 없나요?" 자리에 모인 대여섯 명의 황씨들은 ⓔ서로의 얼굴을 마주보더니 모두 고개를 흔들었다. "사람이라고 및밍이나 되나. 군 전체 사람이 모도 모있다는 기 백밍이 될라나 말라나 한데 반그이는 돼지고기 반 근만해서 그런지 안 보이더라칸게." 이장은 계속 빈정거리듯 말을 이었다.

(나) 전날 밤, 분명 꿈은 아니었다, 민 씨는 황만근의 말을 이렇게 들었다. "농사꾼은 빚을 지마 안 된다 카이." (한번 빚을 지면 그 빚을 갚으려고 무리하게 일을 벌인다. 동네 곳곳에 텅 빈 우사(牛舍), 마른 똥만 뒹구는 축사, 잡초만 무성한 비닐하우스를 보라. 농어민 복지, 소득 향상, 생활 개선? 다 좋다. 그걸 제 돈으로 해야 한다. 제 돈으로 하지 않으면 그건 노름이나 다를 바 없다. 빚은 만근산의 눈덩이, 처마의 고드름처럼 자꾸 커진다.) "기계화 영농 카더이마 집집마다 바퀴 달린 기계가 및이나 되나. 깅운기, 트랙터, 콤바인, 이앙기, 거다 탈곡기, 건조기에…… 다 빚으로 산 기라. 농사지 봐야 그 빚 갚느라고 정신없다." (한 집에서 일 년에 한 번 쓰는 이앙기를 들여놓으면 그게 일 년 내 내 돌아가던가. 놀 때는 다른 집에 빌려주면 된다. 옛날에는 소를 그렇게 썼다. 그런데 지금은 그렇게 하지 않는다. 서로 도와가면서 농사짓는 건 옛날 말이다. 한 집에서 기계를 놀리면서도 안 빌려주면 옆집에서 화가 나서라도 산다. 어차피 빚으로 사는데 사기가 어려울까. 기계에 들어가는 기름은 면세유(免稅油)다. 면세유 가지고 기계를 다 돌리기는 힘들다. 옆집에는 경운기가 두 댄데 면세유는 한 대분밖에 나오지 않는다. 경운기가 왜 두 대씩 필요할까. 한 사람이 한꺼번에 두 대를 모는 것도 아닌데.) "그런 기 다 쌀값에 언차진다(얹어진다). 언차져야 하는데 사실로는 수매하마 먹고살기 간당간당한 돈을 준다. 그 대신에 빚을 준다. 자금을 대 준다 카는데 둘 다 안 했으마 좋겠다. 둘 다 농사꾼을 바보 멍텅구리로 만든다." (따라서 제대로 된 농사꾼이 점점 없어진다.) "지 입에 들어갈 양석(양식), 곡석을 짓는 사람이 그 고마운 곡석, 양석한테 장난치겠나. 저도 남도 해로운 농약 뿌리고 비싸고 나쁜 비료 쳐서 보기만 좋은 열매를 뺏으마 그마이가?" (모두 빚을 갚기 위해 그러는 것이다. 그러므로 빚을 제 주머니에서 아들 용돈 주듯이 내주는 사람, 기관은 다 농사꾼을 나쁘게 만든다. 정책 자금, 선심 자금, 농어촌 구조 개선 자금, 주택 개량 자금, 무슨 무슨 자금 해서 빌려줄 때는 인심 좋게 빌려주는 척하더니 이제 와서 그 자금이 상환 능력도 없는 사람들을 파산 지경으로 몰아넣고 있다. 이제 와서 그 빚을 못 갚겠다고 하는데 거기에는 충분한 이유가 있다.)

(다) 황만근, 황 선생은 어리석게 태어났는지는 모르지만 해가 가며 차츰 신지(神智)가 돌아왔다. 하늘이 착한 사람을 따뜻이 덮어주고 땅이 은혜롭게 부리를 대어 알껍질을 까 주었다. 그리하여 후년에는 그 누구보다 지혜로웠다. 그는 누구에게도 해를 끼치지 않았듯 그 지혜로 어떤 수고로운 가르침도 함부로 남기지 않았다. 스스로 땅의 자손을 자처하여 늘 부지런하고 근면하였다. 사람들이 빚만 남는 농사에 공연히 뼈를 상한다고 하였으나 개의치 아니하였다. 사람 사이에 어

려움이 있으면 언제나 함께하였고 공에는 자신보다 남을 내세워 뒷사람을 놀라게 했다. 하늘이 내린 효자로서 평생 어머니 봉양을 극진히 했다. 아들에게는 따뜻하고 이해심 많은 아버지였고 훈육을 할 때는 알아듣기 쉽게 하여 마음으로 감복시켰다. 선생은 천성이 술을 좋아하였는데 사람들은 선생이 가난한 것은 술 때문이라고 했다. 선생은 어느 농사꾼보다 부지런했고 농사일에도 익어 있었다. 문중 땅과 나이가 들어 농사가 힘에 부친 사람의 땅을 빌려 농사를 지었다. 농사를 짓되 땅에서 억지로 빼앗지 않고 남으면 술을 빚어 가벼운 기운은 하늘에 바치고 무거운 기운은 땅에 돌려주었다. 그러므로 선생은 술로써 망한 것이 아니라 술의 물감으로 인생을 그려나간 것이다. 선생이 마시는 막걸리는 밥이면서 사직(社稷)의 신에게 바치는 헌주였다. 힘의 근원이고 낙천(樂天)의 뼈였다. 〈중략〉아아, 선생이 좀 더 살았더라면 난세의 혹염에 그늘의 덕을 널리 베푸는 큰 나무가 되었을 것이다. 어느 누구도 알아주지 아니하고 감탄하지 않는 삶이었지만 선생은 깊고 그윽한 경지를 이루었다. 보라. 남의 비웃음을 받으며 살면서도 비루하지 아니하고 홀로 할 바를 이루어 초지를 일관하니 이 어찌 하늘이 낸 사람이라 아니할 수 있겠는가. 이 어찌 하늘이 내고 땅이 일으켜 세운 사람이 아니랴.

– 성석제, 「황만근은 이렇게 말했다」 –

01 ㉠~㉤에 대한 설명으로 적절하지 않은 것은?

① ㉠ : 작품 첫머리에 주인공이 실종되었다는 사실을 밝힘으로써 독자의 호기심을 자극한다.
② ㉡ : 황만근의 행적이 평상시와는 다르다는 점을 들어 사태의 심각성을 제시하고 있다.
③ ㉢ : 바보인데다 행적까지 알 수 없는 황만근을 같은 동네 사람으로 인정하기를 꺼려하고 있다.
④ ㉣ : 자신의 예상과는 다른 동네 사람들의 반응을 의아하게 생각하고 있다.
⑤ ㉤ : 전날 황만근과 만난 사람이 모인 사람들 중에는 없음을 알 수 있다.

02 (나)를 통해 알 수 있는 황만근의 생각으로 가장 적절한 것은?

① 농민에게 제공되는 면세유의 양을 늘려야 한다.
② 시설에 대한 과도한 투자는 농민을 노름판으로 내몬다.
③ 기계화 영농을 위해 농민들이 기술을 습득할 필요가 있다.
④ 농약과 비료의 사용은 농작물 생산 확대를 위해 꼭 필요하다.
⑤ 인심 쓰듯 쉽게 제공되는 융자금은 결국 농민들을 파산하게 만든다.

03 (다)의 역할에 대한 설명으로 가장 적절한 것은?

① 술이 지니고 있는 긍정적인 효과를 강조하고 있다.
② '민 씨'의 입장에서 황만근의 성품과 행적을 예찬하고 있다.
③ 황만근의 비극적인 인생사에 대한 안타까움과 슬픔을 드러내고 있다.
④ 황만근의 성품을 알아보지 못하는 동네 사람들에 대한 비판을 하고 있다.
⑤ 황만근의 효심과 부성애와는 대비되는 동네 사람들의 각박한 인정을 드러내고 있다.

04 윗글에서 황만근이 생각하는 농촌 문제로 보기 힘든 것은?

① 과도하게 빚을 지고 파산하는 농민들이 많다.
② 제 돈으로 하지 않은 시설 확장은 노름과 같다.
③ 기계화 영농 정책에 따라 한 농가에서 불필요하게 여러대의 기계를 소유하고 있다.
④ 정부가 빌려주는 융자금이 적기 때문에 사람들이 점점 빚에 시달린다.
⑤ 자신이 먹을 것과는 달리 빚을 갚기 위해 하는 농사는 겉보기에만 신경을 쓴다.

[05~08] 다음 글을 읽고 물음에 답하시오.

황만근이 없어졌다. 새벽에 혼자 경운기를 타고 집을 나간 황만근은 늘 들일을 나가면 돌아오는 시각인 저물녘에 돌아오지 않았다. 술을 마시고 취하더라도 열두시가 될락 말락한 한밤이면 돌아왔는데 이번에는 아니었다. 평생 단 하루 외박한 뒤 돌아왔던 그 시각, 홰대의 닭이 울음을 그치는 아침이 되어도 돌아오지 않았다. 마을회관 앞, 황만근이 직접 심어놓은 등나무 덩굴 아래, 직접 짠 평상에 사람들이 모였다. 먼저 이장이 입을 열었다.

"만그인지 반그인지 그 바보 자석 하나 따문에 소여물도 못하러 가고 이기 뭐라. 스무 바리나 되는 소가 한꺼분에 밥 굶는 기 중요한가, 바보 자석 하나가 어데 가서 술 처먹고 집에 안 오는 기 중요한가, 써그랄."

마을에서 연장자 축에 들고 가장 학식이 높아 해마다 한번씩 지내는 용왕제(龍王祭)에 축(祝)을 초(草)하는 황재석씨가 받았다.

"그래도 질래 있던 사람이 없어지만 필시 연유가 있는 기라. 사람이 바늘이라, 모래라, 기양 없어지는 기 어디 있어. 암만 그래도 우리 동네 사람 아이라. 반그이. 아이다, 만그이가 여게서 나서 사는 동안 한 분도 밖에서 안 들어온 적이 없는데 말이라."

"아이지요, 어르신. 가가 군대 간다 캤을 때 여운지 토깨인지하고 밤새도록 싸우니라고 하루는 안 들어왔심다."

용왕제에서 집사 역을 하는 황동수가 우스개처럼 말을 이었다. 아침밥을 먹기도 전 황만근의 아들이 찾아와 황만근이 집에 돌아오지 않았다고 하길래 얼결에 동네 사람들을 불러 모으는 역할을 하게 된 민 씨는 분위기가 이상하게 돌아간다 생각하고 참견을 했다.

"어제 궐기 대회 한다 하고 간 사람이 누구누구십니까. 황만근 씨하고 같이 간 사람은요? 궐기 대회 하는 동안 본 사람은 없나요?"

자리에 모인 대여섯 명의 황씨들은 서로의 얼굴을 마주보더니 모두 고개를 흔들었다.

"사람이라고 및밍이나 되나. 군 전체 사람이 모도 모있다는 기 백밍이 될라나 말라나 한데 반그이는 돼지고기 반 근만 해서 그런지 안 보이더라칸께."

이장은 계속 빈정거리듯 말을 이었다. 민 씨는 이장이 궐기대회 전날 황만근을 따로 불러 무슨 말을 건네던 것을 기억해 냈다.

"그제 밤에 내일 궐기대회 한다고 사람들 모였을 때 이장님이 황만근 씨에게 뭐라고 하셨죠. 모임 끝난 뒤에."

이장은 민 씨를 흘기듯 노려보았다.

"왜, 농민보고 농민 궐기 대회 꼭 나오라 캤는데, 뭐가 잘못됐나?"/민 씨는 자신도 모르게 따지는 어조가 되었다.

"군 전체가 모두 모여도 몇 명 안되었다면서요. 그런 자리에 황만근 씨가 꼭 가야 합니까. 아니, 황만근 씨만 가야 할 이유라도 있습니까. 따로 황만근 씨한테 부탁을 할 정도로."

"이 사람이 뭐라 카는 기라. 이장이 동민한테 농가부채 탕감촉구 전국농민 총궐기대회가 있다, 꼭 참석해서 우리의 입장을 밝히자 카는데 뭐가 잘못됐다 말이라."

"잘못이라는 게 아니고요, 다른 사람들은 다 돌아왔는데 왜 황만근 씨만 못 오고 있나 하는 겁니다."

"내가 아나. 읍에 가보이 장날이더라고. 보나마나 어데서 술 처먹고 주질러 앉았을 끼라. 백 리 길을 깅운기를 끌고 갔으이 시간도 마이 걸릴 끼고."

다른 사람들은 말이 없었고 민 씨와 이장만이 공을 주고받는 꼴이 되어 버렸다.

[중간 줄거리 요약]

황만근은 어려서부터 말투가 어눌하고 행동이 엉뚱해서 마을사람들에게 놀림을 받아 왔으나, 실상은 누구보다도 성실하고 인정 많은 사람이었다. 그는 어머니와 아들을 정성을 다해 돌보며 마음의 온갖 궂은일을 도맡아 한다. 농민 궐기 대회를 앞둔 전날 밤 이장은 황만근에게 군청까지 경운기를 타고 참가할 것을 당부한다. 그리고는 민 씨가 잠든 사이에 경운기를 몰고 군청으로 떠나고 그 후로 돌아오지 않는다.

다음 날 새벽, 민 씨는 새벽녘에 잠깐 동네 어귀에서 탈탈거리는 경운기 소리를 들었다. 탁, 탁, 탁…… 시동이 잘 걸리지 않는 모양이었다. 타닥, 닥, 타닥, 탁, 탁, 탈, 탈, 탈, 탈, 탈탈탈탈…… 그 뒤에도 궐기 대회 가는 집마다 경운기를 끌고 나오려면 온 동네가 시끄럽겠다고 생각했지만 웬일인지 다른 경운기 소리는 더 이상 들려오지 않았다. 경운기 소리가 아득히 멀어져가는 소리를 들으며 민씨는 까무룩 잠이 들었다. / 전날 밤, 분명 꿈은 아니었다. 민 씨는 황만근의 말을 이렇게 들었다.

[A]
"농사꾼은 빚을 지마 안 된다 카이."

(한번 빚을 지면 그 빚을 갚으려고 무리하게 일을 벌인다. 동네 곳곳에 텅 빈 우사(牛舍), 마른 똥만 뒹구는 축사, 잡초만 무성한 비닐하우스를 보라. 농어민 복지, 소득향상, 생활 개선? 다 좋다. 그걸 제 돈으로 해야 한다. 제 돈으로 하지 않으면 그건 노름이나 다를 바 없다. 빚은 만근산의 눈덩이, 처마의 고드름처럼 자꾸 커진다.)

"기계화 영농 카더이마 집집마다 바퀴 달린 기계가 및이나 되나. 깅운기, 트랙터, 콤바인, 이앙기, 거다 탈곡기, 건조기에…… 다 빚으로 산 기라. 농사지봐야 그 빚 갚느라고 정신없다."

(한 집에서 일 년에 한 번 쓰는 이앙기를 들여놓으면 그게 일 년 내내 돌아가던가. 놀 때는 다른 집에 빌려주면 된다. 옛날에는 소를 그렇게 썼다. 그런데 지금은 그렇게 하지 않는다. 서로 도와가면서 농사짓는 건 옛날 말이다. 한 집에서 기계를 놀리면서도 안 빌려주면 옆집에서 화가 나서라도 산다. 어차피 빚으로 사는데 사기가 어려울까. 기계에 들어가는 기름은 면세유(免稅油)다. 면세유 가지고 기계를 다 돌리기는 힘들다. 옆집에는 경운기가 두 댄데 면세유는 한 대분밖에 나오지 않는다. 경운기가 왜 두 대씩 필요할까. 한 사람이 한꺼번에 두 대를 모는 것도 아닌데.)

"그런 기 다 쌀값에 언차진다(얹어진다). 언차져야 하는데 사실로는 수매하마 먹고살기 간당간당한 돈을 준다. 그 대신에 빚을 준다. 자금을 대준다 카는데 둘 다 안 했으마 좋겠다. 둘 다 농사꾼을 바보 멍텅구리로 만든다."

(따라서 제대로 된 농사꾼이 점점 없어진다.)

"내가 왜 빚을 안 졌니야고. 아무도 나한테 빚 준다고 안캐. 바보라고 아무도 보증 서라는 이야기도 안했다. 나는 내 짓고 싶은 대로 농사지민서 안 망하고 백 년을 살 끼라."

일주일 뒤에 황만근은 돌아왔다. 그의 아들이 그를 안고 돌아왔다. 한 항아리밖에 안 되는 그의 벼를 담고 돌아왔다. 경운기도 돌아왔다. 수레는 떼어내고 머리 부분만 트럭에 실려 돌아왔다. 황만근 아니면 그 누구도 작동시킬 수 없는 그 머리가, 바보처럼 주인을 태우지 않고 돌아왔다.

황만근, 황 선생은 어리석게 태어났는지는 모르지만 해가 가며 차츰 신지(神智)가 돌아왔다. 하늘이 착한 사람을 따뜻이 덮어주고 땅이 은혜롭게 부리를 대어 알껍질을 까주었다. 그리하여 후년에는 그 누구보다 지혜로웠다. 그는 누구에게도 해를 끼치지 않았듯 그 지혜로 어떤 수고로운 가르침도 함부로 남기지 않았다. 스스로 땅의 자손을 자처하여 늘 부지런하고 근면하였다. 사람들이 빚만 남는 농사에 공연히 뼈를 상한다고 하였으나 개의치 아니하였다. 사람 사이에 어려움이 있으면 언제나 함께하였고 공에는 자신보다 남을 내세워 뒷사람을 놀라게 했다. 하늘이 내린 효자로서 평생 어머니 봉양을 극진히 했다. 아들에게는 따뜻하고 이해심 많은 아버지였고 훈육을 할 때는 알아듣기 쉽게 하여 마음으로 감복시켰다.

어느 누구도 알아주지 아니하고 감탄하지 않는 삶이었지만 선생은 깊고 그윽한 경지를 이루었다. 보라. 남의 비웃음을 받으며 살면서도 비루하지 아니하고 홀로 할 바를 이루어 초지를 일관하니 이 어찌 하늘이 낸 사람이라 아니할 수 있겠는가. 이 어찌 하늘이 내고 땅이 일으켜 세운 사람이 아니랴.

단기 사천삼백삼십 년 오월 스무날

본디 묘지에나 쓰일 것[묘비명(墓碑銘)]이지만 천지를 대영혼의 집으로 삼은 선생인지라 아무 쓸모도 없는 이 글을, 새 터말로 귀농하였다가 이룬 것 없이 다시 도시로 흘러가며, 남해인 ⊙민순정이 엎디어 쓰다.

– 성석제, 「황만근은 이렇게 말했다」 –

---

05 이 글의 서술상 특징으로 적절하지 <u>않은</u> 것은?

① 묘비명 양식을 빌려 주인공의 일생을 정리하며 평가하고 있어 '황만근'에 대한 서술자의 태도를 알 수 있다.

② 과거와 현재를 교차하는 서술 방식으로 입체감을 주어 인물의 행적을 객관적으로 서술하고 있다.

③ 주인공과 관련한 주변 사람들의 대화를 통해 사건이 벌어지게 된 배경을 추적하게 한다.

④ 주인공의 실종 사실을 소설의 시작으로 하여 주인공이 어떤 인물인지 궁금증을 갖게 한다.

⑤ 사투리와 비속어 사용 및 언어유희를 통해 작품의 해학미를 더해주고 있다.

06 〈보기〉를 참고하여 윗글을 감상한 내용으로 적절하지 <u>않은</u> 것은?

> ┤ 보기 ├
>
> 「황만근 이렇게 말했다」는 1990년대 경제적으로 빈약한 농촌 현실을 배경으로, 각종 부채로 얼룩진 암울한 농촌 현실과 메말라 가는 인정을 비판하고 있는 작품이다. 이 작품은 바보 취급을 받는 황만근이 실제로는 매우 긍정적인 인물이며, 오늘날의 삶에 결핍된 관용과 도량의 정신을 가진 인물임을 보여 주고 있다. 또한 표리부동한 마을 사람들과 달리 황만근의 순수함과 우직함을 부각하여 원칙을 지키는 사람이 바보가 되는 사회 현실을 풍자하고 있다.

① 황만근의 실종에 관해 대화를 주고받던 마을 사람들은 점점 황만근의 부재로 인한 그의 존재감을 알게 되고 진심으로 걱정하기 시작한다.

② 황만근의 안전을 걱정하기보다 자신의 일만 걱정하는 이장의 모습을 통해 메말라 가는 농촌의 인정을 알 수 있다.

③ 농촌 정책의 문제점을 정확하게 파악하고 있는 모습에서 황만근이 바보가 아니라 확고한 신념을 지닌 농민임을 알 수 있다.

④ 농가 부채 해결을 위해 마을의 궂은일을 도맡아 하는 황만근을 통해 오늘날 우리에게 필요한 관용과 도량을 지닌 인물상을 제시하고 있다.

⑤ 황만근의 실종에 책임이 있으면서도 이를 회피하는 마을 사람들을 통해 오히려 이들이 바보일 수 있음을 풍자하고 있다.

07 〈보기〉를 참고하여, ㉠'민순정(민 씨)'의 서사적 기능에 대한 설명으로 적절한 것은?

> **│ 보기 │**
>
> 「황만근은 이렇게 말했다」는 전(傳)의 형식을 차용하고 있다. 이 작품은 황만근의 생애를 기록한 앞부분과 등장인물인 민 씨가 묘비명을 써서 덧붙인 뒷부분으로 나눌 수 있는데, 이는 어떤 사람의 독특한 행적을 기록하고 여기에 교훈적인 내용이나 비판을 덧붙이는 전(傳)의 형식과 거의 같다.

① 황만근 실종의 결정적 단서를 찾아낸다.
② 황만근의 인물됨과 가치를 독자에게 알려준다.
③ 황만근의 인간됨을 동네 사람들에게 알리는 역할을 한다.
④ 황만근에 대한 마을 사람들의 반감을 더 깊게 만들고 있다.
⑤ 황만근의 인생을 객관적 시각으로 담아낸 묘비명을 통해 작품의 주제를 분명하게 전달한다.

08 [A]에 대한 감상 내용으로 적절하지 않은 것은?

① 황만근에 대한 민 씨의 기억과 해석이 민 씨 입장에서 재정리 되어 서술되어 있다.
② 평소의 언행과 달리 황만근은 농촌 문제에 대해 대단한 식견을 보여 주고 있다.
③ 정부의 기계 영농화 정책으로 인해 농민들이 무리하게 빚을 질 수밖에 없었음을 알 수 있다.
④ 융자 없이 자력으로 농사를 짓는 황만근을 마을 사람들은 모범적인 농사꾼으로 여기고 있다.
⑤ 욕심 부리지 않고 성실하게 살아가는 황만근을 보면 자기 본분을 지키며 정직하게 사는 삶이 얼마나 중요한가를 제시하고 있다.

[09~13] 다음 글을 읽고 물음에 답하시오.

(가) 민 씨는 황만근의 말을 이렇게 들었다.

"농사꾼은 빚을 지마 안 된다 카이."

(한번 빚을 지면 그 빚을 갚으려고 무리하게 일을 벌인다. 동네 곳곳에 텅 빈 우사(牛舍), 마른똥만 뒹구는 축사, 잡초만 무성한 비닐하우스를 보라. 농어민 복지, 소득향상, 생활 개선? 다 좋다. 그걸 제 돈으로 해야 한다. 제 돈으로 하지 않으면 그건 노름이나 다를 바 없다. 빚은 만근산의 눈덩이, 처마의 고드름처럼 자꾸 커진다.)

"기계화 영농 카더이마 집집마다 바퀴 달린 기계가 및이나 되나. 깅운기, 트랙터, 콤바인, 이앙기, 거다 탈곡기, 건조기에…… 다 빚으로 산 기라. 농사지 봐야 그 빚 갚느라고 정신없다."

(한 집에서 일 년에 한 번 쓰는 이앙기를 들여놓으면 그게 일 년 내 내 돌아가던가. 놀 때는 다른 집에 빌려주면 된다.

옛날에는 소를 그렇게 썼다. 그런데 지금은 그렇게 하지 않는다. 서로 도와 가면서 농사짓는 건 옛날 말이다. 한 집에서 기계를 놀리면서도 안 빌려주면 옆집에서 화가 나서라도 산다. 어차피 빚으로 사는데 사기가 어려울까. 기계에 들어가는 기름은 면세유(免稅油)다. 면세유 가지고 기계를 다 돌리기는 힘들다. 옆집에는 경운기가 두 댄데 면세유는 한 대분밖에 나오지 않는다. 경운기가 왜 두 대씩 필요할까. 한 사람이 한꺼번에 두 대를 모는 것도 아닌데.)

"그런 기 다 쌀값에 언차진다(얹어진다). 언차져야 하는데 사실로는 수매하마 먹고살기 간당간당한 돈을 준다. 그 대신에 빚을 준다. 자금을 대 준다 카는데 둘 다 안 했으마 좋겠다. 둘 다 농사꾼을 바보 멍텅구리로 만든다."

(따라서 제대로 된 농사꾼이 점점 없어진다.)

"지 입에 들어갈 양석(양식), 곡석을 짓는 사람이 그 고마운 곡석, 양석한테 장난치겠나. 저도 남도 해로운 농약 뿌리고 비싸고 나쁜 비료 쳐서 보기만 좋은 열매를 뺐으마 그마이가?"

(모두 빚을 갚기 위해 그러는 것이다. 그러므로 빚을 제 주머니에서 아들 용돈 주듯이 내주는 사람, 기관은 다 농사꾼을 나쁘게 만든다. 정책 자금, 선심 자금, 농어촌 구조 개선 자금, 주택 개량 자금, 무슨 무슨 자금 해서 빌려줄 때는 인심좋게 빌려주는 척하더니 이제 와서 그 자금이 상환능력도 없는 사람들을 파산지경으로 몰아넣고 있다. 이제 와서 그 빚을 못 갚겠다고 하는데 거기에는 충분한 이유가 있다.)

"내가 왜 안 졌니냐고. 아무도 나한테 빚 준다고 안캐. 바보라고 아무도 보증 서라는 이야기도 안했다. 나는 내 짓고 싶은 대로 농사지민서 안 망하고 백년을 살 끼라." (중략)

황만근, 황 선생은 어리석게 태어났는지는 모르지만 해가 가며 차츰 신지(神智)가 돌아왔다. ⊙하늘이 착한 사람을 따뜻이 덮어주고 땅이 은혜롭게 부리를 대어 알껍질을 까주었다. 그리하여 후년에는 그 누구보다 지혜로웠다. 그는 누구에게도 해를 끼치지 않았듯 그 지혜로 어떤 수고로운 가르침도 함부로 남기지 않았다. 스스로 땅의 자손을 자처하여 늘 부지런하고 근면하였다. 사람들이 빚만 남는 농사에 공연히 뼈를 상한다고 하였으나 개의치 아니하였다. 사람 사이에 어려움이 있으면 언제나 함께하였고 공에는 자신보다 남을 내세워 뒷사람을 놀라게 했다. 하늘이 내린 효자로서 평생 어머니 봉양을 극진히 했다. 아들에게는 따뜻하고 이해심 많은 아버지였고 훈육을 할 때는 알아듣기 쉽게 하여 마음으로 감복시켰다.

선생은 천성이 술을 좋아하였는데 사람들은 선생이 가난한 것은 술 때문이라고 했다. 선생은 어느 농사꾼보다 부지런했고 농사일에도 익어 있었다. 문중 땅과 나이가 들어 농사가 힘에 부친 사람의 땅을 빌려 농사를 지었다. ⓒ농사를 짓되 땅에서 억지로 빼앗지 않고 남으면 술을 빚어 가벼운 기운은 하늘에 바치고 무거운 기운은 땅에 돌려주었다.

(나) 전일에, 선생은 경운기를 끌고 면소재지로 갔지만 경운기를 타고 온 사람이 없어 같이 갈 사람을 만나지 못했다. 선생은 다시 경운기를 끌고 백 리 길을 달려 약속장소인 군청까지 갔다. 가는 동안 선생은 여러 번 차에 부딪힐 뻔했다. 마른 봄바람에 섞인 먼지가 눈을 괴롭혔다. 날은 흐렸고 추웠다. 이윽고 비가 내리기 시작했다. 경운기에는 비를 피할 만한 덮개가 없어서 선생은 뼛속까지 젖어드는 추위에 몸을 떨었다. 선생이 군청 앞까지 갔을 때 이미 대회는 끝나고 아무도 없었다. ⓒ어머니에게 가져다줄 생선을 사고 몸을 녹인 선생은 날이 어두워오는 줄도 모르고 경운기에 올라 집으로 향했다. 경운기에는 빠르게 달리는 차량의 주의를 끌 만한 표지가 없어서 선생은 몇 번이나 사고를 당할 뻔했다. 그때마다 멈추었다가 다시 출발하는 바람에 시간은 점점 늦어졌다. 어두워지면서 경운기는 길옆의 논으로 떨어졌고 수레는 부서졌다. 결국 선생은 그 밤 안으로 집에 돌아갈 수 없다는 걸 알았다. ⓔ선생은 경운기에 실려 있는 땅의 젖에 취하여 경운기 옆에 앉아 경운기를 지켰다. 그러나 경운기는 선생을 지켜주지 않았다. 추위와 졸음으로부터 선생을 지켜주지 못했다. ⓜ아아, 선생이 좀더 살았더라면 난세의 혹염에 그늘의 덕을 널리 베푸는 큰 나무가 되었을 것이다.

[A] ┌ 어느 누구도 알아주지 아니하고 감탄하지 않는 삶이었지만 선생은 깊고 그윽한 경지를 이루었다. 보라. 남의 비
    │ 웃음을 받으며 살면서도 비루하지 아니하고 홀로 할 바를 이루어 초지를 일관하니 이 어찌 하늘이 낸 사람이라 아니
    └ 할 수 있겠는가. 이 어찌 하늘이 내고 땅이 일으켜 세운 사람이 아니랴.

– 성석제, 「황만근은 이렇게 말했다」 –

09 윗글 (가)를 통해 알 수 있는 내용과 거리가 먼 것은?

① 사람들은 빚으로 인해 무리하게 일을 벌인다.
② 구제역이 빈번하게 발생하여 우사가 텅 비어있다.
③ 면세유로 농기계를 사용하는데 충분하지 않을 수 있다.
④ 정부의 쌀 수매가 정책은 사람들을 만족시키지 못하고 있다.
⑤ 사람들은 농약을 뿌리고 나쁜 비료를 쳐서 보기만 좋게 농사짓는다.

10 〈보기〉는 윗글을 읽은 후 학생들이 나눈 대화이다. 적절하지 <u>않게</u> 의견을 제시한 학생들끼리 묶은 것은?

┤ 보기 ├

철수: 정부는 농촌 문제 해결을 위해 농민들에게 쉽게 돈을 빌려줬어.
영호: 사람들은 빚인 줄 몰랐기 때문에 정부가 준 돈으로 쉽게 일을 벌일 수 있었어.
동민: 가산이 파산 된 사람들은 자신의 능력으로 갚지 못할 정도의 부채를 졌을 거야.
영옥: 빚을 탕감하기 위해 농민들이 투쟁을 벌여 쌀값이 무리하게 올라 오히려 쌀의 수요가 줄었어.

① 철수, 영호　　② 영호, 영옥　　③ 철수, 영옥　　④ 동민, 영옥　　⑤ 동민, 철수

11 대상에 대한 화자의 태도가 (나)의 [A]와 가장 유사한 것은?

① 빙자옥질(氷姿玉質)이여 눈 속에 네로구나. / 가만히 향기 놓아 황혼월(黃昏月)을 기약하니 / 아마도 아치고절(雅致高節)은 너뿐인가 하노라.

– 안민영, 「매화사」 –

② 마음이 어린 후이니 하는 일이 다 어리다 / 만중운산(萬重雲山)에 어느 님 오리마는 / 지는 잎 부는 바람에 행여 그인가 하노라

– 서경덕 –

③ 물 아래 그림자 지니 다리 위에 중이 간다. / 저 중아 게 서거라 너 가는 데 물어보자. / 손으로 흰 구름 가리키고 말 아니코 간다.

– 정철 –

④ 수양산(首陽山) 바라보며 이제(夷齊) 한(恨) 하노라. / 주려 주글진들 채미(採薇)도 하는 건가. / 비록애 푸새엣 거신들 긔 뉘 땅헤 낫다니

– 성삼문 –

⑤ 짚 방석(方席)내지 마라 낙엽(落葉)엔들 못 앉으랴. / 솔 불 혀지 마라 어제 진 달 도다 온다. / 아희야 박주산채(薄酒山菜)일망정 없다 말고 내여라.

– 한호 –

12 윗글 ㉠~㉲에 대해 추론한 것으로 가장 적절한 것은?

① ㉠: 황만근은 마을 사람들로부터 지혜로운 사람으로 인정받았다.

② ㉡: 황만근은 퇴비와 비료를 절묘하게 배합하여 농사를 지었다.

③ ㉢: 어머니를 생각하지만 자신을 돌보지 않는 황만근의 몽매한 모습을 드러낸다.

④ ㉣: 비 오는 가운데 경운기를 꺼내려 흠뻑 젖어 추위에 떨고 있음을 알 수 있다.

⑤ ㉲: 비유를 통해 황만근과 같은 사람이 사회에 필요한 존재임을 강조하고 있다.

13 윗글과 〈보기〉에서 표현하는 내용의 공통점으로 적절한 것은?

┤ 보기 ├

징이 울린다 막이 내렸다
오동나무에 전등이 매어달린 가설무대
구경꾼이 돌아가고 난 텅 빈 운동장
우리는 분이 얼룩진 얼굴로
학교 앞 소줏집에 몰려 술을 마신다
답답하고 고달프게 사는 것이 원통하다
꽹과리를 앞장세워 장거리로 나서면
따라붙어 악을 쓰는 쪼무래기들뿐
처녀애들은 기름집 담벼락에 붙어 서서
철없이 킬킬대는구나
보름달은 밝아 어떤 녀석은
꺽정이처럼 울부짖고 또 어떤 녀석은
서림이처럼 해해대지만 이까짓
산구석에 처박혀 발버둥친들 무엇하랴
비료 값도 안 나오는 농사 따위야
아예 여편네에게나 맡겨 두고
쇠전을 거쳐 도수장 앞에 와 돌 때
우리는 점점 신명이 난다
한 다리를 들고 날라리를 불거나
고갯짓을 하고 어깨를 흔들꺼나

−신경림 「농무」 −

① 경제적으로 어려운 농촌의 현실을 드러내고 있다.

② 지배층의 억압에 저항하는 농민들의 모습을 묘사하고 있다.

③ 부정적인 현실에 무관심한 농민들의 태도를 비판하고 있다.

④ 경제적 어려움을 극복하려는 농민들이 의지를 보여주고 있다.

⑤ 우화적 기법을 활용하여 각박하고 이기적인 세태를 비판하고 있다.

(가) 전날 밤, 분명 꿈은 아니었다, 민 씨는 황만근의 말을 이렇게 들었다.

"농사꾼은 빚을 지마 안 된다 카이."

(한번 빚을 지면 그 빚을 갚으려고 무리하게 일을 벌인다. 동네 곳곳에 텅 빈 우사(牛舍), 마른 똥만 뒹구는 축사, 잡초만 무성한 비닐하우스를 보라. 농어민 복지, 소득향상, 생활 개선? 다 좋다. 그걸 제 돈으로 해야 한다. 제 돈으로 하지 않으면 그건 노름이나 다를 바 없다. 빚은 만근산의 눈덩이, 처마의 고드름처럼 자꾸 커진다.)

"기계화 영농 카더이마 집집마다 바퀴 달린 기계가 및이나 되나. 깅운기, 트랙터, 콤바인, 이앙기, 거다 탈곡기, 건조기에…… 다 빚으로 산 기라. 농사지 봐야 그 빚 갚느라고 정신없다."

(한 집에서 일 년에 한 번 쓰는 이앙기를 들여놓으면 그게 일 년 내 내 돌아가던가. 놀 때는 다른 집에 빌려주면 된다. 옛날에는 소를 그렇게 썼다. 그런데 지금은 그렇게 하지 않는다. 서로 도와 가면서 농사짓는 건 옛날 말이다. 한 집에서 기계를 놀리면서도 안 빌려주면 옆집에서 화가 나서라도 산다. 어차피 빚으로 사는데 사기가 어려울까. 기계에 들어가는 기름은 면세유(免稅油)다. 면세유 가지고 기계를 다 돌리기는 힘들다. 옆집에는 경운기가 두 댄데 면세유는 한 대분밖에 나오지 않는다. 경운기가 왜 두 대씩 필요할까. 한 사람이 한꺼번에 두 대를 모는 것도 아닌데.)

"그런 기 다 쌀값에 언차진다(얹어진다). 언차져야 하는데 사실로는 수매하마 먹고살기 간당간당한 돈을 준다. 그 대신에 빚을 준다. 자금을 대 준다 카는데 둘 다 안 했으마 좋겠다. 둘 다 농사꾼을 바보 멍텅구리로 만든다."

(따라서 제대로 된 농사꾼이 점점 없어진다.)

"지 입에 들어갈 양석(양식), 곡석을 짓는 사람이 그 고마운 곡석, 양석한테 장난치겠나. 저도 남도 해로운 농약 뿌리고 비싸고 나쁜 비료 쳐서 보기만 좋은 열매를 뺏으마 그마이가?"

(모두 빚을 갚기 위해 그러는 것이다. 그러므로 빚을 제 주머니에서 아들 용돈 주듯이 내주는 사람, 기관은 다 농사꾼을 나쁘게 만든다. 정책 자금, 선심 자금, 농어촌 구조 개선자금, 주택 개량 자금, 무슨 무슨 자금 해서 빌려줄 때는 인심 좋게 빌려주는 척하더니 이제 와서 그 자금이 상환능력도 없는 사람들을 파산지경으로 몰아넣고 있다. 이제 와서 그 빚을 못 갚겠다고 하는데 거기에는 충분한 이유가 있다.)

(나) 일주일 뒤에 황만근은 돌아왔다. 그의 아들이 그를 안고 돌아왔다. 한 항아리밖에 안 되는 그의 뼈를 담고 돌아왔다. 경운기도 돌아왔다. 수레는 떼어 내고 머리 부분만 트럭에 실려 돌아왔다. 황만근 아니면 그 누구도 작동시킬 수 없는 그 머리가, 바보처럼 주인을 태우지 않고 돌아왔다.

황만근, 황 선생은 어리석게 태어났는지는 모르지만 해가 가며 차츰 신지(神智)가 돌아왔다. 하늘이 착한 사람을 따뜻이 덮어주고 땅이 은혜롭게 부리를 대어 알껍질을 까주었다. 그리하여 후년에는 그 누구보다 지혜로웠다. 그는 누구에게도 해를 끼치지 않았듯 그 지혜로 어떤 수고로운 가르침도 함부로 남기지 않았다. 스스로 땅의 자손을 자처하여 늘 부지런하고 근면하였다. 사람들이 빚만 남는 농사에 공연히 뼈를 상한다고 하였으나 개의치 아니하였다. 사람 사이에 어려움이 있으면 언제나 함께하였고 공에는 자신보다 남을 내세워 뒷사람을 놀라게 했다. 하늘이 내린 효자로서 평생 어머니 봉양을 극진히 했다. 아들에게는 따뜻하고 이해심 많은 아버지였고 훈육을 할 때는 알아듣기 쉽게 하여 마음으로 감복시켰다. (중략) 선생은 어느 농사꾼보다 부지런했고 농사일에도 익어 있었다. 문중 땅과 나이가 들어 농사가 힘에 부친 사람의 땅을 빌려 농사를 지었다. 농사를 짓되 땅에서 억지로 빼앗지 않고 남으면 술을 빚어 가벼운 기운은 하늘에 바치고 무거운 기운은 땅에 돌려주었다.

(다) 전일에, 선생은 경운기를 끌고 면 소재지로 갔지만 경운기를 타고 온 사람이 없어 같이 갈 사람을 만나지 못했다. 선생은 다시 경운기를 끌고 백 리 길을 달려 약속장소인 군청까지 갔다. 가는 동안 선생은 여러 번 차에 부딪힐 뻔했다. 마른 봄바람에 섞인 먼지가 눈을 괴롭혔다. 날은 흐렸고 추웠다. 이윽고 비가 내리기 시작했다. 경운기에는 비를 피할 만한 덮개가 없어서 선생은 뼛속까지 젖어드는 추위에 몸을 떨었다. 선생이 군청 앞까지 갔을 때 이미 대회는 끝나고 아무

도 없었다. 어머니에게 가져다줄 생선을 사고 몸을 녹인 선생은 날이 어두워오는 줄도 모르고 경운기에 올라 집으로 향했다. 경운기에는 빠르게 달리는 차량의 주의를 끌 만한 표지가 없어서 선생은 몇 번이나 사고를 당할 뻔했다. 그때마다 멈추었다가 다시 출발하는 바람에 시간은 점점 늦어졌다. 어두워지면서 경운기는 길옆의 논으로 떨어졌고 수레는 부서졌다. 결국 선생은 그 밤 안으로 집에 돌아갈 수 없다는 걸 알았다. 선생은 경운기에 실려 있는 땅의 젖에 취하여 경운기 옆에 앉아 경운기를 지켰다. 그러나 경운기는 선생을 지켜주지 않았다. 추위와 졸음으로부터 선생을 지켜 주지 못했다.

아아, 선생이 좀 더 살았더라면 ㉮난세의 혹염에 그늘의 덕을 널리 베푸는 큰 나무가 되었을 것이다.

어느 누구도 알아주지 아니하고 감탄하지 않는 삶이었지만 선생은 깊고 그윽한 경지를 이루었다. 보라. 남의 비웃음을 받으며 살면서도 비루하지 아니하고 홀로 할 바를 이루어 초지를 일관하니 이 어찌 하늘이 낸 사람이라 아니할 수 있겠는가. 이 어찌 하늘이 내고 땅이 일으켜 세운 사람이 아니랴.

단기 사천삼백삼십 년 오월 스무날

---

14 〈보기〉를 참고하여 (가)의 '황만근의 말'을 이해한 것으로 가장 적절한 것은?

┤ 보기 ├

당시 농촌의 농업 경쟁력 강화를 위해 시설이나 설비를 확장하려는 경향이 있었고, 그 비용은 자금 융자를 통해서 해결했다. 수입 개방을 앞두고 농촌의 수익구조가 비상이 걸린 상황에서 소득의 증가가 없는 부채 증가는 농가에 크나큰 부담을 안겼다.

① 정부의 불필요한 설비 투자를 반대하나 소자본, 노동 집약적 농업을 위한 자금 지원 정책에는 찬성한다.
② 기계를 사용하여 농업 생산성을 높이기보다는 농약과 비료를 적절히 사용하는 전통적 농업을 지지한다.
③ 정부 정책의 부족한 점을 보완하고 정부와 농업 종사자가 서로 협력하여 농업효율성을 높이길 기대한다.
④ 융자금을 활용한 과도한 시설투자는 능력 이상의 부채를 초래해 결국 농사꾼을 파산에 이르게 함을 지적한다.
⑤ 무분별한 정부의 농업정책과 자금 대출 정책을 지적하며 상환 능력에 따른 선별적 융자 지원제도를 제시한다.

---

15 〈보기〉를 참고하여 (나), (다)에 대해 정리한 것으로 적절하지 <u>않은</u> 것은?

┤ 보기 ├

이 소설은 전(轉)의 형식을 차용하고 있다. 이 작품은 황만근의 생애를 기록한 앞부분과 등장인물인 민 씨가 묘비명을 써서 덧붙인 뒷부분으로 나눌 수 있는데, 이는 어떤 사람의 독특한 행적을 기록하고 여기에 교훈적인 내용이나 비판을 덧붙이는 전의 형식과 유사하다. 이 점에서 이 작품을 〈황만근전〉이라고 부를 수도 있다.

① 서술자는 전통적인 묘비명의 양식을 차용하여 황만근의 일생을 총정리하며 평가하고 있다.
② 서술자는 곤궁에 처한 사람들을 부지런히 구제했던 황만근의 후년의 삶을 지혜로웠다고 생각한다.
③ 서술자는 황만근이 훌륭한 삶을 살았다고 생각해 황만근에 대해 '황 선생'이라는 존칭을 사용하고 있다.
④ 서술자는 누구에게도 해를 끼치지 않고 효자이며 이해심 많은 아버지로서의 황만근의 삶을 가치 있게 여기고 있다.
⑤ 서술자는 황만근을 하늘이 내린 심성의 소유자로 보며 그 같은 사람이 우리 사회에 꼭 필요한 존재임을 강조하고 있다.

16 〈보기〉의 ㉠~㉤중, ㉮와 가장 비슷한 것은?

> ── 보기 ├──
>
> ㉠태풍에 쓰러진 나무를 고쳐 심고
> 각목으로 버팀목을 세웠습니다
> 산 나무가 죽은 나무에 기대어 섰습니다
>
> 그렇듯 얼마간 죽음에 빚진 채 삶은
> 싹이 트고 다시
> ㉡잔뿌리를 내립니다
>
> ㉢꽃을 피우고 꽃잎 몇 개
> 뿌려주기도 하지만
> 버팀목은 이윽고 삭아 없어지고
>
> ㉣큰바람 불어와도 나무는 눕지 않습니다
> 이제는
> 사라진 것이 나무를 버티고 있기 때문입니다
>
> 내가 허위허위 길 가다가
> 만져보면
> ㉤죽은 아버지가 버팀목으로 만져지고
> 사라진 이웃들도 만져집니다
>
> 언젠가 누군가의 버팀목이 되기 위하여
> 나는 싹틔우고 꽃피우며
> 살아가는지도 모릅니다
>
> — 복효근 「버팀목에 대하여」 —

① ㉠　　　　② ㉡　　　　③ ㉢　　　　④ ㉣　　　　⑤ ㉤

[17~21] 다음 글을 읽고 물음에 답하시오.

황만근이 없어졌다. 새벽에 혼자 경운기를 타고 집을 나간 황만근은 늘 들일을 나가면 돌아오는 시각인 저물녘에 돌아오지 않았다. 술을 마시고 취하더라도 열두시가 될락 말락 한 한밤이면 돌아왔는데 이번에는 아니었다. 평생 단 하루 외박한 뒤 돌아왔던 그 시각, 홰대의 닭이 울음을 그치는 아침이 되어도 돌아오지 않았다. 마을회관 앞, 황만근이 직접 심어 놓은 등나무 덩굴 아래, 직접 짠 평상에 사람들이 모였다. 먼저 이장이 입을 열었다.

"만그인지 반그인지 그 바보 자석 하나 따문에 소여물도 못하러 가고 이기 뭐라. 스무 바리나 되는 소가 한꺼분에 밥 굶는 기 중요한가, 바보 자석 하나가 어데 가서 술 처먹고 집에 안 오는 기 중요한가, 써그랄."

마을에서 연장자 축에 들고 가장 학식이 높아 해마다 한번씩 지내는 용왕제(龍王祭)에 축(祝)을 초(草)하는 황재석씨가 받았다.

"그래도 질래 있던 사람이 없어지마 필시 연유가 있는 기라. 사람이 바늘이라, 모래라, 기양 없어지는 기 어디 있어. 암만 그래도 우리 동네 사람 아이라. 반그이. 아이다, 만그이가 여게서 나서 사는 동안 한 분도 밖에서 안 들어온 적이 없는데 말이라."

〈중략〉

"그러니까 국도를 갈 때는 여러 사람이 한꺼번에 경운기를 여러 대 끌고 가자는 거였잖습니까. 시위도 하고 의지도 보여준다면서요. 허허. 나 참."

"아침부터 바쁜 사람 불러내 놓더이, 사람 말을 알아듣도 못하고 엉뚱한 소리만 해 싸. 누구맨구로 반동가리가 났나."

기어이 민 씨는 버럭 소리를 지르고야 말았다.

"반편은 누가 반편입니까. 이장이니 지도자니 하는 사람들이 모여서 방침을 정했으면 그대로 해야지, 양복 입고 자가용 타고 간 사람은 오고, 방침대로 경운기 타고 간 사람은 오지도 않고, 이게 무슨 경우냐구요."

"이 자슥이 뉘 앞에서 눈까리를 똑바로 뜨고 소리를 뻑뻑 질러쌓노. 도시에서 쫄딱 망해가이고 귀농을 했시모 얌전하게 납작 엎드려 있어도 동네 사람 시키줄까 말까 한데, 뭐라꼬? 내가 만그이 이미냐, 애비냐. 나이 오십 다 된 기 어데를 가른동 오든동 지가 알아서 해야지, 목사리 끌고 따라다니까?"

〈중략〉

그래서 사람들은 알게 되었다. 황만근이 경운기를 끌고 간 날 아침, 아침을 차리던 황만근에게 그의 어머니가 고등어자반이 없으면 밥을 먹지 않겠다고 한 사실을. 이장은 그것 보라는 듯이 "반동가리 반그이가 궐기 대회가 아이고 고딩어 사러 갔구마. 효자 났네, 효자 났어." 하고는 허리를 쭉 폈다. 황재석씨도 수염을 쓰다듬으며 "홀어머니 조석을 지극정성으로 평생 한끼도 안 빠뜨리고 공궤하니, 암만, 효자는 효자지. 천생지 효자라." 했다.

〈중략〉

마을에서 젊은 축에 드는 마흔다섯 살의 황영석은 황만근이 벽돌을 찍고 구덩이를 파서 지은 마을 회관 변소에서 분뇨를 퍼내면서 황만근의 부재를 알게 되었다.

"만그이 자석이 있었으마 내가 돈을 백만 원 준다 캐도 이런 일을 안 할 낀데. 아이구, 이 망할 놈의 똥 냄새, 여리가 싸나 그런지 독하기도 하네. 이기 곡석한테 독이 될지 약이 될지도 모르겠구마."

황만근이 있었으면 군말 없이 했을 일이었다. 늘 그렇듯이 벙글벙글 웃으면서.

"만그이가 있었으모 저 거름이 우리 밭으로 올 낀데. 만그이가 도대체 어데 갔노."

마을 회관 곁 조그만 밭에 채소를 심어 먹는 여씨 노인도 황만근의 부재를 알게 되었다. 황만근은 마을 공통 분뇨를, 역시 자신이 판 마을 공통의 분뇨장으로 가져가서 충분히 익힌 뒤에, 공평하게 나누어주었다. 황영석처럼 제가 펐다고 바로 제 밭에 가져다가 뿌리지는 않았다.

[중간 부분 줄거리]

[A]
'황만근가'는 황만근의 사연을 담은 짧은 가사의 노래이다. 이 노래에 따르면 황만근은 이름이 만근산에서 유래했고 어렸을 때 잘 넘어졌으며, 혀가 짧아 발음이 불분명하다. 황만근의 가족은 어머니와 아들 두 사람이다. 황만근의 어머니는 황만근이 배 속에 있을 때 전쟁으로 남편을 여의고 여덟 달 만에 황만근을 낳았는데, 예전이나 지금이나 가사를 돌볼 줄 모른다. 황만근은 우연히 물에 빠져 죽으려던 여자를 구해 주고 함께 살게 되었는데, 여자는 황만근에게 경운기를 사 주고 같이 산 지 일곱 달 만에 아들을 낳은 다음 사라져 버렸다.

황만근의 어머니와 아들, 조손은 입맛이 까다로워 비린 반찬이 없으면 먹지를 않는가 하면 비린 반찬이 있으면 밥상머리에서 돌아앉았다. 한 끼에 두 번 상을 차리는 일이 예사였다. 어머니 한 상, 아들 한 상이었고 본인은 상이 없이 먹었다. 황만근은 하루 일이 끝나면 반드시 경운기에 고기를 매달고 집으로 돌아왔다. 일을 하는 동안 논 주변에서 잡은 붕어나 메기, 미꾸라지, 혹은 메뚜기, 방아깨비라도 짚에 꿰어 들어왔다. 동네에서 이따금 잡는 소나 돼지, 개, 닭, 오리, 토끼 같은 가축 모두 숨을 끊는 것에서부터 내장을 손질하고 뼈에서 살을 발라내는 포정(庖丁)의 업(業)에는 황만근이 반드시 필요했다.

스스로의 필요에 의해 오래도록 자주 하다 보니 어느새 전문가가 된 것이었다. 그는 그런 일을 해 주고 얻어 온 고기를 뜨고 굽고 찌고 데치고 삶고 끓이는 데도 이골이 났다. 어쩌다 그가 만든 음식에 숟가락을 대 본 사람은 이구동성으로 감탄을 하게 마련이었다. 그리고 나서는 남녀노소를 막론하고 "희한할세, 바보가." 하는 말을 덧붙이는 것을 잊지 않았다. 그는 만들어져 있는 조미료를 몰랐지만 재료가 가지고 있는 맛을 흠뻑 우려내어 조화를 지킬 줄 알았다.

[B]
황만근은 또한 책에 나오는 예(禮)는 몰라도 염습과 산역(山役)같이 남이 꺼리는 일에는 누구보다 앞장을 섰고 동네 사람들도 서슴없이 그에게 그런 일을 맡겼다. 똥구덩이를 파고 우리를 짓고 벽돌을 찍는 일 또한 황만근이 동네 사람 누구보다 많이 했다. 마을길 풀 깎기, 도랑 청소, 공동 우물 청소 …… 용왕제에 쓸 돼지를 산 채로 묶어서 내다가 싫다고 요동질하는 돼지에게 때때옷을 입히는, 세계적으로 유례가 드문 일에는 그가 최고의 전문가였다. 동네의 일, 남의 일, 궂은일에는 언제가 그가 있었다. 그런 일에 대한 댓가는 없거나(동네 일인 경우), 반값이거나(다른 사람의 농사일을 하는 경우), 제값이면(경운기와 함께하는 경우) 공치사가 따랐다.

"만근아, 너는 우리 동네 아이고 어데 인정 없는 대처 읍내 같은 데 갔으마 진작에 굶어 죽어도 죽었다. 암만 바보라도 고마워할 줄 알아야 사람이다. 아나 어른이나 너한테는 다 고마운 사람인께 상 찡그리지 말고 인사 잘하고 다니라. 아이?"

황만근은 황재석씨의 이런 긴 사설을 들을 때조차 벙글거렸다. 일이 끝나면 굽신굽신 인사를 했다. 춤을 추듯이, 흥겹게.

〈중략〉

황만근, @황 선생은 어리석게 태어났는지는 모르지만 해가 가며 차츰 신지(神智)가 돌아왔다. 하늘이 착한 사람을 따뜻이 덮어주고 땅이 은혜롭게 부리를 대어 알껍질을 까주었다. 그리하여 후년에는 그 누구보다 지혜로웠다. 그는 누구에게도 해를 끼치지 않았듯 그 지혜로 어떤 수고로운 가르침도 함부로 남기지 않았다. 스스로 땅의 자손을 자처하여 늘 부지런하고 근면하였다. 사람들이 빚만 남는 농사에 공연히 뼈를 상한다고 하였으나 개의치 아니하였다. 사람 사이에 어려움이 있으면 언제나 함께하였고 공에는 자신보다 남을 내세워 뒷사람을 놀라게 했다. 하늘이 내린 효자로서 평생 어머니 봉양을 극진히 했다. 아들에게는 따뜻하고 이해심 많은 아버지였고 훈육을 할 때는 알아듣기 쉽게 하여 마음으로 감복시켰다

〈중략〉

[C]
어두워지면서 경운기는 길옆의 논으로 떨어졌고 수레는 부서졌다. 결국 선생은 그 밤 안으로 집에 돌아갈 수 없다는 걸 알았다. 선생은 경운기에 실려 있는 땅의 젖에 취하여 경운기 옆에 앉아 경운기를 지켰다. 그러나 경운기는 선생을 지켜주지 않았다. 추위와 졸음으로부터 선생을 지켜주지 못했다. 아아, 선생이 좀 더 살았더라면 난세의 혹염에 그늘의 덕을 널리 베푸는 큰 나무가 되었을 것이다.

어느 누구도 알아주지 아니하고 감탄하지 않는 삶이었지만 선생은 깊고 그윽한 경지를 이루었다. 보라. 남의 비웃음을 받으며 살면서도 비루하지 아니하고 홀로 할 바를 이루어 초지를 일관하니 이 어찌 하늘이 낸 사람이라 아니할 수 있겠는가. 이 어찌 하늘이 내고 땅이 일으켜 세운 사람이 아니랴.

단기 사천삼백삼십 년 오월 스무날

본디 묘지에나 쓰일 것[묘비명(墓碑銘)]이지만 천지를 대영혼의 집으로 삼은 선생인지라 아무 쓸모도 없는 이 글을, 새터말로 귀농하였다가 이룬 것 없이 다시 도시로 흘러가며, 남해인(南海人) 민순정(閔順晶)이 엎디어 쓰다.

17 윗글에 대한 설명으로 적절한 것을 모두 고른 것은?

┤ 보기 ├

ㄱ. 사투리를 구사하여 작품에 현장감을 부여하고 있다.

ㄴ. 장면 변화에 따라 서술 시점을 달리해 일체감을 주고 있다.

ㄷ. 바보형의 우직한 인물을 제시하여 이기적인 세태를 비판하고 있다.

ㄹ. 서술자가 작품 안에서 특정 인물의 관점에서 인물들을 관찰하여 서술하고 있다.

ㅁ. 이야기 속에 또 하나의 이야기가 들어 있는 형식을 취하고 있어 액자 소설이라 할 수 있다.

① ㄱ, ㄷ   ② ㄴ, ㄹ   ③ ㄷ, ㅁ   ④ ㄱ, ㄴ, ㄷ   ⑤ ㄷ, ㄹ, ㅁ

18 윗글의 등장인물에 대한 설명으로 적절하지 <u>않은</u> 것은?

① 이장 – 황만근의 실종에 무관심하여 자신의 책임을 회피하는 이기적인 인물이다.

② 황재석 – 황만근이 효자임을 인정하는 학식이 높은 인물로 황만근의 공을 치하하는 유일한 인물이다.

③ 황만근의 어머니 – 아들이 지극정성으로 봉양하여 집안일에 신경 쓰지 않고 편하게 살아온 인물이다.

④ 민 씨 – 황만근의 실종 문제로 이장과 대립하는 인물로 황만근의 진면목을 파악하고 있는 인물이다.

⑤ 황영석 – 자신의 이익을 우선으로 생각하는 이해타산적인 인물이다.

19 윗글을 〈보기〉에 비추어 이해한 내용으로 적절하지 <u>않은</u> 것은?

┤ 보기 ├

　　〈황만근은 이렇게 말했다〉는 전(傳)의 형식을 차용하고 있다. 전은 한 인물의 행적을 짤막하게 서술한 전통적인 글쓰기 양식이다. ㉠서술대상은 주로 충신, 효자 등 모범적인 덕목을 지닌 인물이었는데, 그 중에는 하층민도 포함되어 있다. 이 작품은 황만근의 ㉡생애를 기록한 앞부분과 등장인물인 민 씨가 ㉢묘비명을 써서 덧붙인 뒷부분으로 나눌 수 있는데, 이는 어떤 사람리 ㉣독특한 행적을 기록하고 여기에 ㉤교훈적인 내용이나 비판을 덧붙이는 전의 형식과 유사하다. 이 점에서 이 작품을 〈황만근전〉이라고 부를 수도 있다.

① 황만근이 ㉠이 된 이유는 근면 성실하고 우직한 인물상을 통하여 타산적이 각박한 세태를 비판하기 위해서이다.

② [A]는 ㉡에 해당하는 것으로 황만근의 개인사를 요약하여 설명한다.

③ ⓐ'황 선생'이라는 표현은 ㉢의 양식에서 인물을 높이기 위해 사용하는 것이다.

④ [B]는 ㉣의 '독특한 행적' 중 하나에 해당한다.

⑤ [C]는 ㉤에 해당하는 것으로 사인(死因)을 밝힘으로써 황만근의 불찰을 비판한다.

20 윗글을 〈보기〉의 관점에서 탐구하기 위한 구상으로 가장 적절한 것은?

┤ 보기 ├

　　작품을 현실 세계의 반영이라고 보고, 작품을 이해하기 위해서는 재현의 대상이 된 현실과 작중 현실을 비교 검토해야 하며, 사회적 요인이 작품의 형성에 관여한 내용을 파악하여야 한다고 주장 하는 관점이다. 이 관점에 따르면 문학은 그 사회의 거울이다.

－「고교생을 위한 문학 용어사전」 중에서 －

① '전(轉) 형식'을 차용하여 생기는 효과에 주력하여 이 작품의 구조에 대해 알아본다.

② 황만근에 대한 민 씨의 평가를 통하여 작가가 추구하는 바람직한 인물상에 대하여 정리해 본다.

③ 이장과 민 씨의 갈등 양상에 주목하여 이것이 작품 전체의 사건에 미치는 영향에 대해 살펴본다.

④ 작품에 담긴 사회·문화적 가치가 무엇인지 파악하여 자신의 생각을 정리한 후 다른 모둠원들과 토의해 본다.

⑤ 인심이 각박해진 마을 사람들의 생활상에 주목하여 부채로 얼룩진 당시 농촌의 현실에 대하여 조사해 본다.

21 〈보기〉를 참고하여 윗글을 감상할 때 적절하지 <u>않은</u> 것은?

┤ 보기 ├

　　이 작품 속에서 황만근은 궐기 대회 전날 밤 민 씨에게 다음과 같이 말했다. "농사꾼은 빚을 지마 안 된다 카이." / 기계화영농 카더이마 집집마다 바퀴 달린 기계가 및이나 되나. 깅운기, 트랙터, 콤바인, 이앙기, 거다 탈곡기, 건조기에…… 다 빚으로 산 기라. 농사지봐야 그 빚 갚느라고 정신없다." / "그런 기 다 쌀값에 언차진다(얹어진다). 언차져야 하는데 사실로는 수매하마 먹고살기 간당간당한 돈을 준다. 그 대신에 빚을 준다. 자금을 대 준다 카는데 둘 다 안 했으마 좋겠다. 둘 다 농사꾼을 바보 멍텅구리로 만든다."

　"지 입에 들어갈 양석(양식), 곡석을 짓는 사람이 그 고마운 곡석, 양석한테 장난치겠나. 저도 남도 해로운 농약 뿌리고 비싸고 나쁜 비료 쳐서 보기만 좋은 열매를 뺏으마 그마이가?"

　"내가 왜 빚을 안 졌니야고. 아무도 나한테 빚 준다고 안캐. 바보라고 아무도 보증 서라는 이야기도 안했다. 나는 내 짓고 싶은 대로 농사지민서 안 망하고 백년을 살 끼라."

① 마을 사람들에게 바보 취급을 받는 황만근이 확고한 신념을 갖고 있는 농민임을 알 수 있다.

② 황만근이 바보라는 이유로 융자 대상에서 제외되어 영농자금 마련에 어려움을 겪었음을 토로하고 있다.

③ 기계화로 농업 생산성을 높이려는 정부의 농업 정책으로 농민이 빚을 지게 되는 실상을 보여 주고 있다.

④ 황만근은 소자본의 전통적인 농업을 지지하고 있으며 농약과 비료 사용에 대하여 비판적 인식을 갖고 있다.

⑤ 농민의 빚 문제를 해결하지 못하는 정부의 자금 대출 정책과 추곡 수매 정책에 대한 비판적 시각이 나타나 있다.

[22~24] 다음 글을 읽고 물음에 답하시오.

(가) 이화(梨花)에 월백(月魄)하고 은한(銀漢)이 삼경(三更)인제,
　　　일지춘심(一枝春心)을 자규 ㅣ야 알랴마난,
　　　다정(多情)도 병인 양ᄒ여 잠 못 들어 ᄒ노라.

－ 이조년 －

(나) 하늘은 날더러 구름이 되라 하고
　　　땅은 날더러 바람이 되라 하네
　　　청룡 흑룡 흩어져 비 개인 나루
　　　잡초나 일깨우는 잔바람이 되라네
　　　뱃길이라 서울 사흘 목계 나루에
　　　아흐레 나흘 찾아 박가분 파는
　　　가을볕도 서러운 방물장수 되라네
　　　산은 날더러 들꽃이 되라 하고
　　　강은 날더러 잔돌이 되라 하네
　　　산서리 맵차거든 풀속에 얼굴 묻고
　　　물여울 모질거든 바위 뒤에 붙으라네
　　　민물 새우 끓어넘는 토방 툇마루
　　　석삼년에 한 이레쯤 천지로 변해
　　　짐부리고 앉아 쉬는 떠돌이가 되라네
　　　하늘은 날더러 바람이 되라 하고
　　　산은 날더러 잔돌이 되라 하네

－ 신경림, 「목계장터」 －

(다) 동네 사람 누구든 하루 이틀, 또는 한두 달 집을 비울 수도 있지만 그렇다고 그 사실을 모든 사람이 알게 되는 것은 아니다. 그러나 황만근만은 하루밤이 지나지 않았음에도 모든 사람이 그의 부재를 알게 되었다. 그렇지만 누구도 적극적으로 황만근을 찾아 나서려 하지 않았다. 그는 있으나 마나 한 존재이면서 있었고 없어서는 안 되는 존재이면서 지금처럼 없기도 했다. 동네 사람들은 그를 바보라고 했다. 두어 해 전에야 신대 1리로 들어와 황만근의 탄생과 성장, 삶을 처음부터 지켜보지 못한 민 씨만 그렇게 생각하지 않았다.

마을에서 젊은 축에 드는 마흔다섯 살의 황영석은 황만근이 벽돌을 찍고 구덩이를 파서 지은 마을 회관 변소에서 분뇨를 퍼내면서 황만근의 부재를 알게 되었다.

"만그이 자석이 있었으마 내가 돈을 백만 원 준다 캐도 이런 일을 안 할 낀데. 아이구, 이 망할 놈의 똥 냄새, 여리가 싸놔 그런지 독하기도 하네. 이기 곡석한테 독이 될지 약이 될지도 모르겠구마."

황만근이 있었으면 군말 없이 했을 일이었다. 늘 그렇듯이 벙글벙글 웃으면서.

"만그이가 있었으모 저 거름이 우리 밭으로 올 낀데. 만그이가 도대체 어데 갔노."

마을 회관 곁 조그만 밭에 채소를 심어 먹는 여씨 노인도 황만근의 부재를 알게 되었다. 황만근은 마을 공통 분뇨를, 역시 자신이 판 마을 공통의 분뇨장으로 가져가서 충분히 익힌 뒤에, 공평하게 나누어 주었다. 황영석처럼 제가 펐다고 바로 제 밭에 가져가다 뿌리지는 않았다. 특히 여씨 노인처럼 일찍 남편을 잃고 혼잣몸이 된 노인들에게는, 알고 그러는지 모르고 그러는지 더 자주 거름을 가져다주었다.

"만그이한테 물어보자."

아이들은 소꿉장난을 하다가 황만근의 부재를 알게 되었다. 공평무사한 것이 황만근의 평생의 처사였다. 그에게는 판단능력이 없는 듯 했지만 시비를 물으러 가면, 가노라면 언제나 공평무사한 자연의 이법에 대해 깨우치게 되고 분쟁은 종식되었다.

(중략)

황만근의 어머니와 아들, 조손은 입맛이 까다로워 비린 반찬이 없으면 먹지를 않는가 하면 비린 반찬이 있으면 밥상머리에서 돌아앉았다.

한 끼에 두 번 상을 차리는 일이 예사였다. 어머니 한 상, 아들 한 상이었고 본인은 상이 없이 먹었다. 황만근은 하루 일이 끝나면 반드시 경운기에 고기를 매달고 집으로 돌아왔다. 일을 하는 동안 논 주변에서 잡은 붕어나 메기, 미꾸라지, 혹은 메뚜기, 방아깨비라도 짚에 꿰어 들어왔다. 동네에서 이따금 잡는 소나 돼지, 개, 닭, 오리, 토끼 같은 가축 모두 숨을 끊는 것에서부터 내장을 손질하고 뼈에서 살을 발라내는 포정(庖丁)의 업(業)에는 황만근이 반드시 필요했다. 스스로의 필요에 의해 오래도록 자주 하다 보니 어느새 전문가가 된 것이었다. 그는 그런 일을 해주고 얻어온 고기를 뜨고 굽고 찌고 데치고 삶고 끓이는 데도 이골이 났다. 어쩌다 그가 만든 음식에 숟가락을 대본 사람은 이구동성으로 감탄을 하게 마련이었다. 그러고 나서는 남녀노소를 막론하고 "희한할세, 바보가." 하는 말을 덧붙이는 것을 잊지 않았다. 그는 만들어져 있는 조미료를 몰랐지만 재료가 가지고 있는 맛을 흠뻑 우려내어 조화를 시킬 줄 알았다.

황만근은 또한 책에 나오는 예(禮)는 몰라도 염습과 산역(山役)같이 남이 꺼리는 일에는 누구보다 앞장을 섰고 동네 사람들도 서슴없이 그에게 그런 일을 맡겼다. 똥구덩이를 파고 우리를 짓고 벽돌을 찍는 일 또한 황만근이 동네 사람 누구보다 많이 했다. 마을길 풀깎기, 도랑 청소, 공동우물 청소 …… 용왕제에 쓸 돼지를 산 채로 묶어서 내다가 싫다고 요동질하는 돼지에게 때때옷을 입히는, 세계적으로 유례가 드문 일에는 그가 최고의 전문가였다. 동네의 일, 남의 일, 궂은일에는 언제가 그가 있었다. (중략)

"아부지야, 인마, 퍼뜩 일나라."

변성기에 들어선 소년의 목소리였다.

"쪼매만 더 앉아 있자. 내 니 엄마를 꿈에서 보다 말았다 안 카나."

그것은 마흔을 넘긴 사내의 어리광 같았다.

"너는 우째 맨날 술로 처먹고 내 속을 썩이나. 너 때문에 내가 학교 공부도 못하겠고 인생도 싫고 고마 밥맛이 없다."

"아이고, 우리 아들, 아들님, 내 잘못했다. 한 분만 봐조라."

"니가 자꾸 이렇게 비겁하게 나오기 때문에 동네 아들도 너를 무시하는 거 아이가. 제발 체면 좀 지키라. 시염(수염)만 어른인가. 내가 챙피해 죽겠다."

"체면이 뭐가 문제라. 사람이 지 손으로 일하고 지 손으로 농사지어서 지 입에 밥 들어가마 그마이지. 남 쳐다볼 기 뭐 있노. 하이고. 그란데 와 자꾸 눈이 깜기까."

"니 자꾸 이카마 할매한테 일라준다. 할매 부르까, 엉?"

"하이고, 제가 고마 크게 잘못했십니다. 아들님요, 일나께요. 제발 어무이만 부르지 마소."

– 성석제, 「황만근은 이렇게 말했다」 –

---

22 〈보기〉를 바탕으로 순수문학적 관점에서 이해할 때, (가)에 비해 (다)의 결여된 점을 가장 잘 지적한 것은?

> ┤ 보기 ├
>
> 문학과 현실의 관계는 훨씬 더 다층적이고 복합적인 양상으로 나타난다. 훌륭한 문학은 시대를 초월(超越)하는 것이지만, 그 문학이 뿌리를 내리고 있는 토양은 당대의 현실임을 유의해야 한다.
>
> 문학은 그 시대의 상황을 수렴한다. 따라서 작가는 현실에 대한 올바른 안목과 그 속에 용해되어 있는 삶의 모습들을 예술적으로 형상화시키는 데 부단한 노력을 경주(傾注)해야 한다. 일상적 사건들을 단순히 기록하는 차원이나 미적 정서적 차원의 여과과정(濾過過程)을 거치지 않은 현실 이해는 우리에게 감흥을 주기 어려우며, 자칫 펴고자 하는 이념(理念)에 압도되어 생경한 구호의 나열에 그치기 쉽기 때문이다.
>
> – 윤병로, 「문학과 현실」에서 –

① 다층적이고 복합적인 양상　　　② 그 시대의 상황을 수렴
③ 현실에 대한 올바른 안목　　　　④ 미적 정서적 차원의 여과과정(濾過過程)
⑤ 생경한 구호의 나열

23 윗글 (나)에 대한 설명으로 적절하지 <u>않은</u> 것은?

① '산서리'와 '물여울'은 민중들에게 닥친 모진 시련을 나타낸다.
② 유사한 어미의 반복적 사용을 통해 시상이 생동감 있게 전개된다.
③ 목계 나루를 무대로 한 풍물과 어휘가 토속적인 분위기를 자아낸다.
④ '민물새우 끓어 넘는 토방 툇마루'는 풍성하고 넉넉한 인심을 보여준다.
⑤ 방랑과 정착의 심상이 교체되어 자연과 하나 되고 싶은 소망을 나타낸다.

24 윗글 (다)에서 인물의 특징을 드러내는 방식으로 가장 적절한 것은?

① 대화를 통해 등장인물의 우월의식을 보여주고 있다.
② 외양묘사를 통해 등장인물이 처한 상황을 드러내고 있다.
③ 다양한 사례를 제시하여 등장인물의 성품을 부각하고 있다.
④ 과거 회상 통해 등장인물의 처지를 극적으로 제시하고 있다.
⑤ 갈등 후 생긴 등장인물의 복잡한 심정을 서술자가 말하고 있다.

[25~28] 다음 글을 읽고 물음에 답하시오.

(가) ㉠황만근이 없어졌다. 새벽에 혼자 경운기를 타고 집을 나간 황만근은 늘 들일을 나가면 돌아오는 시각인 저물녘에 돌아오지 않았다. 술을 마시고 취하더라도 열두시가 될락 말락 한 한밤이면 돌아왔는데 이번에는 아니었다. 평생 단하루 외박한 뒤 돌아왔던 그 시각, 홰대의 닭이 울음을 그치는 아침이 되어도 돌아오지 않았다. 마을회관 앞, 황만근이 직접 심어놓은 등나무 덩굴 아래, 직접 짠 평상에 사람들이 모였다. 먼저 이장이 입을 열었다.

"만그인지 반그인지 그 바보 자석 하나 때문에 소 여물도 못하러 가고 이기 뭐라. 스무 바리나 되는 소가 한꺼분에 밥 굶는 기 중요한가, 바보 자석 하나가 어데 가서 술 처먹고 집에 안 오는 기 중요한가, 써그랄."

마을에서 연장자 축에 들고 가장 학식이 높아 해마다 한번씩 지내는 용왕제(龍王祭)에 축(祝)을 초(草)하는 황재석씨가 받았다.

"그래도 질래 있던 사람이 없어지마 필시 연유가 있는 기라. 사람이 바늘이라, 모래라, 기양 없어지는 기 어디 있어. 암만 그래도 우리 동네 사람 아이라. 반그이. 아이다. 만그이가 여게서 나서 사는 동안 한 분도 밖에서 안 들어온 적이 없는데 말이라."

"아이지요, 어르신. 가가 군대 간다 캤을 때 여운지 토깨인지하고 밤새도록 싸우니라고 하루는 안 들어왔심다."

용왕제에서 집사 역을 하는 황동수가 우스개처럼 말을 이었다. 아침밥을 먹기도 전 ㉡황만근의 아들이 찾아와 황만근이 집에 돌아오지 않았다고 하길래 얼결에 동네 사람들을 불러모으는 역할을 하게 된 민 씨는 분위기가 이상하게 돌아간다 생각하고 참견을 했다.

"어제 궐기 대회 한다 하고 간 사람이 누구누구십니까. 황만근 씨하고 같이 간 사람은요? 궐기 대회 하는 동안 본 사람은 없나요?"

자리에 모인 대여섯 명의 황씨들은 서로의 얼굴을 마주보더니 모두 고개를 흔들었다.

"사람이라고 및밍이나 되나. 군 전체 사람이 모도 모있다는 기 백밍이 될라나 말라나 한데 반그이는 돼지고기 반 근만 해서 그런지 안 보이더라칸께."

이장은 계속 빈정거리듯 말을 이었다. 민 씨는 이장이 궐기대회 전날 황만근을 따로 불러 무슨 말을 건네던 것을 기억해 냈다.

"그제 밤에 내일 궐기 대회 한다고 사람들 모였을 때 이장님이 황만근씨에게 뭐라고 하셨죠. 모임 끝난 뒤에."

이장은 민 씨를 흘기듯 노려보았다.

"왜, 농민보고 농민 궐기 대회 꼭 나오라 캤는데, 뭐가 잘못됐나?"

민 씨는 자신도 모르게 따지는 어조가 되었다.

ⓒ"군 전체가 모두 모여도 몇 명 안되었다면서요. 그런 자리에 황만근 씨가 꼭 가야 합니까, 아니, 황만근 씨만 가야 할 이유라도 있습니까. 따로 황만근 씨한테 부탁을 할 정도로."

[A]
> ┌ "이 사람이 뭐라 카는 기라. 이장이 동민한테 농가부채 탕감촉구 전국농민 총궐기대회가 있다, 꼭 참석해서 우리의 입장을 밝히자 카는데 뭐가 잘못됐다 말이라."
>
> "잘못이라는 게 아니고요, 다른 사람들은 다 돌아왔는데 왜 황만근 씨만 못 오고 있나 하는 겁니다."
>
> "내가 아나. 읍에 가보이 장날이더라고. 보나마나 어데서 술 처먹고 주질러 앉았을 끼라. 백 리 길을 킹운기를 끌고 갔으이 시간도 마이 걸릴 끼고."
>
> 다른 사람들은 말이 없었고 민 씨와 이장만이 공을 주고받는 꼴이 되어 버렸다.
>
> "글세, 그 자리에 꼭 황만근 씨만 경운기를 끌고 갔어야 했느냐 이 말입니다. 그것도 고장 난 경운기를."
>
> "킹운기를 끌고 오라는 기 내 말이라? 투쟁 방침이 그렇다카이. 킹운기도 그렇지, 고장은 무신 고장, 만그이가 그걸 하루이틀 몰았나. 남들이 못 몬다뿌이지."
>
> "그럼 이장님은 왜 경운기를 안 타고 가고 트럭을 타고 가셨나요. 이장님부터 솔선수범을 해야지 다른 동민들이 따라할 텐데, 지금 거꾸로 되었잖습니까."
>
> "내사 민사무소에서 인원점검 하고 다른 이장들하고 의논도 해야 되고 울매나 바쁜 사람인데 킹운기를 타고 언제 가고 말고 자빠졌나. 다른 동네 이장들도 민소 앞에서 모이가이고 트럭 타고 갔는 거를. 진짜로 킹운기를 끌고 갔으마 군 대회에는 늦어도 한참 늦었지. 군청에 갔는데 비가 와가이고 온 사람도 및 없더마. 소리마 및분 지르고 왔지. 군청까지 킹운기를 타고 갈 수나 있던가. 국도에 차들이 미치괘이맨구루 쌩쌩 달리는데 받히만 우얘라고. 다른 동네서는 자가용으로 간 사람도 쌨어."

"그러니까 국도를 갈 때는 여러 사람이 한꺼번에 경운기를 여러 대 끌고 가자는 거였잖습니까. 시위도 하고 의지도 보여준다면서요. 허허. 나 참."

"아침부터 바쁜 사람 불러내 놓더이, 사람 말을 알아듣도 못하고 엉뚱한 소리만 해 싸. 누구맨구로 반동가리가 났나."

기어이 민 씨는 버럭 소리를 지르고야 말았다.

"반편은 누가 반편입니까. 이장이니 지도자니 하는 사람들이 모여서 방침을 정했으면 그대로 해야지, 양복 입고 자가용 타고 간 사람은 오고, 방침대로 경운기 타고 간 사람은 오지도 않고, 이게 무슨 경우냐구요."

"이 자슥이 뉘 앞에서 눈까리를 똑바로 뜨고 소리를 빽빽 질러쌓노. ⓔ도시에서 쫄딱 망해 가이고 귀농을 했시모 얌전하게 납작 엎드려 있어도 동네 사람 시키줄까 말까 한데, 뭐라꼬? 내가 만그이 이미냐, 애비냐. 나이 오십 다 된 기 어데를 가른동 오든동 지가 알아서 해야지, 목사리 끌고 따라다니까?"

(나) 〈중간 부분 줄거리〉

황만근은 이름이 만근산에서 유래했고 어렸을 때 잘 넘어졌으며, 혀가 짧아 발음이 불분명하다. 황만근의 가족은 어머니와 아들 두 사람이다. 황만근의 어머니는 황만근이 배 속에 있을 때 전쟁으로 남편을 여의고 여덟 달 만에 황만근을 낳는데, 예전이나 지금이나 가사를 돌볼 줄 모른다. 황만근은 우연히 물에 빠져 죽으려던 여자를 구해 주고 함께 살게 되었는데, 여자는 황만근에게 경운기를 사 주고 같이 산 지 일곱 달 만에 아들을 낳은 다음 사라져 버린다. 그 후 어머니를 지극정성으로 봉양하고 아들과도 허물없이 지낸다.

(다) 전날 밤, 분명 꿈은 아니었다, 민 씨는 황만근의 말을 이렇게 들었다.

"농사꾼은 빚을 지마 안 된다 카이."

(한번 빚을 지면 그 빚을 갚으려고 무리하게 일을 벌인다. 동네 곳곳에 텅 빈 우사(牛舍), 마른 똥만 뒹구는 축사, 잡초만 무성한 비닐하우스를 보라. 농어민 복지, 소득향상, 생활개선? 다 좋다. 그걸 제 돈으로 해야 한다. 제 돈으로 하지 않으면 그건 노름이나 다를 바 없다. 빚은 만근산의 눈덩이, 처마의 고드름처럼 자꾸 커진다.)

"기계화 영농 카더이마 집집마다 바퀴 달린 기계가 및이나 되나. 킹운기, 트랙터, 콤바인, 이앙기, 거다 탈곡기, 건조기에…… 다 빚으로 산 기라. 농사지 봐야 그 빚 갚느라고 정신없다."

(한 집에서 일 년에 한 번 쓰는 이양기를 들여놓으면 그게 일 년 내내 돌아가던가. 놀 때는 다른 집에 빌려주면 된다. 옛날에는 소를 그렇게 썼다. 그런데 지금은 그렇게 하지 않는다. 서로 도와가면서 농사짓는 건 옛날 말이다. 한 집에서 기계를 놀리면서도 안 빌려주면 옆집에서 화가 나서라도 산다. 어차피 빚으로 사는데 사기가 어려울까. 기계에 들어가는 기름은 면세유(免稅油)다. 면세유 가지고 기계를 다 돌리기는 힘들다. 옆집에는 경운기가 두 댄데 면세유는 한 대분밖에 나오지 않는다. 경운기가 왜 두 대씩 필요할까. 한 사람이 한꺼번에 두 대를 모는 것도 아닌데.)

"그런 기 다 쌀값에 언차진다(얹어진다). 언차져야 하는데 사실로는 수매하마 먹고살기 간당간당한 돈을 준다. 그 대신에 빚을 준다. 자금을 대준다 카는데 둘 다 안했으마 좋겠다. 둘 다 농사꾼을 바보 멍텅구리로 만든다."

(따라서 제대로 된 농사꾼이 점점 없어진다.)

"지 입에 들어갈 양석(양식), 곡석을 짓는 사람이 그 고마운 곡석, 양석한테 장난치겠나. 저도 남도 해로운 농약 뿌리고 비싸고 나쁜 비료 쳐서 보기만 좋은 열매를 뺏으마 그마이가?"

(모두 빚을 갚기 위해 그러는 것이다. 그러므로 빚을 제 주머니에서 아들 용돈 주듯이 내주는 사람, 기관은 다 농사꾼을 나쁘게 만든다. 정책 자금, 선심 자금, 농어촌 구조 개선자금, 주택 개량 자금, 무슨 무슨 자금 해서 빌려줄 때는 인심좋게 빌려주는 척하더니 이제 와서 그 자금이 상환능력도 없는 사람들을 파산지경으로 몰아넣고 있다. 이제 와서 그 빚을 못 갚겠다고 하는데 거기에는 충분한 이유가 있다.)

"내가 왜 빚을 안 졌느냐고. 아무도 나한테 빚 준다고 안캐. 바보라고 아무도 보증 서라는 이야기도 안했다. 나는 내 짓고 싶은 대로 농사지민서 안 망하고 백년을 살 끼라."

(라) 일주일 뒤에 황만근은 돌아왔다. 그의 아들이 그를 안고 돌아왔다. 한 항아리밖에 안 되는 그의 벼를 담고 돌아왔다. 경운기도 돌아왔다. 수레는 떼어내고 머리 부분만 트럭에 실려 돌아왔다. 황만근 아니면 그 누구도 작동시킬 수 없는 그 머리가, 바보처럼 주인을 태우지 않고 돌아왔다.

ⓜ황만근, 황 선생은 어리석게 태어났는지는 모르지만 해가 가며 차츰 신지(神智)가 돌아왔다. 하늘이 착한 사람을 따뜻이 덮어주고 땅이 은혜롭게 부리를 대어 알껍질을 까주었다. 그리하여 후년에는 그 누구보다 지혜로웠다. 그는 누구에게도 해를 끼치지 않았듯 그 지혜로 어떤 수고로운 가르침도 함부로 남기지 않았다. 스스로 땅의 자손을 자처하여 늘 부지런하고 근면하였다. 사람들이 빚만 남는 농사에 공연히 뼈를 상한다고 하였으나 개의치 아니하였다. 사람 사이에 어려움이 있으면 언제나 함께하였고 공에는 자신보다 남을 내세워 뒷사람을 놀라게 했다. 하늘이 내린 효자로서 평생 어머니 봉양을 극진히 했다. 아들에게는 따뜻하고 이해심 많은 아버지였고 훈육을 할 때는 알아듣기 쉽게 하여 마음으로 감복시켰다.

선생은 천성이 술을 좋아하였는데 사람들은 선생이 가난한 것은 술 때문이라고 했다. 선생은 어느 농사꾼보다 부지런했고 농사일에도 익어 있었다. 문중 땅과 나이가 들어 농사가 힘에 부친 사람의 땅을 빌려 농사를 지었다. 농사를 짓되 땅에서 억지로 빼앗지 않고 남으면 술을 빚어 가벼운 기운은 하늘에 바치고 무거운 기운은 땅에 돌려주었다. 그러므로 선생은 술로써 망한 것이 아니라 술의 물감으로 인생을 그려나간 것이다. 선생이 마시는 막걸리는 밥이면서 사직(社稷)의 신에게 바치는 헌주였다. 힘의 근원이고 낙천(樂天)의 뼈였다.

[B] 전일에, 선생은 경운기를 끌고 면 소재지로 갔지만 경운기를 타고 온 사람이 없어 같이 갈 사람을 만나지 못했다. 선생은 다시 경운기를 끌고 백 리 길을 달려 약속장소인 군청까지 갔다. 가는 동안 선생은 여러 번 차에 부딪힐 뻔했다. 마른 봄바람에 섞인 먼지가 눈을 괴롭혔다. 날은 흐렸고 추웠다. 이윽고 비가 내리기 시작했다. 경운기에는 비를 피할 만한 덮개가 없어서 선생은 뼛속까지 젖어드는 추위에 몸을 떨었다. 선생이 군청 앞까지 갔을 때 이미 대회는 끝나고 아무도 없었다. 어머니에게 가져다줄 생선을 사고 몸을 녹인 선생은 날이 어두워오는 줄도 모르고 경운기에 올라 집으로 향했다. 경운기에는 빠르게 달리는 차량의 주의를 끌 만한 표지가 없어서 선생은 몇 번이나 사고를 당할 뻔했다. 그때마다 멈추었다가 다시 출발하는 바람에 시간은 점점 늦어졌다. 어두워지면서 경운기는 길옆의 논으로 떨어졌고 수레는 부서졌다. 결국 선생은 그 밤 안으로 집에 돌아갈 수 없다는 걸 알았다. 선생은 경운기에 실려 있는 땅의 젖에 취하여 경운기 옆에 앉아 경운기를 지켰다. 그러나 경운기는 선생을 지켜주지 않았다. 추위와 졸음으로부터 선생을 지켜주지 못했다. 아아, 선생이 좀더 살았더라면 난세의 혹염에 그늘의 덕을 널리 베푸는 큰 나무가 되었을 것이다.

어느 누구도 알아주지 아니하고 감탄하지 않는 삶이었지만 선생은 깊고 그윽한 경지를 이루었다. 보라. 남의 비웃음을 받으며 살면서도 비루하지 아니하고 홀로 할 바를 이루어 초지를 일관하니 이 어찌 하늘이 낸 사람이라 아니할 수 있겠는가. 이 어찌 하늘이 내고 땅이 일으켜 세운 사람이 아니랴.

단기 사천삼백삼십 년 오월 스무날

본디 묘지에나 쓰일 것[묘비명(墓碑銘)]이지만 천지를 대영혼의 집으로 삼은 선생인지라 아무 쓸모도 없는 이 글을, 새 터말로 귀농하였다가 이룬 것 없이 다시 도시로 흘러가며, 남해인(南海人) 민순정(閔順晶)이 엎디어 쓰다.

– 성석제, 「황만근은 이렇게 말했다」 –

25 윗글에 대한 설명으로 적절하지 <u>않은</u> 것은?

① 서사의 흐름을 시간 순서대로 나열하면 (나)-(가)-(다)-(라)
② 발단 부분에 중심 사건을 배치하여 독자의 호기심을 형성하고 있다.
③ 대조적인 인물 유형을 제시하여 가치 있는 인물을 부각하고 있다.
④ 사투리와 비속어를 사용하여 해학적이고 향토적인 분위기를 드러낸다.
⑤ 인물의 살아온 행적을 보여 주는 부분과 인물에 대한 평가를 드러내는 부분으로 나눌 수 있다.

26 ㉠~㉤에 대해 추론한 것으로 가장 적절한 것은?

① ㉠: '황만근'이 외박한 것은 흔히 있던 일이다.
② ㉡: '황만근의 아들'이 아버지가 돌아오지 않았다고 마을 사람들을 불러 모았기 때문에 사람들이 모인 것이다.
③ ㉢: '민 씨'는 '황만근'이 전국 농민 총궐기 대회에 가게 된 이유를 잘 알지 못하여 궁금해 하고 있다.
④ ㉣: '민 씨'는 이 마을 토박이가 아니라 외지에서 들어온 사람이라 마을에서 따돌림을 받고 있다.
⑤ ㉤: '민 씨'는 '황만근'의 실종 전 날에 보인 '황만근'의 언행에 대해 긍정적으로 평가하고 있다.

27 [A]와 [B]에 대한 설명으로 적절하지 <u>않은</u> 것은?

① [A]는 '황만근의 실종' 사건 경위가 대화를 통해 서술되어 있다.
② [B]는 '황만근의 실종' 사건에 대한 경위가 요약적으로 서술되어 있다.
③ [B]는 비유를 통해 '황만근'의 덕을 칭송하고 애도하는 내용이 서술되어 있다.
④ [A]에는 인물 간의 갈등이 드러나지만, [B]에는 갈등이 서술되어 있지 않다.
⑤ 동일한 서술자가 동일한 사건을 [A]와 [B]와 같이 두 가지 방식으로 서술하고 있다.

28 〈보기1〉을 바탕으로 〈보기2〉와 (라)에 대해 감상한 내용으로 가장 적절한 것은?

┌─ 보기 1 ─

　　문학 작품의 주체는 작가가 사회, 문화적 공동체의 중요한 문제들을 조명하면서 우리 주변에 있을 법한 인물 중 공동체에 모범이 되고, 공동체가 지향해야할 가치가 있는 인물을 제시하여 드러내거나 사회·문화적 배경에 대한 성찰을 통해 추구하고자 하는 바를 독자와 공유하고자 하는 것으로 드러난다.

┌─ 보기 2 ─

　　새터 관전이네 머슴 대길이는
　　상머슴으로
　　누룩도야지 한 마리 번쩍 들어
　　도야지 우리에 넘겼지요.
　　그야말로 도야지 멱 따는 소리까지도 후딱 넘겼지요.
　　밥 때 늦어도 투덜댈 줄 통 모르고
　　이른 아침 동네길 이슬도 털고 잘도 치워 훤히 가리마 났지요.
　　그러나 낮보다 어둠에 빛나는 먹눈이었지요.
　　머슴 방 등잔불 아래
　　나는 대길이 아저씨한테 가갸거겨 배웠지요.
　　그리하여 장화홍련전을 주룩주룩 비 오듯 읽었지요.
　　어린아이 세상에 눈 떴지요.
　　일제 36년 지나간 뒤 가갸거겨 아는 놈은 나밖에 없었지요.
　　　　　　　　　　　　　　　　　(중략)

　　찬 겨울 눈 더미 가운데서도
　　덜렁 겨드랑이에 바람 잘도 드나들었지요.
　　그가 말했지요.
　　사람이 너무 호강하면 저밖에 모른단다.
　　남하고 사는 세상인데

　　대길이 아저씨
　　그는 나에게 불빛이었지요.
　　자다 깨어도 그대로 켜져서 밤새우는 불빛이었지요.

　　　　　　　　　　　　　　　　　　　　　　　– 고은, 「머슴 대길이」 –

① (라)는 시간의 흐름에 따라 서술하고 있고, 〈보기 2〉는 공간의 이동에 따라 서술하고 있군.

② (라)는 인물이 서술자에게 미치는 영향을 크지 않으나, 〈보기 2〉의 인물은 화자에게 큰 영향을 주었음을 알 수 있군.

③ (라)는 '묘비명'이라는 형식을 빌려 인물을 평가하고 있고, 〈보기 2〉는 인물의 장단점을 비교 분석하여 인물을 평가하고 있군.

④ (라)와 〈보기 2〉의 인물은 가난하거나 평범하고 보잘 것 없어 보이지만 공동체가 본받을 만한 가치를 지니고 있다는 점이 동일하군.

⑤ (라)와 〈보기 2〉가 반영하는 시대적 상황이 서로 다르기 때문에 사회·문화적으로 추구하고자 하는 가치는 서로 동일한 특징을 지닐 수가 없군.

서술형 심화문제

동네 사람 누구든 하루 이틀, 또는 한두 달 집을 비울 수도 있지만 그렇다고 그 사실을 모든 사람이 알게 되는 것은 아니다. 그러나 황만근만은 하루밤에 지나지 않았음에도 모든 사람이 그의 부재를 알게 되었다. 그렇지만 누구도 적극적으로 황만근을 찾아 나서려 하지 않았다. 그는 있으나 마나 한 존재이면서 있었고 없어서는 안 되는 존재이면서 지금처럼 없기도 했다. 동네 사람들은 그를 바보라고 했다. 두어 해 전에야 신대 1리로 들어와 황만근의 탄생과 성장, 삶을 처음부터 지켜보지 못한 민 씨만 그렇게 생각하지 않았다.

마을에서 젊은 축에 드는 마흔다섯 살의 황영석은 황만근이 벽돌을 찍고 구덩이를 파서 지은 마을 회관 변소에서 분뇨를 퍼내면서 황만근의 부재를 알게 되었다.

"만그이 자석이 있었으마 내가 돈을 백만 원 준다 캐도 이런 일을 안 할 낀데. 아이구, 이 망할 놈의 똥 냄새, 여리가 싸나 그런지 독하기도 하네. 이기 곡석한테 독이 될지 약이 될지도 모르겠구마."

황만근이 있었으면 군말 없이 했을 일이었다. 늘 그렇듯이 벙글벙글 웃으면서.

"만그이가 있었으모 저 거름이 우리 밭으로 올 낀데. 만그이가 도대체 어데 갔노."

마을 회관 곁 조그만 밭에 채소를 심어 먹는 여씨 노인도 황만근의 부재를 알게 되었다. 황만근은 마을 공통 분뇨를, 역시 자신이 판 마을 공통의 분뇨장으로 가져가서 충분히 익힌 뒤에, 공평하게 나누어 주었다. 황영석처럼 제가 펐다고 바로 제 밭에 가져다 뿌리지는 않았다. 특히 여씨 노인처럼 일찍 남편을 잃고 ㉠혼잣몸이 된 노인들에게는, 알고 그러는지 모르고 그러는지 더 자주 거름을 가져다주었다.

"만그이한테 물어보자."

아이들은 소꿉장난을 하다가 황만근의 부재를 알게 되었다. 공평무사한 것이 황만근의 평생의 처사였다. 그에게는 판단능력이 없는 듯 했지만 시비를 물으러 가면, 가노라면 언제나 공평무사한 자연의 이법에 대해 깨우치게 되고 분쟁은 종식되었다.

(중략)

민 씨는 황만근의 말을 이렇게 들었다.

"농사꾼은 빚을 지마 안 된다 카이."

(한번 빚을 지면 그 빚을 갚으려고 무리하게 일을 벌인다. 동네 곳곳에 텅 빈 우사(牛舍), 마른똥만 뒹구는 축사, 잡초만 무성한 비닐하우스를 보라. 농어민 복지, 소득향상, 생활 개선? 다 좋다. 그걸 제 돈으로 해야 한다. 제 돈으로 하지 않으면 그건 노름이나 다를 바 없다. 빚은 만근산의 눈덩이, 처마의 고드름처럼 자꾸 커진다.)

"기계화 영농 카더이마 집집마다 바퀴 달린 기계가 및이나 되나. 깅운기, 트랙터, 콤바인, 이앙기, 거다 탈곡기, 건조기에…… 다 빚으로 산 기라. 농사지 봐야 그 빚 갚느라고 정신없다."

(한 집에서 일 년에 한 번 쓰는 이앙기를 들여놓으면 그게 일 년 내 내 돌아가던가. 놀 때는 다른 집에 빌려주면 된다. 옛날에는 소를 그렇게 썼다. 그런데 지금은 그렇게 하지 않는다. 서로 도와 가면서 농사짓는 건 옛날 말이다. 한 집에서 기계를 놀리면서도 안 빌려주면 옆집에서 화가 나서라도 산다. 어차피 빚으로 사는데 사기가 어려울까. 기계에 들어가는 기름은 면세유(免稅油)다. 면세유 가지고 기계를 다 돌리기는 힘들다. 옆집에는 경운기가 두 댄데 면세유는 한 대분밖에 나오지 않는다. 경운기가 왜 두 대씩 필요할까. 한 사람이 한꺼번에 두 대를 모는 것도 아닌데.)

"그런 기 다 쌀값에 언차진다(엊어진다). 언차져야 하는데 사실로는 수매하마 먹고살기 간당간당한 돈을 준다. 그 대신에 빚을 준다. 자금을 대 준다 카는데 둘 다 안 했으마 좋겠다. 둘 다 농사꾼을 바보 멍텅구리로 만든다."

(따라서 제대로 된 농사꾼이 점점 없어진다.)

"지 입에 들어갈 양석(양식), 곡석을 짓는 사람이 그 고마운 곡석, 양석한테 장난치겠나. 저도 남도 해로운 농약 뿌리고 비싸고 나쁜 비료 쳐서 보기만 좋은 열매를 뺏으마 그마이가?"

(모두 빚을 갚기 위해 그러는 것이다. 그러므로 빚을 제 주머니에서 아들 용돈 주듯이 내주는 사람, 기관은 다 농사꾼을 나쁘게 만든다. 정책 자금, 선심 자금, 농어촌 구조 개선 자금, 주택 개량 자금, 무슨 무슨 자금 해서 빌려줄 때는 인심좋게 빌려주는 척하더니 이제 와서 그 자금이 상환능력도 없는 사람들을 파산지경으로 몰아넣고 있다. 이제 와서 그 빚을

못 갚겠다고 하는데 거기에는 충분한 이유가 있다.)

　"ⓐ내가 왜 안 졌니야고. 아무도 나한테 빚 준다고 안캐. 바보라고 아무도 보증 서라는 이야기도 안했다. 나는 내 짓고 싶은 대로 농사지민서 안 망하고 백년을 살 끼라."

01 윗글의 ㉠을 통해 드러난 황만근의 삶의 태도가 함축된 시어를 아래 〈보기〉에서 2개 찾아 쓰시오.

┤ 보기 ├

　　고향이 고향인 줄도 모르면서
　　긴 장대 휘둘러 까치밥 따는
　　서울 조카아이들이여
　　그 까치밥 따지 말라
　　남도의 빈 겨울 하늘만 남으면
　　우리 마음 얼마나 허전할까
　　살아온 이 세상 어느 물굽이
　　소용돌이 치고 휩쓸려 배 주릴때도
　　공중을 오가는 날짐승에게 길을 내어주는
　　그것은 따뜻한 등불이었으니
　　철없는 조카아이들이여
　　그 까치밥 따지 말라
　　사랑방 말쿠지에 짚신 몇 죽 걸어놓고
　　할아버지는 무덤 속을 걸어가시지 않았느냐
　　그 짚신 더러는 외로운 길손의 길보시가 되고
　　한 밤 중에 동네 개 컹컹 짖어 그 짚신 짊어지고
　　아버지는 다시 새벽 두만강 국경을 넘기도 하였느니

　　　　　　　　　　　　　　　　　　　　- 송수권, 「까치밥」 -

02 윗글의 ⓐ에 빠진 문장 성분을 보충하여 내용을 이해하기 쉽게 풀어 쓰시오.

03 〈보기〉는 '황만근'의 생각이다. 〈보기〉의 빈 칸에 적절한 말을 쓰시오.(단, ⓐ와 ⓑ는 <u>1어절</u>로 쓰고, ⓒ는 <u>2어절</u>로 쓸 것)

> ┤ 보기 ├
>
> 저는 일단 농부가 (ⓐ)을/를 내서 농사를 짓는 것 자체가 문제라고 생각합니다. 이것 때문에 무리하게 일을 벌이고 과도하게 시설을 확충하게 되는 것입니다. 또한 (ⓑ)의 모습이 사라진 것도 문제입니다. 옛 날에는 소를 서로 빌려주며 함께 사용했지만, 요즘은 그렇지 않고 집집마다 무리하게 기계를 구입합니다. 이 렇게 오늘날의 농촌이 망가져 가는 것은 상환 능력이 없는 사람들에 대한 정부의 잘못된 (ⓒ) 정책 때문 입니다.

04 '황만근'이 농업을 위해 나라에 진 빚이 어느 정도인지 설명하고, 이를 알 수 있는 구절을 찾아 15자 이내로 쓰시오.

> ┤ 조건 및 채점기준 ├
>
> 1. 빚이 어느 정도인지에 대한 설명 :
> 2. 1을 알 수 있는 구절 찾아 쓰기 :
> 3. 2의 경우 본문 그대로 적지 않을 경우 부분 점수 없음

05 윗글의 사회·문화적 가치를 〈보기〉와 같이 정리하였을 때, ⓐ, ⓑ에 들어갈 내용을 〈조건〉에 맞게 서술하시오.

> ┤ 보기 ├

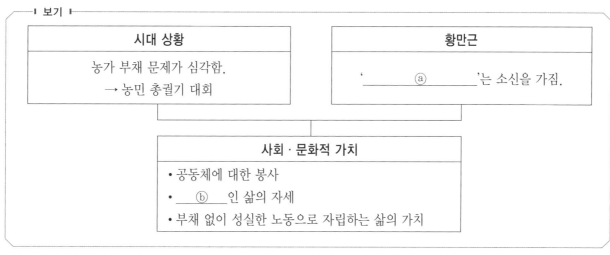

> ┤ 조건 ├
>
> • ⓐ에 들어갈 내용을 황만근이 한 말을 참고하여 한 문장으로 서술할 것.
> • ⓑ에 들어갈 내용을 '마을 사람들'과 대조되는 내용으로 집약하여 서술할 것.

오해

– 박완서 –

아파트에 살 때도 <u>그러했지만</u> 땅 집에 살고부터는 더더욱 쓰레기에 신경이 쓰인다. 아파트에서는 분류해서 내다
<small>쓰레기에 신경 썼지만</small>

버리는 순간 쓰레기봉투는 익명의 것이 되어 버린다. 그러나 땅 집에서는 수거차가 오는 날 집 앞에 내다 놔야 하기

때문에 누구네 쓰레기라고 딱지를 써 붙인 거나 다름이 없다. <u>쓰레기이지만 깔끔하게 보이고 싶어 넘치지도 모자라</u>
<small>글쓴이의 부지런하고 정갈한 성품이 드러남</small>

<u>지도 않게 담아서 꼭꼭 잘 여미게 된다.</u>

쓰레기라도 깔끔하게 보이고 싶다는 내 허영심을 비웃듯이 수거차가 오기 전에 우리 쓰레기봉투가 무참하게 파헤
<small>필요 이상으로 걸치레에 신경 쓰는 마음. 여기서는 겸손의 표현으로 사용됨</small>

쳐지는 일이 빈번하다는 것을 알게 되었다. 생선이나 닭고기를 먹고 난 후는 영락없이 그런 일을 당했다. 고양이들의

소행이었다. 개는 안 기르는 집이 거의 없다시피 하지만 고양이 기르는 집은 거의 없는 것 같은데도 동네에는 고양이

들이 많다. 이렇게 도둑고양이들이 많기 때문에 쥐가 거의 없다는 게 동네 사람들의 설명이었다.

아무리 그렇다고 해도 수거차가 지나간 후에도 문 앞이 깨끗하지 않고 닭 뼈나 생선 뼈가 어지럽게 널려 있다는 건

<u>여간 속상한 일이 아니었다.</u> 터져서 냄새나는 내용물이 꾸역꾸역 쏟아지는 쓰레기봉투를 들어 올렸을 미화원 아저씨
<small>고양이와 관련한 글쓴이의 감정 : 속상함</small>

에게는 또 얼마나 미안한 노릇인가. 그래서 생각해 낸 게 <u>고양이가 좋아할 만한 먹이가 생기면 봉투 속에 넣지 않고</u>
<small>고양이가 쓰레기봉투를 파헤치지 않게 할 방안</small>

<u>접시에 따로 담아 고양이가 잘 다니는 통로에다 놓아두는 거였다.</u>

그것은 좋은 생각이었다. 적중했으니까. 그 후부터 쓰레기봉투가 훼손당하는 일은 안 생겼고, <u>나도 고양이를 챙기</u>
<small>고양이와 관련한 글쓴이의 감정 : (속상함) → 재미</small>

<u>는 일에 재미를 붙이게 되었다.</u> 비린 것을 탐하는 고양이의 식성은 츱츱했지만 생선 뼈를, 머리칼처럼 가느다란 가

시까지도 깨끗이 발라내는 솜씨는 가히 예술이라 부를 만했다. <u>그 대신 우리 식구들은 고양이 생각을 한답시고 닭고</u>
<small>글쓴이를 비롯한 식구들이 점차 고양이를 의식하고 배려하게 됨</small>

<u>기나 생선을 먹을 때 점점 더 살을 많이 붙여서 남기게 되었다.</u>

나는 한술 더 떠서 식구들이 잘 안 먹는 생선 조림이 생기면 고양이를 위해 냄비째 쏟아 버리기도 했다. <u>그러나 고</u>

<u>양이는 절대로 과식하는 일이 없었다. 남겼다가 며칠에 걸쳐서 다 먹어 치웠다.</u> 그래서 나는 속으로 우리 집 단골 고
<small>글쓴이가 고양이에 대해 호감과 궁금증을 느낌</small>

양이가 여간 아니라고 생각했지만, 한 번도 녀석의 모습을 제대로 본 적은 없었다. 동네에는 여러 종류의 도둑고양이

가 있었지만 우리 마당을 환각처럼 바람처럼 스쳐 지나가는 고양이는 베이지색 바탕에 검은 줄이 있는 상당히 아름다

운 고양이라는 걸 알고 있을 뿐이었다.

오랜 장마가 갠 어느 날 오후였다. 마침 혼자 집을 지키고 있었다. 무더위가 한풀 꺾였다고는 하나 집 안에는 아직
<small>글쓴이가 자신의 오해를 깨닫게 되는 사건이 발생한 날 → 시간의 흐름</small>

곰팡내 섞인 습기가 많이 남아 있어 앞뒷문을 활짝 열어 놓고 있었다. 마루에서 책을 읽고 있다가 무심히 부엌 뒷문 밖

을 내다보았을 때였다. 뒷문 밖에는 꽤 넓은 툇마루가 있는데 거기 우리 집 단골 얼룩 고양이가 꼭 저 닮은 새끼를 다

섯 마리나 거느리고 나란히 앉아 있는 게 아닌가. 어미는 산후라 그런지 털이 꺼칠했지만 새끼들은 털이 반지르르 윤

이 흐르는 게 정말이지 눈이 부시게 아름다웠다. 어떤 인간의 가족에게서도 그렇게 아름다운 모습은 본 적이 없었다.
<small>고양이와 관련한 글쓴이의 감정 : (속상함) → (재미) → 감탄</small>

나는 거의 전율에 가까운 기쁨을 느꼈다. 그뿐이 아니었다. 나는 감동까지 하고 있었다. 나는 나에게 잘 얻어먹은
<small>고양이와 관련한 글쓴이의 감정 : (속상함) → (재미) → (감탄) → 기쁨, 감동</small>

어미 고양이가 그동안 해산을 해서 반질반질 잘 기른 새끼들을 나에게 자랑도 할 겸, 감사와 친애의 표시도 할 겸해
<small>고양이에 대한 글쓴이의 기대이자 오해</small>

서 그렇게 가족 나들이를 나왔으려니 하고 있었다. 그 쌀쌀맞고 영악하기만 한 고양이로서는 기특하기 짝이 없는 마

음 씀씀이 아닌가.

나는 마치 손주 새끼들 반기듯이 만면에 웃음을 띠고 두 손까지 활짝 벌려 그들 고양이 가족을 환대한다는 표시를

하며 부엌문 쪽으로 갔다. 그러나 그다음에 나는 기절을 할 뻔하게 놀라고 말았다. 어미가 눈으로 불을 뿜으며 으르
<small>고양이와 관련한 글쓴이의 감정 : (속상함) → (재미) → (감탄) → (기쁨, 감동) → 놀라움, 공포</small>

릉 이를 드러내고 나에게 공격 태세를 취하는 게 아닌가. 신속하고도 눈부신 적의(敵意)였다. 다행히 순간적이었다.
<small>아주 짧은 순간의 강렬한 적의</small>

내가 혹시 대낮에 환상을 본 게 아닌가 싶게 고양이 가족은 소리도 없이 신속하게 모습을 감추었다. 그래도 나는 무

서워서 부엌문을 닫아 버렸다.

두근거리는 가슴을 진정하고 나니까 고양이에 대한 내 오해가 하도 어처구니없어서 슬며시 웃음이 났다. 그까짓
<small>고양이와 관련한 글쓴이의 감정 : (속상함) → (재미) → (감탄) → (기쁨, 감동) → (놀라움, 공포) → 웃음 → 자신의 일방적인 오해에 대한 깨달음</small>

먹고 남은 생선 뼈 따위 좀 챙겨 주고 나서 내가 녀석을 길들인 줄 알다니. 녀석은 챙겨 주는 것보다 스스로 쓰레기봉
<small>고양이에 대한 자신의 생각들이 오해였음을 성찰하고, 고양이의 관점에서 생각해 봄</small>

투를 뚫고 찾아내는 게 훨씬 스릴도 있고 보람도 있었을 것이다. 어쩌면 녀석이 나를 공격하려 했다는 것조차 오해일

수도 있었다. 나에 대한 녀석의 적의는 곧 저렇게 생긴 인간이라는 족속에게 길들여지면 절대로 안 돼, 라는 제 새끼

들에 대한 강력한 경고가 아니었을까.

우리는 흔히 고양이는 은혜를 모르는 동물이라고 생각하며 길들이기를 꺼려 한다. 그게 인간들끼리 통하는 생각이

라면 고양이들끼리 통하는 생각은 인간이라는 머리 검은 동물에게 길들여진다는 건 자유와 자존심을 담보로 해야 하
<small>인간이 아닌 고양이의 관점에서 생각을 정리해 봄</small>

는, 즉 죽느니만도 못한 짓이라는 것일지도 모르겠다.

- **무참하다** 몹시 끔찍하고 참혹하다.
- **츱츱하다** 너절하고 염치가 없다.
- **툇마루** 큰 마루의 바깥쪽에 좁게 만들어 놓은 마루.

- **환대하다** 반갑게 맞아 정성껏 후하게 대접하다.
- **적의** 적대하는 마음. 또는 해치려는 마음.

갈래	수필
성격	고백적, 성찰적
제재	먹이를 챙겨 주던 도둑고양이에게 놀란 일
주제	도둑고양이에 대한 오해와 성찰
특징	• 도둑고양이에게 먹이를 준 자신의 생활 경험을 고백함. • 자신이 경험에서 깨달은 점(성찰)과 느낀 점(정서)이 잘 나타나 있음.

확인학습 ....

01 윗글은 글쓴이가 고양이를 소재로 한 자신의 경험을 솔직하게 드러내고 있다.　　　　　O☐ ×☐

02 윗글은 인물 간의 대화를 통해 사건을 전개하고 있다.　　　　　O☐ ×☐

03 다양한 인물의 내면을 묘사하여 사건을 다각도로 분석하고 있다.　　　　　O☐ ×☐

04 윗글의 글쓴이와 그 식구들이 생선살을 더 많이 붙여서 남기는 것으로 보아 고양이를 의식하고 배려한다는 것을 알 수 있다.　　　　　O☐ ×☐

05 윗글의 글쓴이는 쓰레기마저 깔끔하게 보이고 싶어 하는 것으로 보아 부지런하고 깔끔한 성격이다.　　　　　O☐ ×☐

06 윗글은 사건이 진행되다가 극적인 반전이 나타난다.　　　　　O☐ ×☐

07 윗글은 시간의 흐름에 따라 사건을 정리하고 있다.　　　　　O☐ ×☐

08 윗글은 주된 표현 대상을 오해의 경험으로 잡고 그 배경과 깨달음을 제시하고 있다.　　　　　O☐ ×☐

09 윗글은 수필의 특성에 따라 일상적인 표현을 사용하여 친근감을 주고 있다.　　　　　O☐ ×☐

10 윗글은 대상에 대한 섬세한 관찰과 묘사가 드러난다.　　　　　O☐ ×☐

[01~04] 다음 글을 읽고 물음에 답하시오.

아파트에 살 때도 그러했지만 땅 집에 살고부터는 더 더욱 쓰레기에 신경이 써진다. 아파트에서는 분류해서 내다버리는 순간 쓰레기봉투는 익명의 것이 되어 버린다. 그러나 땅 집에서는 수거차가 오는 날 집 앞에 내다놔야 하기 때문에 누구네 쓰레기라고 딱지를 써 붙인 거나 다름이 없다. ㉠쓰레기이지만 깔끔하게 보이고 싶어 넘치지도 모자라지도 않게 담아서 꼭꼭 잘 여미게 된다.

쓰레기라도 깔끔하게 보이고 싶다는 내 허영심을 비웃듯이 수거차가 오기 전에 우리 쓰레기봉투가 무참하게 파헤쳐지는 일이 빈번하다는 것을 알게 되었다. ㉡생선이나 닭고기를 먹고난 후는 영락없이 그런 일을 당했다. 고양이들의 소행이었다. 개는 안 기르는 집이 거의 없다시피 하지만 고양이 기르는 집은 없는 것 같은데도 동네에는 고양이들이 많다. 이렇게 도둑고양이들이 많기 때문에 쥐가 거의 없다는 게 동네사람들의 설명이었다.

〈중략〉

오랜 장마가 갠 어느날 오후였다. 마침 혼자 집을 지키고 있었다. 무더위가 한풀 꺾였다고는 하나 집 안에는 아직 곰팡내 섞인 습기가 많이 남아 있어 앞뒷문을 활짝 열어 놓고 있었다. 마루에서 책을 읽고 있다가 무심히 부엌 뒷문 밖을 내다보았을 때였다. 뒷문밖에는 꽤 넓은 툇마루가 있는데 거기 우리 집 단골 얼룩 고양이가 꼭 저 닮은 새끼를 다섯 마리나 거느리고 나란히 앉아 있는 게 아닌가. 어미는 털이 꺼칠했지만 새끼들은 털이 반지르르 윤이 흐르는 게 정말이지 눈이 부시게 아름다웠다. 어떤 인간의 가족도 그렇게 아름다운 가족은 본 적이 없었다.

나는 거의 전율에 가까운 기쁨을 느꼈다. 그뿐이 아니었다. 나는 감동까지 하고 있었다. 나는 나에게 잘 얻어먹은 어미 고양이가 그 동안 해산을 해서 반질반질 잘 기른 새끼들을 나에게 자랑도 할 겸, 감사와 친애의 표시도 할 겸해서 그렇게 가족 나들이를 나왔으려니 하고 있었다. 그 쌀쌀맞고 영악하기만 한 고양이로서는 기특하기 짝이 없는 마음 씀씀이 아닌가.

나는 마치 손주새끼들 반기듯이 만면에 웃음을 띠고 두 손까지 활짝 벌려 그들 고양이 가족을 환대한다는 표시를 하며 부엌문 쪽으로 갔다. 그러나 그 다음에 나는 기절을 할 뻔하게 놀라고 말았다. ㉢어미가 눈으로 불을 뿜으며 으르릉 이를 드러내고 나에게 공격태세를 취하는 게 아닌가. 신속하고도 눈부신 적의(敵意)였다. 다행히 순간적이었다. 내가 혹시 대낮에 환상을 본 게 아닌가 싶게 고양이 가족은 소리도 없이 신속하게 모습을 감추었다. 그래도 나는 무서워서 부엌문을 닫아버렸다.

㉣두근거리는 가슴을 진정하고 나니까 고양이에 대한 내 오해가 하도 어처구니없어서 슬며시 웃음이 났다. 그까짓 먹고 남은 생선 가시 좀 챙겨주고 나서 내가 녀석을 길들인 줄 알다니, 녀석은 챙겨주는 것보다 스스로 쓰레기봉투를 뚫고 찾아내는 게 훨씬 스릴도 있고 보람도 있었을 것이다. 어쩌면 녀석이 나를 공격하려 했다는 것조차 오해일 수도 있었다. ㉤나에 대한 녀석의 적의는 곧 저렇게 생긴 인간이라는 족속에게 길들여지면 절대로 안돼, 라는 제 새끼들에 대한 강력한 경고가 아니었을까.

우리는 흔히 고양이는 은혜를 모르는 동물이라고 생각하며 기르기를 꺼려한다. 그게 인간들의 통하는 생각이라면 고양이들끼리 통하는 생각은 인간이라는 머리 검은 동물에게 길들여진다는 건 자유와 자존심을 담보로 해야 하는, 즉 죽느니만도 못한 짓이라는 것일지도 모르겠다.

– 박완서, 「오해」 –

01 윗글의 서술상의 특징으로 옳은 것을 〈보기〉에서 고른 것은?

┤ 보기 ├

ㄱ. 대상을 의인화하여 친밀감을 표현하고 있다.
ㄴ. 사건에 따른 글쓴이의 정서를 잘 드러내고 있다.
ㄷ. 요약적 진술을 통해 사건의 긴박감을 조성하고 있다.
ㄹ. 일상적인 표현으로 문장을 써서 글이 쉽게 느껴진다.

① ㄱ, ㄴ   ② ㄱ, ㄷ   ③ ㄴ, ㄷ   ④ ㄴ, ㄹ   ⑤ ㄷ, ㄹ

02 ㉠~㉤에 대한 설명으로 적절하지 <u>않은</u> 것은?

① ㉠ – 글쓴이의 부지런하고 정갈한 성품을 짐작할 수 있다.

② ㉡ – 쓰레기봉투가 파헤쳐지는 일이 고양이의 소행이었음을 보여준다.

③ ㉢ – 글쓴이에게 인간을 공격하는 고양이의 본능을 깨닫게 하는 계기가 되었다.

④ ㉣ – 고양이에게 느꼈던 감정들이 일방적인 오해였음을 깨달은 글쓴이의 허탈함을 보여 준다.

⑤ ㉤ – 글쓴이가 고양이의 관점에서 생각하고 있다.

03 윗글에 나타난 글쓴이의 성격을 추론한 것으로 적절하지 <u>않은</u> 것은?

① 쓰레기마저 깔끔하게 보이고 싶어 하는 것으로 보아 부지런하고 정갈하다.

② 환경 미화원을 생각하고 있는 것으로 보아 다른 사람에 대한 배려를 가지고 있다.

③ 글쓴이와 그 식구들이 살을 더 많이 붙여서 남기는 것으로 보아 고양이를 의식하고 배려한다.

④ 고양이를 제대로 본 적이 없는 것으로 보아 주변에 주의를 기울이기보다는 자신을 우선시한다.

⑤ 아파트에 비해 땅 집에서 쓰레기봉투에 더욱 신경을 쓰는 것으로 보아 다른 사람의 이목을 신경 쓴다.

04 윗글에 나타난 글쓴이의 깨달음이 <u>아닌</u> 것은?

① 고양이는 내가 주는 음식보다 직접 찾아 먹는 것을 더 좋아했을 것이다.

② 고양이는 나에게 새끼들을 자랑할 겸, 감사와 친애를 표시할 겸 나들이를 나왔을 것이다.

③ 고양이는 내가 아닌 새끼들을 향해서 경고의 메시지를 보냈을 것이다.

④ 고양이는 인간에게 길들여지는 것을 거부할지도 모른다.

⑤ 고양이는 자유와 자존심을 목숨만큼 소중히 여기는 동물일지 모른다.

　아파트에 살 때도 그러했지만 땅 집에 살고부터는 더 더욱 쓰레기에 신경이 써진다. 아파트에서는 분류해서 내다버리는 순간 쓰레기봉투는 익명의 것이 되어 버린다. 그러나 땅 집에서는 수거차가 오는 날 집 앞에 내다놔야 하기 때문에 누구네 쓰레기라고 딱지를 써 붙인 거나 다름이 없다. 쓰레기지만 깔끔하게 보이고 싶어 넘치지도 모자라지도 않게 담아서 꼭꼭 잘 여미게 된다.

　쓰레기라도 깔끔하게 보이고 싶다는 내 허영심을 비웃듯이 수거차가 오기 전에 우리 쓰레기봉투가 무참하게 파헤쳐지는 일이 빈번하다는 것을 알게 되었다. 생선이나 닭고기를 먹고 난 후는 영락없이 그런 일을 당했다. 고양이들의 소행이었다. 개는 안 기르는 집이 거의 없다시피 하지만 고양이 기르는 집은 없는 것 같은데도 동네에는 고양이들이 많다. 이렇게 도둑고양이들이 많기 때문에 쥐가 거의 없다는 게 동네사람들의 설명이었다.

　아무리 그렇다고 해도 수거차가 지나간 후에도 문 앞이 깨끗하지 않고 닭 뼈나 생선 뼈가 어지럽게 널려 있다는 건 여간 속상한 일이 아닐 수 없다. 터져서 냄새나는 내용물이 꾸역꾸역 쏟아지는 쓰레기봉투를 들어 올렸을 미화원 아저씨에게는 또 얼마나 미안한 노릇인가. 그래서 생각해 낸 게 고양이가 좋아할 만한 먹이가 생기면 봉투 속에 넣지 않고 접시에 따로 담아 고양이가 잘 다니는 통로에다 놓아두는 거였다.

　그것은 생각은 좋은 생각이었다. 적중했으니까. 그 후부터 쓰레기봉투가 훼손당하는 일은 안 생겼고, 나도 고양이를 챙기는 일에 재미를 붙이게 되었다. 비리는 것을 탐하는 고양이의 식성은 츱츱했지만 생선 뼈를, 머리칼처럼 가느다란 가시까지도 깨끗이 발라내는 솜씨는 가히 예술이라 부를 만했다. 그 대신 우리 식구들은 고양이 생각을 한답시고 닭고기나 생선을 먹을 때 점점 더 살을 많이 붙여서 남기게 되었다.

　나는 한술 더 떠서 식구들이 잘 안 먹는 생선조림이 생기면 고양이를 위해 냄비째 쏟아 버리기도 했다. 그러나 고양이는 절대로 과식하는 일이 없었다. 남겼다가 며칠에 걸쳐서 다 먹어 치웠다. 그래서 나는 속으로 우리 집 단골 고양이가 여간 아니라고 생각했지만, 한 번도 녀석의 모습을 제대로 본적은 없었다. 동네에는 여러 종류의 도둑고양이가 있었지만 우리마당을 환각처럼 바람처럼 스쳐지나가는 고양이는 베이지색 바탕에 검은 줄이 있는 상당히 아름다운 고양이라는 걸 알고 있을 뿐이었다.

　(가) 오랜 장마가 갠 어느 날 오후였다. 마침 혼자 집을 지키고 있었다. 무더위가 한풀 꺾였다고는 하나 집안에는 아직 곰팡내 섞인 습기가 많이 남아있어 앞뒷문을 활짝 열어 놓고 있었다. 마루에서 책을 읽고 있다가 무심히 부엌 뒷문 밖을 내다보았을 때였다. 뒷문 밖에는 꽤 넓은 툇마루가 있는데 거기 우리 집 단골 얼룩 고양이가 꼭 저 닮은 새끼를 다섯 마리나 거느리고 나란히 앉아 있는 게 아닌가. 어미는 털이 꺼칠했지만 새끼들은 털이 반지르르 윤이 흐르는 게 정말이지 눈이 부시게 아름다웠다. 어떤 인간의 가족도 그렇게 아름다운 가족은 본 적이 없었다.

　(나) 나는 거의 전율에 가까운 기쁨을 느꼈다. 그뿐이 아니었다. 나는 감동까지 하고 있었다. 나는 나에게 잘 얻어먹은 어미 고양이가 그 동안 해산을 해서 반질반질 잘 기른 새끼들을 나에게 자랑도 할겸, 감사와 친애의 표시도 할 겸해서 그렇게 가족 나들이를 나왔으려니 하고 있었다. 그 쌀쌀맞고 영악하기만 한 고양이로서는 기특하기 짝이 없는 마음 씀씀이 아닌가.

　(다) 나는 마치 손주 새끼들 반기듯이 만면에 웃음을 띠고 두 손까지 활짝 벌려 그들 고양이 가족을 환대한다는 표시를 하며 부엌문 쪽으로 갔다. 그러나 그 다음에 나는 기절을 할 뻔하게 놀라고 말았다. 어미가 눈으로 불을 뿜으며 으르릉 이를 드러내고 나에게 공격 태세를 취하는 게 아닌가. 신속하고도 눈부신 적의(敵意)였다. 다행히 순간적이었다. 내가 혹시 대낮에 환상을 본 게 아닌가싶게 고양이 가족은 소리도 없이 신속하게 모습을 감추었다. 그래도 나는 무서워서 부엌문을 닫아 버렸다.

(라) 두근거리는 가슴을 진정 하고나니까 고양이에 대한 내 ⓐ오해가 하도 어처구니없어서 슬며시 웃음이 났다. 그까짓 먹고 남은 생선 가시 좀 챙겨 주고 나서 내가 녀석을 길들인 줄 알다니, 녀석은 챙겨 주는 것보다 스스로 쓰레기봉투를 뚫고 찾아내는 게 훨씬 스릴도 있고 보람도 있었을 것이다. 어쩌면 녀석이 나를 공격하려 했다는 것조차 오해일 수도 있었다. 나에 대한 녀석의 적의는 곧 저렇게 생긴 인간이라는 족속에게 길들여지면 절대로 안돼, 라는 제 새끼들에 대한 강력한 경고가 아니었을까.

(마) 우리는 흔히 고양이는 은혜를 모르는 동물이라고 생각하며 기르기를 꺼려한다. 그게 인간들끼리 통하는 생각이라면 고양이들끼리 통하는 생각은 인간이라는 머리 검은 동물에게 길들여진다는 건 자유와 자존심을 담보로 해야 하는, 즉 죽느니만도 못한 짓이라는 것일지도 모르겠다.

---

05 윗글에 대한 설명으로 적절하지 **않은** 것은?

① 주된 표현 대상을 오해의 경험으로 잡고, 그 배경과 깨달음을 제시하고 있다.
② 시간의 흐름에 따라 전개되는 사건을 요약적으로 서술하고 있다.
③ 사건과 사건에 따른 정서적 반응이 짝을 이루고 있다.
④ 일상적인 표현으로 문장을 써서 글이 쉽고 친근하게 느껴진다.
⑤ 대상을 섬세하게 관찰하여 묘사하고 있다.

06 윗글의 문맥상 ⓐ의 내용으로 거리가 먼 것은?

① 고양이가 나를 공격하려고 했다.
② 고양이는 은혜를 모르는 동물이다.
③ 고양이는 쓰레기봉투를 뚫고 먹이를 찾는 것을 즐긴다.
④ 고양이 먹이를 놓아주며 고양이를 길들였다고 생각했다.
⑤ 고양이는 감사와 친애를 표시할 겸해서 나들이를 왔을 것이다.

07 윗글에 대한 감상으로 적절하지 **않은** 것은?

① 고양이가 '자유와 자존심'을 무엇보다 중히 여기는 동물이라고 글쓴이는 생각하게 되었다.
② 미화원 아저씨에 대한 '미안한'의 마음을 가진 글쓴이에게서 타인에 대한 배려의 마음이 느껴진다.
③ '새끼를 다섯 마리나 거느리고' 나타난 고양이의 등장 이후로 글쓴이는 고양이에 대해 냉소적 태도를 보인다.
④ 고양이의 모습을 '환각'과 '바람'으로 비유한 것으로 보아, 글쓴이는 대상에 대한 호기심을 나타내고 있다.
⑤ 고양이의 먹이를 접시에 담아 놓아둔 것이 '적중했으니까' 글쓴이는 더 이상 신경 쓸 일이 없어지고 새로운 재미를 찾게 되었다.

08 (가)~(마) 중 〈보기〉에서 설명하고 있는 특징이 나타나는 것은?

> **보기**
>
> 　반전은 어떤 일이 한 상태로부터 그 반대 상태로 급격히 변화하는 것을 말하는 것을 말하는 것으로, 사건을 예상 밖의 방향으로 급전시킴으로써 독자에게 강한 충격을 줌과 도시에 주제를 효과적으로 전달하는 방법이다.

① (가)　　　② (나)　　　③ (다)　　　④ (라)　　　⑤ (마)

09 (마)에 나타난 글쓴이의 태도에 관한 평가로 적절한 것은?

① 맥수지탄　　② 역지사지　　③ 타산지석　　④ 청출어람　　⑤ 조삼모사

10 윗글에 대한 설명으로 적절하지 않은 것은?

① 대상을 섬세하게 관찰하여 묘사하고 있다.
② 사건이 진행되다가 극적인 반전이 나타난다.
③ 일상적인 표현으로 글쓴이의 경험과 깨달음을 서술하고 있다.
④ 시간의 흐름에 따라 대상에 대한 글쓴이의 정서 변화가 드러난다.
⑤ 대비되는 사건을 병렬적으로 제시하여 글쓴이의 내면 심리를 드러내고 있다.

[11~13] 다음 글을 읽고 물음에 답하시오.

아무리 그렇다고 해도 수거차가 지나간 후에도 문 앞이 깨끗하지 않고 닭 뼈나 생선 뼈가 어지럽게 널려있다는 건 여간 속상한 ⊙일이었다. 터져서 냄새나는 내용물이 꾸역꾸역 쏟아지는 쓰레기봉투를 들어 올렸을 미화원 아저씨에게는 또 얼마나 미안한 노릇인가. 그래서 생각해 낸 게 고양이가 좋아할만한 먹이가 생기면 봉투 속에 넣지 않고 접시에 따로 담아 고양이가 잘 다니는 통로에다 놓아두는 거였다. 그것은 생각은 좋은 생각이었다. 적중했으니까. 그 후부터 쓰레기봉투가 훼손당하는 일은 안 생겼고, 나도 고양이를 챙기는 ⓛ일이 재미를 붙이게 되었다. 비리는 것을 탐하는 고양이의 식성은 츱츱했지만 생선 뼈를, 머리칼처럼 가느다란 가시까지도 깨끗이 발려내는 솜씨는 가히 예술이라 부를 만했다. 그 대신 우리 식구들은 고양이 생각을 한답시고 닭고기나 생선을 먹을 때 점점 더 살을 많이 붙여서 남기게 되었다.

나는 한술 더 떠서 식구들이 잘 안 먹는 생선 조림이 생기면 고양이를 위해 냄비째 쏟아버리기도 했다. 그러나 고양이는 절대로 과식하는 일이 없었다. 남겼다가 며칠에 걸쳐서 다 먹어 치웠다. ⓒ그리고 나는 속으로 우리 집 단골 고양이가 여간 아니라고 생각했지만, 한 번도 녀석의 모습을 제대로 본적은 없었다. 동네에는 여러 종류의 도둑고양이가 ②있었고 우리 마당을 환각처럼 바람처럼 스쳐지나가는 고양이는 베이지색 바탕에 검은 줄이 있는 상당히 아름다운 고양이라는 걸 알고 있을 뿐이었다.

〈중략〉

나는 거의 전율에 가까운 기쁨을 느꼈다. 그뿐이 아니었다. 나는 감동까지 하고 있었다. 나는 나에게 잘 얻어먹은 어미 고양이가 그 동안 해산을 해서 반질반질 잘 기른 새끼들을 나에게 자랑도 할 겸, 감사와 친애의 표시도 할 겸해서 그렇게 가족 나들이를 나왔으려니 하고 있었다. 그 쌀쌀맞고 영악하기만 한 고양이로서는 기특하기 짝이 없는 마음 씀씀이 아닌가.

나는 마치 손주 새끼들 반기듯이 만면에 웃음을 ⓜ띠고 두 손까지 활짝 벌려 그들 고양이 가족을 환대한다는 표시를 하며 부엌문 쪽으로 갔다. 그러나 그다음에 나는 기절을 할 뻔하게 놀라고 말았다. 어미가 눈으로 불을 뿜으며 으르릉 이를 드러내고 나에게 공격태세를 취하는 게 아닌가. 신속하고도 눈부신 적의(敵意)였다. 다행히 순간적이었다. 내가 혹시 대낮에 환상을 본 게 아닌가 싶게 고양이 가족은 소리도 없이 신속하게 모습을 감추었다. 그래도 나는 무서워서 부엌문을 닫아 버렸다.

두근거리는 가슴을 진정 하고나니까 ⓐ고양이에 대한 내 오해가 하도 어처구니없어서 슬며시 웃음이 났다. 그까짓 먹고 남은 생선 가시 좀 챙겨주고 나서 내가 녀석을 길들인 줄 알다니, 녀석은 챙겨주는 것보다 스스로 쓰레기봉투를 뚫고 찾아내는 게 훨씬 스릴도 있고 보람도 있었을 것이다. 어쩌면 녀석이 나를 공격하려 했다는 것조차 오해일 수도 있었다. 나에 대한 녀석의 적의는 곧 저렇게 생긴 인간이라는 족속에게 길들여지면 절대로 안 돼, 라는 제 새끼들에 대한 강력한 경고가 아니었을까.

우리는 흔히 고양이는 은혜를 모르는 동물이라고 생각하며 기르기를 꺼려한다. 그게 인간들끼리 통하는 생각이라면 고양이들끼리 통하는 생각은 인간이라는 머리 검은 동물에게 길들여진다는 건 자유와 자존심을 담보로 해야 하는, 즉 죽느니만도 못한 짓이라는 것일지도 모르겠다.

— 박완서, 「오해」 —

11 윗글에 대한 설명으로 적절하지 않은 것은?

① 대상을 관찰하여 구체적으로 묘사하고 있다.
② 사건이 자연스럽게 진행되다가 극적인 반전이 나타난다.
③ 사건과 사건에 따른 정서적 반응이 짝을 이루며 구성되어 있다.
④ 지은이의 경험을 바탕으로 쓴 글로 지은이의 내면 심리가 섬세하게 드러나 있다.
⑤ 오해가 생겨나기 시작한 배경에서 오해에 관한 깨달음까지 역순행적 구성으로 이루어져 있다.

12 ⓐ에 대한 지은이의 깨달음을 추리한 것으로 적절하지 않은 것은?

① 고양이는 내덕분에 새끼들을 잘 키웠다는 것을 자랑하러 온 게 아니라 다른 목적으로 나들이를 나왔을 것이다.

② 고양이 어미에게 먹이를 주어 고양이를 길들이는 게 아니라 새끼들에게 맞는 먹이를 주어야 길들일 수 있는 것이다.

③ 고양이는 은혜를 몰라 인간이 길들이기 어려운 게 아니라 고양이가 인간에게 길들여지기를 거부하기 때문일 것이다.

④ 고양이가 나를 보고 공격하려고 한 게 아니라 새끼들에게 인간에게 길들여지지 말라는 경고의 메시지를 보낸 것이다.

⑤ 고양이는 지은이가 통로에 놓아 준 먹이를 먹는 것을 좋아한 게 아니라 자신이 먹고 싶은 먹이를 봉투에서 찾아 먹는 것을 더 좋아했을 것이다.

13 ㉠~㉤을 고쳐 쓰기 위한 방안으로 적절하지 않은 것은?

① ㉠ – 부사어와 서술어의 호응이 맞지 않으므로 '일이 아니였다.'로 고쳐야 한다.

② ㉡ – 조사의 사용이 부적절하므로 '일에'로 고쳐야 한다.

③ ㉢ – 접속어의 사용이 부적절하므로 '그래서'로 고쳐야 한다.

④ ㉣ – 어미의 사용이 부적절하므로 '있었지만'으로 고쳐야 한다.

⑤ ㉤ – 어휘의 사용이 부적절하므로 '띄고'로 고쳐야 한다.

객관식 심화문제

[01~07] 다음 글을 읽고 물음에 답하시오.

아파트에 살 때도 그러했지만 땅 집에 살고부터는 더 더욱 쓰레기에 신경이 써진다. 아파트에서는 분류해서 내다버리는 순간 쓰레기봉투는 익명의 것이 되어 버린다. 그러나 땅 집에서는 수거차가 오는 날 집 앞에 내다 놔야 하기 때문에 누구네 쓰레기라고 딱지를 써 붙인 거나 다름이 없다. 쓰레기이지만 깔끔하게 보이고 싶어 넘치지도 모자라지도 않게 담아서 꼭꼭 잘 여미게 된다.

쓰레기라도 깔끔하게 보이고 싶다는 내 허영심을 비웃듯이 수거차가 오기 전에 우리 쓰레기봉투가 ⓐ무참하게 파헤쳐지는 일이 빈번하다는 것을 알게 되었다. 생선이나 닭고기를 먹고 난 후는 영락없이 그런 일을 당했다. 고양이들의 소행이었다. 개는 안기르는 집이 거의 없다시피 하지만 고양이 기르는 집은 없는 것 같은데도 동네에는 고양이들이 많다. 이렇게 도둑고양이들이 많기 때문에 쥐가 거의 없다는 게 동네 사람들의 설명이었다.

아무리 그렇다고 해도 수거차가 지나간 후에도 문 앞이 깨끗하지 않고 닭 뼈나 생선 뼈가 어지럽게 널려있다는 건 여간 속상한 일이 아닐 수 없다. 터져서 냄새나는 내용물이 꾸역꾸역 쏟아지는 쓰레기봉투를 들어 올렸을 미화원 아저씨에게는 또 얼마나 미안한 노릇인가. 그래서 생각해 낸 게 고양이가 좋아할 만한 먹이가 생기면 봉투 속에 넣지 않고 접시에 따로 담아 고양이가 잘 다니는 통로에다 놓아두는 거였다.

그것은 생각은 좋은 생각이었다. 적중했으니까. 그 후부터 쓰레기봉투가 훼손당하는 일은 안 생겼고, 나도 고양이를 챙기는 일에 재미를 붙이게 되었다. 비리는 것을 탐하는 고양이의 식성은 ⓑ흡흡했지만 생선뼈를, 머리칼처럼 가느다란 가시까지도 깨끗이 ⓒ발라내는 솜씨는 가히 예술이라 부를 만했다. 그 대신 우리 식구들은 고양이 생각을 한답시고 닭고기나 생선을 먹을 때 점점 더 살을 많이 붙여서 남기게 되었다.

나는 한술 더 떠서 식구들이 잘 안 먹는 생선 조림이 생기면 고양이를 위해 냄비째 쏟아 버리기도 했다. 그러나 고양이는 절대로 과식하는 일이 없었다. 남겼다가 며칠에 걸쳐서 다 먹어 치웠다. 그래서 나는 속으로 우리 집 단골 고양이가 여간 아니라고 생각했지만, 한 번도 녀석의 모습을 제대로 본적은 없었다. 동네에는 여러 종류의 도둑고양이가 있었지만 우리 마당을 환각처럼 바람처럼 스쳐 지나가는 고양이는 베이지색 바탕에 검은 줄이 있는 상당히 아름다운 고양이라는 걸 알고 있을 뿐이었다. (중략)

마루에서 책을 읽고 있다가 무심히 부엌 뒷문 밖을 내다보았을 때였다. 뒷문 밖에는 꽤 넓은 ⓓ툇마루가 있는데 거기 우리 집 단골 얼룩 고양이가 꼭 저 닮은 새끼를 다섯 마리나 거느리고 나란히 앉아 있는 게 아닌가. 어미는 산후라 그런지 털이 꺼칠했지만 새끼들은 털이 반지르르 윤이 흐르는 게 정말이지 눈이 부시게 아름다웠다. 어떤 인간의 가족도 그렇게 아름다운 가족은 본 적이 없었다.

나는 거의 전율에 가까운 기쁨을 느꼈다. 그뿐이 아니었다. 나는 감동까지 하고 있었다. 나는 나에게 잘 얻어먹은 어미 고양이가 그 동안 해산을 해서 반질반질 잘 기른 새끼들을 나에게 자랑도 할 겸, 감사와 친애의 표시도 할 겸해서 그렇게 가족 나들이를 나왔으려니 하고 있었다. 그 쌀쌀맞고 영악하기만 한 고양이로서는 기특하기 짝이 없는 마음 씀씀이 아닌가.

나는 마치 손주 새끼들 반기듯이 만면에 웃음을 띠고 두 손까지 활짝벌려 그들 고양이 가족을 환대한다는 표시를 하며 부엌문 쪽으로 갔다. 그러나 그 다음에 나는 기절을 할 뻔하게 놀라고 말았다. 어미가 눈으로 불을 뿜으며 으르릉 이를 드러내고 나에게 공격태세를 취하는 게 아닌가. 신속하고도 눈부신 ⓔ적의(敵意)였다. 다행히 순간적이었다. 내가 혹시 대낮에 환상을 본 게 아닌가싶게 고양이 가족은 소리도 없이 신속하게 모습을 감추었다. 그래도 나는 무서워서 부엌문을 닫아버렸다.

두근거리는 가슴을 진정하고 나니까 고양이에 대한 내 오해가 하도 어처구니없어서 슬며시 웃음이 났다. 그까짓 먹고 남은 생선 가시 좀 챙겨주고 나서 내가 녀석을 길들인 줄 알다니, 녀석은 챙겨주는 것보다 스스로 쓰레기봉투를 뚫고 찾아내는 게 훨씬 스릴도 있고 보람도 있었을 것이다. 어쩌면 녀석이 나를 공격하려 했다는 것조차 오해일 수도 있었다. 나에 대한 녀석의 적의는 곧 저렇게 생긴 인간이라는 족속에게 길들여지면 절대로 안돼, 라는 제 새끼들에 대한 강력한 경고가 아니었을까.

우리는 흔히 고양이는 은혜를 모르는 동물이다라고 생각하며 기르기를 꺼려한다. 그게 인간들의 통념이라면 고양이들끼리 통하는 생각은 인간이라는 머리 검은 동물에게 길들여진다는 건 자유와 자존심을 담보로 해야 하는, 즉 죽느니만도 못한 짓이라는 것일지도 모르겠다.

– 박완서, 「오해」 –

---

01 윗글의 서술상 특징으로 적절하지 <u>않은</u> 것은?

① 글쓴이의 심리 변화가 직접적으로 드러나고 있다.
② 예측 못한 사건의 반전이 새로운 깨달음의 계기가 되고 있다.
③ 함축적인 언어와 간결한 문장으로 내용을 쉽고 친근하게 전달하고 있다.
④ 설의적 표현을 활용해 특정 상황이나 글쓴이의 생각을 특별히 부각시키고 있다.
⑤ 대상을 구체적이고 생동감 있게 묘사함으로써 글쓴이의 감정을 드러내고 있다.

02 ㉠~㉤ 중 낱말의 의미가 바르게 풀이된 것은?

① ㉠ : 염치도 없이
② ㉡ : 마음에 개운치 않고 불만스러웠지만
③ ㉢ : 물건을 바르게 정리하는
④ ㉣ : 큰 마루의 바깥쪽에 좁게 만들어 놓은 마루
⑤ ㉤ : 상대를 두려워하는 마음

03 윗글에 나타난 글쓴이의 깨달음(A)을 다음과 같이 인간관계(B)에 적용한다고 할 때, (B)의 내용으로 가장 적절한 것은?

A: 나와 고양이의 관계에서 느낀 깨달음	⇒ 적용	B: 나와 타인과의 관계에서 지켜야 할 점

① 물질적인 것으로 관계 맺기를 시도하는 것은 옳지 않은 행동이군.
② 원만한 관계를 맺으려면 순간적인 감정보다는 지속성이 중요하겠군.
③ 고양이처럼 영악하고 쌀쌀맞은 사람과는 애시당초 친해지기 어렵겠군.
④ 누군가를 좋은 관계를 유지하려면 나 자신을 먼저 존중해야겠군.
⑤ 나를 중심으로 생각하지 말고 나와 타인의 삶의 방식을 인정해야겠군.

04 윗글의 내용으로 볼 때 글쓴이가 오해한 것으로 적절하지 <u>않은</u> 것은?

① 고양이가 자신을 공격하려고 했다고 생각한 것
② 자신이 먹이를 챙겨 주는 것을 고양이가 좋아한다고 생각한 것
③ 고양이에게 먹이를 줌으로써 자신이 고양이를 길들인다고 생각한 것
④ 고양이가 새끼 고양이들을 데리고 감사의 표시를 하러왔다고 생각한 것
⑤ 고양이가 새끼들을 향해서 인간에 대한 경고의 메시지를 보냈다고 생각한 것

05 윗글에 대한 설명으로 적절하지 <u>않은</u> 것은?

① 사건과 사건에 따른 정서적 반응이 짝을 이루며 구성되어 있다.
② 대상에 대한 관찰과 묘사를 통해 구체적이고 생생한 느낌을 주고 있다.
③ 각 상황의 전개 과정에 따른 글쓴이의 내면 심리의 변화를 잘 드러내고 있다.
④ 글쓴이가 자신의 오해를 돌아보게 되는 계기를 극적인 반전을 통해 제시하고 있다.
⑤ 과거와 현재의 사건을 역전시켜 배치함으로써 경험과 깨달음의 구조를 효과적으로 드러내고 있다.

06 윗글을 읽고 난 후의 반응으로 가장 적절한 것은?

① 대부분의 사람들이 편견을 지니고 있다는 것을 인간과 대비가 되는 동물을 통해 꼬집고 있어.
② 동물과 관련된 경험이 자기중심적인 사고 혹은 인간중심적인 사고의 습성을 돌아보는 계기가 되었군.
③ 사람은 경험에 대한 성찰을 통해 다른 존재들과 더 원활하게 소통할 수 있음을 강조한 글이라고 할 수 있어.
④ 자신이 알고 있는 것에 대한 지나친 확신이 다른 사람들을 힘들게 할 수도 있다는 것을 일깨워주고 있어.
⑤ 동물들의 불행은 결국 인간의 이기적인 태도 때문에 발생한다는 것을 통해 인간 중심의 생활방식에 대한 반성의 글이로군.

07 윗글과 〈보기〉를 비교하며 감상한 것으로 적절하지 <u>않은</u> 것은?

┤ 보기 ├

어느 날 초으스름이었다. 좀 바쁜 일이 있어 창경원(昌慶苑) 곁담을 끼고 걸어 내려오노라니까, 앞에서 걸어가던 이십 내외의 어떤 한 젊은 여자가 이 이상히 또그닥거리는 구두 소리에 안심이 되지 않는 모양으로, 슬쩍 고개를 돌려 또그닥 소리의 주인공을 물색하고 나더니, 별안간 걸음이 빨라진다.

나의 그 또그락거리는 구두 소리는 분명 자기를 위협하느라고 일부러 그렇게 따악딱 땅바닥을 박아 내며 걷는 줄로만 아는 모양이다

그러나 이 여자더러, 내 구두 소리는 그건 자연(自然)이요, 인위(人爲)가 아니니 안심하라고 일러 드릴 수도 없는 일이고, 그렇다고 어서 가야 할 길을 아니 갈 수도 없는 일이고 해서, 나는 그 순간 좀더 걸음을 빨리하여 이 여자를 뒤로 떨어뜨림으로 공포(恐怖)에의 안심을 주려고 한층 더 걸음에 박차를 가했더니, 그럴 게 아니었다. 도리어, 이것이 이 여자로 하여금 위협이 되는 것이었다. (중략)

거기서 이 여자는 뚫어진 옆 골목으로 살짝 빠져 들어선다. 다행한 일이었다. 한숨이 나간다. 이 여자도 한숨이 나갔을 것이다. 기웃해 보니, 기다랗게 내뚫린 골목으로 이 여자는 휑하니 내닫는다. 이 골목 안이 저의 집인지, 혹은 나를 피하느라고 빠져 들어갔는지, 그것은 알 바 없으나, 나로서 이 여자가 나를 불량배로 영원히 알고 있을 것임이 서글픈 일이다.

여자는 왜 그리 남자를 믿지 못하는 것일까. 여자를 대하자면 남자는 구두 소리에까지도 세심한 주의를 가져야 점잖다는 대우를 받게 되는 것이라면, 이건 이성(異性)에 대한 모욕이 아닐까 생각을 하며, 나는 그 다음으로 그 구두징을 뽑아 버렸거니와 살아가노라면 별(別)한 데다가 다 신경을 써 가며 살아야 되는 것이 사람임을 알았다.

– 계용묵, 「구두」 중 –

① 윗글과 〈보기〉 모두 상대가 품고 있는 오해를 풀어주기 위한 노력이 담겨 있군.

② 윗글과 〈보기〉모두 일상에서 경험과 그에 대한 글쓴이의 성찰로 이루어진 글이군.

③ 윗글과 〈보기〉에는 실제와 다르게 자기중심적으로 생각하는 인간의 속성이 나타나 있군.

④ 윗글이 다른 존재의 행동에 대한 오해를 다루고 있다면, 〈보기〉는 자신의 행동에 대한 타인의 오해를 다루고 있군.

⑤ 윗글과 달리 〈보기〉는 자신의 성찰이나 노력만으로 두 대상 사이의 오해를 풀기가 어려울 수도 있음을 보여 주는군.

[08~15] 다음 글을 읽고 물음에 답하시오.

땅 집에서는 수거차가 오는 날 집 앞에 내다 놔야 하기 때문에 누구네 쓰레기라고 딱지를 써 붙인 거나 다름이 없다. 쓰레기지만 깔끔하게 보이고 싶어 넘치지도 모자라지도 않게 담아서 꼭꼭 잘 여미게 된다. 생선이나 닭고기를 먹고 난 후는 영락없이 그런 일을 당했다. 고양이들의 소행이었다.

수거차가 지나간 후에도 문 앞이 깨끗하지 않고 닭 뼈나 생선 뼈가 어지럽게 널려있다는 건 여간 속상한 일이 아닐 수 없다. 터져서 냄새나는 내용물이 꾸역꾸역 쏟아지는 쓰레기봉투를 들어 올렸을 미화원 아저씨에게는 또 얼마나 미안한 노릇인가. 그래서 생각해 낸 게 고양이가 좋아할만한 먹이가 생기면 봉투 속에 넣지 않고 접시에 따로 담아 고양이가 잘 다니는 통로에다 놓아두는 거였다.

그 생각은 좋은 생각이었다. 적중했으니까. 그 후부터 쓰레기봉투가 훼손당하는 일은 안 생겼고, 나도 고양이를 챙기는 일에 재미를 붙이게 되었다.

비리 것을 탐하는 고양이의 식성은 츱츱했지만 생선 뼈를, 머리칼처럼 가느다란 가시까지도 깨끗이 발라내는 솜씨는 가히 예술이라 부를 만했다. 그 대신 우리 식구들은 고양이 생각을 한답시고 닭고기나 생선을 먹을 때 점점 더 살을 많이 붙여서 남기게 되었다.

㉠나는 한술 더 떠서 식구들이 잘 안 먹는 생선조림이 생기면 고양이를 위해 냄비째 쏟아버리기도 했다. 그러나 고양이는 절대로 과식하는 일이 없었다. 남겼다가 며칠에 걸쳐서 다 먹어 치웠다. 그래서 나는 속으로 우리 집 단골 고양이가 여간 아니라고 생각했지만, 한 번도 녀석의 모습을 제대로 본적은 없었다. 동네에는 여러 종류의 도둑고양이가 있었지만 우리마당을 환각처럼 바람처럼 스쳐지나가는 고양이는 베이지색 바탕에 검은 줄이 있는 상당히 아름다운 고양이라는 걸 알고 있을 뿐이었다.

오랜 장마가 갠 어느 날 오후였다. 마침 혼자 집을 지키고 있었다. 무더위가 한풀 꺾였다고는 하나 집안에는 아직 곰팡내 섞인 습기가 많이 남아있어 앞뒷문을 활짝 열어 놓고 있었다. 마루에서 책을 읽고 있다가 무심히 부엌 뒷문 밖을 내다보았을 때였다. 뒷문밖에는 꽤 넓은 툇마루가 있는데 거기 우리 집 단골 얼룩 고양이가 꼭 저 닮은 새끼를 다섯 마리나 거느리고 나란히 앉아 있는게 아닌가. 어미는 털이 꺼칠했지만 새끼들은 털이 반지르르 윤이 흐르는 게 정말이지 눈이 부시게 아름다웠다. 어떤 인간의 가족도 그렇게 아름다운 가족은 본 적이 없었다.

나는 거의 전율에 가까운 기쁨을 느꼈다. 그뿐이 아니었다. 나는 감동까지 하고 있었다. 나는 나에게 잘 얻어먹은 에미 고양이가 그 동안 해산을 해서 반질반질 잘 기른 새끼들을 ㉡나에게 자랑도 할겸, 감사와 친애의 표시도 할 겸해서 그렇게 가족 나들이를 나왔으려니 하고 있었다. 그 쌀쌀맞고 영악하기만 한 고양이로서는 기특하기 짝이 없는 마음 씀씀이 아닌가.

나는 마치 손주새끼들 반기듯이 만면에 웃음을 띠고 두 손까지 활짝 벌려 그들 고양이 가족을 환대한다는 표시를 하며 부엌문 쪽으로 갔다. 그러나 그 다음에 나는 기절을 할 뻔하게 놀라고 말았다. ㉢어미가 눈으로 불을 뿜으며 으르릉 이를 드러내고 나에게 공격태세를 취하는 게 아닌가. 신속하고도 눈부신 적의(敵意)였다. 다행히 순간적이었다. 내가 혹시 대낮에 환상을 본 게 아닌가 싶게 고양이 가족은 소리도 없이 신속하게 모습을 감추었다. 그래도 나는 무서워서 부엌문을 닫아버렸다.

두근거리는 가슴을 진정시키고 나니까 고양이에 대한 내 오해가 하도 어처구니없어서 슬며시 웃음이 났다. 그까짓 먹고 남은 생선 가시 좀 챙겨주고 나서 내가 녀석을 길들인 줄 알다니, ㉣녀석은 챙겨주는 것보다 스스로 쓰레기봉투를 뚫고 찾아내는 게 훨씬 스릴도 있고 보람도 있었을 것이다. 어쩌면 녀석이 나를 공격하려 했다는 것조차 오해일 수도 있었다. 나에 대한 녀석의 적의는 곧 저렇게 생긴 인간이라는 족속에게 길들여지면 절대로 안 돼, 라는 제 새끼들에 대한 강력한 경고가 아니었을까.

우리는 흔히 고양이는 은혜를 모르는 동물이라고 생각하며 기르기를 꺼려한다. 그게 인간들끼리 통하는 생각이라면 ㉤고양이들끼리 통하는 생각은 인간이라는 머리 검은 동물에게 길들여진다는 건 자유와 자존심을 담보로 해야 하는, 즉 죽느니만도 못한 짓이라는 것이 아닐까.

08 〈보기〉는 글쓴이가 윗글을 쓰기 전에 작성한 작가 노트이다. ㄱ~ㅁ 중 윗글에 반영된 내용으로 적절한 것은?

┤ 보기 ├

ㄱ. 역순행적 구성으로 이야기를 전개하여 사건을 입체적으로 제시해야지.

ㄴ. 역설적 인식을 통해 공동체의 경험을 개인적인 교훈으로 전달해야지.

ㄷ. 적절한 비유적 표현과 음성 상징어를 통해 대상을 생동감 있게 묘사해야지.

ㄹ. 설의적 표현을 사용하여 대상과의 관계가 회복되기를 바라는 마음을 표현해야지.

ㅁ. 사건에 따라 변화되는 감정과 심리를 드러내어 성찰한 내용을 진솔하게 표현해야지.

① ㄱ, ㄴ   ② ㄴ, ㄷ   ③ ㄷ, ㄹ   ④ ㄷ, ㅁ   ⑤ ㄹ, ㅁ

09 〈보기〉의 설명을 참고하여 윗글의 ㉠~㉤을 이해한 것으로 적절하지 <u>않은</u> 것은?

┤ 보기 ├

　사람은 ⓐ자신의 관점에서 세상을 바라보기 때문에 ⓑ대상에 대해 오해를 하게 되는 경우가 빈번하다. 오해는 진실을 가리고 정당한 생각을 하지 못하게 막는다. 그러므로 ⓒ사실을 있는 그대로 바라보아 '오해' 대신 ⓓ상대를 '이해'하려는 노력이 필요하다.

① ㉠과 같은 행위를 통해 글쓴이는 점차 ⓑ를 하게 된다.

② ㉡은 글쓴이가 ⓓ를 하지 않고, ⓐ로 고양이의 행위를 판단한 것이다.

③ ㉢은 ⓐ로 세상을 보면 ⓑ를 했던 자신의 태도를 반성하는 계기가 된다.

④ ㉣은 ⓒ의 여부를 확인할 수는 없지만, ⓓ의 일종이라 할 수 있다.

⑤ ㉤은 ⓑ를 지닌 사람들에게 ⓒ를 바탕으로 ⓐ를 세울 것을 요구하는 말이다.

10 윗글의 구성상 특징으로 적절한 것을 〈보기〉에서 있는 대로 고른 것은?

┤ 보기 ├

ㄱ. 사건이 진행되다가 극적인 반전이 나타난다.

ㄴ. 요약적인 진술을 통해 사건의 긴박감을 조성하고 있다.

ㄷ. 사건과 사건에 따른 정서적 반응이 짝을 이루며 그 배경과 깨달음을 제시하고 있다.

ㄹ. 주된 표현 대상을 오해의 경험으로 잡고 그 배경과 깨달음을 제시하고 있다.

ㅁ. 오해가 생겨나기 시작한 배경에서 오해에 관한 깨달음을 얻기까지의 과정을 '현재-과거-현재'의 역순행적 구성에 따라 정리하고 있다.

① ㄱ, ㄹ   ② ㄱ, ㄷ, ㄹ   ③ ㄱ, ㄷ, ㅁ   ④ ㄱ, ㄴ, ㄹ, ㅁ   ⑤ ㄴ, ㄷ, ㄹ, ㅁ

11 윗글에 대한 설명으로 적절한 것은?

① 자연 현상의 변화 과정을 통해 대상의 특징을 드러내고 있다.

② 묻고 답하는 방식을 활용하여 글쓴이의 생각을 전달하고 있다.

③ 다른 사람의 경험을 자신의 경험과 비교하며 종합하고 있다.

④ 글쓴이의 구체적인 경험을 통한 성찰의 과정을 표현하고 있다.

⑤ 자신의 생활 속에서 경험한 것에 대한 고백을 통해 부정적인 세태를 비판하고 있다.

12 글쓴이의 사고 과정을 〈보기〉와 같이 나타냈을 때, 이에 대한 설명으로 적절하지 **않은** 것은?

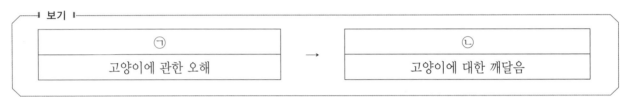

보기		
㉠ 고양이에 관한 오해	→	㉡ 고양이에 대한 깨달음

① ㉠ : 내가 주는 먹이를 먹으면서 고양이는 서서히 나에게 길들여져 갔지.

② ㉠ : 그동안 먹이를 주었던 나에게 고마움을 표현하려고 고양이가 가족을 데리고 찾아 왔구나.

③ ㉡ : 어쩌면 고양이는 나에게 길들여지는 것이 싫었던 것이었는지도 몰라.

④ ㉡ : 고양이는 스스로 먹이를 찾아 먹는 것에서 보람을 더 느끼는 것인지도 몰라.

⑤ ㉡ : 고양이가 나에게 공격 태세를 취한 것은 제 새끼들을 보호하려고 한 행동이었던 것이군.

13 윗글을 통해 판단한 글쓴이의 인식으로 적절한 것은?

① 고양이에 대한 경험이 인간 중심적으로만 생각하고 판단했던 나 자신을 돌아볼 수 있었다.

② 고양이를 돌보았던 경험이 나 자신에게 마음의 평정을 가져다주었다.

③ 고양이와 점점 교감을 하면서 고양이의 관점에서 더 생각을 해보게 되었다.

④ 나의 작은 호의로 고양이 가족이 행복하게 살아가는 것을 보니 오히려 나의 마음이 훈훈해진다.

⑤ 고양이를 돌본 이후 고양이의 생태를 정확하게 알 필요가 있음을 돌아보게 되었다.

14 윗글을 〈보기〉와 같이 구조화할 때, 이해한 내용으로 적절하지 <u>않은</u> 것은?

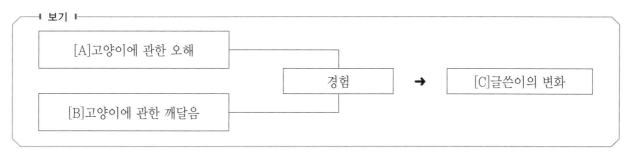

① [A]: 고양이가 좋아할 만한 먹이를 접시에 담아 두면, 고양이가 매번 음식을 먹어치운 것으로 보아 고양이는 내가 주는 음식을 좋아했을 것이다.

② [B]: 고양이는 내가 챙겨 주는 것보다 스스로 쓰레기봉투를 뚫고 찾아내는 게 훨씬 스릴도 있고 보람도 있었을 것이다.

③ [A]: 고양이는 잘 기른 자신의 새끼들을 나에게 자랑도 할겸, 감사와 친애의 표시도 할 겸해서 뒷문 밖 툇마루에 새끼 다섯 마리를 데리고 나들이를 왔을 것이다.

④ [B]: 고양이는 산후 직후에 자신의 새끼들에게 먹일 양식을 얻으려 나왔다가 나의 인기척에 놀라 나를 공격하려 했을 것이다.

⑤ [C]: 글쓴이는 고양이에 대한 오해를 깨닫고, 인간 중심적으로만 생각하고 대상을 판단했던 것을 반성할 수 있었을 것이다.

15 〈보기〉는 필자가 윗글을 쓰기 위해 적은 메모이다. 윗글에 반영되지 <u>않은</u> 것은?

┤ 보기 ├
ⓐ 도둑고양이에게 먹이를 주었던 경험의 과정을 고백적으로 밝혀야겠어.
ⓑ 다양한 인물의 내면을 묘사하여 사건을 다각적으로 분석해 봐야겠어.
ⓒ 오해의 경험에서 깨달음의 과정을 시간의 흐름에 따라 서술해야겠어.
ⓓ 대상을 섬세하게 관찰하여 묘사하고 사실적으로 표현해 생동감 있게 서술해야겠어.
ⓔ 평소에 인식하지 못한 자신에 대한 성찰과 주변에 대한 새로운 인식을 할 수 있도록 써야겠어.

① ⓐ   ② ⓑ   ③ ⓒ   ④ ⓓ   ⑤ ⓔ

[16~19] 다음 글을 읽고 물음에 답하시오.

아파트에 살 때도 그러했지만 땅 집에 살고부터는 더 더욱 쓰레기에 신경이 써진다. 아파트에서는 분류해서 내다버리는 순간 쓰레기봉투는 익명의 것이 되어 버린다. 그러나 땅 집에서는 수거차가 오는 날 집 앞에 내다놔야 하기 때문에 누구네 쓰레기라고 딱지를 써 붙인 거나 다름이 없다. 쓰레기지만 깔끔하게 보이고 싶어 넘치지도 모자라지도 않게 담아서 꼭꼭 잘 여미게 된다.

[A] ┌ 쓰레기라도 깔끔하게 보이고 싶다는 내 허영심을 비웃듯이 수거차가 오기 전에 우리 쓰레기봉투가 무참하게 파헤쳐지는 일이 빈번하다는 것을 알게 되었다. 생선이나 닭고기를 먹고 난 후는 ⓐ영락없이 그런 일을 당했다. 고양이들의 소행이었다. 개는 안 기르는 집이 거의 없다시피 하지만 고양이 기르는 집은 없는 것 같은데도 동네에는 고양이들이 많다. 이렇게 도둑고양이들이 많기 때문에 쥐가 거의 없다는 게 동네사람들의 설명이었다. └

㉠아무리 그렇다고 해도 수거차가 지나간 후에도 문앞이 깨끗하지 않고 닭 뼈나 생선 뼈가 어지럽게 널려있다는 건 여간 속상한 일이 아니었다. 터져서 냄새나는 내용물이 꾸역꾸역 쏟아지는 쓰레기봉투를 들어 올렸을 미화원 아저씨에게는 또 얼마나 미안한 노릇인가. 그래서 생각해 낸 게 고양이가 좋아할만한 먹이가 생기면 봉투 속에 넣지 않고 접시에 따로 담아 고양이가 잘 다니는 통로에다 놓아두는 거였다.

그것은 생각은 좋은 생각이었다. ⓑ적중했으니까. 그 후부터 쓰레기봉투가 훼손당하는 일은 안 생겼고, ㉡나도 고양이를 챙기는 일에 재미를 붙이게 되었다. 비리는 것을 탐하는 고양이의 식성은 ⓒ촙촙했지만 생선 뼈를, 머리칼처럼 가느다란 가시까지도 깨끗이 발려내는 솜씨는 가히 예술이라 부를 만했다. 그 대신 우리 식구들은 고양이 생각을 한답시고 닭고기나 생선을 먹을 때 점점 더 살을 많이 붙여서 남기게 되었다.

나는 한술 더 떠서 식구들이 잘 안 먹는 생선 조림이 생기면 고양이를 위해 냄비째 쏟아버리기도 했다.

그러나 고양이는 절대로 과식하는 일이 없었다. 남겼다가 며칠에 걸쳐서 다 먹어 치웠다. 그래서 나는 속으로 우리 집 단골 고양이가 여간 아니라고 생각했지만, 한 번도 녀석의 모습을 제대로 본적은 없었다. 동네에는 여러 종류의 도둑고양이가 있었지만 우리마당을 환각처럼 바람처럼 스쳐지나가는 고양이는 베이지색 바탕에 검은 줄이 있는 상당히 아름다운 고양이라는 걸 알고 있을 뿐이었다.

오랜 장마가 갠 어느 날 오후였다. 마침 혼자 집을 지키고 있었다. 무더위가 한풀 꺾였다고는 하나 집안에는 아직 곰팡내 섞인 습기가 많이 남아있어 앞뒷문을 활짝 열어 놓고 있었다. 마루에서 책을 읽고 있다가 ⓓ무심히 부엌 뒷문 밖을 내다보았을 때였다. 뒷문 밖에는 꽤 넓은 툇마루가 있는데 거기 우리 집 단골 얼룩 고양이가 꼭 저 닮은 새끼를 다섯 마리나 거느리고 나란히 앉아 있는 게 아닌가. 어미는 산후라 그런지 털이 꺼칠했지만 새끼들은 털이 반지르르 윤이 흐르는 게 정말이지 눈이 부시게 아름다웠다. 어떤 인간의 가족도 그렇게 아름다운 가족은 본 적이 없었다.

㉢나는 거의 전율에 가까운 기쁨을 느꼈다. 그뿐이 아니었다. 나는 감동까지 하고 있었다. 나는 나에게 잘 얻어먹은 에미 고양이가 그동안 해산을 해서 반질반질 잘 기른 새끼들을 나에게 자랑도 할 겸, 감사와 친애의 표시도 할 겸해서 그렇게 가족 나들이를 나왔으려니 하고 있었다. 그 쌀쌀맞고 영악하기만 한 고양이로서는 기특하기 짝이 없는 마음 씀씀이 아닌가.

나는 마치 손주 새끼들 반기듯이 ⓔ만면에 웃음을 띠고 두 손까지 활짝 벌려 그들 고양이 가족을 환대한다는 표시를 하며 부엌문 쪽으로 갔다. ㉣그러나 그다음에 나는 기절을 할 뻔하게 놀라고 말았다. 어미가 눈으로 불을 뿜으며 으르릉 이를 드러내고 나에게 공격 태세를 취하는 게 아닌가. 신속하고도 눈부신 적의(敵意)였다. 다행히 순간적이었다. 내가 혹시 대낮에 환상을 본 게 아닌가 싶게 고양이 가족은 소리도 없이 신속하게 모습을 감추었다. ㉤그래도 나는 무서워서 부엌문을 닫아 버렸다.

㉥두근거리는 가슴을 진정하고 나니까 고양이에 대한 내 오해가 하도 어처구니없어서 슬며시 웃음이 났다. 그까짓 먹고 남은 생선 가시 좀 챙겨주고 나서 내가 녀석을 길들인 줄 알다니, 녀석은 챙겨주는 것보다 스스로 쓰레기봉투를 뚫고 찾아내는 게 훨씬 스릴도 있고 보람도 있었을 것이다. 어쩌면 녀석이 나를 공격하려 했다는 것조차 오해일 수도 있었다. 나에 대한 녀석의 적의는 곧 저렇게 생긴 인간이라는 족속에게 길들여지면 절대로 안 돼, 라는 제 새끼들에 대한 강력한 경고가 아니었을까.

우리는 흔히 고양이는 은혜를 모르는 동물이라고 생각하며 기르기를 꺼려 한다. 그게 인간들의 통하는 생각이라면 고양이들끼리 통하는 생각은 인간이라는 머리 검은 동물에게 길들여진다는 건 자유와 자존심을 담보로 해야 하는, 즉 죽느니만도 못한 짓이라는 것일지도 모르겠다.

– 박완서, 「오해」–

16 〈보기〉를 바탕으로 윗글을 해석한 내용으로 적절한 것은?

┤ 보기 ├

　　한시(漢詩)에서 시구를 구성하는 방법으로 기승전결(起承轉結)이라는 것이 있다. 기(起)는 시를 시작하는 부분, 승(承)은 그것을 이어받아 전개하는 부분, 전(轉)은 시의(詩意)를 한 번 돌리어 전환하는 부분, 결(結)은 전체 시의를 끝맺는 부분이다. 그런데 위 수필에서도 기승전결의 구성이 나타난다. 즉 '나'의 고양이에 대한 감정의 흐름이 기승전결의 흐름을 보여주고 있는 것이다.

① ㉠에서 ㉡으로 진행되면서 고양이에 대한 부정적 감정이 시작되기에 기(起)에 해당한다.
② ㉡에서 ㉢으로 진행되면서 감정의 흐름이 점점 약화되기에 승(承)에 해당한다.
③ ㉢에서 ㉣로 진행되면서 감정이 급격하게 바뀌기에 전(轉)에 해당한다.
④ ㉣에서 ㉤으로, 또 ㉤에서 ㉥으로 진행되면서 감정이 진정되기에 결(結)로 나아가게 된다.
⑤ ㉥에서 앞서의 감정을 후회하고 망각하기에 결(結)에 해당한다.

17 [A]를 읽고 착상을 하여 〈보기〉를 창작했다고 가정하였을 때, 시 창작 과정에 대한 추론으로 적절하지 않은 것은?

┤ 보기 ├

고양이로 하여금 쓰레기 봉지를 찢도록 한 것은
생선 찌꺼기의 비린내였나
고양이 한 마리가 쓰레기 봉지를 찢고 있다
새끼들이 어딘가에서 떨며 기다리고 있는 것일까
고양이의 눈은 터널처럼 깊고 그 속엔
어둠이 고여 있다 그 어둠을 파내어
내 눈에 바르면 나도 저것처럼 쓰레기 봉지를 뒤지는
슬픈 아비가 될까
마흔이 내일 모레인데 자식들은 겁도 없이
가시로 내 생을 쿡쿡 찌르며 자란다
아내는 도망치듯 취직을 하고 폐결핵에 걸린 나는
한동안 붉은 객혈을 하다 아침마다 한 줌씩 알약을 먹으며
헉헉거린다 거울을 보면 내 눈빛은 차츰 흐릿해져 간다
손톱으로 거울을 찢고 거울 속의 나를 끄집어내어
눈을 후벼 파고 싶은 나날들
고양이는 쓰레기 봉지를 거침없이 찢어놓고
사라졌다 쓰레기 봉지를 테이프로 봉합하며
너덜거리는 내 생은 무엇으로 봉합하나
나는 언제나 고양이를 기다린다

　　　　　　　　　　　　　　　－ 김충규, 「나는 언제나 고양이를 기다린다」 －

① 〈보기〉는 [A]의 '동네 사람들의 설명'에 근거하여 발상되었다.
② 〈보기〉의 화자는 [A]의 '나'와 달리 대상물을 연민의 눈길로 바라보았다.
③ 〈보기〉의 화자는 [A]의 '나'와 달리 '고양이'와 자신의 처지를 동일시하였다.
④ 〈보기〉는 [A]에 나타나 있지 않은 '고양이'의 '새끼들'에게까지 상상의 폭을 넓혔다.
⑤ 〈보기〉는 [A]의 '쓰레기봉투'라는 소재를 가져와서 시적 화자의 '생'으로 비유하였다.

18 ⓐ~ⓔ의 뜻풀이로 적절하지 <u>않은</u> 것은?

① ⓐ : 조금도 틀리지 아니하고 꼭 들어맞게
② ⓑ : 예상이나 추측 또는 목표 따위에 꼭 들어맞음
③ ⓒ : 너절하고 염치가 없었지만
④ ⓓ : 어떤 일이 뜻하지 아니하게 저절로 이루어져 공교롭게
⑤ ⓔ : 온 얼굴

19 윗글에 대한 설명으로 적절한 것은?

① 일상적 표현으로 친근하게 서술되었다.
② 역순행적 구성으로 사건이 진행되었다.
③ 주된 표현대상이 다양하게 변화되었다.
④ 글의 작가와 다른 새로운 서술자가 창조되었다.
⑤ 대상을 사실에 입각하여 객관적이고 건조하게 묘사하였다.

서술형 심화문제

[01~04] 다음 글을 읽고 물음에 답하시오.

아파트에 살 때도 그러했지만 땅 집에 살고부터는 더 더욱 쓰레기에 신경이 써진다. 아파트에서는 분류해서 내다버리는 순간 쓰레기봉투는 익명의 것이 되어 버린다. 그러나 땅 집에서는 수거차가 오는 날 집 앞에 내다놔야 하기 때문에 누구네 쓰레기라고 딱지를 써 붙인 거나 다름이 없다. 쓰레기지만 깔끔하게 보이고 싶어 넘치지도 모자라지도 않게 담아서 꼭꼭 잘 여미게 된다.

쓰레기라도 깔끔하게 보이고 싶다는 내 허영심을 비웃듯이 수거차가 오기 전에 우리 쓰레기봉투가 무참하게 파헤쳐지는 일이 빈번하다는 것을 알게 되었다. 생선이나 닭고기를 먹고난 후는 영락없이 그런 일을 당했다. 고양이들의 소행이었다. 개는 안 기르는 집이 거의 없다시피 하지만 고양이 기르는 집은 없는 것 같은데도 동네에는 고양이들이 많다. 이렇게 도둑고양이들이 많기 때문에 쥐가 거의 없다는 게 동네 사람들의 설명이었다.

아무리 그렇다고 해도 수거차가 지나간 후에도 문 앞이 깨끗하지 않고 닭 뼈나 생선 뼈가 어지럽게 널려 있다는 건 여간 속상한 일이 아닐 수 없다. 터져서 냄새나는 내용물이 꾸역꾸역 쏟아지는 쓰레기봉투를 들어 올렸을 미화원 아저씨에게는 또 얼마나 미안한 노릇인가. 그래서 생각해 낸 게 고양이가 좋아할 만한 먹이가 생기면 봉투 속에 넣지 않고 접시에 따로 담아 고양이가 잘 다니는 통로에다 놓아두는 거였다. 그것은 좋은 생각이었다. 적중했으니까. 그 후부터 쓰레기봉투가 훼손당하는 일은 안 생겼고, 나도 고양이를 챙기는 일에 재미를 붙이게 되었다. 비리는 것을 탐하는 고양이의 식성은 츱츱했지만 생선뼈를, 머리칼처럼 가느다란 가시까지도 깨끗이 발라내는 솜씨는 가히 예술이라 부를 만했다. 그 대신 우리 식구들은 고양이 생각을 한답시고 닭고기나 생선을 먹을 때 점점 더 살을 많이 붙여서 남기게 되었다.

나는 한술 더 떠서 식구들이 잘 안 먹는 생선 조림이 생기면 고양이를 위해 냄비째 쏟아 버리기도 했다. 그러나 고양이는 절대로 과식하는 일이 없었다. 남겼다가 며칠에 걸쳐서 다 먹어 치웠다. 그래서 나는 속으로 우리 집 단골 고양이가 여간 아니라고 생각했지만, 한 번도 녀석의 모습을 제대로 본적은 없었다. 동네에는 여러 종류의 도둑고양이가 있었지만 우리 마당을 환각처럼 바람처럼 스쳐지나가는 고양이는 베이지색 바탕에 검은 줄이 있는 상당히 아름다운 고양이라는 걸 알고 있을 뿐이었다.

오랜 장마가 갠 어느 날 오후였다. 마침 혼자 집을 지키고 있었다. 무더위가 한풀 꺾였다고는 하나 집 안에는 아직 곰팡내 섞인 습기가 많이 남아있어 앞뒷문을 활짝 열어 놓고 있었다. 마루에서 책을 읽고 있다가 무심히 부엌 뒷문 밖을 내다보았을 때였다. 뒷문 밖에는 꽤 넓은 툇마루가 있는데 거기 우리 집 단골 얼룩 고양이가 꼭 저 닮은 새끼를 다섯 마리나 거느리고 나란히 앉아 있는 게 아닌가. 어미는 산후라 그런지 털이 꺼칠했지만 새끼들은 털이 반지르르 윤이 흐르는 게 정말이지 눈이 부시게 아름다웠다. 어떤 인간의 가족에게서도 그렇게 아름다운 모습은 본 적이 없었다.

나는 거의 전율에 가까운 기쁨을 느꼈다. 그뿐이 아니었다. 나는 감동까지 하고 있었다. 나는 나에게 잘 얻어먹은 어미 고양이가 그 동안 해산을 해서 반질반질 잘 기른 새끼들을 나에게 자랑도 할 겸, 감사와 친애의 표시도 할 겸해서 그렇게 가족 나들이를 나왔으려니 하고 있었다. 그 쌀쌀맞고 영악하기만 한 고양이로서는 기특하기 짝이 없는 마음 씀씀이 아닌가.

나는 마치 손주 새끼들 반기듯이 만면에 웃음을 띠고 두 손까지 활짝 벌려 그들 고양이 가족을 환대한다는 표시를 하며 부엌문 쪽으로 갔다. 그러나 그다음에 나는 기절을 할 뻔하게 놀라고 말았다. 어미가 눈으로 불을 뿜으며 으르릉 이를 드러내고 나에게 공격 태세를 취하는 게 아닌가. 신속하고도 ㉠눈부신 적의(敵意)였다. 다행히 순간적이었다. 내가 혹시 대낮에 환상을 본 게 아닌가 싶게 고양이 가족은 소리도 없이 신속하게 모습을 감추었다. 그래도 나는 무서워서 부엌문을 닫아 버렸다.

두근거리는 가슴을 진정 하고나니까 고양이에 대한 내 오해가 하도 어처구니없어서 슬며시 웃음이 났다. 그까짓 먹고 남은 생선 뼈 따위 좀 챙겨 주고 나서 내가 녀석을 길들인 줄 알다니, 녀석은 챙겨 주는 것보다 스스로 쓰레기봉투를 뚫고 찾아내는 게 훨씬 스릴도 있고 보람도 있었을 것이다. 어쩌면 녀석이 나를 공격하려 했다는 것조차 오해일 수도 있었다. 나에 대한 녀석의 적의는 곧 저렇게 생긴 인간이라는 족속에게 길들여지면 절대로 안 돼, 라는 제 새끼들에 대한 강력한 경고가 아니었을까.

우리는 흔히 고양이는 은혜를 모르는 동물이라고 생각하며 길들이기를 꺼려한다. 그게 인간들끼리 통하는 생각이라면 고양이들끼리 통하는 생각은 인간이라는 머리 검은 동물에게 길들여진다는 건 자유와 자존심을 담보로 해야 하는, 즉 죽느니만도 못한 짓이라는 것일지도 모르겠다.

01 (1) 윗글의 ㉠에 해당하는 내용을 찾아 쓰시오.

(2) 윗글의 ㉠을 계기로 글쓴이의 고양이에 대한 인식이 어떻게 변화하였는지 쓰시오.
   (단, 〈조건〉에 주어진 단어를 사용하여 한 문장으로 쓰되, 깨달음과 성찰의 내용이 들어가도록 할 것.)

┤ 조건 ├
고양이, 오해, 인간, 반성

02 윗글을 읽은 독자가 〈보기〉와 같이 감상한다고 할 때 ⓐ~ⓒ에 들어갈 내용을 〈조건〉에 맞게 서술하시오.

┤ 보기 ├
• 필자는 정서는 (가)에서 'ⓐ → 재미 → ⓑ → 기쁨'과 같이 변화 하는군.
• 필자는 '오해와 깨달음'의 과정을 통해 고양이 관점에서 생각해 보는 성찰의 자세를 가지게 되었군.
• 독자는 삶에 적용: 나도(ⓒ)

┤ 조건 ├
• (가)의 문단에 맞게 ⓐ와 ⓑ를 서술할 것
• ⓒ에는 '필자의 깨달음에 적용'하여 자신의 감상을 서술할 것

03 윗글을 다음과 같은 요소들을 중심으로 정리해 보았다. (㉮)속에 들어갈 적절한 내용을 쓰시오.

고양이에 관한 오해		고양이에 대한 깨달음
고양이는 내가 주는 음식을 좋아했을 것이다.	→	고양이는 직접 음식을 찾아 먹는 것을 더 좋아했을 것이다.
고양이는 나를 공격하려 했을 것이다.	→	(㉮)
고양이는 은혜를 모르는 동물이다.	→	고양이는 인간에게 길들여지는 것을 거부할지도 모른다.

04 다음은 고양이와 관련한 글쓴이의 경험과 정서 변화를 표로 정리한 것이다. ㉮, ㉯에 알맞은 말을 서술하시오.

┌─ 조건 ┤
• 본문의 내용을 충실히 반영하여 구체적으로 쓸 것.

경험의 구체적인 내용	글쓴이의 정서
동네 고양이들이 잘 여며 놓은 쓰레기 봉투를 해집어 놓음.	여간 속상한 일이 아님.
(㉮)	재미를 느낌.
뒷문 밖 뒷마루에 얼룩 고양이가 새끼를 다섯 마리나 거느리고 앉아 있는 모습을 봄.	새끼를 거느린 어미 고양이에게 아름다움을 느끼고 감탄함.
고양이 가족의 나들이가 자신에 대한 감사와 친애의 표시라고 생각함.	기쁨과 감동을 느낌.
(㉯)	놀라움과 공포를 느낌.
부엌문을 닫고 나서 생각하니 고양이에 대한 자신의 생각이 고양이의 입장을 고려하지 않은 오해임을 깨달음.	어처구니없어서 슬며시 웃음이 남.

[01~06] 다음 글을 읽고 물음에 답하시오.

(가) 까마득한 날에
　　하늘이 처음 열리고
　　어데 닭 우는 소리 들렸으랴

　　모든 산맥들이
　　바다를 연모해 휘달릴 때도
　　차마 이곳을 범하던 못하였으리라

　　끊임없는 광음을
　　부지런한 계절이 피어선 지고
　　큰 강물이 비로소 길을 열었다

　　지금 눈 나리고
　　매화 향기 홀로 아득하니
　　내 여기 가난한 노래의 씨를 뿌려라

　　다시 천고의 뒤에
　　백마 타고 오는 초인이 있어
　　이 광야에서 목놓아 부르게 하리라

　　　　　　　　　　　　　　　　　　　　　－ 이육사, 「광야」 －

(나) 이런 돼지가 살았다지요 반들거리는 검은 털에 날렵한 주둥이를 가진, 유난히 흙의 온기를 좋아하여 흙이랑 노는 일을 제일로 즐거워했다는군요 기른다는 것이 실은 ㉠서로 길드는 것이어서 이 지방 사람들은 통시라는 거처를 마련했다지요 인간의 배변 장소와 돼지우리가 함께 있는 아주 재미난 방인 셈인데요 지붕을 덮지 않은 널찍한 호를 파고 지푸라기 조금 깔아 준 방 안에서 이 짐승은 눈비 맞고 흙과 똥과 뒹굴면서 ㉡비바람 햇볕을 고스란히 살 속에 아로 새기게 되었다는데요 음식물 찌꺼기며 설거지물까지 버릴 것 없이 모아 둔 큰 독 속에서 한때 빛나던 것들이 제힘으로 다시 빛날 때 발효한 이 먹이를 돼지가 먹고 돼지의 배설물은 보리밭 거름으로 이쁜 보리들을 길렀다는데요. 그래도 이 짐승의 주식이 사람의 똥이었던 것은 ㉢생명은 생명에게 공양되는 법이라 행여 남아 있는 산 것들의 온기가 더럽고 하찮은 것으로 취급될까 두려운 때문이 아니었는지 몰라

　나라의 높은 분이 보기에 미개하여 시멘트 네 포대씩 무상지급한 때가 있었다는데요 ㉣문명국의 지표인 변소를 개량하라 다그쳤다는데요 흔적이나마 통시가 아직 남아 내 몸 속의 방을 향해 손 내밀어 주는 것은, 똥 누고 먹는 일이 한가지로 행해지는 그곳을 ㉤신이 거주하는 장소라 여긴 하늘 가까운 섬사람들이 있었기 때문입니다.

　　　　　　　　　　　　　　　　　　　　　－ 김선우, 「신의 방」 －

(다) 오랜 장마가 갠 어느날 오후였다. 마침 혼자 집을 지키고 있었다. 무더위가 한풀 꺾였다고는 하나 집안에는 아직 곰팡내 섞인 습기가 많이 남아있어 앞뒷문을 활짝 열어 놓고 있었다. 마루에서 책을 읽고 있다가 무심히 부엌 뒷문 밖을 내다보았을 때였다. 뒷문밖에는 꽤 넓은 툇마루가 있는데 거기 우리 집 단골 얼룩 고양이가 꼭 저 닮은 새끼를 다섯 마리나 거느리고 나란히 앉아 있는게 아닌가. 어미는 털이 꺼칠했지만 새끼들은 털이 반지르르 윤이 흐르는 게 정말이지 눈이 부시게 아름다웠다. 어떤 인간의 가족도 그렇게 아름다운 가족은 본 적이 없었다.

나는 거의 전율에 가까운 기쁨을 느꼈다. 그 뿐이 아니었다. 나는 감동까지 하고 있었다. 나는 나에게 잘 얻어먹은 어미 고양이가 그 동안 해산을 해서 반질반질 잘 기른 새끼들을 나에게 자랑도 할겸, 감사와 친애의 표시도 할 겸해서 그렇게 가족 나들이를 나왔으려니 하고 있었다. 그 쌀쌀맞고 영악하기만 한 고양이로서는 기특하기 짝이 없는 마음 씀씀이 아닌가.

나는 마치 손주새끼들 반기듯이 만면에 웃음을 띠고 두 손까지 활짝 벌려 그들 고양이 가족을 환대한다는 표시를 하며 부엌문 쪽으로 갔다. 그러나 그 다음에 나는 기절을 할 뻔하게 놀라고 말았다. 어미가 눈으로 불을 뿜으며 으르릉 이를 드러내고 나에게 공격태세를 취하는 게 아닌가. 신속하고도 눈부신 적의(敵意)였다. 다행히 순간적이었다. 내가 혹시 대낮에 환상을 본 게 아닌가 싶게 고양이 가족은 소리도 없이 신속하게 모습을 감추었다. 그래도 나는 무서워서 부엌문을 닫아 버렸다.

두근거리는 가슴을 진정하고 나니까 고양이에 대한 내 오해가 하도 어처구니없어서 슬며시 웃음이 났다. 그까짓 먹고 남은 생선 가시 좀 챙겨주고 나서 내가 녀석을 길들인 줄 알다니, 녀석은 챙겨주는 것보다 스스로 쓰레기봉투를 뚫고 찾아내는 게 훨씬 스릴도 있고 보람도 있었을 것이다. 어쩌면 녀석이 나를 공격하려 했다는 것조차 오해일 수도 있었다. 나에 대한 녀석의 적의는 곧 저렇게 생긴 인간이라는 족속에게 길들여지면 절대로 안 돼, 라는 제 새끼들에 대한 강력한 경고가 아니었을까.

우리는 흔히 고양이는 은혜를 모르는 동물이라고 생각하며 기르기를 꺼려 한다. ⓐ그게 인간들끼리 통하는 생각이라면 고양이들끼리 통하는 생각은 인간이라는 머리 검은 동물에게 길들여진다는 건 자유와 자존심을 담보로 해야 하는, 즉 죽느니만도 못한 짓이라는 것일지도 모르겠다.

– 박완서, 「오해」 –

01 (가)의 표현상 특징으로 적절한 것은?

① 의인화를 이용하여 자연 친화적 태도를 보이고 있다.
② 매 행마다 조사의 생략을 통해 시의 여운을 조성하고 있다.
③ 한시의 기승전결의 율격을 계승하여 리듬감을 조성하고 있다.
④ 시간의 영속적인 속성을 이미지에 내포하며 시적 상황을 조성하고 있다.
⑤ 대조적 의미의 시어들을 제시하여 현실에 대한 허무함을 드러내고 있다.

02 〈보기〉는 (가)를 쓴 시인의 다른 작품이다. '화자'와 '시어'의 측면에서 (가)와 〈보기〉를 비교하여 감상한 것으로 적절하지 <u>않은</u> 것은?

> ┤ 보기 ├
>
> 매운 계절의 채찍에 갈겨
> 마침내 북방으로 휩쓸려 오다
>
> 하늘도 그만 지쳐 끝난 고원
> 서릿발 칼날진 그 위에 서다
>
> 어데다 무릎을 꿇어야 하나
> 한 발 재겨 디딜 곳조차 없다
>
> 이러매 눈 감아 생각해 볼밖에
> 겨울은 강철로 된 무지갠가 보다
>
> – 이육사, 「절정」 –

① (가)의 화자가 '광야'를 부정적 상황으로 여긴다면 이에 대응하는 시어는 〈보기〉의 '고원'일 것이다.

② 〈보기〉는 (가)와 달리 연마다 시어의 종결이 현재형으로 실현되어 독자로 하여금 화자가 처한 현실을 생생하게 느낄 수 있도록 한다.

③ (가)는 화자가 누구인지 구체적으로 인식할 수 있는 단서가 없지만 〈보기〉는 지쳐 있는 모습으로 형상화된 화자의 이미지를 인식할 수 있다.

④ (가)의 '하늘'은 천지의 개벽과 역사의 시작이라는 면에서 이미지가 구현되지만 〈보기〉의 '하늘'은 부정적 상황에서도 큰 조력을 발휘하지 못하는 이미지로 구현되고 있다.

⑤ (가)에서는 부정적인 상황을 긍정적으로 수렴하는 색채 이미지를 통해서, 〈보기〉에서는 상호 이질적인 이미지를 결합한 시어를 통해서 초극의 의지를 드러내고 있다.

03 (나)의 ㉠~㉤에 대한 설명으로 적절하지 <u>않은</u> 것은?

① ㉠ : 친근해 짐, 관계 맺음

② ㉡ : 대자연의 일부로서의 생명

③ ㉢ : 약육강식의 잔인한 자연의 생태

④ ㉣ : 편리성, 효율성 가치 상징

⑤ ㉤ : 생명에 대한 경외심을 가지고 대해야 할 공간

04 (나)에 대한 설명으로 적절하지 <u>않은</u> 것은?

① 생명은 생명에게 공양되는 법이라 하여 생명이 순환한다는 자연의 원리에 대한 섬 주민의 믿음이 나타난다.

② 화자가 청자에게 제주도에의 전통 서사를 들려주는 듯한 어조를 사용한 격정적인 이야기체이다.

③ '통시'가 돼지라는 생명을 기르는 방이듯, 화자는 자신의 몸도 생명을 기르는 방으로 보고 있다.

④ 생명이 있는 모든 존재들은 연결되어 있고, 생명이 순환되는 과정의 단계를 그려내고 있다.

⑤ '통시'에 대해 개략적 설명을 통해 시적 화자가 이 공간을 '재미난 방'으로 인식하고 있다.

05 (다)를 이해한 내용으로 적절하지 <u>않은</u> 것은?

① 필자의 내면 심리의 변화를 잘 드러내고 있다.

② 필자에게 성찰의 계기를 줄 대상을 관찰하여 묘사하고 있다.

③ 필자의 오해를 일깨운 사건으로 인해 확증적인 표현은 지양하고 있다.

④ 개인적 일화가 주는 상징성으로 하여금 사회가 가지는 통념을 비판하고 있다.

⑤ 주된 표현 대상을 오해의 경험으로 잡고, 오해에 관한 깨달음을 얻기까지 시간의 흐름에 따라 서술하고 있다.

06 (다)의 밑줄 친 ⓐ의 글쓴이에 태도와 관련 있는 한자 성어는?

① 위편삼절(韋編三絶)　　　② 절차탁마(切磋琢磨)　　　③ 오월동주(吳越同舟)

④ 괄목상대(刮目相對)　　　⑤ 역지사지(易地思之)

[07~12] 다음 글을 읽고 물음에 답하시오.

　황만근이 없어졌다. 새벽에 혼자 경운기를 타고 집을 나간 황만근은 늘 들일을 나가면 돌아오는 시각인 저물녘에 돌아오지 않았다. 술을 마시고 취하더라도 열두시가 될락 말락 한 한밤이면 돌아왔는데 이번에는 아니었다. 평생 단 하루 외박한 뒤 돌아왔던 그 시각, 횃대의 닭이 울음을 그치는 아침이 되어도 돌아오지 않았다. 마을 회관 앞, 황만근이 직접 심어놓은 등나무 덩굴 아래, 직접 짠 평상에 사람들이 모였다. 먼저 이장이 입을 열었다.

　"만그인지 반그인지 그 바보 자석 하나 때문에 소여물도 못 하러 가고 이기 뭐라. 스무 바리나 되는 소가 한꺼분에 밥 굶는 기 중요한가, 바보 자석 하나가 어데 가서 술 처먹고 집에 안 오는 기 중요한가, 써그랄."

　마을에서 연장자 축에 들고 가장 학식이 높아 해마다 한번씩 지내는 용왕제(龍王祭)에 축(祝)을 초(草)하는 황재석씨가 받았다.

　"그래도 질래 있던 사람이 없어지마 필시 연유가 있는 기라. 사람이 바늘이라, 모래라, 기양 없어지는 기 어디 있어. 암만 그래도 우리 동네 사람 아이라. 반그이. 아이다, 만그이가 여게서 나서 사는 동안 한 분도 밖에서 안 들어온 적이 없는데 말이라."

　"아이지요, 어르신. 가가 군대간다 캤을 때 여운지 토깨인지하고 밤새도록 싸우니라고 하루는 안 들어왔심다."

　용왕제에서 집사 역을 하는 황동수가 우스개처럼 말을 이었다. 아침밥을 먹기도 전 황만근의 아들이 찾아와 황만근이 집에 돌아오지 않았다고 하길래 얼결에 동네 사람들을 불러모으는 역할을 하게 된 민씨는 분위기가 이상하게 돌아간다 생각하고 참견을 했다.

　"어제 궐기 대회 한다 하고 간 사람이 누구누구십니까. 황만근 씨하고 같이 간 사람은요? 궐기 대회 하는 동안 본 사람은 없나요?"

　자리에 모인 대여섯 명의 황씨들은 서로의 얼굴을 마주보더니 모두 고개를 흔들었다.

　"사람이라고 및밍이나 되나. 군 전체 사람이 모도 모있다는 기 백밍이 될라나 말라나 한데 반그이는 돼지고기 반 근만 해서 그런지 안 보이더라칸께."

　이장은 계속 빈정거리듯 말을 이었다. 민 씨는 이장이 궐기대회 전날 황만근을 따로 불러 무슨 말을 건네던 것을 기억해 냈다.

　"그제 밤에 내일 궐기대회 한다고 사람들 모였을 때 이장님이 황만근 씨에게 뭐라고 하셨죠. 모임 끝난 뒤에."

　이장은 민 씨를 흘기듯 노려보았다.

　"왜, 농민보고 농민 궐기 대회 꼭 나오라 캤는데, 뭐가 잘못됐나."

　민 씨는 자신도 모르게 따지는 어조가 되었다.

　"군 전체가 모두 모여도 몇 명 안 되었다면서요. 그런 자리에 황만근 씨가 꼭 가야 합니까. 아니, 황만근 씨만 가야 할 이유라도 있습니까. 따로 황만근 씨한테 부탁을 할 정도로."

　"이 사람이 뭐라 카는 기라. 이장이 동민한테 농가 부채 탕감 촉구 전국 농민 총궐기 대회가 있다, 꼭 참석해서 우리의 입장을 밝히자 카는데 뭐가 잘못됐다 말이라."

　"잘못이라는 게 아니고요, 다른 사람들은 다 돌아왔는데 왜 황만근 씨만 못 오고 있나 하는 겁니다."

　"내가 아나. 읍에 가보이 장날이더라고. 보나 마나 어데서 술 처먹고 주질러 앉았을 끼라. 백 리 길을 깅운기를 끌고 갔으이 시간도 마이 걸릴 끼고."

　다른 사람들은 말이 없었고 민 씨와 이장만이 공을 주고받는 꼴이 되어 버렸다.

　"글세, 그 자리에 꼭 황만근 씨만 경운기를 끌고 갔어야 했느냐 이 말입니다. 그것도 고장 난 경운기를."

　"깅운기를 끌고 오라는 기 내 말이라? 투쟁 방침이 그렇다카이. 깅운기도 그렇지, 고장은 무신 고장, 만그이가 그걸 하루이틀 몰았나. 남들이 못 몬다 뿌이지."

　"그럼 이장님은 왜 경운기를 안 타고 가고 트럭을 타고 가셨나요. 이장님부터 솔선수범을 해야지 다른 동민들이 따라할 텐데, 지금 거꾸로 되었잖습니까."

　"내사 민사무소에서 인원 점검하고 다른 이장들하고 의논도 해야 되고 울매나 바쁜 사람인데 깅운기를 타고 언제 가고 ㉠자빠졌나. 다른 동네 이장들도 민소 앞에서 모이 가이고 트럭 타고 갔는 거를. 진짜로 깅운기를 끌고 갔으마 군 대회에는 늦어도 한참 늦었지. 군청에 갔는데 비가 와 가이고 온 사람도 및 없더마. 소리마 및 분 지르고 왔지. 군청까지 깅운기를 타고 갈 수나 있던가. 국도에 차들이 미치괘이맨구루 쌩쌩 달리는데 받히만 우애라고. 다른 동네서는 자가용으로 간 사람도 쌨어."

"그러니까 국도를 갈 때는 여러 사람이 한꺼번에 경운기를 여러 대 끌고 가자는 거였잖습니까. 시위도 하고 의지도 보여 준다면서요. 허허. 나 참."

Ⓐ"아침부터 바쁜 사람 불러내 놓더이, 사람 말을 알아듣도 못하고 엉뚱한 소리만 해 싸, 누구맨구로 반동가리가 났나."

기어이 민 씨는 버럭 소리를 지르고야 말았다.

"반편은 누가 반편입니까. 이장이니 지도자니 하는 사람들이 모여서 방침을 정했으면 그대로 해야지, 양복 입고 자가용 타고 간 사람은 오고, 방침대로 경운기 타고 간 사람은 오지도 않고, 이게 무슨 경우냐구요."

"이 자슥이 뉘 앞에서 눈까리를 똑바로 뜨고 소리를 빽빽 질러쌓노. 도시에서 쫄딱 망해 가이고 귀농을 했시모 얌전하게 납작 엎드려 있어도 동네 사람 시키줄까 말까 한데, 뭐라꼬? 내가 만그이 이미냐, 애비냐. 나이 오십 다 된 기 어데를 가른동 오든동 지가 알아서 해야지, 목사리 끌고 따라다니까?"

마침 황만근의 어머니가 나오지 않았으면 몸싸움이 났을지도 몰랐다. 민 씨가 막 핏대를 세우며 맞대꾸를 하려는데, 도저히 시골의 환갑 노인으로는 보이지 않는, 곱고 여린 외모의 여인이 종종걸음으로 다가와서는 평상 앞에서 어른들의 눈치를 보며 엉거주춤 서 있는 손자를 붙들고 우는 소리를 냈다.

"내가 고딩어를 안 먹는다 캤으마, 이런 일이 없을 낀데, 내가 고딩어를 안 먹는다 캤어도 이런 일이 없을 낀데. 내가 고여히 고딩어를 먹는다 캐 가이고 우리 만그이가, 우리 만그이가 고딩어를 사러 갔다가 이래 안 오는구나아."

그래서 사람들은 알게 되었다. 황만근이 경운기를 끌고 간 날 아침, 아침을 차리던 황만근에게 그의 어머니가 고등어자반이 없으면 밥을 먹지 않겠다고 한 사실을. 이장은 그것 보라는 듯이 "반동가리 반그이가 궐기 대회가 아이고 고딩어 사러 갔구마. 효자 났네, 효자 났어." 하고는 허리를 쭉 폈다. 황재석 씨도 수염을 쓰다듬으며 "홀어머니 조석을 지극정승으로 평생 한 끼도 안 빠뜨리고 공궤하니, 암만, 효자는 효자지. 천생지 효자라." 했다. 그 황만근의 아들인 영호가 덩달아 우는소리를 하는 것이었다.

"아이라요. 내가 아침에 집으로 오다가 경운기 타고 가는 아부지를 만났는데요, 목욕을 하고 오라 캤거든요. 목욕탕에 갔을 끼라요. 그런데 면에 있는 목욕탕에 연락해봐도 그런 사람은 안 왔다 카고…… 온천에 갔는가 봐요. 온천에 가다가 우째 됐는가도 모르고……"

– 성석제, 「황만근은 이렇게 말했다.」–

---

07 윗글을 구성하기 위해 작가가 의도한 내용으로 적절하지 <u>않은</u> 것은?

① 인물의 대화를 중심으로 서술하여 사건의 생동감을 유발해야겠어.
② 인물의 실종을 알리는 글로 시작하여 독자의 궁금증을 유발해야겠어.
③ 제목을 설정하며 참고할 수 있는 고전 작품이 있는지 알아봐야겠어.
④ '황씨 집성촌'이라는 배경을 설정하여 향촌 공동체가 줄 수 있는 이미지를 강조해야겠어.
⑤ 액자식 구성을 통해서 사건과 또 다른 사건을 연결하는 개연성 있는 서사를 구성해야겠어.

08 ⊙의 문맥적 의미와 가장 가까운 것은?

① 할 일 없으면 <u>자빠져</u> 잠이나 자라.
② 그 녀석 하는 일마다 웃기고 <u>자빠졌네</u>.
③ 그 사실을 듣고 나는 너무 놀라서 <u>자빠질</u> 뻔했다.
④ 걔는 어디에 <u>자빠져</u> 있는지 요즘은 통 안 보이더라.
⑤ 일만 벌여 놓고 이제 와서 <u>자빠져</u> 버리며 어쩌란 거냐.

09 '이장'에 대한 설명으로 가장 적절한 것은?

① 마을 사람들과 다른 마을 사람들과의 교류를 중요시하고 있다.

② 자신이 맡은 공적인 책무에 최선을 다하여 추진하는 모습을 보이고 있다.

③ 민 씨의 말에 대하여 끝까지 차분하게 대응하는 냉철한 모습을 보이고 있다.

④ 마을 사람의 실종보다 자신의 손해를 더 걱정하는 이기적인 모습을 보이고 있다.

⑤ 마을 일에 솔선수범하며 공동체 정신을 강조하며 헌신적인 모습을 보이고 있다.

10 윗글에서 사투리와 비속어를 사용함으로써 얻을 수 있는 효과(3가지)를 한 문장으로 서술하시오.

11 윗글의 등장인물이 했음직한 말로 적절하지 않은 것은?

① **황재석**: 동네일을 거뜬하게 해내는 상일꾼인데 황만근이 없어진 건 큰 일 아닌가? 빨리 찾아야 할텐데 걱정이야 정말 걱정이야.

② **황동수**: 황만근이 또 어디서 술 얻어먹고 자고 있을 거야. 옛날에 군대간다고 했을 때에도 밤새 오지 않은 적이 있으니 큰 걱정은 되지 않구만……히히.

③ **민 씨**: 이장이란 사람이 책임감이 저리 없어 마을의 지도자라 할 수 있을까? 본인이 황만근을 농가 부채 탕감 촉구 전국 농민 총궐기 대회에 가도록 부추기지만 않았어도 이런 일을 없었을 것 아니야.

④ **황만근의 아들**: 아버지가 오지 않으니 너무 슬프구나. 진작에 아버지에게 잘할 걸 너무 후회가 되는구나……엉엉.

⑤ **황만근의 어머니**: 내 착한 아들 만근이가 이렇게 오지 않으니 앞으로 나는 어떻게 살고, 왜 하필 어제 고등어를 먹는다고 했나…… 만근아 우리 만근아.

12 Ⓐ를 표현하기에 가장 적절한 한자 성어는?

① 사생결단(死生決斷)　　② 전전긍긍(戰戰兢兢)　　③ 조변석개(朝變夕改)

④ 횡설수설(橫說竪說)　　⑤ 적반하장(賊反荷杖)

고등국어
HIGH SCHOOL

실전기출 문제은행

정답 및 해설

2B
2학기기말

천재 | 박영목

(1) 국어의 변화와 발전

확인학습
P.08

01 ○　02 ○　03 ×　04 ○　05 ○　06 ○　07 ○　08 ○
09 ○　10 ○　11 ○　12 ×

01 동국정운식 표기에 음가 없는 'ㅇ'이 사용되었다.
05 방점을 통해 분별할 수 있다.

객관식 기본문제
P.09~14

01 ⑤　02 ②　03 ③　04 ⑤
05 ④　06 ①　07 ①　08 ③
09 ⑤　10 ①　11 ⑤　12 ③
13 ④　14 ④　15 ②

01 ㅂ과ㄷ을 써서 ㅼ로 사용했다.
02 ㉠'니'에서 두음법칙이 없었다는 것을 확인. ㉡ 어리다(어리석다 → 나이가 적다) 의미의 이동, ㉢'바+주격조사 ㅣ'
03 원형을 밝혀 적지 않고 소리 나는 대로 적었다.
04 현대 국어에서 쓰일 수 없고 중세 국어에선 어두자음군이라는 명칭으로 쓰인다.
05 양성모음 'ㆍ, ㅗ, ㅏ, ㅛ, ㅑ'가 있는데 'ㆍ, ㅑ'로 모음 조화가 제대로 지켜졌다.
06 '배'에 쓰인 조사는 주격조사이다. '에서'는 단체와 결합할 때 주격조사로 사용되므로 같은 역할을 하고 있다.
07 '말씀'은 의미의 축소의 예이다.
08 '노·미'에서 이어적기가 사용되었는데 '어엿비'에만 쓰이지 않았다.
09 ㉠은 ㅸ, ㉡은 초성자 밑에 모음을 쓰라는 설명으로 'ㅗ, ㆍ'가 해당되며, ㉢은 초성자 오른 쪽에 모음을 붙여써야 하는 점으로 'ㅏ, ㅣ, ㅑ'가 해당된다.
10 '워니'로 쓴 것은 연철식(이어적기) 표기이다.
11 사룸은 의미가 변화된 단어가 아니다.
12 'ㅅ뭇·디'처럼 어휘가 사라진 것은 음운 측면이 아니라 어휘 면에서 변화를 보이는 것이다.
13 평성은 방점이 0개이며 낮은 소리를 나타낸다.
14 '나+ㅣ'로 주격조사 'ㅣ'가 사용되었지만, '제'에는 쓰이지 않았다.
15 두음법칙은 단어의 첫머리에 'ㄴ, ㄹ'이 오는 것을 꺼리는 현상으로 이 글에는 적용되지 않았다.

객관식 심화문제
P.15~31

01 ③　02 ③, ⑤　03 ⑤　04 ①
05 ②　06 ③　07 ③　08 ⑤
09 ②　10 ⑤　11 ③　12 ④
13 ③　14 ⑤　15 ①, ③　16 ①
17 ⑤　18 ①　19 ③　20 ④
21 ①　22 ⑤　23 ④　24 ②
25 ⑤　26 ②　27 ③　28 ⑤
29 ④　30 ⑤　31 ①　32 ④
33 ②　34 ④　35 ④　36 ①
37 ④　38 ④　39 ⑤　40 ③

01 ㄱ. 평등사상은 나타나지 않는다. ㄹ. 훈민정음 창제 동기만 밝히고 있을 뿐 창제 원리를 밝힌 것은 아니다. ㅅ. 우리나라의 말이 중국의 말과 달라 백성들이 문자생활하는데 어려움이 있었기 때문에 글자를 만든 것이다. 중국과 소통하려고 만든 것은 아니다.
02 (가)의 '니르고져'를 보면 두음법칙이 지켜지지 않은 것을 확인할 수 있고, (다)에서는 음가가 없는 'ㅇ'을 표기하지 않았다.
03 ㉤'하다'는 '많다'의 의미만 지니고 있다. ㉥의 '배'는 '바+ㅣ (주격조사)'로 이루어져 있다.
04 '날ᄃ려'는 '나에게'라는 뜻으로 해석한다.
05 'ㆍ뜯+ㆍ을'이다.
06 자주정신은 중국과 다른 언어를 쓰고 있다는 점에서, 실용정신은 백성들이 편하게 쓰는 점에서, 애민정신은 백성들이 말하고 싶은 바가 있어도 말하지 못함을 고려하는 부분에서 확인할 수 있다.
07 중세에는 띄어쓰기를 하지 않았다. 'ᄯ ᄅ미니라'는 '따름이니라'를 연철한 것이다.
08 성조는 총 세 가지가 있다. '평성, 거성, 상성'의 세 가지이다.
09 '어리다'는 의미가 이동된 경우이고, '놈'은 사람 → 남자를 낮잡아 이르는 말로 의미의 축소이다.
10 '바+주격조사 ㅣ'를 사용했기 때문에 '가'가 없음을 알 수 있고, '야'를 '여'로 쓴 이유는 모음조화를 지키기 위해 같은 양성모음 끼리 사용하였다.
11 새로 만든 28자는 자음 17자, 모음 11자이다.
12 고려 건국부터 16세기 말까지의 국어를 중세 국어라 한다.
13 '밍·글+ㄴ+오+니' ㄹ과 ㆍ가 탈락된 것만 확인 가능하고 이어적기가 쓰인 것을 확인할 수는 없다.
14 방점은 의미의 높낮이를 표시하기 위한 것이다. 동국정운식 표기와는 상관이 없다.
15 말씀은 의미의 축소이다. ㅅ뭇디는 의미의 소멸이다.
16 '에'를 현대어로 옮기면 '과'가 된다.
17 '이셔도'는 이어적기가 쓰인 것이다.
18 이 글에는 'ᄆ ᄋ물'과 같은 부분에 이어적기 방식이 나타난다.
19 후음의 기본자 'ㅇ'에 가획하여 'ㆆ'으로 만들었다. 반설음은 설음의 기본자 'ㄴ'에 가획하여 'ㄹ'로 만들고, 반치음은 치음의 기

본자 'ㅅ'에 가획하여 'ㅿ'으로 만들었다.

20 '·+ㅡ=ㅗ', 'ㅣ+·=ㅏ'로 합용의 원리가 적용되었다.

21 ©에서 둘째 음절의 종성은 'ㅅ'으로 발음되었다. ⑩ 당시의 '이상적' 한자음을 표기하기 위해 동국정운식 표기를 하였다.

22 ⓒ의 '뿌메'는 '쓰(어간)+움(명사형전성어미)+에(부사격조사)'로 이루어져 있는데 비교의 의미를 지니는 부사격 조사가 아니고, 앞말이 원인임을 나타내는 부사격조사이다.

23 (나)는 16세기 우리말의 모습을 연구하는 자료로 사용된다.

24 입성은 방점의 개수와 상관이 없다.

25 '스몿다'는 원래 통하다를 뜻하는 말이었으나 지금은 사라진 단어이다. '말쏨'은 의미의 축소로 '원래 일반적인 말 전체 → 남의 말을 높여 이르거나 자기의 말을 낮추어 이름.'이며, '어엿브다'는 '불쌍하다 → 예쁘다'로 의미의 이동이 나타났다.

26 '바+주격조사 ㅣ'의 결합이다. 생략되지 않았다.

27 ③은 이어적기가 쓰인 것이고 다른 어형의 변화가 일어난 것은 아니다.

28 ㉮ '쁟+을' : 음성 모음('ㅡ')끼리 결합하고, '믈+은' : 음성 모음('ㅡ')끼리 쓰였다.

29 방점은 글자 왼쪽에 찍는 것이다.

30 ⓐ에 쓰인 주격 조사는 '바+ㅣ'에 'ㅣ'이다.

31 구개음화가 일어나지 않은 표기를 찾아야한다. '됴코'의 '됴'에서 구개음화가 일어나지 않았다.

32 '뿜에', 'ㅂ룸애', '믈은', '곶올' 다 이어적기가 쓰였고 ④는 이어적기 표기가 아니다.

33 이어적기와 'ㄹㅇ'활용을 적용해야 한다.

34 ⓐ : ㄸ – 합용병서에 대한 설명이다 , ⓑ : ㅸ – 연서에 대한 설명이다.

35 '내 우름'처럼 이어적기가 완전히 사라진 건 아니다.

36 시간의 흐름, 역사에 따라 의미가 변화를 겪는다.

37 '스몿디, 펴디'에서 구개음화가 지켜지지 않았고, '니르고져' 등 두음법칙도 지켜지지 않았다.

38 주격조사 '이'는 자음으로 끝난, 즉 받침이 있을 때 사용된다.

39 '·, ㅗ'는 양성 'ㅓ'는 음성으로 모음조화가 지켜지지 않았다.

40 (나)에 '수비'에서 ㅸ이 사용되었고, (다)에서 사용되지 않았다.

서술형 심화문제   P.32~35

01 ㉠ ㄱ, ㄴ, ㅁ, ㅅ, ㅇ ㉡ ·, ㅡ, ㅣ

02 이어적기(연철)

03 '爲윙ᄒ야'에서 보듯이 중세 국어에서 잘 지켜지던 모음조화가 현대 국어에서는 '위하여'에서처럼 잘 지켜지지 않는다. '中듕國귁에'의 '에'는 비교 부사격 조사로 현대 국어에서 '과'로 쓰인다. '스물'이 현대 국어에서는 원순 모음화가 일어나 '스물'로 쓰인다. '훔배'에서 보듯이 현대 국어에서 쓰이는 주격조사 '가'가 중세 국어에서는 쓰이지 않았다.

04 중세 국어에서는 소리 나는 대로 적었으나 현대 국어에서는 어법에 맞게 표기한다.

05 어휘 면에서 기존 어휘가 없어지기도 하고, 형태나 의미가 바뀌기도 하며 새로운 어휘가 만들어지거나 외부에서 들어오기도 한다. 어휘 소멸은 '젼츠, 스몿

디', 의미 이동은 '어린, 어엿비', 의미 축소는 '말쏨, 놈'이 그 예이다.

06 공통적으로 설명한 문법 원리는 모음조화이다. 모음조화는 'ㅏ, ㅗ, ·' 따위의 양성 모음은 양성 모음끼리, 'ㅓ, ㅜ, ㅡ' 따위의 음성 모음은 음성 모음끼리 어울리는 현상이다.

07 훈민정음에는 나라의 말이 중국과 다르니 우리 것이 필요하다는 '자주정신', 한자가 어려워 백성들이 자기 생각을 표현할 수 없음을 안타깝게 여긴 '애민정신', 새로 28자를 만든 '창조정신', 백성들이 쉽게 익혀 쓰기에 편하게 만들고자 했던 '실용정신'이 나타난다.

08 종성법으로 'ㄱ, ㄴ, ㄷ, ㄹ, ㅁ, ㅂ, ㅅ, ㆁ'의 여덟 자만 받침으로 사용하는 것이다.

09 초성은 상형의 원리에 의해 'ㄱ, ㄴ, ㅁ, ㅅ, ㅇ'을 만들었고, 가획의 원리에 따라 'ㅋ, ㄷ, ㅌ, ㅂ, ㅍ, ㅈ, ㅊ, ㆆ, ㅎ', 이체자로 'ㆁ, ㄹ, ㅿ'을 만들었다. 중성은 상형의 원리에 의해 '·, ㅡ, ㅣ'를 만들었고, 합성의 원리에 의해 'ㅗ, ㅏ, ㅜ, ㅓ, ㅛ, ㅑ, ㅠ, ㅕ'를 만들었다. 종성은 종성부용초성에 의해 종성의 글자를 별도로 만들지 않고 초성으로 쓰는 글자를 다시 사용했다.

10 밍ᄀ노니 : 밍골- + -ᄂᆞ- + -오- + -니

11 (1) ㉠ 소리 나는 대로, ㉡ 어법에 맞게 (2) ⓐ 말쏨, 놈 ⓑ 축소

12 ㉢, ㉣, ㉠, ㉧, ㉡, ㉤

---

(2) 문법 요소의 이해와 활용

✐ **확인학습**   P.37~41

01 (1) 어제 숙제를 못 했어요. / 못 했습니다.
　　(2) 여기에서 내리세요. / 내리십시오.
　　(3) 어디 가세요? / 가십니까?
　　(4) 물 좀 줘.

02 (1) 선생님께서 나에게 질문을 하신다.
　　(2) 준희가 아저씨께 안부를 여쭙는다.
　　(3) 명규가 할아버지를 모시러 간다.

03 (1) 선어말 어미 '-었-'을 사용한 과거 시제
　　(2) 관형사형 어미 '-는'을 사용한 현재 시제
　　(3) 선어말 어미 '-겠'을 사용한 미래 시제
　　(4) 관형사형 어미 '-던'을 사용한 과거 시제

04 (1) 아기가 아빠에게 안겼다.
　　(2) 체육 대회가 다음 달로 미루어졌다.
　　(3) 퇴적층이 (바람에 의해) 형성되었다.

05 (1) 그가 잘 다녀왔느냐고 말했다.
　　(2) 준호는 "은진아, 어서 와."라고 말했다. / 준호는 은진이에게 "어서 와."라고 말했다.
　　(3) 윤주는 내게 "네가 읽고 있는 책 재미있어?"라고 물어보았다.

✐ **확인학습**   P.43~44

01 (1) ○, (2) ○, (3) ×, (4) ○, (5) ○, (6) ×, (7) ○, (8) ○,
　　(9) '선생님, 저희 어머니께서 도시락을 안쳐주셨어요.' '께서', '주셨어-'에서 주체높임법, '저희'와 '-요'에서 상대 높임법

02 (1) ×, (2) ×, (3) ○, (4) ○, (5) 진행상, 완료상

03 (1) ×, (2) ×, (3) ×, (4) ○, (5) ×

04 (1) ×, (2) ×, (3) ○, (4) ×,
　　(5) '내가 벌에게 쏘였다. 내가(주어), 벌에게(부사어), 쏘였다(서술어) → (쏘 + -이- + -다)피동 접미사가 쓰인 피동사

P.45~55

01 ③	02 ③	03 ⑤	04 ④
05 ③	06 ③	07 ③	08 ③
09 ①	10 ④	11 ⑤	12 ③
13 ④	14 ⑤	15 ③	16 ②
17 ④	18 ③	19 ④	20 ⑤
21 ④	22 ⑤	23 ③	24 ④
25 ②	26 ①	27 ④	28 ②
29 ④	30 ④	31 ②	

01 어머니의 생각은 간접 높임의 대상이다. 간접 높임은 선어말 어미 '-(으)시-'를 통해서만 가능하다. '계시다'라는 특수 어휘를 사용할 수 없다.

02 문장의 주체, 즉 주어 '선생님'을 높이고 청자 '채영'이는 낮추고 있다.

03 '공부 열심히 하렴'은 대화 상대를 낮춰서 표현하는 것이고 주어 '엄마는'은 객체가 아닌 주체이다.

04 '께서'는 주체 높임의 조사이다.

05 '드리시다'는 문장의 주체와 객체를 높이고 있다. 특수어휘 '드리다'는 객체를 높이므로 선물 받는 사람을 높인다.

06 선어말 어미 '많으신', 조사 '께서', 주체 높임의 용언 '잡수다' 간접높임 '연세'가 사용되고 있다.

07 객체 높임의 목적격 조사는 없다.

08 '오다'에 주체 높임의 선어말 어미 '-시-'가 사용되고 있고 '-ㅂ니다'를 통해 상대를 높이고 있다.

09 '오시래'는 영수를 높여주므로 '오라셔'로 고치는 것이 맞고, 교장 선생님의 '말씀'은 간접높임의 대상이므로 특수 어휘 '계시다'를 통해서 높이면 안되므로 '있으시다'로 고치는 것이 적절하다.

10 객체높임의 용언 '드리다'가 사용되고 '따님'이라는 간접 높임의 어휘가 사용되고 있다.

11 앉는 행위 자체는 이미 끝난 것으로 완료상이 맞다.

12 '-으(ㄴ)'은 선어말 어미가 아니라 관형사형 어미이다.

13 (가)는 '-고 있다'를 통해 진행상을, (나)는 '-어 버리다'를 통해 완료상을 나타내고 있다.

14 '줘 버렸고'에 사용된 '-어 버리다'는 완료상을 나타낸다.

15 '그려 간다'는 행위가 아직 진행 중이므로 진행상이다.

16 과거시간 부사어 '어제', 선어말 어미 '-았-'을 통해 과거시제를 나타내고 있다.

17 학교에 지원하겠다는 의지를 드러내고 있으므로 ④번이 제일 적절하다.

18 '이번 여름은 날씨가 정말 더웠다'는 과거 시제이다. ③번도 과거시제이다.

19 '낮고 있다', '나아 가다' 모두 진행상을 나타낸다.

20 식당 개업은 미래의 일이므로 사건시가 발화시보다 나중인 미래 시제가 적절하다.

21 형용사의 경우 과거시제를 나타내는 관형사형 어미는 '-던'이 사용된다.

22 진행상의 경우 '-고 있다'를 주로 사용하고 완료상의 경우 '-아/어 있다'를 주로 사용한다.

23 ③의 '울리지'는 피동이 아닌 사동 표현이다.

24 ㉠은 '팔다'의 피동 표현 '팔리다', ㉡은 '잊다'의 피동 표현 '잊히다'가 사용되고 있다.

25 '믿겨지지'는 '믿다'에 피동 접사 '-기', 피동문을 만드는 어미 '-어지다'가 함께 쓰인 이중피동표현으로 '믿어지지' 혹은 '믿기지'로 고치는 것이 적절하다.

26 '놀렸다'는 기본형이 '놀리다'로 남을 욕보이는 행위를 뜻한다. 어간 자체에 '리'가 포함된 단어이므로 피동접미다 '리'가 쓰였다고 볼 수 없다.

27 '지었다'라는 서술어의 주체가 홍길동전이 아닌 허균이므로 허균이 주어이다.

28 태풍이 행위의 주체가 되어야 한다.

29 직접인용에는 큰따옴표의 문장에 '라고'가 결합하고 간접인용문엔 '고'가 결합한다. 서술격 조사 '이다'는 간접인용문에 '이라고'를 붙인다.

30 오빠가 있는 현재 위치를 나타내므로 여기를 거기로 바꿀 필요는 없다.

31 뿐이라고, 사랑한다고(간접인용), "나갔어"라고 "넓구나"라고 (직접인용)

P.56~78

01 ②	02 ①	03 ②	04 ①
05 ①	06 ②	07 ②	08 ③
09 ②	10 ④	11 ②	12 ④
13 ④	14 ②	15 ①	16 ③
17 ⑤	18 ⑤	19 ③	20 ①
21 ②	22 ③	23 ⑤	24 ①
25 ①	26 ②	27 ④	28 ④
29 ①	30 ③	31 ①	32 ⑤
33 ①	34 ④	35 ②	36 ③
37 ①	38 ②	39 ④	40 ③
41 ⑤	42 ③	43 ④	44 ③
45 ④	46 ④		

01 인용절 속의 어미, 인용 조사, 대명사, 지시 표현, 높임 표현 등에 변화를 주의하며 문맥상 매끄러울 수 있는 답은 ②이다.

02 ㉡은 주격조사 '이'를 '께서'로 바꿔야 한다. ㉢은 할아버지께서는이 옳다. ㉣은 사동오류가 아닌 이중피동의 오류이다. ㉤은 시제오류가 아니라 인용표현의 오류이다.

03 ②의 들었다는 능동표현이다.

04 ㉠의 '께서'는 주체를 높이는 조사가 맞지만 ㉡의 '께'는 객체를 높이는 표현이다.

05 '아버지께서는'의 '께서'는 주체 높임이고 할아버지를 '뵙고'에서 객체 높임 표현도 알 수 있다.

06 〈보기2〉의 -겠-은 가능성이나 능력의 의미로 쓰이므로 ②가 가장 적절하다.
① 추측, ③ 추측, ④ 의지, ⑤ 완곡하게 말하는 태도.

07 '께'는 객체 높임이다.

08 '나는 어머니께 꽃다발을 드렸다.'가 옳은 높임 표현이다.

09 '헐리어졌다'는 '헐리었다', 혹은 '헐어졌다'로 고쳐써야 한다.

10 '모시고' → 객체높임, '잡수실-' → 주체높임, '여쭙거라' → 객체높임이 사용되었다.

11 주체높임법이 아닌 상대높임법을 쓰면 되는 경우이다. '감기실게요'는 -시-의 남용이므로 '감기겠습니다.'의 종결어미를 씀으로서 청자인 손님을 높이는 상대높임법을 쓰는 것이 적절하다.

12 간접높임 표현에서는 특수어휘 ('계시다')가 사용될 수 없으므로 '있으시다'로 바꿔야 한다.

13 올바른 직접 인용을 사용하였다. ① 참가되었어 → 참가했어. ② 실패하였지만 → 실패하겠지만 ③ 말해 주었어 → 말씀해 주셨어. ⑤ 발표문이므로 공적인 자리에서 사용할 상대 높임법의 종결어미들을 사용해야 한다.

14 주무신다는 주무시(어간) + ㄴ(선어말어미) + 다(종결어미)이다. '주무시'의 '시'는 선어말 어미가 아니다.

15 ㉠은 사건시와 발화시가 일치하는 현재 시제이다.

16 고객의 신분증이므로 간접 높임의 대상이 될 수있으나 간접 높임에는 특수어휘의 사용은 적절하지 않다.

17 〈보기1〉의 참가하였지만 (능동) → 〈보기2〉의 참가하게 되었지만 (피동)

18 시제는 둘 다 현재 시제이다. 형용사는 진행형이 불가능하므로, '아름답고 있다'는 '아름답다'로 고쳐 쓴다.

19 '예쁘던'의 품사는 형용사이며 '초등학생이던'의 '이던'은 서술격 조사 '이다'이다.

20 '드렸다'는 객체를 높이기 위해 사용된 것이다.

21 객체인 할머니를 '모시고'의 특수어휘로 높이고 –습니다의 종결어미를 써서 상대도 높이고 있다.

22 ③만 가능성이나 능력을 의미하고 나머지 보기는 완곡하게 말하는 태도를 의미한다.

23 ㉠에는 발화시와 사건시 간의 시간 차이가 존재하지만 ㉡은 발화시와 사건시가 일치하여 시간 차이가 존재 하지 않는다.

24 ② 불필요한 피동표현이므로 '마무리되길'이 적절하다. ③ 직접 인용이므로 '라고'를 붙여 준다. ④ 주체인 할아버지를 높여야 하므로 '말씀해 주셨어'가 적절하다. ⑤ '만들어지려면'을 '만들려면'으로 불필요한 피동표현을 줄인다.

25 '어제'라는 시간 부사를 통해 시제가 과거 시제임을 알 수 있다.

26 ① 오는 동작의 주체는 이 문장에서 객체인 선희이다. ② '께'와 '드리다'는 객체 높임의 표현이다. ③ '있다'의 특수어휘는 '계시다'이다. ⑤ 공적인 자리에서는 '-해요체' 보다는 '-하십시오체'

가 적절하다.

27 가. 간접 높임(교수님의 책) 나. 객체 높임(객체인 할머니를 높이는 '모시고') 다. 간접 높임(교장 선생님의 말씀) 라. 객체 높임(객체인 선생님을 높이는 '뵈어야겠다') 마. 주체 높임(주체인 아버지를 높이는 특수어휘 '드신다')

28 높임의 대상은 '사장님'이고 문장의 객체여서 부사격조사 '께'를 사용하였고 특수어휘 '여쭈다'를 이용한다.

29 시간을 언어적으로 표현한 것이다.

30 미래에 일어날 말을 추측하는 데 쓰이고 있다.

31 진행상은 '-고 있다, –아/–어 있다'를 쓴다. '–어 버리다'는 완료상이다.

32 '만났다'에는 피동 접미사가 결합될 수 없다.

33 ㉠과 ㉡ 모두 상대높임의 종결표현이 사용되고 있다.

34 형용사의 경우 과거 시제를 표현하기 위한 관형사형 어미로 '-던'을 쓴다.

35 간접인용은 형식은 변형할 수 있지만 내용을 변형하는 것은 아니다.

36 '늦어도 어제는 고향에 소포가 도착했겠다'는 '능력'의 의미가 아니라 '추측'의 의미이다.

37 ③은 '–어 버리다'를 사용한 완료상이다. ①, ②, ④, ⑤는 모두 진행상이다.

38 객체 높임의 동사 '뵈다'가 사용되고 높임의 명사 '큰댁'이 사용되고 있다.

39 '물어 보았다' 또한 '여쭈어 보았다'로 고치는 것이 적절하다.

40 ㄱ에서는 피동표현이 사용되고 있지 않고, ㄴ은 체언에 접사 '-되다'가 붙어 피동표현이 사용되고 있고, ㄷ은 '밝히다'에 '-어지다'가 결합하여 피동의 의미를 나타낸다. ㄹ은 '쓰다'에 피동접미사 '-이-'와 '-어지다'가 동시에 붙은 잘못된 이중피동 표현이다.

41 선어말 어미 '-았-'이 사용되고 있는 것은 맞지만 과거 시제가 아니라 미래 추측의 의미를 나타내고 있다.

42 사건시가 발화시보다 먼저인 것은 과거시제이고 사건시보다 발화시가 먼저인 것은 미래시제이다. '나는 다급하게 초인종을 눌렀다'는 선어말 어미 '-었-'을 통해 과거시제를 나타내고, '네가 떠날 곳으로 곧 따라갈게'는 관형사형 어미 '-ㄹ'을 통해 미래시제를 나타내고 있다.

43 '잊혀진'은 '잊다'에 피동 접미사 '-히-'와 어미 '-어지다'가 동시에 사용된 이중 피동으로 올바르지 않은 표현이다. 둘 중에 하나만 사용하는 것이 올바른 피동 표현이다.

44 객체높임의 특수 어휘 '드리다'와 주체 높임의 선어말 어미 '-시-'가 사용되고 있다.

45 '속이다'는 '속다'에 사동접미사 '-이-'가 붙은 것이다. 피동의 의미는 찾을 수 없다.

46 주체높임의 조사 '께서', 객체높임의 특수 어휘 '모시다'가 사용되고 있다.

01 (1) 국어 책은 다른 책보다 잘 읽힌다. 이중 피동이 쓰였다.

(2) 누군가 어둠 속에서 "철수가 바로 범인이다"라고 소리쳤다. 인용격 조사가 적절하지 않다.

02 (1) 그는 은퇴 후에도 여전히 바쁘다. 형용사는 동작상으로 쓸 수 없다.

(2) 이 제품이 요즘 제일 잘 나가는 색상이에요. 높임 표현이 잘못 쓰였다.

03 철수는 선생님께 "영희가 아픕니다"라고 말씀드렸습니다.

04 저는 → 나는, 않다라고 → 않다고, 쓰여질 → 쓰일,

받을 → 받으신, 잊혀지지 → 잊히지

05 (1) 참가하였습니다―잘못된 피동표현이므로 수정해야 한다. (2) 어머니께서는―주격 조사로 주체 높임을 나타내야 한다. (3) 실패하겠지만―미래 시제로 수정해야 한다.

06 아버지가 할머니께 "식사 하셨어요?"라고 여쭤 보셨어요.

07 ㉠ 생일을 축하한다. ㉡ 생일을 축하해요 ㉢ 생일을 축하해 ㉣ 지금 사귀는 사람이 있으세요? ㉤ 지금 사귀는 사람이 있니?

08 (1) 과거 시제, 완료상―과거 시제 선어말 어미 ―었―과 완료의 보조용언 '―어 버리다'를 사용했다.

(2) 현재 시제, 진행상―현재를 나타내는 시간 부사 '지금', 진행을 나타내는 보조용언 '―고 있다'를 사용하였다.

09 지나는데도→지났는데도, 없게 돼→ 없어 어떡하느냐라고→어떡하냐고, 걱정을 하자→ 걱정을 하시지, 힘들 것 같아→ 힘든 것 같아

10 〈보기1〉에서 1, 2에 제시된 문장이 잘못된 이유는 이중 피동 때문이다. 비로 인해 파인 땅을 복구한다. 나는 아직도 그녀가 잊히지 않는다.

11 선생님께서 나에게 당신과 함께 해서 정말 기쁘지 않냐고 물어보신다.

12 ㉠ 주문하신 음료 나왔습니다. ㉡ 손님, 가격은 모두 만 이천 원이겠습니다.

㉢ 그녀의 눈은 언제나 초롱초롱하고 아름답다.

13 ㄱ.할아버지께서는 일찍 주무시고 일찍 일어나신다. ㄴ.만수는 할머니를 산본역까지 모셔다 드렸다. ㄷ.나는 선생님께 모르는 문제를 여쭤보러 갔다.

14 ㉠나는 → ㉡저는, ㉢나에게 → ㉣제게, ㉤말씀해 주었습니다 → ㉥말씀해 주셨습니다. ㉦실패하였지만 → ㉧실패하겠지만. ㉨어머니께서는 "실패란 ~"라고 말씀해 주었습니다. → ㉨어머니께서는 실패란 하나의 사건일 뿐이라고 말씀해 주셨습니다.

15 저는 당신께서 빌려주신 물건을 돌려드리겠다고 말씀드렸습니다.

16 ㉠ 용준아 선생님께서 너를 데리고 오라셔

㉡ 창문이 닫히지 않아 찬바람이 들어온다.

17 (1) 문장의 주체인 주어를 높이는 높임법, 할머니께서 책을 읽고 있으시다(계시다). (2) 문장의 객체인 목적어나 부사어를 높이는 높임법, 나는 아버지께 추석 선물을 드렸다.

18 (1) 잘못된 높임 표현: 이 제품의 95 사이즈는 하나 남았습니다.

(2) 이중피동: 세계 각국이 '잊힐 권리'를 법적으로 보장하려고 한다.

19 (1) ㉠은 높임 대상인 '아버지'를 직접 높이는 문장이고, ㉡은 아버지의 신체 일부를 간접적으로 높이는 문장이기 때문이다.

(2) ㉢<㉡<㉣<㉠, 격식 해라체, 격식 하게체, 격식 하오체, 격식 하십시오체

20 (1) ㉠은 단순히 연우가 어제 책상을 닦은 사실만 전달하는 반면 ㉡은 화자의 연우가 책상을 닦은 사실을 전달하는 동시에 연우가 그 사실을 화자가 직접 경험하여 알게 되었음을 드러낸다.

(2) 관형사형 어미 '―은', 선어말 어미 '―었―'이다.

21 언어 예절을 지키며 대화하기 위해서는 대화 상황과 대화를 고려해야 하며, 언어 예절을 잘 지켜야 하는 이유는 다른 사람과 원활하게 의사소통을 하고 원만한 인간관계를 유지할 수 있게 하기 때문이다.

22 (1) 세상이 눈에 덮였다.

(2) 나는 이웃이 어려울 때 서로 돕는 것이 옳은 일이라고 생각한다.

23 (1) 그는 나에게 내가 참 착하다고 말했다. (2) 매끄럽고 간결한 느낌을 준다.

24 아버지께서는 책을 읽으셨고, 저는 그 옆에서 일기를 썼어요.

25 (1) ㉠― ㉢, ㉣ / ㉡― ㉐, ⓑ (2) ㉠의 '내일'이라는 부사어, 선어말 어미

'―겠―'을 통해 미래 시제를 나타내며, '앉아 있겠다'의 보조 용언 '―아 있다'는 완료상을 나타낸다. ㉡의 관형사형 어미 '―던'과 '―은'은 과거 시제, 시제 표시가 없는 서술격 조사 '―이다'는 현재 시제를 나타낸다.

26 (1) ㉠ 할아버지께서는 매일 이 시간이면 낮잠을 주무신다. ㉡ 나는 어머니께 아버지께서 안방에 있으신지(계신지) 여쭤 보았다.

(2) 주격 조사와 특수 어휘로 주체 높임을 나타내야 한다. 주격 조사와 부사격 조사, 특수 어휘, 주체 높임 선어말 어미로 주체와 객체 높임을 나타내야 한다.

27 (1) 아들이 어제 저에게 오늘 집에 있으라고 말했습니다

(2) 오빠는 어제 자신의 휴대 전화에 메시지를 꼭 보내라고 나에게 말했다.

28 참가되었어→ 참가하였어(참가했어),

무엇이 배워졌는지가→ 무엇을 배웠는가

29 (1) 혜영이는 아까 도서관에 갔어―시제의 일치의 오류 (2) 할아버지께서는 매일 이 시간이면 낮잠을 주무셔― 잘못된 높임 표현 (3) 창문이 닫히지 않아 찬바람이 들어온다―이중피동 (4) 사육장 관계자는 시설의 개선이 필요하다고 말했습니다― 올바르지 않은 인용격 조사의 사용

30 선생님께서 동생에게 선물을 주실 것이다.

31 (1) 다른 데서 들은 말이나 읽은 글을 인용할 때 그 형식은 유지하지 않고 내용만 인용하는 방식

(2) 어제 할아버지께서 오늘 진지를 사서 할아버지께 오라고 말씀하셨다.

32 ⓐ―시간이 너무 촉박하다. ⓑ―이 구간은 그냥 빨리 넘어가자.

ⓒ―이곳은 위험하니 저쪽으로 비켜라.

ⓓ―그토록 찾던 물건을 드디어 구했구나.

33 주체 높임(어머니가, 가나요)과 객체 높임(데리고)이 올바르게 쓰이지 않았다. 어머니께서 할머니를 모시고 병원에 가시나요?

34 원작가의 의도를 손상시키고 있다.

35 담겨져 → 담기어(담겨), 짜여지면서 → 짜이면서, 생각되어진다 → 생각된다.

36 큰따옴표가 사라진다. 조사 '라고'가 '고'로 바뀐다. '―입니까'가 '―냐'로 바뀐다. 높임법이 바뀐다. 지시 대명사가 '그쪽'에서 '이쪽'으로 바뀐다.

37 할아버지께서는 걱정거리가 있으시다. 높임의 선어말 어미 '―시―'를 활용하여 할아버지의 생각인 '걱정거리'를 높여 주체를 간접적으로 높였다.

38 (1) 진행상: ㉡, ㉢ (2) 완료상: ㉠, ㉣

39 보조 용언 '―어 있다'로 완료상을 나타내고 있다.

01 ④ **02** (1) 말쓰미, 뜨들, 노미 (2) 말씀이, 뜯을, 놈이

03 (a) 서로 통하지 (b) 가엾게 생각하여 (c) 나에게 이르되

04 ⑤ **05** ③ **06** ⑤ **07** ③

08 ㉠ 그의 마지막 득점이 경기의 승부를 뒤집었다.

㉡ 처음 바다를 본 그녀는 바다가 정말 넓다고 혼잣말을 했다.

09 (1) +, +, +

(2) 주체 높임: 할머니께서(주격 조사 '께서'), 오셨는지(선어말 어미 '―시―'), 객체 높임: 아버지께(부사격 조사 '께'), 여쭈어(특수 어휘), 상대 높임: 보아라(종결어미 '―아라'로 해라체를 사용)

10 (A) 지나친 높임― 이 제품은 반응이 아주 좋아요

(B) 형용사는 동작상과 결합할 수 없다― 그는 은퇴 후에도 여전히 바쁘다

11 ① **12** ⑤ **13** ⑤

01 어두자음군이란 초성에 서로 다른 자음이 둘 이상 오는 것을 말한다. '뿌메'의 'ㅂㅅ', '흙쁴'의 'ㅺ'이 이에 해당한다.

02 '말쓰미'는 '말씀(명사)+이(주격조사)', '뜨들'은 '뜯(명사)+을(목적격조사)', '노미'는 '놈(명사)+이(주격조사)'로 이루어져 있다.

04 중국의 원음에 가깝게 발음하려 한 것은 이상적인 한자음 표기이고, 현실을 반영한 것은 아니었다.

05 ㉠에는 의미의 이동이, ㉡에는 의미의 축소가 일어났다.

06 중국은 말과 글이 같은데도 억울한 일을 당하는 사람이 많다는 예를 들어 말과 글이 같지 않아서 억울한 일을 당하는 것이 아니라 하였다. 억울한 일을 당하는 것은 '옥리(죄수들의 심문과 고문을 담당하던 형리)' 때문이라고 하였다.

07 '엇디ᄒ야'와 같은 부분을 보면 구개음화 현상이 나타나지 않은 것을 알 수 있다.

11 '께'라는 객체높임의 조사가 사용되고 있지만 특수어휘는 사용되고 있지 않다.

12 '-더-'를 통해 주체의 과거 회상의 의미를 나타내고 있다.

13 '내가 발표를 맡겠다고'가 아니라 '자기가 발표를 맡겠다고'로 바꿔주는 것이 적절하다.

(1) 토론과 논증

확인학습 P.102

01 ○ 02 ○ 03 ○ 04 × 05 × 06 ○

확인학습 P.107

01 ○ 02 ○ 03 × 04 ○ 05 × 06 × 07 ○ 08 ×
09 ○ 10 ○

객관식 기본문제			P.108~117
01 ②	02 ①	03 ②	04 ②
05 ③	06 ③	07 ⑤	08 ③
09 ②	10 ③	11 ④	12 ③
13 ②	14 ⑤	15 ①	

01 예상되는 재앙이 아닌 이미 일어난 일들에 대해 설명하며 문제 상황이 심각함을 말하고 있다.

02 모피를 얻는 것이나, 의약품 개발이나 모두 동물입장에서 윤리적인 일이 아니다.

03 찬성 측은 정책 변화에 따른 효과와 이익이 더 크다고 주장해야 하지만, 반대 측은 현 상황의 유지를 주장해야 하므로 정책 변화에 따른 효과와 이익이 크지 않다고 주장해야 한다.

04 필수쟁점이란 논제와 관련하여 반드시 언급해야 하는 쟁점을 말한다. 이 글의 논제는 동물 실험의 비윤리성에 대한 것이므로 ㄷ만 해당한다.

05 토론은 주장에 대한 근거가 어떻게 주장과 연결되는지를 설명할 수 있어야 하며 근거는 객관적인 사실 정보를 가리키는데, 근거와 이유 사이에는 밀접한 연관성이 있어야 우위를 점할 수 있다.

06 사실 논제와 가치 논제에서도 '문제, 해결방안, 효과와 이익'이 필수 쟁점이 될 수 있다.

07 찬성 1의 입론에는 상대의 반박에 대비한 해결책은 나타나 있지 않다. 논제를 둘러싼 문제 상황은 동물들이 죽어가는 것, 문제 해결 방안은 생체 밖 실험, 인체 내의 약물 활동 측정을 설명하고 있고, 동물실험에 대한 용어를 정리하고 이와 관련하여 얻을 수 있는 이익은 동물 실험이 안고 있는 윤리 문제를 피할 수 있다는 것이다.

08 ㉠은 '정책 논제'이다. 정책 논제란 어떤 정책의 실행 여부와 실행 방안을 주장하는 논제로, 자신의 주장이 정당함과 현재보다 더 나은 결과를 가져올 수 있음을 입증해야 한다.

09 ○은 동물 실험을 대체할 수 있는 실험의 이익을 말한다. 따라서 동물 실험의 유지비용이 많이 든다는 점을 제시하면 동물 실험을 대체 했을 때 유지비용이 줄어들 수 있다는 근거를 내세울 수 있다.

10 정책의 변화를 주장하는 쪽은 '찬성'측이고, 찬성 측의 입론에서 시작하여 찬성 측의 반론으로 끝난다.

11 ㄷ. [A]에는 동물 실험을 통해 수많은 생명을 구한 예시가 들어가야 한다. 동물 실험 감동 위원회는 동물 실험이 엄격한 법적 규제 아래 실시되고 있다는 점의 근거로 들어가야 한다.

12 ○ 뒤의 문장은 '초파리를 대상으로 했던 1926년 모건의 유전자 실험은 사람을 대상으로 했다면 210여 년이 걸렸을 것입니다.' 인데 초파리의 세대 시간이 짧아 단시간에 유전자 실험을 할 수 있었던 사례로, 사람으로 실험하게 된다면 엄청나게 긴 시간을 소모해야 했다는 것을 밝히고 있다. 이것은 〈보기〉의 근거가 될 수 있으므로 〈보기〉문장은 ○에 들어가는 것이 적절하다.

13 반대 측의 주장에서 용어를 잘못 사용한 부분이 없기 때문에 다시 질문할 필요는 없다.

14 교차신문은 상대측이 사용한 용어의 개념과 근거 등에 대해 질문을 던져 상대측 '입론'에 문제가 있음을 드러내는 것이다.

15 사실논제는 어떤 사실이 참인지 거짓인지, 진실 여부를 따지는 논제이고 정책 논제는 어떤 정책의 실행 여부와 실행 방안을 주장하는 논제이고, 가치 논제는 어떤 가치가 옳고 그른지에 대한 가치 판단을 하는 논제이다.

객관식 심화문제

P.118~131

01 ②	02 ⑤	03 ②	04 ④
05 ⑤	06 ③	07 ③	08 ②
09 ③	10 ①	11 ④	12 ②
13 ④	14 ①	15 ②	16 ④
17 ①	18 ②	19 ①	20 ⑤
21 ③			

01 ○은 정책논제로, 어떤 정책의 실행 여부와 실행 방안을 주장하는 논제이다. ①, ③, ④, ⑤는 가치논제이다.

02 ⓔ에 대한 주장은 '동물 실험은 다른 실험으로 대체 불가하다.' 인데 관절염 치료제의 부작용과는 큰 관련이 없다.

03 〈자료〉는 인간을 위해서 동물에게 극심한 스트레스와 통증을 만드는 것에 대한 예시이다. 따라서 '동물 실험을 금지해야 한다.'를 주장하는 찬성 측에서 사용할 수 있는 자료이다.

04 조건 1은 '실제 인간의 의약품 개발을 위해 많은 도움을 주었습니다.', 조건 2는 '실제로 2014년 WHO에서 발표한 연구조사에 따르면 전체 동물 실험 결과 중 약 27%는 동물의 의약품을 개발하는 데에 쓰였다고 합니다.', 조건 3은 ' 저희 측은 동물 실험이 계속해서 필요하다고 생각합니다.'에서 확인할 수 있다.

05 찬성 1의 해결 방안은 '인간의 세포를 배양해서 실험하는 생체

밖 실험'과 '인체 피부 세포를 배양하여 만든 인공 피부를 사용하는 피부 질환 실험', '컴퓨터 모의실험을 이용한 독성 연구'이다.

06 찬성 1의 발언은 ⓐ : 현재 전 세계에서 연간 1억 마리 이상의 동물이 인간을 위한 동물 실험으로 죽어 가고 있습니다. ⓒ : 동물 실험이란 새로운 약품이나 치료법의 효능과 안전성을 확인하기 위해 동물을 대상으로 실시하는 의학적인 실험을 말합니다. ⓑ : 무엇보다도 동물 실험은 비윤리적이라는 심각한 문제가 있습니다., ⓓ : 이러한 문제들을 해결할 수 있는 대체 방안이 있습니다.(후략) 의 순서로 이루어져 있다.

07 [C]에서 반대 1은 동물보호법이 실험동물에 시행되는 구체적 사례를 들지 않았다.

08 반대2는 자신의 주장에 대해 동물 실험을 통해 사람의 생명을 구하는 치료법의 개발을 근거로 들고 있다. 여기에 대한 찬성 측의 반대 신문은 동물 실험을 하더라도 사람의 생명을 구하는 치료가 아닌, 문제점을 가진 사례가 있다는 점을 들어야 하므로 정답은 ②이다.

09 〈보기〉는 동물 실험에서는 큰 문제가 없었지만 사람에게 직접 약물을 사용했을 때 나타난 문제점에 대해 다루고 있다. 따라서 동물 실험을 반대하는 '찬성'측 중에서 약의 안정성을 확보하는데 동물 실험이 미흡하다고 주장하는 '찬성2'의 근거로 사용하는 것이 적절하다.

10 내면의 아름다움을 소홀히 하는 것이 문제라고 말하는 것은 찬성측의 입장에 해당한다.

11 부정 측 토론자는 '사람들의 의식주 문제가 해결되면서 자연스럽게 미용에 대한 관심이 많아졌습니다.'라고 하며 구조적인 문제가 있음을 주장하고 있다.

12 제시된 내용은 법제의 찬성과 반대가 명확히 나뉘는 논제이므로 토론 논제로 적절하다. 또한 이 논제는 법제의 찬성과 반대를 다루는 논제이므로 '정책 논제'이며, 찬반 측의 입론과 교차신문, 반론으로 이루어진 '반대신문식 토론'이다. 사회자는 중간에 질문을 하지 않고 있으며, 토론의 시작에서 착한 사마리아인 법의 정의를 설명하고 있지만 그것에 대한 논의가 중요한지를 밝히지는 않았다.

13 찬성 1은 반대 측 교차신문의 의도인 '착한 사마리아인 법을 도입한 나라가 어떤 나라들인가'의 물음에 '미국의 몇몇 주 그리고 프랑스, 영국, 독일 등 유럽의 많은 나라가 이 법을 채택' 했다고 하며 구체적으로 설명하고 있다.

14 찬성측의 입론을 보면 토론의 논제를 확인할 수 있는데, 찬성측 첫 번째 입론에서 '천문학적인 자금이 소요되는 도로의 건설에 민간 자본을 적극적으로 유치해야 한다고 생각합니다.'라고 말한 것을 보면 이 글의 논제는 '많은 자금이 소요되는 도로 건설에 민간 자본을 적극 유치해야 한다.'라는 것을 알 수 있다.

15 ○은 '오늘 아침 제가 민간 자본에 의해 건설된 도로를 이용하여 이곳까지 왔는데, 기존 도로를 이용할 때보다 30분 이상 단축됐습니다.'에서 확인할 수 있고, ○은 '민간 자본에 의해 건설된

도로를 이용하면 기존 도로의 수요도 분산이 되어 교통 정체가 줄어들지 않을까요?' ㉡은 '도시와 도시 간의 접근성이 좋아진다면 공장의 대도시 집중 현상을 완화하여 중소 도시의 경제 발전에도 도움이 되지 않을까요?'에서 확인할 수 있다.

16 〈보기〉는 민간 자본 유치 도로의 경우 민간 업자의 수요 예측이 부풀려져 그 과정에서 문제가 생기는 경우를 들고 있다. 따라서 '반대' 주장의 근거로 활용하는 것이 적절하다.

17 토론의 논제는 찬성 측의 첫 번째 입론은 보면 알수 있는데 정도룡의 첫 번째 발언에서 '저는 춘이네가 계속해서 소작을 해야 한다고 생각합니다.'라는 부분을 보면 알 수 있다.

18 정도룡은 춘이네에 대해 '지금 춘이네에게 남은 선택지는 온 가족이 굶어 죽거나 인생을 걸고 다른 곳으로 떠나는 도박을 하는 것뿐입니다.'라는 발언을 하고 있는 것으로 보아 상대방에 대한 예의를 갖춘 것이 아니라고 할 수 있다.

19 (가)의 입론에서 헌법 조항은 '대한민국 헌법 제10조에도 국민의 행복추구권을 보장해야 할 의무가 명시되어 있습니다.'를 들고 있는데 이것은 인간이 누구나 인간다운 삶을 살 권리는 말하는 것이지 춘이네가 소작을 하지 않는다고 해서 헌법조항에 위배되는 것은 아니다.

20 김 주사는 '중요한 질문부터 드리겠습니다.'라고 말하며 우선 순위를 고려한 질문을 하고 있고 감정적으로 흥분하거나 인신 공격성 발언을 하지 않고 있으며, '대한민국 헌법 제 10조를 인용하셨는데 헌법상의 개인의 행복추구권은 국가의 의무를 규정한 것이지 개인에게도 다른 사람의 인간다운 삶을 보장할 의무를 강요하는 것은 아니라고 생각합니다.'라고 말하며 산대측의 주장과 근거에서 빈약한 부분을 지적하고 있고, '네, 거기까지만 답변해 주시고 다음 질문 받아 주세요.'라고 말하는 부분에서 상대측이 답변 시간을 오래 끌 경우에 예의를 지키되 단호하게 중단하는 태도를 보인다. 하지만 상대방이 도덕성이 부족하다는 것을 지적하지는 않았다.

21 〈보기〉는 찬성 측이 제시한 자료에 초점을 맞춰 자료의 출처가 확실한지, 편파적인 것은 아닌지 확인하겠다고 했다. 따라서 가정 적절한 것은 찬성측이 제시한 보고서라는 자료가 다이어트 회사에서 만들어 진 것이므로 조사 결과가 편파적일 수 있다는 의견을 제시한 ③이 정답이다.

(2) 협상과 갈등 해결

01 협상은 문제를 해결하기 위해 서로 타협하고 조정하면서 해결 방법을 찾아가는 의사소통의 과정이므로 자신이 상대방보다 최대한 많은 것을 얻는 것이 성공적인 협상이라고 할 수 없다.

02 제안이나 대안을 검토하는 말하기는 조정 단계에서 한다.

03 먼저 축제를 시작한 쪽은 행복시이다.

04 문화시는 풀꽃 축제로 인해서 행복시가 관광객 수와 경제적 측면의 손해를 보았다고 인정하지 않았다. 문화시는 유동인구가 많은 특성 때문에 관광객이 몰린 것 뿐이라고 주장하고 있다.

05 시작단계는 갈등의 원인 분석과 문제 해결의 가능성 확인을 하는 단계이고, 조정단계는 문제를 확인하고 상대의 처지와 관점을 이해하며 제안이나 대안을 검토하는 단계이다. 해결단계는 최선의 해결책을 제시하고 문제 해결과 합의, 합의 이행을 하는 과정이다.

06 협상은 둘 이상의 주체가 있어야 한다. 협상은 '개인이나 집단 사이에서 이익과 주장이 달라 갈등이 생길 때' 하는 의사소통의 방식이다.

07 협상이란 서로 문제를 해결하기 위해 서로 타협하고 조정하면서 해결 방법을 찾아가는 의사소통의 방식을 말하므로, 나에게만 이익이 되는 대안을 선택하는 것은 옳지 않다.

01 행복시는 '좋은 생각입니다. 먼저 축제를 개발한 도시로서 우리도 문화시의 축제가 성공할 수 있도록 적극 협력하겠습니다.'라고 말하며 문화시의 제안을 수용하고 있다.

02 ⓒ가 들어간 문장 안에서 '보전'은 '부족한 부분을 보태어 채움'이라는 뜻이다.

03 행복시와 문화시의 협상 결과는 행복시의 '들꽃 축제'를 문화시가 홍보해주는 것이다. 따라서 행복시의 지하철이나 축게 안내

책자에 문화시의 축제를 홍보하는 것은 적절하지 않다.

04 협상과 토론은 모두 초기 주장이 바뀌면 안 된다. 서로의 합의점을 찾아 타협하고 조정하는 것은 가능하다.

05 상대의 처지와 관점을 이해하는 것은 조정단계에서 하는 일이다.

06 문화시의 대표가 상대방의 주장에 동의하며 한발 물러선 것은 방심을 불러일으키기 위한 것이 아니라 긍정적인 요소를 통해 협상을 성공시킬 확률을 높이는 것이다.

07 ⓑ은 행복시와 문화시의 축제 세부 프로그램을 안내하는 팸플릿인데, (가)에서 문화시의 발언 중 '두 축제에서 사용하는 꽃과 축제의 세부 내용도 많이 다릅니다.'을 보면 세부 내용이 매우 유사함을 증명하는 것은 적절하지 않다.

08 조건1은 '오세요, 것입니다, 바랍니다'에서, 조건 2는 '들꽃 축제가 열리는'에서, 조건 3은 '들꽃들이 당신을 맞아준다, 들꽃과 함께 둘레길을 걷는다'에서, 조건4는 잘 지키고 있다. 따라서 정답은 ⑤이다.

09 행복시가 먼저 축제를 시작한 쪽이고, 축제의 내용을 차별화 하는 주체는 '문화시'이다.

10 이 협상의 단계는 조정 단계이다. 따라서 서로가 협상을 통해 얻고자 하는 바를 분명하게 정하는 단계라고 할 수 있다. 설득할 수 있는 대안 마련은 협상 전에, 서로의 입장을 확인하는 것은 시작단계에, 대안을 재구성하고 합의점을 찾는 것은 해결 단계이고, 제안을 서로 검토하고 입장 차이를 좁히는 것은 조정 단계에 해당한다.

11 서로의 처지와 관점을 파악해야 서로가 원하는 합의점을 도출하기에 훨씬 수월해지기 때문에 이와 같은 자세로 협상에 임해야 한다.

12 상우는 전시 기간이 4일에서 3일로 줄었기 때문에 거기에서 오는 불이익을 줄이기 위해 홍보를 해달라고 하며 그 불이익을 최소화 하려고 한다.

13 전시회를 홍보하는 것에 대한 입장 차이는 드러나지 않으며, 상우와 구 공무원 모두 동의한 사항이다.

14 ㉠의 앞은 기존의 동아리 발표회 날에 대해 설명하고 있고, ㉠의 뒤는 기존 방식에 대한 개선 요구가 나타났기 때문에 '하지만'이 적절하다. ㉡은 부스를 상설로 운영하는 것의 장점을 부연설명하는 것이므로 '그리고'가 적절하다. ㉢의 앞은 동아리 부스를 상설로 운영하는 것의 부정적 측면을 말하고 있고, ㉢의 뒤는 그와 반대의 의견을 말하고 있기 때문에 '하지만'이 적절하다.

15 전시기간은 '늘리는'이라고 쓰는 것이 적절하다. '늘이는' 것은 '선따위를 연장하다'의 의미이다.

16 이 글은 기존의 부스 운영이 동아리 발표날에만 운영했기 때문에 짧은 시간 진행된다는 것이 문제라고 하였다. 부스 운영 자체가 문제시 된 것은 아니다.

17 위 협상의 쟁점은 첫 번째 발화에서 확인해 볼 수 있는데 '발표회 때 사용할 공간을 어떻게 정할지 얘기 좀 하자.'는 말에서 중심이 되는 것은 '발표회 때 사용 공간'이라는 것을 알 수 있고, 다음 발화에서 발표회 때 사용가능한 공간이 두 군데 남았는데

그 중 '중앙 계단 옆 교실'을 문예부가 쓸 것인지 천체관측부가 쓸 것인지가 중심이 되는 것을 확인할 수 있다.

18 ㉠은 '너 지금 우리 문예부 생각해 주는 척하며 은근슬쩍 명당을 차지하려는 거 맞지?'에서 확인할 수 있고, ㉣은 '그럼, 우리 두 동아리 모두 중앙 계단 옆 교실에서 함께 하는 건 어때?'에서 확인할 수 있다.

19 이 협상의 결과는 '우리 문예부가 시화전 주제를 '시와 별'로 바꾸면, 별자리를 소개하려는 너희 주제와도 어울려서 좋고 발표 내용도 더 알차게 될 거야. 우리가 주제를 바꾸는 대신에 너희 동아리가 공간 장식 좀 도와줄래? 그리고 별관 꼭대기 층에 있는 교실은 휴식 공간으로 활용하자.'에서 확인할 수 있고, 그에 대해 '와, 그런 방법도 있었네. 좋아.'라고 동의한 것을 보아 올해 동아리 전시를 서로 도와서 진행하기로 한 것을 알 수 있다.

서술형 심화문제 P.155~156

01 조정단계. 최초 양보점은 들꽃 축제의 차별화이고 최종 양보점은 공동사업을 추진하여 발생 이익을 나누는 것이다.

02 (1) 풀꽃 축제는 행복시의 전유물이 아니므로 중단할 이유가 없다. (2) 비슷한 축제로 손실이 크니 풀꽃 축제를 중단하라. (3) 경제적 손실 보전 (4) 축제 이름을 변경하는 것은 가능하다. 손해 보전은 불가능하다. (5) 들꽃 축제의 운영 정보를 제공하라.

단원 종합평가 P.157~161

01 ④	02 ②	03 ⑤	04 ①
05 ⑤	06 ④	07 ⑤	

01 찬성 측은 동물 실험의 대체 방안으로 생체 밖 실험과 인공 피부 질환 실험, 컴퓨터 모의 실험을 말하고 있다.

02 정책 논제의 필수 쟁점은 문제(문제의 심각성, 중요성, 시급성, 상황의 지속성 등에 관한 쟁점), 해결 방안(제시된 방안의 문제 해결 가능성 및 실행가능성에 관한 쟁점), 효과와 이익(해결 방안에 따른 효과 및 개선 이익에 관한 쟁점) 이다.

03 찬성 측은 동물 실험을 대체 했을 때 얻는 이익만 제시하고 있을 뿐, 비용에 대한 설명은 없다.

04 '양적 검증'은 수량적, 계량적으로 검증하는 방법으로 수치와 관련이 있다. 반대 측은 찬성 측이 주장한 바에 대해 수치에 대한 신뢰성을 검증하는 것이 아니다.

05 협상은 협상 당사자들이 문제를 해결하기 위해 서로 타협하고 조정하면서 해결 방법을 찾아가는 것인데 ①, ②, ③, ④는 협상을 하는 당사자끼리 해결할 수 없는 문제를 다루고 있으므로 적절하지 않다.

06 '행복시'는 서로의 입장 차이를 밝힌 것은 아니고, 협상하기 위한 조건을 제시하고 있다.

07 행복시가 축제의 이름을 바꾸는 것이 아니고 문화시가 축제의 이름을 바꾸기로 하였다.

(1) 광야 / 신의 방

확인학습
P.165

01 ○ 02 ○ 03 ○ 04 × 05 × 06 ○ 07 ○ 08 ×

확인학습
P.167

01 ○ 02 × 03 × 04 × 05 ○ 06 ○ 07 ○

객관식 기본문제
P.168~177

01 ③	02 ③	03 ⑤	04 ②
05 ⑤	06 ①	07 ③	08 ③
09 ⑤	10 ④	11 ⑤	12 ①
13 ③	14 ⑤	15 ④	16 ⑤
17 ⑤	18 ④	19 ⑤	20 ②
21 ①	22 ④	23 ①	

01 시적 화자는 노래의 씨앗을 뿌리는 사람이고, 직접적으로 현실을 극복해내는 것은 아니다.

02 (가)는 '뿌려라', '하리라'등의 명령형 종결어미를 사용한 표현을 통해 화자의 강하고 단호한 의지를 보여주고 있고, (나)는 '-지요'라는 종결어미를 사용하여 부드러운 느낌을 보여주고 있다.

03 (가)는 '내 여기'에서, (나)는 '내 몸속의'에서 시적 화자가 드러나고, (가)는 명령형 어조를 통해 단호한 태도를 드러내고 (나)는 '통시'에 대한 긍정적 태도로 대상과의 친밀감을 드러내고 있다.

04 매화 향기가 홀로 아득한 것은 미래에 대한 희망과 극복 의지가 있음을 드러내는 것이다.

05 5연에는 암울한 현실을 극복한 화자 자신이 드러나는 것이 아니고 화자와 다른 세상을 구원할 초월적 존재가 드러난다.

06 부드러운 종결어미인 '-지요'를 사용함으로써 친근한 느낌을 주고 있다.

07 '하늘 가까운 섬사람'들은 통시의 가치를 먼저 알고 있던 대상들이다. 시적 화자가 그들 때문에 통시의 가치를 깨달은 것은 아니다.

08 이 시의 시적 대상은 '통시' 하나이다. 하나의 대상으로 관련성을 제시할 수는 없다.

09 '-지요'라는 종결어미를 사용하여 산문(줄글)의 느낌을 주고 있다.

10 시적 화자는 '배설물'도 가치 있는 것이라고 인식하며 죽거나 버려진 것들도 가치있는 것이라고 보았다.

11 ㉠, ㉡, ㉢, ㉣은 생명을 의미하고, ㉤은 반생명을 의미한다.

12 긍정적 의미의 '매화 향기'와 부정적 의미의 '눈'이 대조되고 있다.

13 (가)에는 '지금' 시적 화자가 노래의 '씨앗'을 뿌리면, '천고의 뒤'에 세상을 구원할 초인이 나타나 그 노래를 부를 것이라는 소망

이 나타난다.

14 '천고의 뒤'는 먼 미래를 의미하는데, 시적화자가 바라는 이상적인 미래라고 할 수 있다. 태초의 공간으로 돌아가는 것은 아니다.

15 (가)는 현재의 부정적 상황을 변화시키려는 의지와 노력이 드러나지만 (나)에는 드러나지 않는다.

16 '내 몸속의 방'과 '신이 거주'하던 장소를 동일시 한 것은 생명의 순환을 말하는 것이다. 생명이 파괴되어가는 것과는 거리가 멀다.

17 (가)는 명령형 종결어미인 '-라'를 사용하며, 독백적 어조로 화자의 신념을 드러내고 있다.

18 '눈'은 시련과 고난을 상징하므로 4연의 '눈'이 내리는 것은 부정적인 현실 상황을 의미한다.

19 ㄱ. (가) 전체에 현재형 시제를 사용한 것은 아니다. '열었다'등의 과거시제도 나타난다.
ㄷ. (가)의 1연에 '어디 닭 우는 소리 들렸으랴'에 설의적 표현이 사용됐다고 할 수 있지만, 비관적 인식을 드러내는 것은 아니다.

20 청유형 어미는 '-자'를 말하는데 4연에 드러나지 않았다.

21 '똥 누고 먹는 일이 한가로이 행해지는 그곳을 신이 거주하는 장소'라는 부분에서 신의 방과 통시가 같은 공간을 의미한다는 것을 알 수 있다.

22 (가)는 부정적인 현실에 대한 극복의지가 드러난다면, (나)는 생명의 순환이 일어나는 생명의 공간이라는 의미를 갖는 통시에 대한 이야기를 하며, 포용을 다루고 있다고 할 수 있다.

23 시간이 덧없게 흐르는 것은 아니다. 시간의 흐름에 따라 역사가 시작됨을 의미한다.

객관식 심화문제
P.178~194

01 ②	02 ①	03 ③	04 ③
05 ④	06 ④	07 ②	08 ②
09 ③	10 ③	11 ④	12 ④
13 ③	14 ④	15 ③	16 ④
17 ⑤	18 ⑤	19 ④	20 ⑤
21 ④	22 ④	23 ③	24 ⑤
25 ①	26 ④	27 ④	28 ③
29 ②	30 ③	31 ⑤	32 ④

01 (가)에 부정적 현실에 대한 극복 의지가 나타나있고, (나)에 나타나있지 않다.

02 명령형 어미인 '-라'를 사용하여 강인하고, 단호한 느낌을 주고 있다.

03 (가)의 화자는 '내 여기 가난한 노래의 씨를 뿌려라'라고 하며 자신의 희생정신을 드러내며, 부정적 현실에 대한 극복 의지를 드러내고 있다.

04 생명을 의미하는 '통시'와 반생명을 의미하는 '변소'를 통해 주제의식을 강조하고 있다.

05 ⓐ에는 시적화자의 희생적 태도가 드러나는데 윤동주의 '간'에

도 '목에 맷돌을 달고' '불'을 위해 희생하는 모습이 나타나있다.

06 ⓑ에는 생명 순환의 가치가 나타나있는데, 이한직의 '낙타'에도 '음지'에서 '버섯'이 피어난다고 하며 새 생명이 태어나고 순환하는 것에 대한 이야기를 하고 있다.

07 '매화 향기'는 '눈'이 내리는 추운 상황에도 굴하지 않고 향기를 내뿜는 것으로 보아 현실의 고난과 시련을 극복하겠다는 고매한 의지와 절개라고 할 수 있다.

08 (가)는 '눈'내리는 부정적인 상황에서도 매화 향기가 아득하고, 가난한 노래의 씨를 뿌리는 등의 현실 대응이 나타나고, (나)는 창밖에 '밤비'가 내리는 '어둠'의 부정적 상황에도 등불을 밝혀 어둠을 내몰겠다는 시적 화자의 대응이 나타나 있다.

09 '끊임없는 광음'은 세월이 많이 흘렀다는 것을 의미할 뿐, 인생 무상을 느낀다고 할 수 없다.

10 (나)는 '어둠', '등불' 등의 시각적 이미지와 '땀내와 사랑내'의 후각적 이미지를 통해 시적 화자의 정서를 심화하고 있다.

11 '홀로 침전하는 것'은 하강적 이미지로, 시적 화자가 홀로 좌절하고 절망하는 부분이라고 할 수 있다.

12 (나)의 화자는 1연에서 창 밖의 밤비를 보다가 자신이 현재 있는 '육첩방'을 보며 자신의 내면에 집중하며 성찰하다가, 8연에서 1연의 두 행을 뒤집으며 내면에 집중하던 화자가 외부 세계를 바라보게 되며 '등불'로 '어둠'을 내몰겠다는 현실 극복의 의지를 보이고 있다.

13 '지금 눈 나리고'에는 시적화자의 부정적 현실 인식이 드러나는데, 조지훈의 승무에서는 부정적 현실인식은 드러나지 않고, 시간적 배경으로서의 '밤'만 드러나 있다.

14 매화향기가 아득한 것이 과거의 광야를 그리워한다고 할 수 없고, 현실 극복의 의지가 드러나있다고 할 수 있다.

15 (가)는 광야의 신성성을, (나)는 역사의 시작을 의미한다. 이것은 광야가 쉽게 침범당할 만한 공간이 아니라는 것을 의미하는 것이며, (다)는 부정적인 현재 상황을 나타내고, (라)는 희망찬 미래의 도래를 말하는데 (라)의 부재가 (다)의 부정적 현실의 이유가 되진 않는다.

16 (나)에도 (가)와 마찬가지로 '내일이나 모레나 그 어느 즐거운 날'이라고 하며 긍정적인 미래의 도래에 대한 믿음이 드러나 있다.

17 윗글에는 가정적 상황이 드러나지 않는다.

18 윗글의 '지금'은 현재의 부정적 상황을 말한다. '제비 떼 까맣게 날아오길'에서는 좋은 소식을 기다리는 화자의 태도를 확인할 수 있지만 현실의 부정적 상황을 확인할 수는 없다.

19 윗글은 부정적 현실이라는 추상적 개념을 '눈'에 빗대거나, 부정적 현실에 대한 극복의지를 '매화 향기'로 드러내는 부분에서 추상적 개념의 구체화를 확인할 수 있고, 〈보기〉에서는 추상적인 '마음'을 '종이 연'이라고 표현한 부분에서 확인할 수 있다.

20 '눈'은 부정적 현실을 의미하는데, '강철로 된 무지개'는 부정적 현실을 극복해 낸 뒤에 오는 희망찬 미래라고 할 수 있다.

21 윗글의 '눈'은 현실의 부정적 상황을 말하는데 복효근의 '겨울

숲'에서도 '언 땅'속에서 '그대'와 '내'가 추위와 시련을 견뎌내고 있기 때문에 부정적 상황이라 할 수 있다.

22 '나라의 높은 분'은 반생명을 의미하는 '변소'를 만들라고 지시한 사람이다. 따라서 ⓔ의 지시로 생명력을 의미하는 'ⓑ통시'를 유지할 수 있었다는 설명은 적절하지 않다.

23 '하늘 가까운 섬사람들'은 자연과 생명의 섭리는 아는 사람들로, 성찰 없는 개발에 대한 문제의식을 제기하지 않았다.

24 (가)는 통시를 통해 생명의 순환 과정을 통해 생태적 가치관에 대한 인식을 드러내고 있고, (나)는 질그릇이 부서지며 다시 흙이 되는 순환을 통해 화자의 인식을 드러내고 있다.

25 (가)에는 3음보 율격이 드러난다고 할 수 있지만 (나)에는 음보가 드러나지 않는다.

26 (가)에는 공간적 단절감은 드러나지 않는다. 이별의 상황을 가정하고 그에 대한 화자의 심정을 노래한 것이다.

27 ①, ②, ③, ⑤는 절대론적 관점에 의한 감상이고, ④는 반영론적 관점에 의한 감상이다.

28 ⓐ는 광야에 내리는 부정적 현실이며 시련과 고난을 의미하는데, ⓑ는 살아있는 존재이며 '가래'를 정화해 줄 수 있는 순수를 의미한다.

29 (가)에는 공간이 드러나지 않고, 이별의 상황에 대한 슬픔을 말하고 있는데 (나)는 '통시'라는 특정 공간에 생명력을 지닌 공간이란 의미를 부여하고 있다.

30 (가)의 3연에는 잡아두고 싶지만 서운하면 오지 않을까 두려워 잡지 못하는 화자의 모습이 드러나고 있으므로 감정이 격렬해진다는 표현은 적절하지 못하다.

31 (나)는 '−지요', '−군요' 등의 부드러운 종결 표현을 통해 문장의 길이가 긴 이야기체를 활용하고 있다.

32 '흙'은 생명력을 의미하는데 '시멘트'는 반생명을 의미하므로 흙과 대조적인 의미의 시어이다.

서술형 심화문제   P.195~199

01 부지런한 계절이 피어선 지고

02 (1) 시적 화자는 일제강점기라는 부정적인 상황에서 자기 희생을 통한 극복의 지를 드러내고 있다.
(2) 사회문화적 가치는 민족의 독립이다.

03 눈, 일제 강점기

04 인간과 자연이 분리되지 않고 생명의 순환이 일어나는 신성한 공간인 '통시'를 의미한다.

05 '통시'는 인간이 자연의 일부로 살아가는 삶을 의미하고, '변소'는 인간이 자연과 분리된 삶을 의미한다.

06 통시와 같은 생명의 공간이라는 의미를 담고 있다.

07 '광야'는 우리 민족의 삶의 터전으로, '눈'이 내리는 부정적인 상황이고, 화자는 자기 희생을 통해 현실을 극복하려고 한다. 〈보기〉의 '춘천'은 화자가 아직 가 본 적은 없지만 가고 싶어 하는 긍정적인 공간에 해당한다.

08 시적 화자는 일제 강점기 민족의 독립이라는 사회 문화적 가치를 드러내고 있다.

01 추상적 개념의 구체화가 나타난 부분이다.

(2) 황만근은 이렇게 말했다

01 마을사람들은 황만근이 사라진 것에 대해 책임감을 느끼지 않는다.

02 ㉠은 사람이 모두 모여 백 명도 되지 않았다는 것은 사람이 많았다는 뜻이 아니라 적었다는 뜻이고, 황만근을 무시하는 발언이다.

03 황만근이 나이가 들며 지혜를 얻었다는 뜻이지 과거와 달라졌다는 것은 아니다.

04 이 글에는 황만근의 행적에 대한 비판이 나타나지 않았다.

05 황만근의 어머니와 아들은 황만근이 고생한 것에 대한 감사도 전혀 표하지 않고, 개의치 않게 그냥 받아들였다.

06 ㉠에는 모두가 다 아는 일을 뜻하는 말이 들어가야 하는데, 명약관화는 '불을 보듯 분명하고 뻔함'이라는 뜻이다. ㉡에는 모든 사람들이 같은 말을 한다는 말이 들어가야 하는데, 이구동성은 '여러 사람의 말이 한결같음'이라는 뜻이다.

07 황재석이 황만근에게 하는 말은 황만근의 수고를 고마워하지 않고 오히려 거꾸로 합리화 하는 것이다.

08 이 글에는 인물의 겉모습(외양)이 어떠한 지에 대한 묘사는 나오지 않는다

09 황만근은 어려서부터 자연의 이법에 통달한 것이 아니라 나이가 들어 가면서 자연의 이치를 알게 된 것이고, 자신의 지혜를 남들에게 가르치려 들지 않았고, 농사를 지을 때는 빚을 지지 않고 지어야지 빚이 있으면 오히려 농사꾼을 바보로 만든다고 하였다.

10 ㉢에서는 궐기대회를 한다고 해서 '높은 데 사는 양반들'에게 들리겠냐고 비꼬며 농가 부채 문제가 해결되지 않을 것이라고 생각하고 있다.

11 집집마다 경운기, 트랙터, 콤바인, 이양기 등 많은 기계가 있다는 것으로 보아 장비 및 시설을 잘 되어있다고 말할 수 있다. 하지만 그러한 장비들이 모두 빚을 져 장만한 것이라는 것이 문제이다.

12 감복시키다는 '크게 감동시켜 충심으로 따르게 하다.'라는 뜻이다.

13 이 글은 전지적작가시점으로 등장인물이 서술자가 아니고 작품 바깥의 존재가 서술자이다.

14 이장이 군청까지 트럭을 타고 간 것은 마을 사람들의 안전을 생각한 것이 아니고 자신의 안위만 생각한 것이다.

15 (나)에 나타난 주요 문제점은 농부들이 많은 빚을 지고 그것을 해결하지 못하는 상황이다. 일손이 부족하다는 언급은 나타나지 않았다.

16 황만근이 죽은 것은 마을사람들을 위해 희생된 것은 아니다.

17 황재석은 이기적인 인물이라서 자신이 황만근의 일을 대신해야 하기 때문에 황만근이 사라진 것에 관심을 가졌다.

18 윗글에는 실존인물이 등장하지 않는다.

19 이 글은 1990년대 농촌의 현실을 반영하고 각박한 인심에 대한 비판이 나타나있지만 유교적 덕목이 중요시되는 것은 아니다.

01 ㉢은 아무리 그래도 황만근은 동네 사람이라고 인정하는 부분이다.

02 (나)에는 농민들이 서로 돕지 않고 나라에 빚을 져서 기계를 쉽게 사들이다보니 결국 농민들의 부채가 심해졌다는 것이 나타나고 있다.

03 (다)는 묘비명으로 '민 씨'가 황만근에 대해 생각한 내용들이 언급되어 있다. 또한 황만근을 황 선생이라 부르며 그가 어떻게 살아왔는 지를 긍정적으로 예찬하고 있다.

04 정부가 빌려주는 융자금의 금액이 문제인 것이 아니라 농민들이 무턱대고 빚을 지는 것이 문제이다.

05 이 글은 인물의 행적을 객관적으로 서술하지 않았다.

06 마을 사람들은 황만근을 진심으로 걱정하지 않고, 자신들의 불편한 점만 생각했다.

07 민 씨는 묘비명의 서술자로 황만근의 행적을 기록하며 그에 대한 가치를 전달하는 역할이다.

08 마을 사람들은 황만근이 바보라고 무시하고 있으며, 그를 모범적인 농사꾼이라고 생각하지 않는다.

09 우사가 텅 빈 것은 구제역이 돌았기 때문이 아니라 사람들이 빚을 갚으려고 무리하게 일을 벌였기 때문이다.

10 사람들은 정부가 낮은 이자로 돈을 빌려준다는 사실을 몰랐던 것은 아니다. 또한 빚을 탕감하기 위해 농민들이 투쟁을 벌였지만 쌀값이 무리하게 오르지는 않았다.

11 (나)의 [A]는 황만근에 대한 긍정적이고 예찬적인 시선이 나오는데 안민영의 '매화사'에서도 눈속에서도 향기를 내뿜는 매화에 대한 시적 화자의 예찬적 태도가 나타난다.

12 ⓒ에는 황만근을 '큰 나무'에 빗대어 표현하며 예찬하고 있다.

13 신경림의 '농무'에는 '비료 값도 안 나오는 농사 따위야'라고 말하며 암울한 농촌의 현실에 대한 자조적 태도가 나타나있으므로 윗글과 공통적이라고 할 수 있다.

14 황만근은 '다 빚으로 산 기라. 농사지 봐야 그 빚 갚느라고 정신 없다.'라고 하면서 빚을 져서 과도하게 시설에 투자해서 무리하게 농사를 짓는 농촌의 현실을 비판하며 결국 '그 자금이 상환능력도 없는 사람들을 파산지경으로 몰아넣고 있다'며 농사짓는 사람들이 파산에 이르는 것을 말하고 있다.

15 황만근이 가난한 처지에 있는 사람들을 구제했던 것은 아니다.

16 ㉮는 황만근이 어려운 사람들을 널리 도울 것이라는 말인데, ㉣의 '죽은 아버지'도 버팀목으로 지탱한다는 점에서 유사하다고 할 수 있다.

17 "만그이가 있었으모 저 거름이 우리 밭으로 올 낀데. 만그이가 도대체 어데 갔노."와 같은 부분에서 등장인물들의 사투리가 나타나고, 이러한 표현은 작품에 현장감을 부여한다. 또한 바보형의 우직한 인물인 '황만근'을 제시하여 마을사람들의 이기적인 행동과 비교하여 이기적인 세태를 비판하고 있다.

18 황재석은 황만근을 자신 대신으로 거름을 푸고 뿌릴 사람으로 생각하고 있지 황만근의 공을 치하하는 인물은 아니다.

19 [C]는 황만근의 불찰을 비판하는 것이 아니라 황만근의 삶을 예찬하고 있다.

20 〈보기〉는 작품에 관련된 현실 상황과 비교하여 작품 내용을 파악해야한다는 관점을 설명하고 있다. 이러한 관점을 반영론적 관점이라고 하며, 그 당시 시대와 관련된 관점으로 작품을 읽은 것은 ⑤에 해당한다.

21 황만근은 영농자금 마련에 어려움을 겪었던 것이 아니다. '나는 내 짓고 싶은 대로 농사지민서 안 망하고 백년을 살 끼라.'라는

부분에서 황만근은 자신만의 농사를 잘 꾸려갔다는 것을 알 수 있다.

22 (가)는 서정갈래로 글쓴이의 주관적인 정서를 운율이 있는 언어로 압축하여 나타내는 갈래이다. (다)는 서사갈래인데, 서정갈래와 다른 점은 '여과'과정을 통한 압축이다.

23 (나)의 화자는 방랑과 정착의 사이에서 고민과 갈등하고 있지만 자연과 하나가 되고 싶은 것은 아니다.

24 (다)는 황만근의 여러 일화를 통해 인물의 성격을 드러내고 있다.

25 시간 순서대로 나열하면 (나)-(다)-(가)-(라)이다.

26 신지는 '신령스럽고 기묘한 지혜'라는 뜻으로 황만근을 '황 선생'이라 부르며 지혜로운 사람이며 누구에게도 함부로 하지 않고 가르침도 함부로 남기지 않았다는 것으로 보아 황만근을 긍정적으로 평가했음을 알 수 있다.

27 [A]는 전지적 작가 시점으로 작품 바깥의 서술자가 등장인물들을 서술해주는 부분이고, [B]는 황만근의 묘비명으로 '민 씨'가 서술자이다.

28 〈보기2〉의 인물은 '머슴'의 신분으로 가난한 처지에 있지만 투덜대지 않고, 화자에게 '가갸거겨'를 가르치고, '사람이 너무 호강하면 저밖에 모른단다'라는 교훈을 전달하는 '불빛'과 같은 존재이다. 황만근과 마찬가지로 공동체가 본받을만한 인물이라고 할 수 있다.

서술형 심화문제   P.249~251

01 까치밥, 짚신 몇 죽

02 내가 왜 빚을 안 졌냐고

03 ⓐ 빚 ⓑ 상부상조 ⓒ 자금 대여

04 황만근은 나라에 진 빚이 없다. "내가 왜 빚을 졌니야고 아무도 나한테 빚 준다고 안캐."에서 확인할 수 있다.

05 (a) 농사꾼은 빚을 지면 안된다. (b) 이타적

---

(3) 경험과 성찰을 담은 글 쓰기

확인학습   P.254

01 ○ 02 × 03 × 04 ○ 05 ○ 06 ○ 07 ○ 08 ○
09 ○ 10 ○

객관식 기본문제   P.255~261

01 ④   02 ③   03 ④   04 ②
05 ②   06 ③   07 ③   08 ③
09 ②   10 ⑤   11 ⑤   12 ②
13 ⑤

01 이 글은 고양이와 관련된 일화를 통해 나타난 글쓴이의 정서를 잘 드러내고 있으며, 일상적인 표현을 통해 글이 쉽게 읽힌다. 의인화와 긴박감은 나타나지 않는다.

02 글쓴이가 깨달은 것은 고양이의 인간에 대한 공격성이 아닌 인간에게 길들여지지 않으려는 본능이다.

03 글쓴이는 쓰레기 하나를 버리는데에도 신경을 쓰는 것을 보아 주변에 주의를 기울이는 성격이라 할 수 있다.

04 '눈으로 불을 뿜으며 으르릉 이를 드러내고 나에게 공격태세를 취하는 게 아닌가'라는 부분에서 '나'에게 적대적으로 대하고 있다는 것을 알 수 있다.

05 이 글에는 글의 내용을 압축하는 요약적 서술은 나타나지 않았다.

06 고양이에 대한 '나'의 오해는 먹이를 구하기 위해 쓰레기봉투를 뚫었다는 것이지 그 자체를 즐긴다는 것은 아니다.

07 글쓴이는 고양이에 대한 오해가 풀린 다음에도 냉소적 태도를 보이지 않았다. '슬며시 웃음이 났다'와 같은 부분에서 확인할 수 있다.

08 (다)에서 고양이는 글쓴이에게 '적의'를 보이는데, 이것은 글쓴이가 고양이에 대해 원래 기대했던 반응과는 반대되는 것이다. 여기서 반전이 일어났다고 할 수 있다.

09 역지사지는 '처지를 바꾸어서 생각하여 봄'이라는 뜻으로 (마)에서 글쓴이는 고양이의 입장에서 생각해보며 역지사지 하고 있다.

10 이 글은 고양이에 대한 하나의 사건만 나타나있기 때문에 여러 사건이 대비되거나 병렬적으로 제시되어있다고 할 수 없다.

11 이 글은 시간의 흐름에 따른 순행적 구성으로 이루어져 있다.

12 '고양이들끼리 통하는 생각은 인간이라는 머리 검은 동물에게 길들여진다는 건 자유와 자존심을 담보로 해야 하는, 즉 죽느니만도 못한 짓이라는 것일지도 모르겠다.'라는 부분을 보면 고양이 자체를 길들여야 한다고 생각하는 것은 글쓴이의 깨달음이라고 할 수 없다.

13 '띠다'는 '감정이나 기운 따위를 나타내다.'라는 뜻이고 '뜨이다'는 '감았던 눈이 벌려지다.'라는 의미로 ⑩에 들어갈 것은 '띠다'가 적절하다.

객관식 심화문제   P.262~272

01 ③	02 ④	03 ⑤	04 ⑤
05 ⑤	06 ②	07 ①	08 ④
09 ⑤	10 ②	11 ④	12 ⑤
13 ①	14 ④	15 ②	16 ③
17 ①	18 ④	19 ①	

01 이 글은 '수필'로 글쓴이의 경험과 느낀 점이 나타난다. 함축적인 언어는 주로 '시'에 많이 사용되는데 이 글에는 함축적인 표현이 쓰이지 않았다.

02 ㉠ 무참하다 : 몹시 끔찍하고 참혹하다.
   ㉡ 촙촙하다 : 너절하고 염치가 없다.

㉢ 발라내다 : 겉에 둘러싸여 있는 것을 벗기거나 헤집고 속의 것을 끄집어내다.

㉣ 적의 : 적대하는 마음. 또는 해치려는 마음.

03 글쓴이는 인간이 아닌 고양이의 관점에서 생각을 정리하며 고양이에 대해 오해를 풀게 되었다.

04 '나에 대한 녀석의 적의는 곧 저렇게 생긴 인간이라는 족속에게 길들여지면 절대로 안돼, 라는 제 새끼들에 대한 강력한 경고가 아니었을까'라는 부분을 보면 고양이가 새끼들을 향해 인간에 대한 경고의 메시지를 보냈다고 생각한 것은 글쓴이가 원래 고양이에 대해 오해했던 것이 아니라 오해를 풀고 난 뒤에 한 생각에 해당한다는 것을 알 수 있다.

05 이 글은 순차적 흐름에 따라 내용을 전개하는 순행적 구성이다.

06 이 글의 글쓴이는 자신의 입장이 아닌 고양이의 입장에서 생각하고 판단해보며 고양이에 대한 오해를 풀게 되었으므로 가장 적절한 반응은 ②이다.

07 〈보기〉에는 결과는 상대에게 오해를 불러왔다고 할지라도 오해를 풀어주기 위한 노력이 있었지만, 윗글에는 오해를 풀어주기 위한 노력은 나타나지 않는다.

08 이 글은 순행적 구성으로 이루어져 있고, 역설적 인식은 드러나지 않으며, 설의적 표현이 나타나지 않고 대상과의 관계 회복을 바라는 마음이 드러나지 않았다.

09 이 글은 자신의 관점이 아닌 상대의 입장에서 생각해 볼 것을 말하고 있다. 따라서 '자신의 관점'을 세울 것을 요구한다는 표현은 적절하지 않다.

10 이 글에는 요약적인 진술이 나타나지 않으며 순행적 구성에 따라 내용을 전개해나가고 있다.

11 이 글은 고양이에 대한 글쓴이의 경험을 통해 글쓴이가 느낀 점을 표현한 수필에 해당한다.

12 고양이가 나에게 공격 태세를 취한 것은 '나에 대한 녀석의 적의는 곧 저렇게 생긴 인간이라는 족속에게 길들여지면 절대로 안돼,'라는 부분을 보면 길들여지면 안되기 때문이라는 것을 알 수 있다.

13 윗글에서는 고양이와 관련된 경험을 통해 인간 중심적이 아닌 고양이의 입장에서 생각하고 판단해봄으로써 자신을 되돌아 볼 수 있었다는 것을 확인할 수 있다.

14 '나는 나에게 잘 얻어먹은 에미 고양이가 그 동안 해산을 해서 반질반질 잘 기른 새끼들을'이라는 부분을 보면 새끼를 낳은 직후가 아닌, 새끼를 낳고 어느정도 지난 후라는 것을 알 수 있다.

15 이 글에는 글쓴이의 내면만 나타나고 있다.

16 ㉢은 고양이에 대한 오해로 감동했던 모습이 나타나있고, ㉣에는 기대했던 것과 다른 고양이의 행동으로 놀란 모습이 나타나있으므로 감정이 급격하게 바뀌었다고 할 수 있다.

17 [A]의 동네 사람들은 '도둑고양이들이 많기 때문에 쥐가 거의 없다'고 했는데, 〈보기〉에는 그러한 내용과 관련된 부분을 확인할 수 없다.

18 무심하다 : 아무런 생각이나 감정 따위가 없다.

19 이 글은 순행적 구성으로 이루어져 있고, 주된 표현대상은 고양이로 고정되어 있으며, '수필'에 해당하기 때문에 작가와 서술자가 일치하며, 주관적인 자신의 생각을 표현했다.

서술형 심화문제

P.273~275

01 (1) 어미가 눈으로 불을 뿜으며 으르릉 이를 드러내고 나에게 공격 태세를 취하는게 아닌가.
(2) 인간 중심적으로만 생각하고 고양이를 오해했던 것을 반성하게 되었다.

02 (a) 속상함 (b) 감탄
(c) 인간 중심적으로만 생각하고 대상을 판단했던 것을 반성하게 되었다.

03 고양이는 내가 아닌 새끼들을 향해서 경고의 메시지를 보냈을 것이다.

04 ㉮ 고양이가 좋아할 먹이를 두자 고양이가 음식을 먹었다.
㉯ 고양이가 나에게 적의를 보이더니 새끼들을 데리고 사라졌다.

단원 종합평가

P.276~282

01 ④	02 ③	03 ③	04 ②
05 ④	06 ⑤	07 ⑤	08 ②
09 ④	10 향토성, 생동감, 사실성을 높인다.	11 ①	
12 ⑤			

01 영속이란 '영원히 계속 됨'이라는 뜻으로 '까마득한 날'부터 '지금'을 지나 '천고의 뒤'까지 시간의 영속성을 보이고 있다.

02 (가)의 화자는 '가난한 노래의 씨'를 뿌리는 모습을 구체적으로 인식할 수 있고, 〈보기〉의 화자는 3연까지는 지쳐있는 듯하지만, 4연에서 '겨울은 강철로 된 무지개'라는 역설적 표현을 통해 긍정적인 미래의 도래를 바라는 모습에서 의지적 모습을 확인할 수 있다.

03 ㉢은 자연의 순환을 말하는 것이지 약육강식을 말하는 것이 아니다.

04 (나)는 경어체를 통해 차분한 느낌이 나는데, 격정적이라는 표현은 적절하지 않다.

05 (다)에는 사회적 통념에 대한 비판이 나타나지 않았다. 사회적 통념이란 사회에서 일반적으로 널리 통하는 개념을 뜻한다.

06 역지사지는 '처지를 바꾸어서 생각하여 봄.'이라는 뜻으로 글쓴이는 자신의 입장이 아닌 고양이의 입장에서 생각해 보고 있으므로 글쓴이의 태도와 관련된 한자 성어는 역지사지가 적절하다.

07 액자식 구성이란 이야기 속에 또 하나의 이야기가 들어있는 것을 말하는데 윗글은 여기에 해당하지 않는다.

08 ㉠은 '있다'를 속되게 이르는 말.'이므로 ②와 가장 의미가 유사하다고 할 수 있다.

09 이장은 '황만근'의 실종보다 '그 바보 자석 하나 따문에 소여물도 못 하러 가고 이기 뭐라'라고 하며 자신의 손해를 더 생각하는 모습을 보였다.

11 황재석도 다른 마을 사람들과 마찬가지로 황만근을 '반그이'라고 부르며 무시하는 태도를 보이고 있다.

12 이장은 자신이 잘못 한 것은 전혀 생각하지 않고 오히려 상대를 질책하는 말하기를 하고 있는데 이것은 적반하장(도둑이 도리어 매를 든다는 뜻으로, 잘못한 사람이 아무 잘못도 없는 사람을 나무람을 이르는 말)과 가장 잘 어울린다.

고등국어
HIGH SCHOOL

문제은행
실전기출